CÓMO LLEGÓ LA NOCHE

HUBER MATOS
CÓMO LLEGÓ LA NOCHE

19
TIEMPO
DE MEMORIA
TUSQUETS
EDITORES

1.ª edición: marzo 2002
2.ª edición: abril 2002

Ilustración de la sobrecubierta: Fidel Castro y su ejército entran en Santa Clara camino de La Habana (Santa Clara, Cuba, 1959). A la derecha de la imagen, Huber Matos, y a la izquierda, Camilo Cienfuegos. © Burt Glinn / Magnum

Diseño de la colección: Lluís Clotet y Ramón Úbeda
Reservados todos los derechos de esta edición para
Tusquets Editores, S.A. - Cesare Cantù, 8 - 08023 Barcelona
www.tusquets-editores,es
ISBN: 84-8310-791-0
Depósito legal: B. 14.896-2002
Fotocomposición: Foinsa - Passatge Gaiolà, 13-15 - 08013 Barcelona
Impreso sobre papel Offset-F Crudo de Papelera del Leizarán, S.A.
Liberdúplex, S.L. - Constitución, 19 - 08014 Barcelona
Impreso en España

Índice

Prólogos
Hugh Thomas
y Carlos F. Echeverría

Huber Matos fue en su juventud un maestro de escuela lleno de ideales. Tenía además experiencia en el cultivo del arroz. Esta combinación debería haberle convertido en un ciudadano extremadamente valioso en la Cuba moderna. De hecho, eso es lo que originalmente parecía que iba a ocurrir. Matos, incapaz de aceptar al corrupto dictador Fulgencio Batista, se sumó a las protestas contra él y, más tarde, a la rebelión. Se unió al Movimiento 26 de Julio de Fidel Castro (movimiento insurreccional surgido a raíz del asalto al Cuartel Moncada el 26 de julio de 1953), donde prestó destacados servicios. Tras el triunfo de la Revolución en enero de 1959, Matos fue nombrado gobernador militar de la región de Camagüey, la principal región ganadera de la isla.

Hasta ese momento el Movimiento 26 de Julio no había tenido mucho que ver con el comunismo. Había personas ligadas al comunismo, como Raúl Castro y el Che Guevara, al margen de otros miembros de segunda fila del ejército rebelde; había también, por supuesto, un partido comunista (el Partido Socialista Popular), que tomaba parte activa en la vida cultural del país (con figuras como el poeta Nicolás Guillén, por ejemplo, o Juan Marinello), pero que no parecía tener muchas posibilidades de alcanzar el poder; muchas menos que los partidos comunistas de Italia o Francia, sin ir más lejos.

Pero durante 1959 Fidel Castro, ya en el poder, se unió a esa causa. Este hecho se debió, en parte, a los consejos de su hermano y del íntimo amigo de ambos, el Che Guevara; en parte también, a que Castro quería causar los mayores problemas posibles a Estados Unidos, al que consideraba, como muchos nacionalistas cubanos, el genio maligno de la Cuba independiente (cualquiera que dude de este aspecto de los motivos de Castro debería leer el conocido relato de su conversación con Rómulo Betancourt en enero de 1959), y finalmente, porque al ser consciente de que una disputa con Estados Unidos tendría consecuencias económicas, creyó conveniente encontrar un socio comercial alternativo para el azúcar cubano, y Rusia (la Unión Soviética) era el único candidato posible. Quizás el tremendo éxito de su reputación llevó a Castro a creer que sería capaz de inspirar movimientos revolucionarios en

11

América Latina y convertir los Andes en una segunda Sierra Maestra del continente.

Esta decisión provocó la escisión del Movimiento 26 de Julio. Algunos de los que realmente nunca habían pensado que su líder derivaría hacia la izquierda totalitaria permanecieron en Cuba pese a todo (Armando Hart, el ministro de Educación es el mejor ejemplo). Muchos otros abandonaron la Revolución. Entre éstos se hallaba Huber Matos. No hizo nada contra el régimen, pero fue arrestado en su propio cuartel general, sometido a un juicio sumarísimo y encarcelado durante veinte años, una sentencia que cumplió íntegramente. Fue liberado en 1979.

Conocí a Huber Matos en 1980 y colaboré en la organización de una visita suya a Londres. Di un almuerzo en mi casa para unas treinta personas a las que consideré interesadas en conocer a alguien que había padecido tantos años de cárcel en condiciones tan duras.

Recuerdo bien tres cosas de aquel almuerzo. En primer lugar, alguien ya fallecido, un inglés para más señas, destacó los magníficos modales de Matos. «Eso es precisamente Cuba, para que veas», le dije yo. Eso es algo que sorprende a todo el mundo cuando habla con cubanos. Otra persona me dijo: «Sabes, Hugh, se le ve tan relajado, habla de sus años en prisión como si hubiera sido un viaje de fin de semana». Por último, recuerdo haberle sugerido a Matos que escribiera un libro sobre su experiencia. Creo que muchos otros hicieron lo mismo, y nada ocurrió. Pero ahora, al fin, tenemos estas memorias. Huber Matos ha escrito un libro lleno de fuerza y conmovedor. Estoy seguro de que será un éxito por el modo en que describe una experiencia terrible, que la mayoría de nosotros nunca viviremos. No es el primer libro de alguien que haya pasado largo tiempo en las cárceles cubanas, pero sí que se trata del primero que ha sido escrito por uno de los protagonistas de los hechos que describe. Un protagonista que, de haber vivido en libertad, habría podido liderar una oposición democrática a Castro. Quizás, en el futuro, caiga algún día sobre sus hombros un papel semejante.

Hugh Thomas, febrero de 2002

Huber Matos, comandante de la Columna 9 del Ejército Rebelde y uno de los colaboradores más cercanos de Fidel Castro en la Sierra Maestra y en los albores de la revolución cubana, ha escrito un libro de memorias que se lee como una novela.

El libro tiene dos grandes partes, que de hecho podrían dar lugar a volúmenes independientes. En la primera, el autor describe su experiencia como opositor al régimen de Batista, como guerrillero rebelde y finalmente como comandante victorioso a cargo, entre otras misiones, de la toma de la ciudad de Santiago de Cuba, la segunda en importancia en el país. La narración, escrita en la prosa sencilla pero impecable de un buen educador (Matos se dedicaba a la docencia antes de ingresar al ejército rebelde) es rica y minuciosa en la descripción de personajes y batallas. Dividida en capítulos breves, concisos y concentrados en algún acontecimiento importante, va perfilando la personalidad y las actitudes del autor, junto con las de algunos de los principales revolucionarios: el Che Guevara, Camilo Cienfuegos y por supuesto Raúl y Fidel Castro.

La segunda parte del libro relata, con igual intensidad, la experiencia del autor a partir de sus divergencias ideológicas con Raúl, Fidel y el grupo revolucionario marxista, una vez en el ejercicio del poder. Esas divergencias, como se sabe, condujeron al encarcelamiento de Matos por veinte años, a lo largo de los cuales padeció toda clase de torturas físicas y psicológicas, y fue testigo y protagonista de numerosas pequeñas odiseas, en el estrecho mundo de las celdas y los calabozos dedicados a los prisioneros políticos. La descripción detallada de hechos y personajes, escrita desde una memoria serena y lúcida, permite al lector asomarse a un área extrema de la experiencia humana: la del preso político confinado por largos años en las prisiones de Castro.

En su interés por ceñirse a los hechos, Matos se mantiene equidistante del elogio y de la diatriba. A lo largo del texto palpita la pasión de quien vio traicionados los ideales por los que él y muchos otros cubanos se sumaron a las filas del ejército rebelde, pero esa pasión nunca se desborda, nunca altera el flujo de una narración precisa y ordenada. El autor se muestra concentrado más en des-

cribir las cosas como fueron, o como él las pudo ver, que en blandir su dedo acusador o emitir juicios o proclamas políticas. La lectura compromete al lector precisamente porque deja que los valores surjan de los hechos, y por el temple moral del autor, que va emergiendo como una realidad indiscutible a lo largo de libro.

Carlos F. Echeverría
(ex ministro de Cultura
de Costa Rica entre 1986 y 1990)
San José, Costa Rica, febrero de 2002

NOTA DEL AUTOR

La vida de un individuo que ha luchado durante largos años contra dos tiranías es inseparable de la de su familia. María Luisa siempre ha compartido ideales y sacrificios conmigo. Por eso esta historia es también suya. Ella está presente como inspiración en estas páginas.

Nuestros hijos no han sido ajenos a mis luchas. Huber y Rogelio comparten mis ideales y esfuerzos. Les estoy agradecido por su tenacidad en la revisión y edición de estas memorias.

Mi gratitud al matrimonio costarricence, Celina y Roy Jiménez, por su apoyo entusiasta y el tiempo dedicado a la revisión del relato inicial, y a Angel De Fana que tuvo la paciencia de transcribir esa primera versión al formato electrónico.

La publicación de este libro es una forma de agradecer a quienes desde diferentes países gestionaron mi libertad, oraron por mi vida o se interesaron por mi suerte. Sin su solidaridad, en la que creo ver el favor de Dios, mi existencia habría concluido en las prisiones y este relato nunca se habría escrito.

Miami, 14 de enero de 2002

Cómo llegó la noche

1
De las cavernas a la luz

> Estoy en el umbral de una nueva vida... Nadie me va a llevar para acá o para allá como una bestia encadenada...

—Vístase, usted se va hoy.

Miro escrutadoramente al carcelero, un sargento que extiende su brazo para entregarme un pantalón y una camisa.

—Aquí tiene un cacharro con agua para que se bañe —añade mientras sonríe cínicamente.

Y se marcha. La puerta de la celda, una pesada plancha de acero, chirría y retumba al cerrarse.

Estoy tenso, pero me esfuerzo en mostrarme sereno. No puedo creer en esta comedia de mi libertad porque durante años me han repetido mil veces que tengo que morir en la prisión. Ahora, después de haberme propinado una paliza que me duele en cada hueso, estos matones pretenden hacerme creer que voy para la calle. ¿Por qué no regresaron a rematarme cuando les grité que no les temía, que volvieran? ¿No se atreven?... ¡Se atreven a todo! Destruir seres humanos es su oficio. Todavía no han recibido la orden.

Son las seis de la mañana del 21 de octubre de 1979, he cumplido, desde el primero hasta el último día, una sentencia de veinte años de cruel e injusta prisión. Viene el cambio de guardia. La incertidumbre y el ansia de libertad me atenazan. ¿Será cierto? ¿Es una burla más o es un rayo de luz hacia la vida?... ¡Veinte años de rejas y horrores! El tirano y sus esbirros gustan de bromas crueles con sus prisioneros políticos. ¡Cuántos presos no han sido apaleados después de haber llegado al término de su condena y están todavía consumiéndose en las mazmorras! Sueño con la vida en libertad y sin embargo estoy preparado para lo peor.

Me quito mi uniforme presidiario, hediondo y desgarrado, con inequívocas huellas de violencia. Intento asearme... ¡Ah, los golpes! ¡Cómo me duelen los golpes que me dieron estos esbirros hijos de puta!

Mal o bien, me visto con la ropa nueva. Ropa de calle con sabor a cárcel. ¿Qué más da? Vamos a seguir la comedia.

Otra vez se abre la pesada puerta de acero. El carcelero viene con otro personaje que hace las funciones de barbero.

Unos cuantos tijeretazos repartidos en mi cabello ralo, en medio de un silencio hostil, me dejan listo para lo que intentan hacer conmigo.

Entran tres sujetos más y el enigma se hace más enigma. ¿Qué pretenden estos bribones? Los conozco: uno es el coronel Blanco Fernández, hombre con cara de gente buena, que desde ayer está en su comedia como apaciguador. Los otros, un par de sujetos cretinoides, son los dos esbirros que más furiosamente me golpearon hace cuatro días.

¿Y por qué el coronelito «máscara buena» viene acompañado de estos perros malvados? No entiendo.

—Vámonos —habla el coronel mirándome con aire profesoral—, llegó la hora de ponerlo en libertad tal como le anuncié anoche. No tenemos interés en quedarnos con sus huesos, a usted le queda poco camino por andar. Su familia está afuera esperando y todo está dispuesto para su salida inmediata del país. Salimos de la celda, el coronel va delante. Lo sigo, escoltado por los chacales. Caminamos por los pasillos de este antro de tortura, chantaje y crimen, que los comunistas llaman eufemísticamente «Villa Marista».[1]

Alcanzamos la calle en la parte frontal del edificio. Aparentemente estoy en libertad. Vuelvo mis ojos para contemplar, con fingida indiferencia y muda indignación, el edificio de la Gestapo castrista. Sin ser profeta afirmo que algún día el pueblo de Cuba reducirá a polvo y cenizas este templo del terror.

De un auto estacionado en la acera opuesta descienden dos mujeres. Corren a abrazarme. Son mis primas María Elena e Isabel. Por años ellas han cumplido con valentía y amor el papel de familiares cercanos, visitándome cuando el gobierno ha dado autorización.

El coronel, a quien acompañan ahora otros oficiales, se acerca para decirnos algo:

—Tenemos que ir a reunirnos con la misión enviada por el gobierno de Costa Rica.

—Pero... ¿estoy o no estoy en libertad?

—Haga lo que se le ordena —me contesta el coronel, un tanto contrariado por la pregunta que le hago para ver definida mi situación.

---

1. Antiguo seminario de los Hermanos Maristas, convertido en cuartel general de la Seguridad del Estado. *(N. del A.)*

En el automóvil de mis primas, facilitado por un familiar, partimos hacia el lugar indicado, seguidos de cerca por el vehículo en el que viajan el coronel y demás oficiales.

Tras media hora de recorrido llegamos a una hermosa mansión de dos pisos, ubicada en las proximidades del palacio de Convenciones de La Habana. No es una embajada ni un consulado.

Entro en la residencia con María Elena e Isabel. Nos reciben con muestras de simpatía. No por eso desaparecen mi desconfianza y tensión.

—Comandante Huber Matos, hemos sido enviados por el presidente de Costa Rica, licenciado Rodrigo Carazo, para recogerlo y llevarlo a San José.

El que me habla parece ser el principal entre las personas que se hallan aquí. Es un hombre joven con personalidad.

¿Es esta historia de la misión de Costa Rica una fábula montada para tomarme el pelo?, me pregunto. Y al que acaba de hablarme, le digo:

—Muéstreme sus credenciales.

El coronel y demás oficiales permanecen callados a un lado del salón. Los observo con disimulo porque me temo que unos y otros sean la misma gente.

Sorprendido por mi tono, que ha interpretado como inamistoso, mi interlocutor contesta:

—No tenemos por qué engañarlo. Soy el licenciado Mario Carazo, hijo del presidente de Costa Rica y vengo al frente de esta misión especial. Aquí tiene mis credenciales.

Paso mi vista por los documentos. Pido las credenciales de los otros tres miembros de la misión costarricense. Ellos son: Jorge Poveda, viceministro de la Presidencia, Willy Azofeifa, viceministro del Interior, y Óscar Vargas, cónsul general de Costa Rica, su más alto representante en Cuba.

Todo parece estar en orden.

La tensión comienza a ceder en mí. Me doy cuenta de que para estos hombres libres no es muy fácil comprender a un preso que regresa de unas cuevas donde ha estado sepultado en vida por dos décadas.

—Venga para que se asee —me dice el diplomático—, después desayunaremos. ¿Tiene usted hambre?

—Sí, bastante.

—Pues coma algo primero, vamos a la mesa.

Acepto. Los cuatro costarricenses, mis primas y yo nos sentamos a la mesa, muy pulcra y bien preparada. Dos sirvientes, hombre y mujer, nos traen un desayuno abundante y exquisito.

¡Pobres presos!, digo entre dientes, recordando el mundo de crueldad y miseria de las galeras y los calabozos. Pienso en el agua sucia y el pan mal cocinado que los carceleros nos dan cada mañana, a lo cual llaman «desayuno».

Pero el instinto de animal hambreado termina imponiéndose a las reflexiones. Mi estómago arrastra un hambre de cuatro días. Todavía tengo los nervios alterados. Echo mano a una taza de chocolate, después bizcochos, queso, mantequilla y frutas. ¡Tantos años sin disfrutar estas cosas!

Mientras estamos desayunando, el jefe de la misión costarricense comenta:

—Esta tarde volaremos a Costa Rica.

—¿Esta tarde? —replico—. No puedo irme de Cuba sin despedirme de mi madre. Tengo que llevar un ramo de flores a su tumba en el cementerio de Yara. Eso me tomará un par de días.

—Atiéndame, comandante Matos —me dice el diplomático—, se trata de un acuerdo al que hemos llegado con Fidel Castro, quien estuvo reunido anoche con nosotros. Usted nos ha sido entregado al cumplir su condena bajo el compromiso de trasladarlo hoy mismo a Costa Rica.

Los oficiales de la Seguridad del Estado, aparentando indiferencia, escuchan y observan a unos pasos de la mesa.

Insisto en la visita al cementerio.

—Es que no le van a permitir ir a donde usted desea. En cuanto dé un paso fuera de esta casa lo llevan de nuevo a la cárcel. Se pierde todo lo que hemos hecho por usted y nosotros quedamos invalidados para continuar gestionando la libertad de los demás presos políticos cubanos.

Este hombre me ha ganado la partida. Si los hago fracasar, muy poco o nada podrán hacer por la libertad de mis compañeros.

—Está bien, partiré con ustedes para Costa Rica.

Minutos más tarde estoy en el baño, dispuesto a asearme. Me rodean paredes relucientes, toallas preciosas, espejos y toda una fina colección de efectos para la higiene y el cuidado personal. ¡Qué extraño me siento en este palacio con tantas cosas maravillosas! Sin duda esta rica mansión es una de las tantas incautadas por el gobierno castrista a sus dueños y utilizada ahora para atender a visitantes extranjeros.

Al tratar de afeitarme, noto que la moderna y sencilla máquina de rasurar me resulta complicada. Resbala sobre los cortos pelos de mi barba y éstos quedan intactos; repito el intento unas cuantas veces y el resultado es nulo. Pido ayuda. Isabel y el viceministro Azofeifa vienen en mi auxilio. Entre risas y cariñosa compasión quedo afeitado.

Fracaso nuevamente al vestirme con un traje que me han traído mis primas. No acierto a abrocharme el pantalón cuyo cierre es de ganchos metálicos y cremallera. No tiene botones como mi uniforme presidiario y los pantalones de antes... ¿Tendré que pedir ayuda otra vez para una pamplina como ésta? Parece que el presidio me ha marcado haciendo de mí una pieza obsoleta; de nuevo me asisten.

Estoy vestido con mi traje nuevo. No, falta la corbata; rechazo la corbata, me recuerda la horca. Pero el amigo costarricense viene y con afecto me cuelga una de las suyas. Me aclara que la foto para el pasaporte tiene que ser con corbata. Estos costarricenses me están convirtiendo en un hombre manso.

Nos trasladamos a la casa de María Elena en la calle 20 de Mayo, muy próxima a la Plaza de la Revolución. Dos miembros de la misión de Costa Rica vienen en nuestro auto. El coronel y sus oficiales acompañantes nos siguen en el suyo, tratando de pasar inadvertidos, pero al tanto de todo.

La casa de María Elena, un apartamento mediano entre los muchos de este edificio de varias plantas, se colma de gente apenas llegamos. Familiares y amigos, así como vecinos del mismo edificio, vienen a saludarnos ignorando o desafiando al comité de vigilancia[1] de la cuadra y al Departamento de Seguridad del Estado, la policía política castrista, también conocida como G-2, representada por este grupito de oficiales.

El teléfono suena constantemente. La noticia de mi excarcelación se ha difundido pese al silencio oficial. La radio extranjera, según me dicen, está brindando información sobre el hecho. Isabel me ayuda a ser atento con quienes han venido a saludarme. Todos me tratan con afecto aunque me siento un poco torpe en este mundo diferente. María Elena está preparando un almuerzo pero no debo quedarme aquí, pues si siguen llegando personas, la Seguridad del Estado puede luego tomar represalias contra ella. El coronel Blanco Fernández, visiblemente contrariado, presiona para que nos marchemos. Desde las ventanas de un edificio cercano piden que me asome. Es gente del pueblo que expresa así sus simpatías.

1. Grupos organizados a nivel nacional, son instrumentos del aparato represivo conocidos como Comités de Defensa de la Revolución (CDR). *(N. del A.)*

Salimos a la calle, pero antes de entrar al auto tengo que demorarme unos segundos para saludar, con la mano en alto, a los que desde los balcones manifiestan su alegría por mi libertad. El coronel y su séquito miran hacia ellos con ojos de espías y luego bajan la cabeza para no enterarse del significado de la escena. El pueblo no los quiere. Por eso no me permiten visitar la tumba de mi madre. Le temen a estas espontáneas expresiones de solidaridad popular que son una tácita condena para el régimen. Vamos hacia donde está mi padre, voy con el corazón contento por tantas expresiones cariñosas y solidarias que refuerzan la esperanza de un porvenir distinto para Cuba.

Mi padre está sentado en el portal de una casa del G-2 en La Habana.

—¿Sabes quién está aquí contigo?

Me reconoce por la voz y por el cariño cuando, inclinado hacia él, beso sus canas y acaricio con mis manos las incontables arrugas de su blanco rostro en el que se reflejan sus noventa y cuatro años y su estoicismo.

—Es Huber. ¿Cómo estás, hijo mío?

—Estoy bien, padre. Creo que nos vamos hoy.

Éste es nuestro segundo encuentro en casi diez años. Un momento de comunión espiritual y evocación. Los dos pensamos, sin pronunciar su nombre, en la que está en el cementerio; para ella mi libertad llegó tarde. No, en verdad todavía no ha llegado pues no me permiten acercarme a su tumba. Han traído a mi padre de su hogar en el otro extremo de la isla para obligarnos a abandonar el país cuanto antes. Es un hombre muy bueno y valiente, que hace seis años perdió a mi madre al mismo tiempo que quedaba ciego, soportando ambos golpes con la mayor serenidad.

Con mi padre está mi hermana Tina, que también se irá conmigo, no así otros familiares cercanos aquí presentes, a los que se les niega la salida.

Converso con mis familiares y con personas amigas.

Desde Costa Rica hay una llamada telefónica. Es Eduardo Ulibarri, un joven periodista nacido en Cuba que dirige en Costa Rica el periódico *La Nación,* y que me ha defendido con su pluma. Contesto brevemente sus preguntas por gratitud hacia él y hacia Costa Rica. Como aquí no se respeta ningún derecho no quiero prestarme a hacer creer al mundo que en Cuba hay libertad de expresión.

Me hacen el pasaporte, quieren que me marche pronto. ¡Vaya una ironía! A los rusos los reciben y adulan como el lacayo a su amo. Lo que fue una revolución es ahora una prostituta.

Rápidamente nos conducen al Aeropuerto Internacional José Martí, al sur de la ciudad de La Habana. El vuelo, nos dicen, será a las seis de la tarde. Nos presionan repitiendo que estamos atrasados. Estoy enterado de que en la terminal de San José de Costa Rica hay muchas personas esperándonos.

Ya en el aeropuerto nos sitúan en un salón a la vista de algunos altos oficiales que, con caras hoscas de coroneles de la Seguridad del Estado, nos miran con un odio torpemente disimulado. Se sienten frustrados viéndome escapar con vida.

La espera se prolonga y no sabemos qué sucede, el espectáculo prosigue. Mi padre está sereno como siempre; mi hermana, nerviosa. Mis primas María Elena e Isabel continúan acompañándonos, pues solamente a ellas se les ha permitido venir a despedirnos. Ninguna de las dos desea salir de Cuba. Las veo meditativas y es que probablemente piensen que no volveremos a vernos. En la mañana estaban contentas aunque preocupadas, ahora en la tarde parecen estar tristes. Son dos almas llenas de bondad.

Varios de los coroneles se acercan para ofrecernos, con cínica mansedumbre, cualquier cosa que queramos tomar: café, té, jugos, refrescos. Tienen poco éxito. Entre los militarotes represivos descubro al capitán Justo Hernández, «Justo Vaselina», como le llamaban los presos cuando fue director de la Prisión de La Cabaña hace doce años. Ahora es coronel de la elite represiva y no creo que el ascenso se lo hayan dado sin prestar buenos servicios al dictador en las prisiones.

Nos informan que el aeropuerto está cerrado al tráfico hasta que nuestro vuelo despegue, no entiendo por qué han tomado esta medida.

Han transcurrido varias horas: tres, cuatro o cinco… Deben de ser por lo menos las once de la noche. ¿Qué pretenderán con esta demora tan prolongada? Como la mezquindad de Castro no tiene fronteras y sabemos que mucha gente espera en el aeropuerto de San José, no es ilógico suponer que se ha propuesto rendir al público por cansancio para que la bienvenida sea insignificante. Si el arribo es de madrugada ya la gente se habrá marchado a sus hogares.

Bien, parece que por fin partimos. Salimos por un pasillo hacia una explanada en la que se encuentra el avión. Han apagado las luces del aeropuerto, solamente veo prendidas las de la pista. Caminamos en medio de la oscuridad. Es obvio que han preparado cuidadosamente la despedida.

En la escalerilla del avión, mi padre, mi hermana y yo nos despedimos de María Elena e Isabel. Subimos y nos sentamos donde los militares del G-2 nos indican. No menos de una docena de agentes castristas se reparten los asientos próximos a los nuestros. El avión es de Cubana de Aviación, es decir, de Fidel Castro; ésta ha sido otra de las condiciones que él ha exigido a los costarricenses. Quiere tener control de la hora de salida y de la llegada a Costa Rica. El avión despega hacia San José.

Quedan atrás mis hermanos en las prisiones resistiendo los desmanes de torturadores y asesinos, como el coronel Medardo Lemus. Quedan el odio, el paredón, la simulación, el robo, la corrupción, la mentira, el hambre, las alambradas, la tristeza… También queda mi querida madre sin su ramo de flores; quedan mis dos primas, mis amigos… Y el pueblo cubano con sus frustradas aspiraciones de libertad y justicia… ¿Cuándo volverá a ser libre mi patria? Llegará el día inevitable y hacia ese amanecer seguiré dedicando mis esfuerzos.

Despierto de mis cavilaciones por la voz de mi padre, que me hace un recuento de los principales sucesos mundiales en los últimos tiempos. Me sorprenden su objetividad y buena memoria a los noventa y cuatro años. Sirviéndose de un radio de onda corta, él ha seguido los hechos relevantes del mundo, día tras día, pese a estar ciego; y se siente dichoso poniéndome al día. El viejo, de vez en cuando, me agarra la mano como para asegurarse de que estoy a su lado. En una oportunidad me dice:

—Yo sabía, hijo, que este momento llegaría y que no te ibas a desteñir en la cárcel.

Las dos horas y media del vuelo se van rápidas. Sobrevolamos el aeropuerto Juan Santamaría. Con toda seguridad es más de la una de la madrugada. Estoy a unos pasos de ser un hombre libre. Pienso en María Luisa, en su batalla de veinte años por mi libertad y en nuestros hijos a los que dejé de ver cuando eran niños. ¿Me reconocerán mis seres queridos después de tantos años?

La máquina ha tocado tierra, la tierra generosa de Costa Rica. Por segunda vez este país extiende su brazo para protegerme. Hace veintidós años, perseguido por otra dictadura, los costarricenses me dieron asilo en su embajada en La Habana y me trajeron a San José.

Una verdadera multitud nos espera en el aeropuerto, no obstante lo avanzado de la hora. Colocada la escalerilla, descienden primero mi padre y mi hermana Tina, tensa y a punto de llorar. Ahora lo hago yo. Levanto mi mano en alto, casi instintivamente, en señal de saludo, pero... ya estoy en tierra y un torbellino humano me envuelve y estremece con expresiones solidarias incontenibles. Mis amigos y la policía costarricense me empujan tratando de protegerme de un enjambre imposible. Descubro entre los rostros de la gente amiga a algunos de los compañeros de la Sierra Maestra. El corazón me late intensamente. En medio de una sucesión frenética de voces y rostros, me encuentro con María Luisa y nuestros cuatro hijos. Los seis nos confundimos en un solo e inmenso abrazo. Mi esposa llora. Igual nuestros hijos. Siento una emoción que me embarga todo el cuerpo pero no puedo llorar. Creo que los veinte años de resistencia en las cárceles me han condicionado para no exteriorizar los sentimientos más intensos.

Estoy un poco aturdido, sin embargo, vivo los minutos más plenos y trascendentes de toda mi existencia. ¡He regresado a la libertad y a la vida!...

Entre los flashes de la prensa los periodistas me piden respuestas y no sé decir nada. Insisten. Estos reporteros no comprenden que el hombre al que asedian viene de un mundo de sombras y de odio y que ha enmudecido al entrar en su nueva realidad.

Una entusiasta representación de la colonia cubana canta nuestro Himno Nacional. Las demostraciones de afecto y simpatía continúan. Se acerca para estrecharme en un abrazo el presidente de Costa Rica, licenciado Rodrigo Carazo. Mi amigo, el ex presidente José Figueres, también me abraza con lágrimas en los ojos y me repite:

—¡Huber, qué te han hecho! ¡Huber, qué te han hecho…!

Figueres se ha impresionado, ya no soy aquel hombre que él conoció; ahora soy una sombra. Sus lágrimas me estremecen.

Ministros, altos funcionarios y un número inesperado de personalidades, amigos y gente del pueblo celebran mi libertad.

Quisiera expresarles con palabras apropiadas mi reconocimiento y gratitud por todo cuanto han hecho para sacarme de la cárcel y por esta bienvenida tan afectuosa, pero no lo intentaré, creo imposible que pueda hablar sin decir algún disparate.

También están aquí y me abrazo a ellos, varios compañeros y amigos de la prisión: Pedro Ortiz, Jesús Silva, Heriberto Bacallao, Gustavo Areces y René Cruz, entre otros. Fueron excarcelados semanas atrás y traídos en el mismo avión; justamente ahora me entero de que hemos sido compañeros de viaje.

—¡Abuelito, abuelito! —me grita una niña, acompañada de otro pequeño, al tiempo que me hala por una mano como para rescatarme del tumulto y los abrazos. En vano. Pero su voz y su gesto han hecho nido en mi corazón. Enternecido, tomo conciencia del nuevo escalón generacional. Abrazo a mis hermanos Argelia y Hugo, también presentes. ¡Qué surtida experiencia estoy viviendo en menos de veinticuatro horas!

Los periodistas insisten. Mi hijo Huber, que me resulta una valiosa ayuda, recomienda que los atienda aunque sea por tres minutos. Pese al torbellino que envuelve mi mente, me dispongo a contestar una o dos preguntas, no más. Son muchas las que están haciendo a un tiempo, una lluvia de preguntas: «¿Cuáles son sus impresiones en este momento?». «¿Odia usted a Fidel Castro?» «¿Qué puede decirnos de la muerte de Camilo Cienfuegos?» «¿Tenía conocimiento de la campaña internacional a favor de su libertad?» «¿Cómo es la vida en las cárceles castristas?» «¿Lo han golpeado o torturado sus carceleros?» «¿Cuáles son sus planes?»…

Empiezo a contestar muy pausadamente. Mis nervios se han puesto aún más tensos. Mientras eslabono palabras con cautela, me pregunto si seré capaz de construir respuestas coherentes. Me parece que mis mecanismos de pensamiento y de expresión están enmohecidos y dañados definitivamente como secuela de los estragos del presidio. Sin embargo, contesto.

El diálogo es brevísimo. Lo cortamos prometiendo una conferencia de prensa para mañana, después de unas horas de descanso.

Salimos del aeropuerto en una caravana de varios automóviles, escoltados por la seguridad de Costa Rica. Hacemos alto en la residencia de los Sánchez Herrera, costarricenses; son los padres de Ligia, la esposa de mi hijo mayor. En esta casa impresionan las flores y el cariño. Están aquí con nosotros algunos periodistas tenaces que nos han seguido. Les dedicamos unos minutos en correspondencia a su interés.

La escala no se prolonga y seguimos camino en plena madrugada. Pienso en mis hijos. ¡Cómo ha cambiado el panorama familiar en estos largos años! Huber y Rogelio son dos hombres preparados, de claro entendimiento; su estatura es casi idéntica a la mía. Lucy es una mujer menuda, con semblante de adolescente y actitud observadora. Carmela es una esbelta muchacha de rostro muy dulce, más alta que la madre. Ella tenía justamente un año cuando me sepultaron en la prisión.

Al fin llegamos a «nuestra casa». Un buen amigo de Huber, Ramón Junco, se la ha cedido para que pase aquí unos días descansando con mi familia. María Luisa llegó ayer de Estados Unidos, donde reside.

Comienzo a respirar intimidad y quietud de hogar que tanto necesito. Estoy fatigado, mis ojos se cierran involuntariamente. Mi cerebro me pregunta si estoy viviendo una realidad pura o me pierdo en figuraciones y fantasías. ¡Tantas veces he soñado que estoy en libertad y luego he terminado despertando en mi camastro de presidiario hediondo y con las manos desoladoramente vacías! Observo detenidamente la habitación. No, no hay dudas. Descanso en una cama de verdad, junto a una mujer de verdad: María Luisa, mi compañera en estos caminos de altibajos que la vida nos ha impuesto.

A través del cristal de la ventana veo que está amaneciendo. Mi primer amanecer en horizontes de libertad. ¡Qué distinto mi paisaje de un día a otro!

Consigo dormir un rato, o así lo creo. Me levanto, necesito ir al baño. Por suerte está aquí, a tres pasos de la cama. Pero... un hombre en calzoncillos viene de frente hacia mí. «¡Carajo!, ¿qué haces aquí?», le grito agresivamente. María Luisa se despierta asustada y... los tres reímos a carcajadas. El «intruso» es mi propia imagen reflejada en un gran espejo que cubre exteriormente la puerta del baño.

Regreso a la cama y continúo riéndome de mi disparatada equivocación. Otras muchas cosas del mismo estilo tendrán que ocurrirme. Mis nervios están chamuscados. Necesito dormir, mi cabeza es un hervidero.

Mientras el sueño llega intento reconstruir lo que he vivido en estas veinticuatro horas febriles e inolvidables. Por mi mente pasan desordenadamente imágenes, a veces en sucesión lineal, a veces superpuestas, las escenas más intensas: el carcelero con la ropa y el cacharro con agua; María Elena e Isabel; la fachada de la Gestapo castrista; el avión en medio de la oscuridad; el odio de los coroneles brindándome jugo, café y refrescos; mi padre ciego; el desbordamiento de la bienvenida; los reporteros pidiéndome unas palabras en inglés cuando no puedo hablar ni en mi propio idioma; el encuentro con mis hijos y mi esposa... Comprendo: tengo que adecentar mi vocabulario suprimiendo las palabrotas del decir presidiario; aprender a vivir en familia. Necesito estudiar la personalidad de mis hijos. Soy un hombre libre.

Me voy quedando dormido o, por lo menos, mi pensamiento fluye mansamente en un estado intermedio entre la vigilia y el sueño. Estoy en el umbral de una nueva vida, aunque no por mucho tiempo, según los pronósticos de mis carceleros. Nadie me va a llevar para acá o para allá como una bestia encadenada. Nadie me va a castigar impunemente. Nadie me va a negar el sol o el aire. Podré caminar por el campo, ser una persona útil, cruzar el mar, contemplar el cielo estrellado, cultivar un huerto, escuchar música a mi gusto... Las tinieblas han dado paso al alba. Pero una larga noche de terror, odio y farsa ensombrece a Cuba.

Quizás haya dormido unos minutos. No sé bien. Una y otra vez los recuerdos me envuelven en obligado recuento, como si fuera imposible emprender nuevas jornadas sin inventariar el pasado. Hasta las arenas de mi conciencia llegan en olas las impresiones de toda una vida: mi infancia campesina, mi rebeldía ante la injusticia, mi vocación de maestro, el golpe de Estado de Batista el 10 de marzo de 1952, la conspiración, los camiones en la noche lluviosa, el exilio, la expedición, la Sierra Maestra, las horas del triunfo, la traición de Fidel, la muerte de Camilo, la farsa del juicio, las prisiones por dentro... He sobrevivido a la tortura, a las golpizas, a veinte años de acoso y barbarie. He sobrevivido sin renunciar a mis ideales, resuelto a seguir adelante hasta que Cuba sea libre o la muerte me separe de la lucha.

2

El golpe de Estado

> ¡Pobre Cuba! ¡El mismo espectáculo de los
> espadones encaramados sobre los derechos
> del pueblo, tantas veces visto en tierras de
> América Latina!

Manzanillo, 10 de marzo de 1952. Ya la ciudad está en movimiento, los botes de pesca salieron muy temprano del puerto. El comercio ha abierto sus puertas, los talleres y pequeñas industrias están en acción. En la bahía, los barcos cargan y descargan mercadería. Una suave brisa viene del mar hacia las colinas recorriendo sus calles rectilíneas, refrescando las casas limpias y modestas.

Con rostro de preocupación, el director de la escuela entra en mi aula y se me acerca. Nuestra primera clase en la mañana queda interrumpida con esta enigmática visita. ¿Qué traerá Ernesto Ramis entre ceja y ceja?, me pregunto. Nunca lo había visto tan sombrío.

En voz baja, me dice:

—Batista ha dado un golpe de Estado.

Permanezco callado. Entretanto, Ramis reitera:

—Sí, Huber, Batista es el dueño del poder.

Mirándonos, quedamos unos segundos en silencio.

—¡Es una vergüenza, una vergüenza! —me dice enseguida.

Una sucesión de ideas me invade. Estoy tan indignado como él; pero es demasiado grave lo que acaba de decirme como para que me limite a su escueta información. Sé bien que Ramis, antiguo maestro mío en esta misma Escuela Primaria Superior y desde hace siete años mi compañero y jefe de trabajo, es altamente confiable en lo que dice o hace. No obstante, necesito más datos.

El director deja el aula. Pido a los alumnos que mantengan el orden, voy a salir unos minutos. Camino apresuradamente los cien metros que nos separan de la oficina de Correos y Telégrafos. Personas amigas que trabajan en este lugar me confirman la noticia: «Sí, Batista entró con su gente en el Campamento Militar de Columbia en La Habana y se adueñó del poder...».

El grupo de personas que está aquí, en Correos y Telégrafos, se muestra desconcertado por el acontecimiento. Comprenden que es algo muy perjudicial para la nación. No exteriorizo ninguna emoción y con la indignación contenida regreso a la escuela. Hablo con Ramis.

—Lamentablemente, es tal como usted me dijo.

—¿Y tú qué harás?

—Organizaremos una protesta en la ciudad —le respondo—, creo que en otras partes de Cuba se hará lo mismo. Es posible que estemos a tiempo de hacer algo. Aún hay importantes mandos militares que no responden a Batista. Al menos, en Matanzas y Santiago de Cuba las jefaturas provinciales no apoyan el golpe.[1]

Pido permiso a Ramis para hablar sobre el hecho con los profesores y con los alumnos, que son más de trescientos jóvenes de ambos sexos, entre doce y dieciséis años, que cursan el séptimo y octavo grado.

Voy aula por aula explicando a los alumnos lo que representa para Cuba este golpe de Estado: un insulto al pueblo, un desafío a la ciudadanía, lanzar al país por el camino de la violencia cuando faltan solamente ochenta y dos días para las elecciones de junio de 1952, que garantizarían la continuidad democrática. Desde 1948 el doctor Carlos Prío Socarrás ha sido el presidente constitucional y corresponde a los cubanos, en los próximos comicios, decidir quién gobernará el país.

Unánimemente profesores y alumnos acordamos cerrar la escuela hoy en señal de protesta. Acompañado de algunos estudiantes me dirijo al Instituto de Segunda Enseñanza de Manzanillo, principal centro docente de la ciudad. Solamente está presente un tercio del total de los estudiantes, que son muchos. Converso con el director, José Sierra, con quien tengo alguna amistad. Acepta que el Instituto sea escenario de una protesta general. Los estudiantes de este plantel, entre los que hay muchos ex alumnos míos, están deseosos de exteriorizar su repudio al golpe. Ya algunos están en franca actitud de rechazo. Convenimos en celebrar, a las dos de la tarde, una asamblea de denuncia y repudio al cuartelazo, aquí en el propio Instituto.

Con un grupo más numeroso de estudiantes visitamos otros colegios pidiéndoles que se unan a la protesta. En la Escuela del Hogar, un centro educacional de señoritas, me encuentro con la grata sorpresa de que aquí no hay que hacer esfuerzo alguno para convencer a nadie, porque profesoras y alumnas se oponen al golpe de Estado. En este momento me comunican que la Escuela Normal, centro formador

---

1. El coronel Martín Elena en Matanzas y el coronel Álvarez Margolles en Oriente rechazaron públicamente el golpe de Estado. *(N. del A.)*

de maestros que funciona por la tarde y donde también ejerzo como profesor, a cargo de la cátedra de Ciencias Sociales, no abrirá sus aulas, uniéndose a la repulsa contra los militares golpistas.

Luego salimos a buscar la solidaridad de los sindicatos obreros y de la dirigencia de los partidos políticos. Los estibadores del puerto, que integran el grupo más importante del sector sindical, escuchan atentamente mi exposición pero se muestran escépticos. Entre esta gente, es sabido, hay una fuerte penetración comunista. Esta influyente tendencia marxista debe de estar aguardando órdenes de su dirigencia en La Habana. Esgrimo distintas razones. Les digo cómo veo el futuro del país bajo el férreo control de una dictadura militar. Trato de hacerles comprender que probablemente perderán sus derechos de agremiación, de reunión y de expresión. Responden vacilantes y les señalo que toda actitud pasiva puede ser interpretada como complicidad. Pero ni esto surte efecto. Hay un muro de reticencias entre ellos y nosotros.

Los comerciantes minoristas se muestran igualmente indecisos. Parecen más preocupados en proteger sus intereses económicos que en protestar.

Los dirigentes políticos prácticamente han desaparecido. Hablo, no obstante, con algunos de ellos. Es en vano, no hay voluntad para enfrentarse. Es una muestra de la ineptitud de la mayor parte del liderazgo político.

Vuelvo al Instituto, donde me aguarda una sorpresa. Contrario a lo acordado con el director, las puertas del plantel están cerradas imposibilitando la celebración de la asamblea en el recinto. Probablemente el amigo Sierra teme a las represalias.

Uno de los nuestros propone forzar las puertas.

—¡Vamos, vamos, echémoslas abajo! —gritan muchos alumnos, entusiasmados con la idea.

Pero es absurdo violentar esta casa de estudios para protestar por el uso de la fuerza contra los derechos del pueblo. Propongo en cambio celebrar la asamblea aquí frente al Instituto, utilizando como tribuna una acera alta. Es aceptada mi propuesta con gritos de aprobación y en contra de Batista. Los jóvenes que me rodean muestran la fogosidad de sus años mozos y llaman la atención de los transeúntes, logrando que algunos de éstos se nos unan. Soy el primero en hablar y lo hago con firmeza.

—¡Estamos contra Batista y su cuartelazo!... ¡Es inadmisible que un candidato presidencial que en las próximas elecciones tiene asegurado el último lugar por su impopularidad, asalte el poder imponiendo su

ambición y la fuerza de las bayonetas sobre la voluntad del pueblo!...
¡Estamos en presencia de un reto a la nación que demanda una respuesta de todo el pueblo!... ¡No aceptamos gobiernos de cuartel! Somos una república cuya fundación ha costado mucha sangre y muchos sacrificios... ¡Como ciudadanos estamos obligados siempre a defender nuestras libertades, a decir no a todos los ambiciosos que pretendan erigirse en amos de la nación, sin que importe el precio que hemos de pagar! ¡No! ¡Mil veces no al cuartelazo!

Me sigue un orador salido de la multitud, un joven de palabra fácil y encendida. Es estudiante universitario, me dicen que se llama Claudio Ante. Expone con singular elocuencia las razones de la gente para enfrentarse a los golpistas. Ahora hablan en sucesión dos muchachos líderes de aquí, del Instituto: Francisco Echevarría y Miguel Remón. Sus improvisados discursos arrancan fuertes aplausos. La vehemencia y el ardor de la protesta no nos impiden ver, a prudente distancia primero y luego cada vez más cerca, a algunos militares que nos observan. La cautelosa y mesurada actitud de los soldados es sintomática de que todavía sus superiores no se han plegado al golpe batistiano. Por eso llegan hasta nosotros y nos disuelven de buen modo. ¿Cuánto durará esta pasiva disposición hacia los que protestamos por el golpe?

Nos reagrupamos a dos cuadras del Instituto, ahora somos una manifestación de estudiantes, de algunos obreros y de otros ciudadanos que espontáneamente se suman.

Nos dirigimos por la calle José Miguel Gómez hacia el Parque Céspedes y nos detenemos detrás de la Iglesia católica. Aprovechamos unas barandas altas que nos sirven de tribuna para una nueva protesta. La gente del pueblo que anda en sus asuntos nos mira con reserva y muchas personas aceleran el paso para no comprometerse. Somos un foco de resistencia en medio de un mar de silencio, no importa. Alguien tiene que dar la cara por el pueblo.

Los militares nos dispersan nuevamente.

Volvemos a juntarnos y continuamos rumbo al Parque Céspedes. Es el punto central de la ciudad. Ya estamos en medio de los jardines interiores del parque, alrededor de la linda glorieta de arquitectura morisca, orgullo de los manzanilleros. La tarde avanza y el sol se oculta tras la silueta de los edificios. La brisa fresca que viene del mar aumenta, como crece también nuestra rebeldía.

Somos tres o cuatro los oradores, seré el último en hablar aquí. El primero es el estudiante universitario, lo está haciendo muy bien, con palabras precisas. Está erguido sobre los escalones que dan acceso a la glorieta. Habla otro y otro más. Los oradores somos improvisados voceros del pueblo que expresamos a viva voz la condena del sentir ciudadano. No defendemos al gobierno depuesto, inculpado por la opinión como falto de autoridad y de graves anomalías administrativas. Defendemos la institucionalidad democrática y el respeto a la voluntad popular.

Hasta el momento que iniciamos el acto aquí en el Parque Céspedes, la jefatura militar de la provincia, con sede en Santiago de Cuba, se ha mantenido contraria al golpe; hay allí expresiones públicas de apoyo a esa posición. Pero circulan rumores de que el jefe provincial del ejército, coronel Álvarez Margolles, ha sido destituido por oficiales progolpistas y que el nuevo mando se ha declarado incondicional de Fulgencio Batista y de su cuartelazo. Lamentablemente los rumores se confirman, según los últimos mensajes que recibimos.

Me llega el turno en la tribuna. Observo preocupación en casi todos los rostros. La noticia de que Batista controla totalmente el ejército es fatal, pero los pueblos no pueden renunciar a sus derechos por más que se les humille y se acopie fuerza contra ellos.

Mientras mis palabras desbordan indignación y alientan a resistir durante meses o años, hasta que la voluntad popular sea respetada, la tropa irrumpe con toda violencia en el parque. Los caballos en tropel, pisoteando los cuidados jardines; los jinetes con sus machetes[1] en alto, encimándose a la multitud, que responde con gritos y maldiciones, tratando de evadir la embestida.

En medio de la violencia continúo haciendo uso de la palabra o al menos sigo de pie, tercamente, en la improvisada tribuna, queriendo completar mi discurso. Ya nadie puede escucharme. Los caballos y los soldados dominan completamente la escena.

Me bajo de la tribuna con un polvorín de rabia dentro de mi pecho y un nudo en la garganta, casi a punto de llorar. Un cabo de apellido Riera, con fama de represivo por el uso arbitrario que hace de su uniforme y de su rango, avanza en su caballo hacia mí cortando la distancia con el machete en alto, listo para descargarlo en el momento preciso. No corro porque viene tan rápido que ya no tengo escapatoria, estoy petrificado y me quedo mirando fijamente los ojos del cabo. Esperando el relámpago de metal en mi cabeza y cuando ya estoy casi a su alcance, Riera hace girar el animal violentamente y se lanza a perseguir a otros manifestantes que están más lejos.

---

1. Espadas con las cuales golpeaban a la gente, sin usar el filo; el castigo era conocido como «el plan de machete». (N. del A.)

El escuadrón de caballería concluye su obra dispersando vandáli-camente al público en sólo unos minutos.

¡Pobre Cuba!... ¡El mismo espectáculo de los espadones encara-mados sobre los derechos del pueblo tantas veces visto en tierras de América Latina!

Nada me queda por hacer aquí y debo evitar que me arresten. Camino hacia la casa de mis padres, recorriendo en sentido inverso la calle José Miguel Gómez. Voy solo, derrotado y rebelde.

En el camino escucho comentarios de vecinos y transeúntes. Algunos hablan mal del presidente depuesto, doctor Carlos Prío Socarrás. Hubieran querido ver en él un gesto de protesta o resisten-cia. Pero en general la gente se muestra indiferente con respecto al golpe de Estado como si se tratara de un asunto que le es ajeno. Esto me resulta decepcionante e incomprensible. ¿Habrá perdido el pueblo cubano sus mejores virtudes? Nos han fallado los líderes nacionales. Ni el Partido Revolucionario Cubano (Auténtico), despojado del poder, ni el Partido del Pueblo Cubano (Ortodoxo), el más fuerte de la oposición, al que pertenezco, han salido a la calle a movilizar la ciu-dadanía contra los militares. Después de todo, ¿qué culpa tiene el pue-blo cuando faltan a sus deberes quienes le dirigen o le orientan? ¡Qué triste es todo esto!

La lucha comienza ahora y presiento que se tragará mi vida. ¿Quién me hubiera dicho que a los treinta y tres años de edad, y ena-morado de mi profesión de maestro, un golpe de Estado me obligaría a salir del aula y protestar hoy en la calle, en un desesperado esfuerzo local por salvar la libertad y las instituciones de la República?

La acción de Batista es realmente un golpe mortal para el país. Desde que se proclamó la Constitución de 1940 hemos tenido tres pre-sidentes elegidos por el pueblo. Es cierto que el primero de ellos fue Batista y la legitimidad de su elección es discutible, pero Batista entre-gó el poder en 1944 al doctor Ramón Grau San Martín y éste en 1948 al doctor Carlos Prío Socarrás, ambos elegidos por voto secreto y direc-to. También es cierto que estos tres gobiernos han estado viciados por la corrupción política y el manejo deshonesto de los fondos públicos, taras que vienen de las autoridades coloniales españolas que goberna-ron la isla por más de cuatrocientos años hasta 1898. Pero durante doce años ha estado vigente un orden constitucional que habría de conducir, eventualmente, al control de estos males. El pueblo llegaría a tener fe en el sistema democrático. El desarrollo económico de Cuba es indiscutible y el triunfo casi seguro del Partido Ortodoxo en las elecciones de este primero de junio de 1952 representaba una esperanza de honestidad en el manejo de los asuntos públicos. Este golpe de Estado, tres meses antes de las elecciones presidenciales, es nefasto.

Es una afrenta contra seis millones de cubanos. José Martí habló para su tiempo y para el nuestro: «... Que la ley primera de nuestra república sea el culto de los cubanos a la dignidad plena del hombre». Otros se sacrificaron para romper las cadenas de la colonia forjando paso a paso la República, que no fue una regalía de la intervención norteamericana —de ocultos apetitos imperialistas— a finales del siglo XIX,[1] sino el resultado de un esfuerzo continuado de varias generaciones a un costo de muchos miles de vidas y de inenarrables sufrimientos. Ahora llega nuestro turno para defender los derechos y la salud de la República que aquéllos nos legaron.

Al entrar a la casa de mis padres encuentro al tío Carlos, hermano de mi madre. Es una visita rara porque nunca viene a esta casa, pese a las buenas relaciones de la familia. Vive ocupado en sus asuntos. Es evidente que acaba de llegar y, más aún, que mi presencia lo desconcierta; actitud extraña en él, que siempre me trata con afecto. El motivo de su actitud se evidencia en las palabras que dice a mi madre.

—Mira, Salustina, lo que ha hecho hoy Huber es una locura. Desafiar a los militares que han tomado el poder es un absurdo. Está regalando la vida y presumo que será uno de los que morirán inútilmente como consecuencia del golpe de Estado.

No me sorprende su argumentación, que aunque obviamente implica preocupación por mí, exalta el pragmatismo sobre los valores éticos. Miro a mi madre sin ocultar confianza en su respuesta. Es una mujer con mucha riqueza de alma. Durante más de cuarenta años ha trabajado como maestra y directora de escuela, ya está retirada. Para ella el magisterio ha sido profesión y evangelio.

—Carlos —contesta mi madre—, tengo tres hijos hombres. Si la vida de los tres se va en esta lucha que comienza hoy, no me voy a sentir una madre infeliz. Ni tú ni yo pudimos hacer nada durante las guerras de la independencia, pues éramos niños. Ahora posiblemente tampo-

---

1. En 1898 Estados Unidos declararon la guerra a España, derrotaron sus ejércitos en Cuba y se quedaron con el control de la isla. El ejército de cubanos independentistas (mambises) que había librado una ardua guerra por la libertad de Cuba, golpeando seriamente a los ejércitos españoles, fue desconocido en sus derechos y privado de una eventual victoria contra España. *(N. del A.)*

co podremos hacer mucho porque estamos pasados de años. Dejemos que cumplan sus deberes los que quieren y pueden.

Mi tío calla; en su silencio hay comprensión. Con un movimiento afirmativo de su cabeza dice lo que piensa. Finalmente me aprieta fuertemente la mano y se retira. Mi padre ha estado presente en toda la escena sin decir una sola palabra; él respeta mi manera de pensar.

Me despido de mis padres y sentado al timón de la camioneta voy de regreso a mi casa en Yara, a unos veinte kilómetros. La ruta gris del asfalto va quedando atrás en un poniente cargado de significación y de bellas tonalidades púrpura. Los acontecimientos de hoy han golpeado mi conciencia. Este día marca el inicio de un nuevo capítulo en la historia de Cuba, también en la historia de mi vida.

3

La conspiración

> ... no todos los políticos dedican su vida al
> triunfo de la libertad y la justicia. Ni todos
> los que pasan por revolucionarios son genui-
> nos abanderados de los intereses populares.

El 20 de marzo de 1952 el país continúa bajo el clima de indiferencia e impotencia generado por el golpe militar. La gente prefiere no
conceder importancia a lo acontecido. Algunas personas, por el contrario, se muestran sensibilizadas pero comentan con pesar: «No se
puede hacer nada....». No faltan los camaleones y arribistas que rápidamente se han acomodado en la nómina de colaboradores y usu-
fructuarios del nuevo régimen, entre los que descuellan dos singulares
figuras del Partido Auténtico, que ha sido desplazado del poder por el
golpe de Estado: Eusebio Mujal Barniol, secretario general de la
Confederación de Trabajadores Cubanos, y Rolando Masferrer, sena-
dor y vocero del Partido, así como algunos periodistas tarifados y docenas de políticos desvergonzados.

En la casa de Nelson Béquer, en Manzanillo, un grupo de líderes
regionales del Partido del Pueblo Cubano (Ortodoxo) nos reunimos
con dos miembros de la dirección nacional, los legisladores Alberto
Saumell Soto y Luis Orlando Rodríguez. Ellos plantean que no queda
otro camino que la lucha, que nos organicemos clandestinamente para
responder con hechos hasta acabar con la dictadura. La cita también
sirve para analizar las circunstancias que han posibilitado el golpe de
Estado: la ambición de Fulgencio Batista, candidato presidencial sin la
menor posibilidad en las elecciones que estaban convocadas; el des-
prestigio y la corrupción de algunos altos funcionarios en los gobiernos anteriores presididos por Ramón Grau San Martín y Carlos Prío
Socarrás; el lamentable suicidio de Eduardo Chibás, nuestro líder del
Partido Ortodoxo, y el asesinato de un destacado legislador, Alejo
Cosío del Pino, víctima del pistolerismo de grupos rivales que se auto-
denominan «revolucionarios». Estos hechos, entre otros, han dismi-
nuido la confianza del pueblo en las virtudes de la democracia.

A pesar de que tenemos algunas dudas relacionadas con la dirección nacional de nuestro partido, nos entusiasman las nuevas orientaciones. Comenzamos creando una primera célula integrada por el doctor Ulises Estrada, el doctor Bernardo Utset y por mí, que constituye la dirección regional del aparato subversivo que estamos estructurando. Cada uno de nosotros trabaja con independencia. En el curso de varias semanas organizamos células aquí y en otros pueblos.

Personalmente soy analfabeto en los usos y técnicas de la subversión. No así mis compañeros de la célula directriz. Ellos participaron en movimientos conspirativos de la lucha contra la dictadura del general Gerardo Machado,[1] cuando yo todavía era un niño.

Nuestra conspiración tiene algo de fiebre colectiva. Contamos con algunos fusiles obsoletos, escopetas y revólveres con escasas balas. No tenemos explosivos. Todas las semanas efectuamos reuniones en distintos lugares y paralelamente estudiamos posibles objetivos de sabotaje. Disfrazo la actividad conspirativa con los movimientos rutinarios de mi vida. Por la mañana doy clases en la Escuela Primaria Superior y por la tarde en la Escuela Normal. Soy dirigente magisterial en mi distrito y a nivel nacional. Administro las fincas arroceras de la familia y tengo otras ocupaciones profesionales, fraternales y de diversa índole. Día tras día me levanto de madrugada y termino la jornada luego de regresar a mi casa por la noche. Cuando puedo me voy, con dos o tres amigos, a las ciénagas del río Buey, a cazar patos y yaguazas, unas aves palmípedas de Cuba que viven en las ciénagas. O me voy al mar acompañado por María Luisa y los tres pequeños, Huber, Rogelio y Lucy, en nuestro bote *Yara*, a disfrutar del entretenimiento de la pesca, del aire puro y del paisaje verdeazul del golfo de Guacanayabo. ¿Quién me va a imaginar un conspirador? En mi familia advierten algo y aunque no hablo con ellos sé que tanto mis padres como mi esposa apoyan la resistencia contra el gobierno.

El ambiente político del país no presagia tormenta a corto plazo. La tempestad se irá gestando en función de las arbitrariedades y provocaciones de los que mandan. Un ejemplo de éstas es la pretensión de obligar a los funcionarios públicos a jurar lealtad a la dictadura.

—Huber —me dice entusiasmado Ulises Estrada en su despacho,

---

1. General de la Guerra de la Independencia electo presidente democráticamente en 1924, cuyo intento por permanecer en el poder hasta 1935 provocó una revolución que lo derrocó en 1933. (*N. del A.*)

donde nos reunimos por lo menos una vez por semana—, estamos a tres días de la fecha en que se debían celebrar las elecciones y no podemos dejar pasar ese día sin hacer algo.

Mientras lo escucho, un tanto sorprendido por su entusiasmo, observo su rostro, que generalmente se mantiene frío o poco expresivo, hoy no es así. Me une al doctor Estrada una gran amistad, él encabeza regionalmente nuestro partido y también el trabajo conspirativo.

—¿Y qué se te ocurre? —le digo.

—Debemos reunirnos ese día en el local de nuestro partido. Desde el golpe de Estado está cerrado, pero conservo la llave. Puedo citar a nuestra gente y efectuaremos allí una reunión nutrida, como si se tratara del comité directivo. Es una manera de protestar contra la dictadura.

—No me disgusta la idea. Pero, por supuesto, nos arrestarán a todos y en adelante nuestro trabajo conspirativo tendrá mayores dificultades. ¿Has pensado en esto?

—Sí, estamos de acuerdo en lo del arresto; en lo otro no. El hecho de que nos reunamos con las puertas abiertas lo tomarán como un acto de protesta formal, pero hará pensar a los militares que somos gente de escena y nada más.

—¿Qué piensa de esto el doctor Utset?

—Está de acuerdo.

—Pues adelante, aunque creo que algunos de nosotros, ya considerados como agitadores, quedaremos muy señalados.

—Ponerle una banderilla a la dictadura —enfatiza Estrada— es más importante por ahora que cualquier otra cosa.

—¿Es que tú no le concedes mucha importancia a los preparativos para la acción insurreccional?

—No es eso, lo uno no está reñido con lo otro y ahora la protesta es muy oportuna.

—Pues bien, estoy de acuerdo contigo —digo finalmente. Pero en verdad me marcho sin poder soslayar una interrogante que hormiguea en mi cabeza: ¿estaremos conspirando o jugando a la conspiración?

El primero de junio de 1952, el local del Partido del Pueblo Cubano (Ortodoxo) en Manzanillo tiene sus puertas abiertas por primera vez desde el golpe de Estado del 10 de marzo. Unos veinticinco miembros, entre hombres y mujeres, nos reunimos en una protesta pacífica que difícilmente terminará en paz. Sabemos que en cualquier momento llegarán los agentes de la dictadura quienes probablemente nos regalarán unos cuantos porrazos, algunas patadas y nos meterán en la cárcel.

Todos hablamos, escuchamos y coincidimos en que muy distintas serían las perspectivas de Cuba si el ambicioso Batista no hubiera asaltado el poder e impuesto a los cubanos un régimen de cuartel. Alguien comenta amenazadoramente: ¡Ya la pagarán! ¡Tumbaron a los auténticos y nos robaron el triunfo a los ortodoxos!

Indudablemente, el Partido Ortodoxo, con los doctores Roberto Agramonte y Emilio Ochoa, candidatos a la presidencia y vicepresidencia de la República respectivamente, tenían las mayores probabilidades de triunfo en las elecciones que debían de haberse efectuado hoy.

Uno de los vigías apostado junto a la entrada del salón anuncia que viene la policía:

—¡Ahí están!

Con agresividad penetran varios militares vestidos de civil, ordenando que no se mueva nadie. Se arma una discusión violenta; hay algunos empujones, puñetazos y muchas amenazas, así como palabrotas por ambas partes. Aprovechamos la confusión para poner a las mujeres fuera del alcance de los represivos. Nos meten a la fuerza en varios automóviles del Servicio de Inteligencia Militar (SIM) y nos llevan al cuartel del ejército. Somos alrededor de doce.[1] Más de la mitad pudo evadir la redada.

Son aproximadamente las tres de la tarde. Quedamos detenidos sin saber cuánto tiempo ni a disposición de qué juez o tribunal estamos sujetos. Las dictaduras usan mangas anchas para sus trámites judiciales, ya que la prioridad es aplastar todo signo de oposición.

Dormir en el suelo de un cuartel, con Batista como dueño del país, no es la experiencia más placentera y la noche nos parece demasiado larga. Tenemos que mantenernos en silencio, lo que no nos impide poner en función el buen humor del cubano, que transforma en chiste y risa una situación desventajosa como ésta.

Pasan las horas. Estamos en el segundo día y el panorama continúa igual. Pedimos que nos aclaren si estamos sujetos a una situación legal o a una acción intimidatoria y nos responden con unos cuantos gruñidos. Damos por seguro que nos llevarán ante el Tribunal de Urgencia de Santiago de Cuba.

Aunque siento los golpes como las demás personas, desde niño mis padres me enseñaron a ser fuerte por dentro. Creo en Dios, es imposible asomarse al universo y comprenderlo sin la idea de Dios. Pero no

---

1. Entre los arrestados están: el doctor Estrada, Rafael Larramendi, Pedro Telarroja, Moisés Labrada, Vladimir Muñoz, Antonio Pons, Pepe Santana. *(N. del A.)*

acostumbro a buscarlo constantemente para que me apuntale el espíritu. La resignación viene de la necesidad de no dejarme derrumbar por la angustia y de pensar que mi vida tiene un sentido.

Llegado el tercer día tiene lugar lo que podríamos llamar un interrogatorio irrespetuoso. Dos miembros del SIM, en ropa de civil, cubren el burdo trámite. El odio visceral y el desprecio a las ideas quedan más o menos al descubierto en sus poses altaneras y su vocabulario procaz; sabemos que en el ejército hay militares decentes, pero no son éstos. Los que nos tienen en sus manos están disfrutando la embriaguez del poder.

Luego de esperar algunas horas, nos dicen que estamos en libertad a disposición del Tribunal de Urgencia de Santiago de Cuba. Cuando señalen la fecha del juicio seremos nuevamente detenidos. Transcurren semanas y no hay juicio. Parece que archivaron la causa. Pero nos tienen en la mirilla.

Vengo caminando por la acera después de terminar las clases de la mañana. De pronto, dos tipos me cierran el paso.

—Te estamos esperando.

—¿A mí? ¿Para qué?

—Sí, a ti, tienes que acompañarnos.

Me agarran por los brazos y de un empujón fuerte me meten en el auto. Son dos sujetos del SIM.

—¡Te vamos a colgar por los cojones si sigues jodiendo! ¡Tú y todos esos maleantes hijos de puta van a saber bien que somos machos y no vamos a dejar que nos quiten el poder cuatro pendejos!

Mientras el auto se desplaza hacia el cuartel, tengo que seguir escuchando la misma oratoria insolente.

Pienso en mi situación, en el juicio en Santiago de Cuba, quizás un tiempo largo en la cárcel... En una de éstas me quedo sin empleo. La muerte no me asusta pero no me atrevería a decir lo mismo si tuviera que enfrentar la tortura. Me preocupan María Luisa y nuestros hijos.

En el cuartel del ejército encuentro a varios de mis compañeros del arresto anterior. Los que me han precedido me informan que la detención se debe a una proclama contra el gobierno, que circula con nuestras firmas. La proclama, en realidad, no la firmé yo. Tengo más fe en la acción insurreccional que en las declaraciones contra la dictadura. Pero mi nombre aparece entre los firmantes y me solidarizo plenamente.

Llegan otros de los nuestros. Nos compadecemos por ellos y nos alegramos por nosotros. La buena compañía es siempre apreciada.

Pasamos la noche sin apenas dormir sobre el piso duro, pero con buen ánimo.

En la mañana nos dan un desayunito casi espiritual y salimos esposados hacia la estación de ferrocarril con destino a Santiago de Cuba, a poco más de dos horas de travesía. Es la primera vez en mi vida que me veo esposado y de viajero involuntario, sin embargo lo tomo muy filosóficamente.

Cuando llegamos a Santiago nos amarran a todos con una misma soga en una pequeña columna y nos llevan caminando a la cárcel municipal. No me complace el espectáculo en esta ciudad donde cursé mi carrera de maestro y me desenvolví como dirigente estudiantil. Menos mal que nuestro aspecto de personas decentes dirá que no somos presos comunes, a pesar de lo grotesco de la soga y las esposas.

Nos meten en una celda amplia. El trato es respetuoso. Transcurre un día y no pasa nada. Entre los policías hay un amigo al que pido que avise por teléfono de nuestra situación a Pancho Ibarra, un hombre de gran prestigio y múltiples relaciones en Santiago de Cuba. Jovial y fraterno, Ibarra no demora en presentarse. Viene y me suelta de entrada una broma:

—¡Un maestro en la cárcel no es el mejor ejemplo para la sociedad!

Nos reímos y luego conversamos. Antes de venir a verme averiguó los detalles principales de nuestro caso y está enterado de que en dos o tres días nos juzgará el Tribunal de Urgencia. El doctor Raúl Villalvilla, brillante abogado santiaguero y miembro de nuestro partido, nos defenderá.

En general los magistrados de los tribunales están contra Batista y su golpe militar. Ellos no simpatizan con una dictadura que los ha obligado a firmar la ley de emergencia que rige a partir del golpe de Estado. El día del juicio se nos acusa de conspirar para derrocar al gobierno. Nuestro abogado, el doctor Villalvilla, hábilmente destruye la tesis de la conjura contra los poderes del Estado. No tenemos que hablar mucho. Nos absuelven por falta de pruebas.

Del edificio de los tribunales salimos para el Liceo del Partido Ortodoxo. Miembros de la Juventud Ortodoxa de Santiago de Cuba nos han invitado y nos reciben con aplausos. Se improvisa un acto mucho más combativo que la proclama de Manzanillo. Ulises Estrada, Pedro Telarroja y yo hablamos por nuestro grupo. Como el Liceo está en un segundo piso, la policía se entera cuando el acto concluye y nos retiramos sin problema.

Durante el regreso, el tren evade las montañas que rodean a Santiago y se desplaza por los llanos de la campiña oriental, donde hay extensos campos de caña. Cuba es el mayor exportador de azúcar del mundo. El paisaje a veces incluye hortalizas, conucos (plantíos de frutos menores) y árboles frutales. Más cerca de nuestro destino van apareciendo en el escenario fincas ganaderas. En las estaciones donde el ferrocarril se detiene nos esperan los vendedores de billetes de lotería, frutas y otras golosinas. Conversamos animadamente, haciendo el recuento de lo acontecido. Sabemos que estamos marcados. Los regímenes despóticos tienen buena memoria para con sus enemigos.

Renuncio a mi cargo como vicedecano del Ejecutivo Nacional del Colegio de Maestros porque veo en esta entidad una disposición al acomodo con Batista.

Como responsable de los contactos con los demás grupos conspirativos del Partido Ortodoxo en la provincia, viajo a La Habana a reunirme con el doctor Juan Orta, enlace de la dirección nacional ortodoxa con la clandestinidad. Nos interesa saber, entre otras cuestiones, si podemos esperar que nos ayuden a conseguir armas. Lo único que nos prometen es el envío de alguien para entrenarnos.

Después de seis semanas de espera, llega el experto, un ex oficial de las fuerzas armadas, para adiestrarnos en el manejo de las granadas de mano y tiro de fusil. Esta noche no se disparará ningún arma, todo será instrucción teórica. Sin embargo, estamos entusiasmados, como si nos viéramos ya envueltos en los preludios de un combate.

Somos casi veinte hombres; por discreción sólo hemos citado una parte de nuestra gente. Nos reunimos con el instructor en el barracón de la finca Jobosí, una de las propiedades que rentamos para sembrar arroz. Como el cuartel o puesto militar de Yara está a tres kilómetros, hemos tomado precauciones para que no nos sorprendan.

El instructor comienza con una interesante explicación sobre el uso y cuidado de las armas en general. Uno a uno demostramos lo que hemos aprendido con un fusil calibre 22 y un viejo Mauser.

—¡Alarma, señales de alarma! —grita el hombre que ha quedado haciendo guardia fuera del barracón.

Salgo disparado para ver qué pasa y, efectivamente, a medio kilómetro de distancia avanza, por el camino de entrada, un vehículo que apaga y enciende sus luces repetidamente.

Cuando intento confirmar la voz de alarma a mis compañeros, ya todos corren en desbandada hacia unos matorrales. También asustado, corro para evitar que se extravíen. Ayudo a tres o cuatro que han tropezado en los muros del canal maestro del sistema de riego, que ahora por fortuna está seco. Otros se han trabado al cruzar la cerca de alambre de púas que separa el terreno de siembra y los matorrales. ¡Qué desastre!

—¡Síganme por aquí! —digo en voz alta, pero la dispersión es total. Casi todos van delante y están sordos, no escuchan. Afortunadamente a nadie le ha hecho falta un mapa ni una linterna para correr en la noche oscura hacia el manigual.[1]

En menos de cinco minutos todos están escondidos. Retrocedo ahora, con paso rápido, hacia el vehículo que se acerca al barracón. Es una camioneta de la empresa y al timón viene Roberto Guevara, tractorista y chofer de nuestra mayor confianza. Antes de que pueda preguntarle, me habla en voz alta:

—¿Qué sucede? ¿Por qué viene apresurado? —bajándose del vehículo con evidente desconcierto.

—La alarma que diste, quiero saber qué hay. Dime.

—No he dado ninguna alarma, no sé de qué me habla.

Cuando escucho esto último tomo un respiro. No hay problema. ¿Será que este hombre bueno y formal está con tragos o bromea?

—Roberto —le digo en tono firme y áspero—, tú apagaste y encendiste varias veces las luces de la camioneta. ¿Por qué lo hiciste? ¿Y qué te trae por aquí a esta hora?

—Unas vacas se me metieron delante de la camioneta y encendí varias veces las luces para que se apartaran. Vine a dar una vuelta por aquí porque estoy medio enamorado de la cuñada del mayoral. Discúlpeme si le he ocasionado algún problema.

No puedo contener la risa y sin más aclaraciones le digo:

—Ayúdame a recoger a algunos amigos que se han escondido en los matorrales del otro lado de la cerca, por culpa de las señas que le hiciste a tu novia.

La recogida dura mucho más tiempo que la dispersión.

Nuestro visitante, el instructor, comenta:

—Es mejor que haya sido un asunto de amores.

Hemos añadido a nuestro arsenal algunos fusiles y escopetas. Lo que tenemos es insignificante en relación con lo que necesitamos. Más de una vez discutimos posibles sabotajes, pero aunque lo ideal sería la

---

1. Manigual: cubanismo que significa terreno cubierto de malezas. *(N. del A.)*

acción armada con base en las montañas, todavía esto es una utopía. Aún el pueblo está tibio para el enfrentamiento. También es cierto que dentro del movimiento conspirativo hay dos tendencias: la confrontación política y la insurreccional.

Celia Sánchez, compañera de filas del Partido Ortodoxo y persona con quien tengo estrecha amistad, está en Manzanillo y quiere hablar conmigo. Es una mujer de entendimiento claro, decidida, entusiasta y a la vez reservada. Vive en el pueblo costero de Pilón y viaja con relativa frecuencia a Manzanillo, donde tiene familiares.

Voy a verla, está un poco tensa. Tras el saludo afectuoso, me dice que está conspirando directamente con el doctor Emilio Ochoa, con quien se ha entrevistado en Miami. Se siente localmente aislada porque la hemos dejado fuera de la conspiración. Y agrega:

—Tengo confianza en ti y quiero que trabajemos juntos.

—Celia, también yo tengo confianza en ti y no creo que haya inconveniente en que coordinemos o unamos esfuerzos. Informaré de tu interés a los compañeros con quienes trabajo y nos volveremos a ver.

—Sí, pero yo no voy a depender de ellos. Me interesa que tú y yo coordinemos sin subordinación en un sentido u otro. A Batista hay que tumbarlo con balas.

—Estamos de acuerdo.

El resto de la conversación, ella lo dedica a elogiar al doctor Emilio Ochoa como líder.

No la contradigo, en parte porque también respeto y admiro al más alto dirigente de nuestro partido, con quien tengo buena amistad; pero me parece que la situación que vive el país no puede enfrentarla un dirigente tradicional. Nuestra independencia nacional no fue obra de políticos. Éstos preparan el camino pero son los revolucionarios quienes hacen avanzar la historia cambiando las estructuras de la sociedad. En realidad el revolucionario es un político seriamente comprometido con la libertad, la justicia y los intereses populares, a la manera de Simón Bolívar, Abraham Lincoln, Benito Juárez y José Martí. Pero no todos los políticos dedican su vida al triunfo de la libertad y la justicia. Ni todos los que pasan por revolucionarios son genuinos abanderados de los intereses populares.

4
El tiempo trae acontecimientos

> En la historia de los pueblos hay lugares don-
> de el patriotismo y la valentía parecen darse
> en una mayor dimensión. Como si la tierra
> fuera más fértil en producir calidad humana.

Temprano en la mañana del 26 de julio de 1953 comienzan a llegar las noticias, como en retazos. La radio informa que un numeroso
grupo de revolucionarios atacó el Cuartel Moncada. El asalto al
Cuartel Moncada en Santiago de Cuba, donde reside la jefatura del
Primer Distrito Militar del país, nos estremece.

También en la misma mañana se reporta otro ataque, al parecer de
menor envergadura, al cuartel de Bayamo. De esta segunda acción
tenemos más datos a través de mi cuñada Carmen y de su esposo,
Manuel Barrueco. Ellos han llegado a Yara desde Bayamo y nos cuentan que despertaron al amanecer escuchando un nutrido tiroteo. La
balacera se prolongó durante casi una hora y luego se enteraron de que
los revolucionarios habían sido rechazados.

Los soldados andaban cazando a los atacantes que huían. El ejército interrumpía el tránsito y registraba en todas direcciones. En la
misma carretera, a la salida de la ciudad, vieron en la cuneta un cuerpo acribillado a balazos.

La radio sigue dando boletines informativos sobre los acontecimientos en Santiago. Hay fuertes tiroteos en el cuartel y sus inmediaciones
y la gente no puede acercarse a la zona. No es mucho lo que se conoce con precisión; pero está claro que el ataque ha sido dominado.

Se sabe por la radio y otras fuentes de información que los asaltantes vinieron de La Habana y otros lugares de la isla. Sus posibilidades de éxito descansaban —según los comentarios— en la total sorpresa, ya que Santiago celebra en esta fecha sus fiestas de carnaval. Los
atacantes imaginaron que en la mañana del domingo 26 de julio muchos militares estarían de permiso y los que permanecieran de guardia
andarían con cierto grado de descuido. En un ambiente de diversión
general no era de esperar que se produjera el asalto armado a una de
las principales instalaciones militares del país.

Todo parece indicar que el ataque al cuartel de Bayamo se llevó a cabo por menos de treinta hombres con el propósito de crear confusión en los mandos militares, haciéndoles creer que era parte de un plan de grandes dimensiones con operativos en varios lugares de la provincia.

Después de varias horas se sabe con certeza que la acción en el Cuartel Moncada y sus alrededores terminó. Los militares, asustados primero y ensoberbecidos después, han desatado una orgía de sangre persiguiendo y asesinando no solamente a los asaltantes, sino a personas, que sin participar en los hechos, se consideran adversarios del gobierno. El asalto, según la información que tenemos, incluyó la toma del Hospital Civil y del Palacio de Justicia, edificios ubicados en las proximidades del cuartel, para ser utilizados como puntos de apoyo. Fidel Castro, un joven del Partido Ortodoxo, es el jefe del grupo revolucionario que ha lanzado los dos ataques. La ocupación del hospital estuvo a cargo de veintiún hombres, la toma del Palacio de Justicia fue realizada por diez. En la acción directa contra el cuartel debían participar unos cien atacantes, de los cuales casi la mitad no lo hicieron porque se extraviaron en la ciudad cuando se dirigían hacia el objetivo en varios vehículos. El asalto empezó a las cinco y cuarto de la mañana con el ataque sorpresa a los guardias de la puerta tres.

Tras la ventaja inicial del inesperado asalto vino la respuesta defensiva de la guarnición en su conjunto y el ataque fue rechazado, quedando algunos de los asaltantes en posiciones comprometidas.

Errores tácticos de planificación determinaron, desde el comienzo, el fracaso de la operación. Los atacantes se retiraron como pudieron y a unos cuantos los apresaron; luego los asesinaron. Otros pobladores de la ciudad, que ninguna relación tenían con los hechos, también fueron arrestados y algunos aparecen muertos. El coronel Ríos Chaviano ha dirigido la represión y son muchas las personas que se sienten amenazadas.

Entre los muertos está Abel Santamaría, uno de los hombres importantes del grupo revolucionario. Igual suerte corrió el doctor Mario Muñoz, médico que conjuntamente con Abel estuvo entre los que ocuparon el Hospital Civil. Ambos fueron tomados prisioneros y luego ultimados. Renato Guitar, un destacado revolucionario santiaguero que asesoró a Fidel Castro en la elaboración del plan y estuvo en la vanguardia del asalto, junto con José Luis Tasende, fue igualmente muerto en la operación. Dos mujeres que integraban el grupo revolucionario, Haydée Santamaría, hermana de Abel y la doctora

Melba Hernández, fueron capturadas. Ambas formaban parte del destacamento que ocupó el Hospital Civil.

Al darse cuenta de la fuerte reacción del ejercito, Fidel huyó con algunos de sus compañeros hacia la zona de Siboney, al este de Santiago. Su hermano Raúl, que también tomó parte en el ataque, escapó con rumbo desconocido.

Una de las desventajas que tuvieron los revolucionarios en la realización de sus planes fue el desconocimiento de las características del lugar. Casi todos procedían de La Habana y en vísperas de la acción habían sido concentrados en una quinta conocida como La Granjita, en Siboney, zona cercana a Santiago. Allí Fidel les comunicó lo que habrían de hacer momentos antes de emprender la audaz operación.

El asalto tenía dos propósitos: capturar armas para proseguir e intensificar la lucha y producir un gran impacto político que dejara consagrados un liderazgo y una estrategia. Si el plan fracasó en su primer objetivo, en el segundo alcanzó un éxito rotundo.

En los siguientes días arrestan a muchas personas que no tienen ninguna relación con los hechos de Santiago y Bayamo. También se conoce que los caídos en acción no pasan de diez o doce pero han muerto casi cien personas. Algunos porque resultaron heridos y los remataron, otros porque fueron sacados de sus casas y asesinados en el desahogo vengativo que siguió al combate.

La represión continúa. Los arrestos son muchos entre figuras de mayor o menor relieve dentro de la oposición política. Algunos son dirigentes nacionales como el doctor Emilio Ochoa, presidente del Partido Ortodoxo. Frente al cementerio de Veguitas, localidad situada a ocho kilómetros de Yara y cuarenta de Bayamo, los militares han tirado un cuerpo acribillado a balazos. Hay noticias de casos similares en otras carreteras de la provincia y no se sabe si estos muertos que aparecen varios días después de las acciones de Santiago y Bayamo pertenecen al grupo atacante o simplemente son personas que el aparato represivo de Batista quería eliminar.

Ya hay datos confiables sobre la suerte que corrió Fidel Castro luego del fracaso de la operación. Se escondió con algunos de sus hombres en una finca cercana a Santiago y allí se entregó a un destacamento militar al mando del teniente Sarría. El arzobispo de Santiago de Cuba, Monseñor Pérez Serantes, intercedió diligentemente y le salvó la vida. Raúl, que se había escondido en las proximidades de San Luis, al norte de Santiago, también se entregó a los militares. Los dos hermanos Castro, junto a algunos de sus compañeros que lograron salir con vida, están presos en espera de juicio.

Para nuestro grupo conspirativo en Manzanillo, todos estos acontecimientos han resultado una gran sorpresa. Nadie entre nosotros pensó que pudieran producirse hechos de esta naturaleza sin que tuviésemos algún anticipo. A todos nos hubiera gustado brindar un buen apoyo a esta gente.

Por otro lado, pese al fracaso del intento, el hecho de que un puñado de hombres decididos y mal armados, sin probabilidades reales de éxito, se haya atrevido a atacar a la dictadura en sus cuarteles, le da a la lucha insurreccional una dimensión extraordinaria, a la vez que confirma que a Batista hay que sacarlo del poder por medio de las armas. Sin lugar a dudas, como ejemplo de audacia y patriotismo, este fracaso tiene mucho de victoria moral. Más allá del dolor y del miedo que dejan como secuela estas acciones frustradas, el pueblo está impresionado por el heroísmo de los revolucionarios. Toda acción heroica tiene un saldo ejemplificante.

Pero las consecuencias inmediatas en la labor conspirativa son serias. Hay muchas personas detenidas. La vigilancia y el espionaje de la dictadura se han intensificado. Los uniformados y los miembros de los servicios secretos se sienten con derecho a eliminar o encarcelar a cualquier adversario. Por precaución decidimos cancelar momentáneamente las reuniones. Los tres que integramos la célula directriz hemos acordado visitarnos periódicamente escudados en nuestras relaciones de amistad personal, para consultarnos y tomar decisiones según el curso de los acontecimientos.

En octubre son enjuiciados los sobrevivientes del asalto. Fidel Castro, quien realiza su propia defensa por su condición de abogado, es condenado a quince años de prisión. Los otros revolucionarios reciben condenas menores. Cuba entera mira hacia los presos del Moncada. Como el grupo no tenía nombre, el pueblo habla ya del Movimiento 26 de Julio.

El Moncada ha polarizado el pensamiento revolucionario en general. Nosotros, aunque discrepemos de ciertos aspectos de esta operación y tengamos nuestras dudas sobre otros detalles que quisiéramos conocer mejor, estamos obligados por muchas razones a apoyar decididamente a este grupo.

Celia Sánchez y algunos compañeros deciden ingresar al Movimiento 26 de Julio. Celia se hace cargo de la dirección en Manzanillo.

Yo prefiero mantenerme al margen de una adhesión incondicional que me obligaría a acatar decisiones con las cuales puedo estar o no de acuerdo.

En Manzanillo, el Movimiento 26 de Julio va creciendo en forma significativa; muchos de sus nuevos miembros son jóvenes. La mayoría han sido alumnos míos y con ellos mantengo una respetuosa y cordial relación. El entusiasmo y la fe en el futuro, aunque discretamente manifestados, prevalecen sobre la política de fuerza y amedrentamiento que la dictadura se empeña en imponer.

El 15 de mayo de 1955, con el propósito de demostrar que su régimen está consolidado, Batista indulta a Fidel Castro y sus compañeros. Castro solamente ha cumplido veinte meses, de una condena de quince años. Después de varias semanas, los indultados por la acción del Moncada se marchan a Estados Unidos y luego a México donde Fidel anuncia públicamente que continuará la lucha hasta el derrocamiento de Batista.

Entre los revolucionarios renacen las esperanzas; mientras tanto los partidarios de soluciones políticas se esfuerzan en vano por lograr una salida sin violencia. El doctor Cosme de la Torriente, un cubano de incuestionable prestigio, es el personaje más relevante en estas gestiones.

Celia se siente optimista por lo que se organiza en el exilio. Conversamos a menudo y creo que si lo que preparan en México se planea adecuadamente, sus resultados pueden ser positivos. Ella espera que yo me incorpore pronto a una lucha de mayores dimensiones.

Un día me dice con firmeza reiterativa:

—Huber, la gente va a venir de México.

—No lo pongo en duda. Pero ¿tú confías en que será algo mejor organizado que las acciones del Moncada y de Bayamo?

—Claro que sí, Fidel no cometerá los errores del Moncada que costaron tantas vidas.

Advierto que mi posición le desagrada, pues no admite que un revolucionario pueda poner en duda la capacidad organizativa que le atribuye a su líder. Piensa que el deber de todo nuestro grupo es la incorporación, sin reservas de ninguna clase, al Movimiento 26 de Julio. Los muchachos que la acompañan han permanecido en silencio, son gente joven y entusiasmada por la perspectiva de la acción. Ellos saben que soy sincero y respetan mi opinión. Les facilito dinero, el único rifle que tengo y una finca cerca de nuestros arrozales, para que

52

hagan allí prácticas de tiro. Se van contentos y espero que a pesar de mis reservas, el vaticinio de Celia se vea felizmente ratificado por los hechos.

El 4 de abril de 1956 es descubierta y frustrada una conspiración contra la dictadura de Batista organizada por militares de alto rango, la llamada Conspiración de los Puros, un grupo de oficiales lidereados por el coronel Ramón Barquín, militar de sólido prestigio. Muchos oficiales han sido arrestados, otros han sido destituidos. La acción evidencia un resquebrajamiento muy serio en la oficialidad de las fuerzas armadas. Un destacado economista cubano, el doctor Justo Carrillo, dirigente de la Agrupación Montecristi, también está vinculado a esta conspiración.

El 29 del mismo mes de abril se produce el asalto al Cuartel Goicuría de la ciudad de Matanzas. Son revolucionarios de extracción auténtica, dirigidos por Reynold García, que fracasan en el intento. En esta acción murieron todos los atacantes que lograron entrar a la instalación militar: unos diecisiete hombres, incluido su jefe. Los que no murieron en la acción fueron rematados. Sin duda alguna, el ejército estaba en conocimiento del plan.

Es una página de heroísmo que estimula más a la oposición.

Pasan dos o tres meses sin que Celia vuelva a hablarme del tema de la expedición. Varios muchachos de Manzanillo han viajado a México para incorporarse al grupo que se está entrenando allá.

Estamos en el verano de 1956 y el repudio a la dictadura de Batista ha solidarizado a la gente con la causa revolucionaria. He conversado nuevamente con Celia y le he prometido que ayudaré, en todo lo que esté a mi alcance, al movimiento insurreccional, aunque yo no esté incorporado al 26 de Julio. Esta actitud es compartida por los demás integrantes de nuestro grupo conspirador, integrado casi en su totalidad por personas procedentes del Partido Ortodoxo.

En septiembre se firma en México un pacto entre el Movimiento 26 de Julio y el Directorio Revolucionario, una organización formada por estudiantes universitarios con inquietudes políticas. Es un compromiso democrático y de coordinación insurreccional.

A finales de octubre los estudiantes universitarios se lanzan a protestar en La Habana. En el cabaret Monmartre, tres miembros del Directorio Revolucionario: Rolando Cubelas, Pedro Carbó Servia y José Machado, ametrallan al coronel Blanco Rico, jefe del SIM. Como reacción, el jefe de la policía batistiana, el coronel Salas Cañizares, dirige un asalto a la embajada de Haití, asesinando a los asilados que allí se encontraban. En la refriega uno de los refugiados logró dar muerte a Salas Cañizares.

Otra vez Santiago de Cuba es escenario de acontecimientos violentos que crean conmoción nacional. En la mañana del 30 de noviembre de 1956, centenares de jóvenes vestidos con uniforme verde olivo y con un brazalete que los identifica como miembros del Movimiento 26 de Julio, se han lanzado a tomar la ciudad y atacan distintas posiciones de la fuerza pública. Con los nervios un tanto tensos, escuchando la radio en nuestra casa, María Luisa y yo, junto a mis dos hermanos, Hugo y Rogelio, vamos siguiendo los acontecimientos que se desarrollan en la capital provincial: el cuartel de la Policía Nacional fue atacado a partir de las siete de la mañana por dos grupos, uno en acción frontal y otro desde los edificios que están detrás del cuartel. La capitanía de la Policía Marítima fue atacada y tomada a la misma hora, todo el armamento está en manos de los revolucionarios. La radio informa también de tiroteos en distintos lugares de la ciudad y del acuartelamiento general del ejército en Santiago y sus alrededores. El jefe de esta operación es Frank País, un joven maestro santiaguero que dirige el Movimiento 26 de Julio en la provincia de Oriente. En las inmediaciones del Cuartel Moncada hay tiroteos y una situación muy tensa. La acción alrededor de esta posición parece ser de hostigamiento para favorecer el desarrollo del plan de los revolucionarios.

El cuartel de la Policía Nacional ha sido incendiado y destruido por los asaltantes. En esta acción mueren dos de los luchadores revolucionarios más calificados: Otto Parellada y Pepito Tey. Los dos llevaron el peso del ataque que, en definitiva, resultó exitoso porque los cócteles Molotov lanzados sobre el viejo edificio de la policía terminaron reduciéndolo a escombros humeantes.

La ciudad está prácticamente en manos de los revolucionarios. El ejército ha comenzado operaciones para recuperar el control de la plaza y ya ha ocupado nuevamente la capitanía del puerto. Los revolucionarios que la habían tomado, mandados por Jorge Sotús, desalojaron a tiempo la posición sin tener bajas y llevándose todo el material bélico capturado. Los tiroteos esporádicos en distintos puntos de la ciudad y los vuelos a baja altura de aviones de la fuerza aérea, se han prolongado durante el día. El humo proveniente del destruido edificio de la Policía Nacional y el ajetreo de patrullas del ejército que salen a enfrentar a la fuerza insurgente, contribuyen a dar la impresión de una guerra civil. En realidad los pobladores de la ciudad están, en una altísima proporción, del lado de los revolucionarios. Según trasciende de la información que nos llega desde el escondite donde se encuentra Celia en el área de Manzanillo, la operación de Santiago de Cuba, planeada y dirigida por Frank País, ha sido un éxito. La abrumadora superioridad de las fuerzas gubernamentales eventualmente se impone en Santiago, aunque dos días después de iniciada la toma de la ciudad se siguen produciendo tiroteos esporádicos sin mayor trascendencia. Pero no hay dudas de que los hechos del 30 de noviembre han sido impactantes y constituyen una victoria moral y política para la causa revolucionaria. Como era de esperarse, esta victoria tiene su precio en vidas y en una nueva ofensiva de terror.

El 2 de diciembre de 1956 llega la expedición que debía haber coincidido con la acción del 30 de noviembre. El retraso indudablemente ha resultado desfavorable a los planes insurreccionales porque el ejército, sin tener ya que enfrentar un levantamiento en Santiago, puede dedicar todos sus recursos a perseguir a los expedicionarios que acaban de llegar.

La operación es conocida como la Expedición del *Granma*, por el nombre del yate usado como transporte. El *Granma*, ha sido localizado cerca de Belic, en el municipio de Niquero, al sur de Manzanillo. Según informa la prensa oficial, está encallado a unos cuantos metros de la costa frente a un área pantanosa cubierta de vegetación. Se supone que en esta área cenagosa, de tupidos manglares, se ocultaron los expedicionarios cuyo número aún se desconoce. La aviación está atacando la zona costera inmediata al lugar del desembarco. También se mueven hacia esa dirección fuerzas del ejército con el propósito de cercar y aniquilar a los insurgentes antes de que éstos puedan internarse en las montañas de la Sierra Maestra.

Un parte oficial del ejército informa que el grupo rebelde llegado desde México, compuesto por ochenta y dos hombres, ha sido localizado y destruido en combate en un lugar llamado Alegría de Pío. Casi al mismo tiempo nos enteramos por otras fuentes de que, efectivamente, los expedicionarios del Movimiento 26 de Julio, encabezados por Fidel Castro, fueron sorprendidos y diezmados por las fuerzas de la dictadura. Posteriormente la confirmación del desastre de Alegría de Pío nos causa una profunda pena. Al cementerio de Niquero, que no está muy lejos de la zona de operaciones, han llevado unos cuantos cadáveres de los expedicionarios, casi todos con evidencias de haber sido asesinados. Nadie duda que se trata de una matanza de prisioneros hechos en combate o capturados en dispersión luego de la sorpresa de Alegría de Pío. Según versión oficial, algunos periódicos dan a Fidel Castro por muerto.

Todo esto crea una verdadera consternación en nosotros y también golpea a la generalidad del pueblo en la provincia. Ahora, en presencia de estos acontecimientos, me siento motivado hasta el punto de que ya me considero militante del Movimiento 26 de Julio.

Un personaje singular de la Sierra, Crescencio Pérez, que ha vivido una buena parte de su vida al margen de la ley, ayuda a Celia a establecer comunicación con Fidel y los sobrevivientes. Poco a poco se forma un enlace a través del cual se provee de dinero, ropa, medicamentos y otras cosas al pequeño grupo de guerrilleros.

Ulises Estrada, Bernardo Utset y yo entregamos a Celia el primer dinero para socorrer a Fidel y su grupo. Pongo mi *jeep* a disposición de dos compañeros, que utilizándolo como si fueran empleados de la empresa agrícola Matos e Hijos, van y vienen en este servicio de respaldo al grupo rebelde.

Después de uno de esos viajes veo que el *jeep* tiene roto el cristal del parabrisas y rasgada parcialmente la capota. Decido llevarlo a un taller de Manzanillo para que lo reparen y de paso, aprovechar para comprar algunos juguetes para mis hijos porque mañana es día de Reyes, 6 de enero de 1957. En compañía de María Luisa salgo hacia la ciudad. Al aproximarnos a Manzanillo nos detenemos frente a la caseta de vigilancia del ejército en la carretera, requisito obligado en estos tiempos de ajetreos represivos.

—¡Éste es el *jeep* que andamos buscando! —dice con aire de triunfo uno de los soldados que está de guardia. Sin dilación se me acerca dispuesto a arrestarme.

Otro de los guardias viene igualmente en actitud poco amistosa.

—No sé de qué se trata; pero ustedes están equivocados —alego con firmeza.

El sargento Sosa, que me conoce, está en el grupo de los militares e intercede con autoridad de jefe de esta patrulla. Se adelanta y con determinación dice:

—Hay un error, yo a este hombre lo conozco. Es un profesor y no tiene nada que ver con los guerrilleros.

—Pero no, sargento, mire la chapa, es exactamente la numeración que estamos buscando en un *jeep* color verde con capota negra. No hay equivocación.

—No, no —responde Sosa—. Perdón, profesor. ¿Usted hacia dónde va?

—Voy con mi esposa a comprar unos regalos de Reyes para nuestros hijos.

Los militares hablan algo entre sí. Finalmente el sargento Sosa impone su criterio.

—Continúe, profesor, su *jeep* está reportado; pero debe de haber habido un error al tomar la numeración de un vehículo sorprendido en la zona de rastreo de la Sierra Maestra.

Disimulo el susto, doy las gracias al sargento Sosa, y en el primer taller que encuentro dejamos el vehículo para que lo reparen sin prisa. No lo usaremos por el momento. Si no es por el sargento Sosa, me lo quitan, me arrestan y me hubieran regalado unos cuantos golpes.

Tres días después me entero de que el *jeep* había sido interceptado por un destacamento del ejército que patrullaba las estribaciones de la sierra en busca de rebeldes y de quienes les dan asistencia. Sus ocupantes escaparon guiando el vehículo por un terreno irregular, cubierto de matorrales. El susto y las huellas del percance los hicieron enmudecer, sin pensar en ulteriores consecuencias para los dueños del *jeep*.

Trabajamos activamente con Celia Sánchez en todo lo que se relaciona con el abastecimiento a la fuerza rebelde. Ella tiene a su cargo la vía principal, con su centro de operaciones en Manzanillo; la mía tiene su base en Yara, es secundaria pero bastante útil. Estamos en permanente contacto con el Movimiento 26 de Julio en Santiago de Cuba, cuyo jefe es Frank País, segundo hombre de la Revolución después de Fidel. Frank es el número uno en el Llano dentro de la guerra subversiva y disfruta de un respeto muy bien ganado entre los revolucionarios de la isla.

Fidel y su grupo ya están provistos de lo indispensable. En la sierra hay algunas tiendas con víveres y mercaderías varias. Además tienen el apoyo total de la población de la zona, gente muy humilde, en su mayoría cafetaleros de pequeñas plantaciones que se sienten identificados con la causa revolucionaria.

Oculto mi intensa labor de apoyo a la guerrilla con mis funciones de la vida normal, pero advierto que los agentes del gobierno me observan con mayor atención. Esto no escapa a mis familiares, que temen que en cualquier momento me detengan, encarcelen o algo peor.

En caso de que me arresten o deba pasar a la clandestinidad, he acordado con mi familia que deberán decir que me han notado con actitudes muy extrañas en los últimos tiempos, insinuando que mis salidas a cualquier hora sugieren que hay un asunto de faldas detrás de todo. Será una forma de liberarlos de cualquier nexo con mis actividades y también de darme una coartada para ganar tiempo.

En los primeros días de marzo de 1957 trasladamos a la finca Santa Rosalía, cerca de Manzanillo, a los revolucionarios que llegan clandestinamente de Santiago. Son hombres que participaron en la acción del 30 de noviembre. En los espesos marabusales[1] de la finca se organiza un campamento rebelde muy difícil de detectar. Esperamos más hombres y más armas. Celia coordina y dirige los detalles. Un buen compañero y yo los vamos a trasladar hasta las estribaciones de la sierra. El contingente está al mando del capitán Jorge Sotús, oficial rebelde que dirigió exitosamente la toma de la Capitanía Marítima de Santiago en la mañana del 30 de noviembre de 1956. Dos estadounidenses procedentes de la Base Naval de Guantánamo, se han unido al grupo. Hay algunos compatriotas de Bayamo, Manzanillo, Yara y otros lugares; entre ellos varios compañeros «ortodoxos» de nuestra conspiración inicial. Pero la mayoría son luchadores probados en los hechos de Santiago. Como Bayamo, Santiago de Cuba tiene una heroica tradición de lucha. En la historia de los pueblos hay lugares donde el patriotismo y la valentía parecen darse en una mayor dimensión. Como si la tierra fuera más fértil en producir calidad humana.

El 13 de marzo, mientras doy clases en la Escuela Normal de Manzanillo, me entero de que un fuerte contingente de revolucionarios está atacando el palacio presidencial en La Habana, donde vive el dictador Fulgencio Batista. La radio también informa que simultáneamente un grupo de jóvenes del Directorio Revolucionario, encabezado por el líder estudiantil José Antonio Echevarría, ha tomado la estación Radio Reloj y transmite alguna información relacionada con el ataque a palacio. El país está a la expectativa.

El intento de ajusticiar a Batista en la casa de gobierno es una acción de suma audacia, que lamentablemente parece concluir en un fracaso con muchos muertos. La operación ha terminado, según la información oficial divulgada. José Antonio Echevarría, el máximo dirigente estudiantil, ha muerto.

La operación fue planeada por el Directorio Revolucionario, diri-

---

1. Marabú: arbusto espinoso de origen africano. *(N. del A.)*

58

gido por Echevarría, en alianza con un grupo del Partido Auténtico, bajo el liderazgo directo del sindicalista revolucionario Menelao Mora.

Según versiones dignas de crédito, el ataque a palacio comprendía dos acciones simultáneas. Un comando de cincuenta hombres penetraría en la casa de gobierno para liquidar al dictador. Este grupo estaría apoyado por otro, de unos cien hombres, que ocuparía los edificios aledaños al palacio. Y un tercero, capitaneado por José Antonio Echevarría, tomaría Radio Reloj, anunciaría desde allí el ajusticiamiento de Batista y posteriormente se dirigiría a la Universidad de La Habana donde quedaría establecido el cuartel general de los revolucionarios.

La acción en Radio Reloj comenzó a las tres y cuarto de la tarde y tal como estaba planeado se transmitió información sobre el asalto a palacio. Una alocución en la voz de José Antonio Echevarría quedó interrumpida por problemas técnicos. Después de abandonar la estación de radio y cuando se dirigían a la Universidad, un vehículo de la policía los interceptó. En el enfrentamiento resultó muerto el destacado dirigente del Directorio Revolucionario.

Los atacantes del palacio presidencial llegaron en tiempo exacto y sorpresivamente al lugar. Se abrieron paso hacia el interior del edificio mediante el fuego de sus armas. El grupo estaba dividido en dos comandos dirigidos respectivamente por Carlos Gutiérrez Menoyo y por Menelao Mora. En rápida acción combinada los dos comandos controlaron la planta baja y penetraron en el segundo piso hasta el despacho del dictador, quien se había refugiado con la mayor parte de la guarnición y personal de su escolta en el tercer piso, donde ofrecieron tenaz resistencia. Así pudo escapar Batista. Los atacantes sufrieron bajas y el grupo de apoyo que debía estar en el control de los edificios que rodean el palacio y asistir con refuerzos, falló por distintas circunstancias. Se ordenó la retirada en medio de una situación sumamente difícil, porque, entre otras cosas, una columna blindada avanzaba hacia el palacio. Los dos jefes de la operación, Carlos Gutiérrez Menoyo y Menelao Mora, murieron con unos cuantos de sus compañeros. Fue una acción verdaderamente heroica, digna de mejor suerte.

Además de las vidas perdidas en el ataque, donde la relación de los muertos aumenta con los prisioneros que fueron asesinados, la muerte de José Antonio Echevarría ha contribuido a hacer de esta fecha, 13 de marzo de 1957, una página gloriosa y triste en la historia del pueblo cubano.

En horas de la noche los esbirros de Batista asesinaron sin pretexto alguno al doctor Pelayo Cuervo Navarro, una de las figuras más recias y respetadas de la oposición, ajeno por completo a los hechos violentos del día.

En nuestro hogar compartimos un profundo pesar, sin dejar de reconocer que estas acciones temerarias, aunque con resultados inmediatos adversos, lejos de consolidar a la dictadura minan su estabilidad y nos acercan al triunfo.

5

Los camiones

Tenemos que decirnos adiós sin ninguna certidumbre de volver a vernos. Sin embargo,
intuyo que la vida se encargará de reunirnos.

El entusiasmo del grupo de revolucionarios escondidos en la finca
Santa Rosalía es contagioso. Cuando se han completado los preparativos del grupo de santiagueros, nos damos a la tarea de concretar el traslado de hombres y equipos hasta la Sierra. Mi compañero en este trabajo es Felipe Guerra Matos, que tiene méritos en la clandestinidad y
pasa por ser un oficinista ajeno a la actividad conspirativa.

Establecemos un sistema de vigilancia a todo lo largo de los treinta y cinco o cuarenta kilómetros de camino entre el escondite en la
finca Santa Rosalía y las estribaciones de la Sierra Maestra. Fidel, Raúl
y Ernesto Che Guevara recibirán personalmente a estos rebeldes que
envía Frank País. La empresa no será fácil porque toda el área y las vías
de acceso a la sierra, así como sus primeras estribaciones, están vigila-
das o controladas por el ejército. Debemos movernos en la noche aparentando ser un contingente militar del gobierno. Tenemos que actuar
con astucia y rapidez.

Dos camiones grandes, dedicados al transporte de arroz, tractores
y combustible de nuestra empresa agrícola, son camuflados para que
parezcan transportes del ejército. Cubrimos con un aceite grueso y con
tierra muy fina el nombre de la razón social pintado en las puertas:
MATOS E HIJOS, AGRICULTORES, YARA, ORIENTE.

Durante la tarde del 15 de marzo ha estado lloviendo con intermitencia en la ruta que tenemos que recorrer. Como conozco la zona
sé que la rápida formación de lodo en los caminos hará muy difícil el
tránsito de los camiones.

Hablo con Celia, responsable de toda la operación y con Jorge
Sotús, jefe militar del grupo, y les comento los inconvenientes que
podremos encontrar.

—Me parece que hoy es un día malo. Los camiones son grandes
pero no tienen doble tracción. Quedarán atrapados en el barro, la

gente tendrá que hacer un recorrido de varias horas a pie y corremos el riesgo de que el ejército nos ataque. Hay que tomar en cuenta que sus tropas son unas cuantas veces más numerosas que nuestro grupo. Deberíamos tener un poco de paciencia y esperar que pase esta noche. Probablemente mañana podremos hacerlo con menos riesgo, ya que en esta época las lluvias son un fenómeno raro en la zona.

Celia no está de acuerdo. Tal vez porque no conoce mucho de estos problemas.

—Mira, Huber, no podemos aplazar ni un solo día el traslado, las órdenes recibidas así lo dicen.

—Bueno, pues adelante.

La oscuridad es total. No encontramos problemas en los primeros kilómetros y evadimos los puestos militares tomando desvíos. Los camiones avanzan pesadamente a causa del barro del camino... Parecen dos grandes sombras en marcha por la noche lluviosa y solitaria. Llegamos a la finca El Caney, a veinticinco kilómetros de nuestro punto de partida; aquí debíamos encontrar a uno de los hombres de vigilancia para informarnos sobre los campamentos y puntos de control del ejército, pero no está. Puede haberse ido pensando que no nos vamos a exponer en una noche así.

Avanzamos lentamente porque los camiones patinan en el barro. En un tramo difícil se salen del camino y se atascan en la cuneta. Los compañeros se bajan, forcejean tratando de sacarlos durante más de media hora pero es imposible. Le planteo a Sotús la opción de seguir a pie dirigidos por un guía; mas al hablar con el guía me doy cuenta que él conoce menos que yo el camino alterno. Recuerdo los detalles de la zona porque en las proximidades de este lugar, nuestra familia tuvo una siembra de arroz hace algunos años.

—Voy a llevarlos —le digo a Sotús— a un punto desde el cual podrán marchar ocultos paralelamente al camino, porque hay bastante vegetación. Entonces nosotros volveremos a los camiones para intentar desatascarlos con la ayuda de un tractor y eliminar lo que nos comprometa.

Comenzamos la marcha en medio del mayor silencio. Atravesando un terreno arado, pasamos junto al batey[1] de la finca arrocera El Caney y nos adentramos en la maleza después de cruzar el río Jibacoa. La marcha es lenta porque además del fango denso todos van cargados con sus equipos. Llegamos a un lugar seguro donde considero que de aquí en adelante el práctico puede guiarlos sin mayores problemas.

1. Conjunto de viviendas y almacenes en una finca. *(N. del A.)*

Me dirijo con Guerra Matos hacia el batey de la finca, vamos empapados. Quiero pedirle a Ceferino, el mayoral, quien es amigo mío, que nos preste un tractor para sacar los camiones del fango. De momento, la luz de una linterna nos enfoca y nos gritan:

—¡Rápido, manos arriba!

Varios soldados nos amenazan con sus armas.

Insultos y prepotencia de parte de los militares, aunque están nerviosos. Al unísono, mi compañero y yo levantamos más alto la voz considerándonos objeto de un error mayúsculo. Nuestros reclamos son de indignación; todo es muy rápido. No creo que podremos aguantar esta comedia mucho tiempo.

En medio de esta discusión, me doy cuenta de que si me encuentran el revólver que llevo encima lo tomarán como prueba de que somos de la guerrilla y seremos hombres muertos. Aprovechando la confusión y la escasa luz, a pesar del obstinado foco de la linterna, hago un movimiento con el cuerpo de modo que el arma que llevo a la altura del cinto, entre el pantalón y la ropa interior, se deslice por dentro del pantalón y caiga al suelo. Doy un paso adelante y el revólver queda abandonado en la oscuridad. Mi actitud fuerza a los soldados a acercar más sus fusiles a nuestros cuerpos, pero están asustados o confusos. Seguramente porque sospechan que pueden estar rodeados por el contingente rebelde que tienen que haber visto pasar hace menos de una hora. En total son unos quince soldados.

Conscientes de que si no escapamos seremos asesinados cuando nos identifiquen, discutimos con nuestros captores: alegamos airadamente que somos comerciantes que vamos al poblado de Cayo Espino a comprar granos y viandas para venderlos en Manzanillo. Antes de que nos amarren para evitar que escapemos, Guerra Matos y yo, como si nos hubiéramos puesto de acuerdo, atropelladamente salimos de la barrera de soldados que tenemos frente a nosotros y corremos hacia el barranco del río, perdiéndonos entre la vegetación. No nos disparan. Quizás están paralizados por el temor a un ataque de los guerrilleros. La oscuridad nos protege y no pueden localizarnos. Corriendo nos dirigimos hacia donde están los camiones, a medio kilómetro del destacamento militar. Hacemos un esfuerzo desesperado por sacar los vehículos, ya que éstos comprometen muy seriamente a mi familia, pero el intento es inútil.

Tomamos el rumbo hacia Yara, voy convencido de que al huir escapamos de la muerte. La noche sigue lluviosa y ni un solo vehículo transita; estamos a varias horas de distancia. Me preocupa mi familia, principalmente la suerte de mis hermanos, Rogelio y Hugo. Somos socios en el negocio arrocero y a pesar de que me apoyan en estas actividades, estoy involucrando a la empresa en la guerra civil.

Avanzamos unos cuantos kilómetros a un paso agotador. Vamos sorteando los obstáculos en la oscuridad, con la intención de ganarle la partida al amanecer para evitar ser presa fácil del ejército que seguramente nos busca. Guerra Matos, que es un hombre de oficina, está casi sin aliento y no puede avanzar con rapidez. Trato de estimularlo pero es en vano:

—No doy más, me quedo aquí, que me encuentren y me maten.

Se tira al suelo completamente vencido. Le explico que hemos salvado la vida milagrosamente y que ahora debemos salir de esta zona donde corremos grave peligro. A regañadientes se pone otra vez en camino; ya sobre la madrugada, hago señas a un camión que va a recoger caña para llevarla al central Estrada Palma. Le ofrezco dinero para que cambie su itinerario y nos deje en Yara, pero el hombre dice que si hace eso perderá su paga del día. Prometo compensarlo y poniendo en sus manos algún dinero nos lleva al pueblo.

La lluvia prosigue, tenue pero tenaz. Las primeras casas me dicen que hemos llegado al destino; ya es de día. Después de cruzar el río Yara nos bajamos del camión a la entrada del pueblo y caminamos hasta llegar a mi casa. Le digo a Guerra Matos que a mí me tienen bien identificado pero que a él no, por eso corre pocos riesgos en este asunto de los camiones. Le bastará con ocultarse durante algún tiempo. Toma café y apresuradamente se va.

Rápidamente explico a mi esposa y hermanos que durante la mañana el ejército encontrará los camiones y al descubrir que son nuestros vendrán a pedir cuentas.

—Tengo que desaparecerme —le digo a María Luisa—, y de inmediato, por el bien de todos.

Ella comprende y enseguida, con los demás miembros de la familia, coincidimos en mantener la coartada de mi vida irregular, de mi súbita vocación donjuanesca y de todos los desequilibrios hogareños que esto ha causado.

Tenemos que decirnos adiós sin ninguna certidumbre de volver a vernos. Sin embargo, intuyo que la vida se encargará de reunirnos.

Me despido de los míos sin poder evitar que el corazón se entere de la partida. Mi cuñado Roberto me lleva en su auto hasta Bayamo, a la casa de Carmen, la hermana de María Luisa, donde el doctor Efraín Benítez me espera y, sin pérdida de tiempo me conduce hasta Holguín, a una hora de distancia.

Ya en esta ciudad, Aníbal Dotres y Francisco Almaguer, dos viejos amigos dirigentes del Colegio de Maestros me facilitan un carnet con un nombre falso: Gustavo Benítez. Nadie hace preguntas. Salgo para La Habana en ómnibus, sin perder un minuto. Hoy es 16 de marzo de 1957. Durante el viaje logro dormir un poco. Me parece que desde ayer ha pasado mucho tiempo.

Al llegar a la capital me alojo en una casa de huéspedes, a muy poca distancia de la Universidad de La Habana. La propietaria de la pensión, Manuela, es una gallega afectuosa, bastante lista y confiable. En privado le explico:

—Ando en asuntos de la lucha. Mi nombre ahora es otro, éste. ¿Entiendes?

Asiente con un gesto, su silencio y grata acogida son un signo de adhesión a la causa.

Han pasado dos horas desde mi llegada y aparecen los sabuesos de la policía pidiendo identificaciones. Me quedo sentado en el salón de huéspedes en una conversación casual y cuando se produce la requisa, mi carnet del magisterio me salva. La policía anda buscando a los implicados en el asalto al palacio presidencial ocurrido hace cuatro días. Se supone que en estos edificios que dan frente a la Universidad, a escasa distancia de donde fue abatido José Antonio Echevarría, pueden haberse escondido algunos estudiantes comprometidos.

Comprendo que aquí no debo permanecer mucho tiempo. Hago contacto con mi prima Emilia, que vive aquí en La Habana, y también con gente del Movimiento 26 de Julio.

Me entero de que mi esposa, mi padre y mis dos hermanos han sido arrestados y conducidos a la jefatura de operaciones del ejército cerca de la sierra, en Las Mercedes. Son interrogados con cierta dureza pero finalmente los ponen en libertad. Sin embargo, el ejército incauta los dos camiones.

De La Habana paso a Matanzas y luego a Sagua la Grande, en la provincia de Las Villas. Melania Pérez, dirigente magisterial, y una muchacha conocida por Chucha, que es responsable del Movimiento 26 de Julio en esta ciudad, me ayudan a movilizarme. Escondido en la casa de un joven matrimonio de apellido González ocurre un incidente imprevisible: al segundo día de estar aquí, el matrimonio sale con su hija pequeña, dejándome solo en la casa durante horas. Tocan a la puerta insistentemente, cada vez con mayor violencia. Me asomo con cuidado por un filo de la ventana y veo que es un señor de edad, pacífico su aspecto, pero endemoniado con la puerta. Decido abrirle y le explico lo que he convenido con los González: «Soy de la familia y estoy de paso para Cumanayagua». El viejo se enfurece y dice que va a llamar a la policía, pues él es el padre de la señora González y viene justamente de Cumanayagua. Me acusa de mentiroso, impostor, delincuente, etcétera, hasta que por fin lo contengo diciéndole que soy un luchador revolucionario acogido por el matrimonio González y que de entregarme a la policía comprometería a la pareja que me tiene bajo su protección. Se calma finalmente pero yo demoro en sacudirme el susto.

Días después recibo instrucciones de trasladarme a La Habana para relacionarme con Armando Hart, un miembro de la dirección nacional del Movimiento 26 de Julio. Al llegar a la capital, Hart no está o me esquiva. Lo busco según las instrucciones y no aparece, quizá se siente perseguido y prefiere evadir el encuentro. Cuando pregunto por él, los compañeros me dicen:

—No se halla aquí, nadie sabe dónde está.

Sin darme cuenta estoy en una ratonera, en la que abundan los infiltrados de la policía. La persona que me guía me advierte que si me lleva a la casa que me han asignado, me capturan y me matan.

—Esa casa está *quemada,* la policía la tiene bajo vigilancia.

Entonces, con la ayuda de Perfecto Díaz, un amigo a quien quiero como a un hermano, vuelvo a la provincia de Las Villas, al pueblo de Placetas. Aquí me esconden en la clínica del doctor Isidoro Sánchez Perales, donde me reúno con María Luisa, quien ha viajado con toda precaución desde Manzanillo. Ella ha ingresado a la clínica, con una almohada bajo su ropa de maternidad, simulando un avanzado estado de embarazo. Pilar, la entusiasta esposa del doctor Sánchez ha sido clave en este encuentro. Le digo a María Luisa que voy de regreso a Oriente para incorporarme a las guerrillas y nos ponemos de acuerdo en los pasos a dar con su ayuda.

En la ruta hacia la sierra hago escala en Holguín, en la casa del compañero de lucha Rubén Bravo, donde me esperan George Benítez y Ramón Figueroa, dos hombres de absoluta confianza que han venido desde Yara para llevarme al nuevo escondite: un almacén lleno de semilla de arroz en una de las fincas que cultivamos, Las Caobas, a unos cuarenta kilómetros de las montañas. Cuando entro al almacén algunos ratones corren con miedo de un lado al otro, pero unos días después parecen haberse acostumbrado a mi presencia y transitan tranquilamente ante mi vista.

Desde aquí mando un mensaje a Celia en la sierra, para que me autoricen a incorporarme a la guerrilla. La espera es tensa. Sé que la policía sigue buscándome y estoy en sus narices. Por fin, llega la respuesta de Fidel: «Aquí serás un hombre más. Hacen falta armas y balas. Si vienes con un fusil te aceptamos».

Comprendo que el problema que tienen en la sierra es de armamento. En estas circunstancias coincido con mi familia en que debo salir de Cuba. En otra tierra donde pueda moverme libremente encontraré los medios que me conduzcan a dar un aporte concreto al Ejército Rebelde.

Pienso en Costa Rica. Escondido entre estos sacos de arroz, sueño con llegar al despacho del propio presidente de la República hermana, José Figueres, un demócrata que ha demostrado su rechazo a la tiranía batistiana. Mis ilusiones no paran ahí: con su ayuda y en unión de otros exiliados prepararemos una expedición para traer armas a la sierra y entonces quedaré incorporado a la guerrilla.

De nuevo en Holguín me encuentro con María Luisa y nuestros tres hijos, a los que veo siempre solidarios, dueños de sí mismos, con el ánimo entero. Convenimos en que es mejor seguir el viaje hacia La Habana en ómnibus, donde mezclados con los demás pasajeros pasaremos más desapercibidos. En el autobús me espera una desagradable sorpresa: encuentro a un hombre de Manzanillo vinculado con la dictadura. No es un batistiano connotado pero se sospecha que está más allegado al poder de lo que él mismo dice. Sin dudas me ha reconocido y si me denuncia estoy perdido. De aquí a la capital hay de doce a quince horas que paso vigilándolo disimuladamente. Pero el hombre finge ignorarme, probablemente por nuestra hermandad masónica.

En la capital nos alojamos en el Hotel Lincoln. El administrador está identificado con la conspiración y toma medidas para protegerme si aparece la policía. Al día siguiente María Luisa regresará con nuestros muchachos a Oriente.

Sin conocer mis planes, un amigo de mi padre, el doctor José Ramírez, lleva varias semanas buscándome para ayudarme a conseguir refugio en la embajada de Costa Rica en La Habana, por medio de su sobrino y buen amigo mío, el doctor Manuel León, representante a la Cámara por el Partido Liberal. Por medio de mi padre nos ponemos de acuerdo y al anochecer del día convenido, León y yo caminamos hacia la embajada costarricense como dos visitantes. Previamente me ha indicado que si la policía nos ataja, me quede medio paso detrás de él. Así sucede y cuando un policía cuestiona la razón de su presencia, él muestra su credencial de congresista y el uniformado nos da paso.

Sobre el escritorio del funcionario que toma mis datos, veo la fecha: primero de mayo de 1957. El embajador costarricense, Mario Goicoechea, me explica amablemente que las autoridades cubanas le advirtieron que si me admitían no le darían curso al trámite de salida del país, por lo que ha tenido que consultar al presidente Figueres, antes de darme asilo. Su preocupación se fundamenta en lo sucedido recientemente en la embajada de Haití, cuya extraterritorialidad fue violada por el jefe de la policía de Batista, el coronel Salas Cañizares.

En la embajada encuentro a personas de diferentes organizaciones.[1] Casi todos los asilados tienen alguna relación con los hechos del ataque al palacio, el 13 de marzo. Lo que fue y lo que pudo ser ese asalto es tema de discusión entre nosotros. Tres semanas después de entrar a la embajada nuevos acontecimientos estremecen a todo el país: un grupo de opositores con el apoyo de la Organización Auténtica ha desembarcado por el norte de la provincia de Oriente. Es la expedición del yate *Corintia,* comandada por Calixto Sánchez, líder sindical. Según el gobierno, casi todos los integrantes de este grupo expedicionario de veintisiete personas, incluyendo su jefe, han resultado muertos en combate. La verdad parece ser otra: el grupo fue cercado y los que se rindieron fueron asesinados por soldados al mando del coronel Fermín Cowley en el lugar de la acción. Sin tener relación con esta expedición, a mi amigo Rubén Bravo la policía lo sacó de su casa, donde vivía con su esposa y sus cinco hijos, y lo asesinó.

Al cumplir un mes de asilo, sorpresivamente el embajador me anuncia que la dictadura ha decidido otorgarme salvoconducto y que viajaré el primero de junio hacia San José. Me dará cartas de presentación para el presidente Figueres y para un hermano suyo, con el fin de facilitarme relaciones en su país, lo que agradezco.

Llega el día y nos llevan al aeropuerto en medio de los acostumbrados trajines de seguridad que caracterizan a los regímenes de fuerza. Carros patrulleros, agentes uniformados y en ropa de civil, todos con su semblante hosco. El embajador va con nosotros y nos protege con su presencia. María Luisa, en compañía de mi padre y mi prima Emilia, ha venido también al aeropuerto y tenemos oportunidad de vernos brevemente.

Desde el avión, echo un vistazo hacia el edificio de la terminal aérea y veo a mi linda esposa, agitando un pañuelo blanco en la mano. Hasta que el ángulo de visibilidad me permite observar, ella queda allí, moviendo su pañuelo en lo alto.

---

1. Del Directorio Revolucionario están Pepín Naranjo, José Asef y otros; del Partido Auténtico están Ramón Valladares y el Chino Menéndez. También hay ex militares como el capitán Aguilera. *(N. del A.)*

> Con un bello ramo de flores que apenas
> cuesta cinco centavos de dólar y en nuestro
> hogar es un hermoso símbolo de amor y de
> esperanza mientras se prolonga la nostalgia
> del destierro.

La tarde del primero de junio de 1957 arribamos a tierra costarricense. Desde la ventanilla del avión he venido observando el bello paisaje ondulado y de gradaciones verdes que ofrece este país. Llanos, montañas y bosques alternan con sus tonalidades de naturaleza en primavera para integrar la síntesis panorámica de Costa Rica. Aquí le llaman «invierno» a la primavera, pero eso no disminuye un ápice lo hermoso del paisaje costarricense.

Casi cinco horas de vuelo hemos invertido desde La Habana a San José. Es la primera vez que salgo de mi país. En el aeropuerto nos dan la bienvenida algunos de los compatriotas que estuvieron con nosotros en la embajada y llegaron a Costa Rica una o dos semanas antes. Entre las personas que nos reciben hay un compañero del Movimiento 26 de Julio, Gregorio Junco, un estudiante camagüeyano que asesora mis primeros pasos en el exilio. Me hospedo en un hotel modesto donde viven varios cubanos exiliados y luego me traslado a la pensión de doña Justa, una hondureña atenta que fuma constantemente. He preferido un lugar tranquilo donde la discusión política intrascendente no sea un ejercicio obligado.

La clientela de la pensión refleja el mosaico de los pueblos centroamericanos, con una mayor presencia hondureña, por razones obvias. Me relaciono con los demás huéspedes sin establecer vínculos de amistad estrecha. Soy un luchador con planes específicos que necesita relaciones y al mismo tiempo privacidad. Gregorio está en preparativos para marchar en breve hacia México con la esperanza de irse cuanto antes a la Sierra Maestra. Nada le digo de lo que me ha traído a Costa Rica. Todavía es temprano para entrar en ese tema y no quiero que piense que vivo de fantasías.

Recorro la ciudad de San José y visito otros lugares en las provincias. Me interesa saber cómo es el país y cómo es su gente. Voy a

Heredia, Alajuela, Cartago, cerca y lejos de la capital. He ido hasta Puntarenas, en la costa del Pacífico, pero prefiero la meseta central donde están San José y demás centros de mayor población. Costa Rica es un país hermoso y de gente educada. Me impresiona la importancia que le conceden aquí a la educación. La mayor parte de la población está interesada en superarse y en general todos los niños de edad escolar y un alto porcentaje de los jóvenes están vinculados al proceso educativo. Esto en América Central, que no es la región más avanzada del continente, es meritorio. También llaman mi atención las flores y la predilección que por ellas sienten los costarricenses. Es cierto que el clima fresco y la tierra fértil favorecen la jardinería, pero hace falta además gusto y voluntad para tener, como acostumbran aquí, muchos patios y balcones adornados con geranios, rosas, orquídeas y otras flores.

Otra cosa que ha despertado mi curiosidad en el escenario costarricense son los cafetales plantados hasta en el mismo perímetro de la capital. Esta gente de la meseta aprovecha la tierra con criterio racional y verdadera vocación.

En uno de mis recorridos por la ciudad busco el edificio de la Gran Logia Masónica de Costa Rica y me identifico como miembro de la fraternidad. Me propongo visitar periódicamente la Logia Regeneración Número 4; y cuando la primera sesión termina, cuento ya con varios amigos. Entre ellos, don Moisés Herrera me ha tratado con especial deferencia. Es de origen hondureño y vino a Costa Rica como emigrado revolucionario hace muchos años. Casado con doña Rosita Fiallo, también hondureña, echó raíces en este acogedor país. Herrera ha ofrecido ayudarme en todo lo que esté a su alcance. Él es un hombre de negocios, pero lo que más aprecio es su excepcional calidad humana. En el curso de varias semanas hemos forjado una amistad de bases muy consistentes que habrá de durar toda la vida.

Doña Justa ha vendido su negocio a una venezolana exiliada, doña Pilar Masó, cuyo esposo, Pedro Cabrera está comprometido en la lucha de su país. Ahora vienen a esta casa los exiliados venezolanos que entienden bastante nuestro problema. Ambos pueblos enfrentamos regímenes militares dictatoriales. Ellos están bajo la opresión del coronel Marcos Pérez Jiménez. En el área caribeña, los dominicanos sufren desde hace treinta años la dictadura del general Trujillo, más antigua y enraizada que las de Venezuela y Cuba. Todos hablamos un lenguaje político casi idéntico. Las tiranías tienen mucho en común. El sufrimiento de los pueblos oprimidos varía en intensidad y detalles, pero el drama es el mismo.

Nuestra casa de huéspedes es lugar de reunión de la resistencia venezolana. Por aquí han desfilado algunas de las figuras importantes de su lucha, como Raúl Leoni, quien es segundo en jerarquía entre ellos. El primero es Rómulo Betancourt, un líder político en toda la expresión de la palabra. Los dominicanos exiliados en Costa Rica son menos numerosos y organizados que los venezolanos, aunque tienen gente muy valiosa. Los cubanos estamos dispersos en varios grupos con fuertes vínculos de unidad nacional y las inevitables rivalidades sectarias. Sin embargo es mucho más lo que nos une que lo que nos separa. Entre nuestros compatriotas, los más numerosos y con mayor influencia son los auténticos, divididos en dos bandos: los simpatizantes de Carlos Prío, cuyo representante aquí es el doctor Eufemio Fernández, un hombre inteligente y valiente que goza de general respeto. El otro grupo auténtico es la Triple A, lidereada por Aureliano Sánchez Arango, que no reside en Costa Rica aunque se mueve en todo el ámbito centroamericano y tiene sus seguidores dentro y fuera de Cuba. El Directorio Revolucionario es otra agrupación cubana cuyos miembros tienen las mejores relaciones con los auténticos y en general se llevan bien con los demás emigrados políticos de nuestra nacionalidad. Les favorece la imagen limpia y heroica de José Antonio Echevarría, muerto en los hechos del asalto al palacio presidencial. Su dirigente en San José es Pepín Naranjo, un joven recién llegado que sabe llevarse bien con todo el que le trata. Nosotros, los del Movimiento 26 de Julio, somos un grupo importante, aunque aquí no estamos organizados.

Hay en San José dos lugares donde se reúnen los cubanos para conversar, discutir y matar el tiempo. Uno es la Soda Palace, frente al Parque Central, donde toman café y se extienden en comentarios durante horas. Los cubanos hablamos en voz alta, los «ticos» nos escuchan y creen que estamos peleando o somos gente poco educada; es probable que tengan razón en esto último. El otro lugar es la casa de Eufemio Fernández, cuartel general de los auténticos priístas. Allí viven Ramón Valladares y otros amigos que coincidimos en la embajada. A esta casa voy frecuentemente, pero no asisto a las tertulias del Parque Central.

Por gestiones de don Moisés Herrera me he relacionado con el ministro de Seguridad Pública, coronel Marcial Aguiluz, de origen hondureño como él. Vinieron juntos y por el mismo problema a Costa Rica. He hablado con don Moisés del propósito que me tiene en tierra costarricense y gracias a una gestión del coronel Aguiluz he llegado ya al despacho del presidente, don José Figueres. Ha sido una visita breve, de presentación, que no obstante he aprovechado para hablarle de la dramática necesidad de armas y municiones que está enfrentando Fidel en la Sierra Maestra. Figueres está sumamente interesado en el problema cubano, su pupila va más allá del escenario de Costa Rica y de Centroamérica.

Conozco a algunos educadores que me hacen ofertas de trabajo, pero declino porque tengo otros planes. Aunque María Luisa y los muchachos vienen para acá, mi deber es irme a la sierra Maestra tan pronto como pueda reunir los recursos que allá necesitan.

Mi hijo Huber, de trece años de edad, está ya conmigo. En agosto llega María Luisa, con Rogelio, que tiene diez, y Lucy, ocho. Nos alojamos en un pequeño apartamento nada confortable en la barriada de San Pedro. Luego encontramos una casita poco espaciosa para cinco personas, en el otro extremo de San José, cerca del Paseo Colón. Nos sentimos contentos de estar juntos. He perdido mis dos sueldos como profesor, pero no mi participación en la empresa arrocera y sé que mi padre se encargará de enviarnos lo suficiente para vivir.

Como el calendario escolar de Costa Rica es diferente al de Cuba, doy clases a mis hijos para evitar que se atrasen. Nuestra vida aquí es sencilla y en esta temporada en suelo costarricense dedico atención y cariño a los míos. Después ya no podré darles mucho, quizá nada, o solamente ausencia y pesar.

La noticia de la muerte de Frank País, máximo dirigente del Movimiento 26 de Julio en las ciudades, nos ha causado profunda pena. Fue asesinado por la policía de Batista en las calles de Santiago de Cuba unos minutos después de haber sido detenido. Este crimen provoca una airada protesta de la población santiaguera que convierte el funeral del líder revolucionario en un acto de abierto reto al régimen.

Hoy, 5 de septiembre de 1957, una semana después del asesinato de Frank, la radio informa de una sublevación contra Batista en la base naval de la marina, en Cienfuegos, provincia central de Las Villas. Según la información, los marinos de la base, actuando en coordinación con elementos civiles del 26 de Julio y de otro grupo revolucionario de origen auténtico, han tomado el control de la instalación militar y de algunas otras posiciones dentro del perímetro de la ciudad. Fuerzas leales a la dictadura se han movilizado hacia Cienfuegos donde hay fuertes enfrentamientos. Transcurridas unas cuantas horas de combate, que dejan un saldo aproximado de cien muertos, el levantamiento de Cienfuegos es dominado completamente por el régimen. Un duro golpe para la causa revolucionaria y a la vez una heroica confirmación de la voluntad de resistencia contra Batista.

Llega a Costa Rica, de paso, Raúl Chibás, hermano del desaparecido líder del Partido Ortodoxo, Eduardo Chibás. Raúl estuvo en la sierra unos días junto a Fidel y parece ser una persona importante entre los revolucionarios. Fui a saludarlo con la mejor intención pero no me hizo mucho caso, me dio la impresión de ser un hombre distante. En la sierra, junto a Felipe Pazos,[1] firmó con Fidel el Manifiesto de la Sierra Maestra, que contiene el compromiso concreto de restablecer la democracia en Cuba. Con Raúl Chibás vino Agustín País, hermano de Frank y de Josué, ambos asesinados por los esbirros del régimen.

Llega a Costa Rica otra figura destacada del Movimiento 26 de Julio: el periodista Carlos Franqui, con quien me relaciono amistosamente. Es un hombre inteligente y modesto con el que se puede estar o no de acuerdo, pero inspira confianza. Permanece aquí unos días y luego se marcha a Estados Unidos.

Casi por sorpresa, viene mi amigo de Manzanillo, Napoleón Béquer, compañero de la ortodoxia. Es comerciante en telas y una persona buena y de trato fácil. Me dice que viajó a Costa Rica siguiendo mis pasos, con la esperanza de poder hacer algo por Cuba.

Entre los compañeros del Movimiento 26 de Julio hay algunos que son personas valiosas, como Evelio Rodríguez Curbelo, de La Habana; trabajaba en Fin de Siglo, uno de los mejores establecimientos comerciales de la capital cubana. Es joven, de unos veinticinco años, de mente ágil y voluntad entera.

Por iniciativa de Evelio organizamos el Movimiento. Participa un periodista dominicano exiliado, Julio César Martínez, que ha residido antes en Cuba en la misma condición. Sin olvidar el problema de su patria, se siente tan cubano como nosotros. Editamos un pequeño periódico con el título de *Cuba Libre*, que es el órgano de difusión del Movimiento 26 de Julio en esta región centroamericana. Por generosidad solidaria del líder sindical Luis Alberto Monge (que luego, entre 1982 y 1986 sería presidente de Costa Rica), el local de la Confederación General de Trabajadores Costarricenses, que él preside, nos sirve de oficina.

Napoleón Béquer y los hermanos Francisco y Rafael Pérez Rivas están igualmente incorporados al trabajo revolucionario, así como

1. Economista prestigioso que había presidido el Banco Nacional de Cuba con anterioridad al golpe de Estado. *(N. del A.)*

Samuel Rodríguez, Ricardo Martínez y Orlando Ortega. La mayoría de ellos son de La Habana y se conocen desde Cuba.

Nuestra vida familiar transcurre de manera apacible y con la mayor modestia. El único paseo turístico que hemos hecho los cinco, es al volcán Irazú, que lleva unos cuantos años inactivo. En un día hacemos el recorrido de ida y vuelta. Un taxista nos lleva por no muchos colones, en su pequeño Volkswagen, que ante nuestro asombro va trepando cuestas por la estrecha carretera hasta alcanzar la cima. Después de llegar a este punto, mis hijos varones y yo nos adentramos hasta lo profundo del cráter, donde hay una pequeña laguna. Tanto aquí como en la parte más alta del Irazú, hace un frío tremendo.

El otro lujo en que incurrimos en Costa Rica es el de dedicar una parte de nuestro limitado presupuesto familiar a comprar algunas flores, para que nunca falte en nuestro hogar un ramo de gladiolos, azucenas, dalias o rosas. De nuestra visita al mercado en busca de víveres y frutas —por lo general cada dos días— regresamos mis hijos y yo a pie por el Paseo Colón, con un bello ramo de flores que apenas cuesta cinco centavos de dólar, y que en nuestro hogar es un hermoso símbolo de amor y de esperanza mientras se prolonga la nostalgia del destierro.

> Tengo sed, mi cantimplora está vacía y pregunto dónde puedo llenarla. Me dicen que a sólo doscientos pasos hay un río. Lo busco en medio de una noche espléndida, con luna brillante.

Por varios meses Evelio Rodríguez, Napoleón Béquer y yo nos dedicamos a conseguir armas. Disimulamos nuestra actividad con el trabajo de difusión política cuya responsabilidad principal la delegamos en Julio César Martínez. Algo hemos conseguido, pero necesitamos más ametralladoras, rifles, municiones y granadas. El costarricense Frank Marshall nos facilita generosamente un buen número de fusiles con sus municiones.

He pedido a mi padre dinero para la compra de armas y me envía una suma sustancial de mi participación en el negocio arrocero. Tenía esa reserva para construirle una casa a nuestra familia.

Hago sondeos de manera sutil entre algunos cubanos que creo que están comprometidos con el esfuerzo revolucionario. Les pregunto, tentativamente, si estarían de acuerdo en sumarse a una expedición que podría partir a la sierra con armamento. Algunos asienten de inmediato y se muestran impacientes por participar, otros arguyen que van a pensarlo porque tienen familia. Estas indagaciones me permiten saber con quién podemos contar.

Buscar el avión que nos llevará es tan importante como conseguir armas. Hacemos gestiones infructuosas para conseguir uno; hasta concebimos la idea del secuestro, pero la desechamos porque con esa acción estaríamos violando las leyes de un país tan acogedor. Contrataremos un transporte. Le escribo a Carlos Franqui a Nueva York, pidiéndole que nos ayude a conseguir un piloto. Me promete hablar con la dirección del Movimiento 26 de Julio en el exterior.

Preparo un mensaje para Fidel con el plan completo de la expedición, contando ya con las armas y municiones que tenemos en nuestro poder. Solicito que nos envíe algún dinero para fletar un avión, y si el Movimiento cuenta con esa posibilidad, que nos facilite un piloto. Le anticipo una posible fecha de llegada a confirmar más tarde y le sugiero que escriba al presidente Figueres solicitándole armas y ayuda.

A través del coronel Aguiluz sabemos que Figueres está en disposición de ayudarnos, con la condición de que podamos presentar credenciales confiables y asegurarle que los pertrechos irán de verdad a la Sierra Maestra en un plazo determinado.

Debemos enviar el mensaje a Cuba con una persona de extrema confianza. Naturalmente, no puede ser ninguno de los exiliados. Entonces, ¿quién? Sorpresivamente, mi esposa se ofrece. Me siento conmovido con esa actitud propia de su personalidad, pero no insisto en disuadirla porque compartimos los mismos ideales.

Desde principios de año ella me dijo:

–Huber, te estoy ayudando a que vayas a la sierra a pelear; no actúo con egoísmo, tú sabes que la mujer por lo general trata de sustraer al hombre de los riesgos. Yo lo que hago es comprenderte y cooperar, aunque sea no poniéndote obstáculos. Pero ahora quiero tener un hijo más y aunque no llegaremos a ser la familia numerosa que nos hubiera gustado, si te pasa algo grave, será para mí como una compensación. No es una conversación muy común pero le encuentro toda la razón del mundo. Así decidimos que habrá un hijo más, que nacerá cuando yo esté en tierra cubana.

Llegado el momento, María Luisa viaja a Cuba acompañada de nuestra hija Lucy, llevando un mensaje cifrado para la comandancia del Ejército Rebelde. Luego de un discreto ingreso a La Habana se dirige a Manzanillo y, superando dificultades y riesgos, entrega la misiva que es enviada inmediatamente a Fidel.

Fidel me contesta y manda además una carta para Figueres. También ordena que nos entreguen siete mil dólares para fletar el avión.

Ricardo Lorié, miembro del Movimiento 26 de Julio, viene desde Manzanillo con el dinero y las cartas. Me voy a ver al presidente.

–Matos –me dice Figueres–, voy a entregarles las armas, pero recuérdele a sus hombres que esas armas son parte del pequeño arsenal de Costa Rica y que yo se las cedo a ustedes porque quiero al pueblo de Cuba. No puede haber infidencia alguna sobre mi actitud porque me pondría a mí como un irresponsable ante los costarricenses y podría costarme hasta la misma presidencia; además tiene que llevarse las armas antes de que termine el mes de marzo, es decir, en un plazo de dos semanas. El coronel Marcial Aguiluz coordinará con ustedes la operación.

Costa Rica es un país sin ejército y goza de prestigio como sociedad civil ante el resto del mundo. Figueres ansía la libertad de Cuba, pero a pesar de que el pueblo costarricense simpatiza con los rebeldes de la Sierra Maestra, él desea guardar las formas del principio de no intervención en los problemas internos de otras naciones.

—Las armas esperan por usted, las tenemos en un depósito que está justamente debajo de nuestros pies. Cuanto antes se las lleve, mejor será.

—Confíe en nosotros, señor presidente.

Y me despido del mandatario.

Depositamos las armas que nos da Figueres y las que hemos conseguido por nuestra cuenta, en la finca La Lindora, propiedad del coronel Aguiluz. En medio de estos ajetreos llega de México Pedro Miret, uno de los hombres que participó en los hechos del Moncada. Es el jefe de asuntos bélicos del Movimiento 26 de Julio en el exilio y quiere unirse a nuestra expedición; se presenta con humildad, pero pronto comienza a crear confusión e intrigas entre la gente. Quiere arrebatarnos la expedición y atribuirse la paternidad.

Conversamos con el jefe de la sección aérea del gobierno de Costa Rica, el capitán Guerra, quien a su vez es dueño de una empresa aerocomercial, y hemos acordado que un avión de su compañía nos lleve hasta la sierra. Nos cobra el viaje por adelantado y le pagamos los siete mil dólares.

Como los planes de Miret son otros, él le propone a Guerra que las armas sean arrojadas en paracaídas. Esto no es lo que yo he convenido con Fidel. Si nosotros quedamos fuera de la operación porque las armas se lanzan desde el avión, se corre el riesgo de que el cargamento caiga en manos del ejército. Para Guerra sería la solución ideal, pues así evita un aterrizaje donde puede peligrar el avión. Miret, por su cuenta, entrega quinientos dólares más a Guerra con el pretexto de que los use para gasolina.

Nuestra gente está molesta y pasamos días turbulentos. Hoy es 26 de marzo, apenas a cinco días de la fecha anunciada para nuestro viaje a la sierra. No hay tiempo que perder.

Voy a ver a Guerra a su casa y le planteo:

—Le hemos entregado siete mil dólares para que el avión nos transporte con las armas a la Sierra Maestra. Ya los pilotos están aquí, han venido de México. El señor Pedro Miret, con prerrogativa que nadie le ha dado, le entregó a usted quinientos dólares para convencerlo de que las armas deben lanzarse en paracaídas.

Guerra busca explicaciones que no encuentra.

—Le recuerdo que la fecha final y única, porque nos esperan ese día en el lugar preciso, es el 31 de este mes. Las armas están en la finca del coronel Marcial Aguiluz, de donde mis compañeros fueron echados con el argumento de que el armamento se tirará en paracaídas. Ahora resulta que Miret es el que tiene acceso a las armas que nosotros conseguimos. Usted está informado de que el coronel Aguiluz es el hombre que el presidente Figueres nombró como su contacto conmigo. Yo no puedo ir contra Aguiluz, aunque en esta oportunidad está equivocado. Y está equivocado porque Miret y usted lo han predispuesto.

Hago una pausa para ver en él los efectos de mis palabras. Y sigo:

—Bien, usted es el dueño del avión y ante mí es el responsable de un compromiso muy serio porque ya recibió su dinero. Con Aguiluz las cosas se manejarán a otro nivel, como depositario transitorio de las armas. Pero a usted esto le puede costar caro.

Guerra toma en serio estas palabras.

—Estoy dispuesto a dar la vida por la causa de mi pueblo y también estoy dispuesto a morir aquí para obligarlo a cumplir su compromiso. No voy a permitir que Miret y usted malogren esta expedición.

—Esta tarde nos vemos a las tres en mi despacho del aeropuerto —me responde.

A la hora citada estoy en su oficina, desde donde se ven los despegues de los aviones y demás actividades de una terminal aérea. Guerra no está solo. Lo acompaña un uniformado al que me presenta como el jefe de Seguridad Pública de Costa Rica. Se trata de un coronel al que sólo saludo.

—Vamos a salir a conversar un poco —me dice y se despide del coronel.

Salimos en su automóvil y me lleva fuera de la ciudad, a un lugar despoblado. No cambiamos una sola palabra. Él espera algo de mí pero yo sigo mudo. Por fin, me pregunta:

—¿Usted tiene algo que decir?

—Lo dije todo esta mañana. ¿Y usted?

—Bueno, Matos, yo quiero resolver el asunto. Si usted se pone de acuerdo con Miret, conmigo no hay problemas. Yo permito que el avión descienda donde quieran.

Por medio de don Moisés Herrera me reúno con Aguiluz en la casa de una hermana del coronel.

—Usted es un viejo revolucionario —le digo— y debe comprender esta situación. Nosotros tenemos el compromiso de entregar el arma-

mento en la sierra, no se puede correr el riesgo de lanzarlo en paracaídas.

Repito todo lo que hablé con Guerra. Le doy a entender claramente
que si la operación fracasa, Guerra y Miret tendrán que responder con
sus vidas.

—Pienso —contesta Aguiluz— que lo que usted propone es razonable. Ahora me interesa que saquen cuanto antes el armamento de mi
finca y lo lleven a su destino.

Ya con el consentimiento del coronel Aguiluz, busco a Miret.
Tenemos una conversación en el Hotel Balmoral, donde se aloja el
enviado de Fidel, Ricardo Lorié. Somos cinco cubanos en una situación muy tensa: Lorié, Miret, Evelio, Béquer y yo. Miret está pálido.

—Escucha —le digo a Miret—, estamos ante dos caminos: uno, que
el avión, que ya está pagado y listo, nos lleve a todos hasta la sierra.
El otro, que tú logres tu objetivo, ir a tirar las armas y luego regresar
a Costa Rica. En ese viaje no iríamos nosotros, que somos los que
hemos organizado la expedición. Si persistes en tu intento y las armas
se pierden, nos responderás con tu vida, acá o allá. Así que escoge el
camino pero toma en cuenta que no aceptaremos que te burles de nosotros dejándonos a un lado.

—¡No, no! —responde Miret—, esto ya está resuelto. La expedición
se hará tal como la planearon ustedes, pero yo quiero ir también para
cubrir las apariencias. Tú sabes que he estado en la organización de
varios proyectos de expediciones que no se han materializado.

—Está bien, tú vienes con nosotros. Lorié sale hoy para Cuba y
dentro de cuarenta y ocho horas estará en la sierra donde le explicará
a Fidel que hemos adelantado la operación para el día 30. Le dirá algo
de las dificultades que surgieron con el dueño del avión y contigo,
aunque sin entrar en detalles y si todo sale bien, no se conocerán los
vericuetos que te hacen daño.

—Está bien, está bien —se apresura a decir Miret.

Hace otras observaciones ya dentro de un total acuerdo y exclama:

—¡Cómo no va a quedar todo resuelto aquí, si somos cubanos
todos, somos hermanos, estamos en la misma causa!

Pero a su euforia tan súbita la entorna un silencio general.

En el mensaje que llevó María Luisa a Cuba le señalaba a Fidel
cuatro posibilidades de aterrizaje: una es una pista de aviación privada
en la finca arrocera de los Arca, una acaudalada familia de la zona; la
otra, una carretera ancha que, como vamos a descender casi de noche,

puede estar iluminada por la luz de camiones situados ahí para ese fin; las otras dos son pistas improvisadas en diferentes campos arroceros de nuestra familia.

Pero Fidel ha elegido una distinta, el caserío conocido como Cienaguilla. Aunque no estoy muy convencido, acato la decisión, pues ellos están en la sierra y saben por qué lado anda el ejército y cómo distraerlo.

Nuevamente nuestros compatriotas vuelven a la finca del coronel Aguiluz a custodiar el armamento. Mi esposa, sorteando riesgos con la ayuda de gente amiga y gracias a la intervención del consulado costarricense, llega de La Habana con nuestra hija Lucy en un avión de carga. Huber y Rogelio están internos en colegios de San José. Don Moisés Herrera, que también me ha ayudado a trasladar armas y a esconderlas en su casa, me ha prometido que va a supervisar a mis hijos y sus estudios. Esto me tranquiliza.

Guerra se encuentra en Miami desde hace dos días con el propósito de asegurar el avión contra todo riesgo. Está tomando amplias precauciones en el orden económico, porque Fidel ya le ha mandado a decir en carta al presidente Figueres —y éste se lo ha hecho saber a Guerra— que tiene garantizados setenta y cinco mil dólares si la máquina encuentra problemas mayores.

Sin que sepamos de dónde salió el rumor, se comenta en aquella ciudad que desde Costa Rica se prepara una expedición con armas para la sierra, en un avión que descenderá en Cienaguilla, a finales de marzo.

La noticia difundida en Miami llega hasta Costa Rica y el gobierno de Figueres se ve obligado a estrechar la vigilancia en todos los aeropuertos del país. Mientras tanto, en Cuba el ejército puede estar esperándonos. Estamos en los preparativos finales y esto es un serio inconveniente.

Alguien propone que nos llevemos las armas y despeguemos de la pista aérea de Puntarenas, un lugar insospechado, en la costa del Pacífico. Allí se despachan grandes cargamentos de productos del mar y bien podemos decir que los bultos que llevamos contienen, por ejemplo, camarones.

En la noche del 29 al 30 de marzo trasladamos armas y municiones, acompañados de un oficial de la Guardia Civil costarricense, el coronel Vicente Elías. La presencia de Elías nos asegura que no habrá inspecciones a los vehículos en los puestos de registro que el gobierno ha establecido recientemente para controlar la plaga de la mosca del Mediterráneo.

Viene con nosotros un curioso personaje; es un piloto argentino, el capitán Manuel Rojo del Río. Experto en paracaidismo, trabaja en la empresa de Guerra. En cierto momento en que hacemos un alto con los vehículos, me dice el argentino:

—Óigame Matos, cubanito: tengo dos hijas y también un pellejo que quiero conservar. Ya sé que ustedes no quieren tirar los bultos; quieren aterrizar. A lo mejor la solución que tienen entre manos es arrojarme al vacío para evitar que yo aliste los paracaídas y lance las armas. Me lo estoy oliendo todo, pero mire, estoy dispuesto a respaldar los planes de ustedes porque lo único que me interesa son mis dos hijas y mi pellejo.

—Cálmate —le respondo—. No hemos pensado tirarte ni mucho menos. Lo que sí vamos a hacer es aterrizar.

Rojo del Río me mira tratando de confiar en mis palabras, pero sigue algo preocupado.

Amanece en Puntarenas. Estamos cansados, soñolientos y nos quedamos quietos por un rato. Algunos fuman y charlan, otros entrecierran los ojos. Pronto hay que poner otra vez manos a la obra. Partiremos al mediodía, hoy, 30 de marzo de 1958.

Del grupo revolucionario vamos ocho en la expedición.[1] Los pilotos son Pedro Luis Díaz Lanz y Roberto Verdaguer, ambos del Movimiento 26 de Julio. Vienen también Pedro Miret y el argentino Rojo del Río. En total doce personas.

Llevamos un poco más de cinco toneladas de armas y municiones que incluyen dos ametralladoras calibre cincuenta, subametralladoras y fusiles. Cajas con obuses para mortero. Las municiones 3006, muy valiosas en la sierra, constituyen un porcentaje significativo del cargamento. El armamento quizá no sea gran cosa si se tratara de un ejército regular, pero sí ha de resultar muy útil para una fuerza guerrillera escasa de armas y balas. Todos los pertrechos están ya en el C-46, un avión de transporte utilizado durante la segunda guerra mundial.

Hay que dar un buen amarre a nuestros «camarones congelados», ya que es un material de alto riesgo que debe quedar completamente inmovilizado para evitar una catástrofe. Como tengo experiencia amarrando carga en camiones, me ocupo del asunto. Todos estamos muy entusiasmados.

1. Napoleón Béquer, Evelio Rodríguez, Orlando Ortega, Samuel Rodríguez, Ricardo Martínez, Rafael Pérez Rivas, Francisco Pérez Rivas y Huber Matos. *(N. del A.)*

Me despido con un gran abrazo de mi amigo don Moisés Herrera, quien nos acompaña hasta el aeropuerto de Puntarenas y se retira cuando el avión está ya listo para partir. Cada uno va armado con una subametralladora, lo que nos permitirá defendernos de un ataque sorpresivo de las fuerzas de Batista, ya al tanto de nuestra llegada y, lo que puede ser peor, posiblemente enterados también del área en donde nos esperan en la sierra.

Nos toma bastante tiempo trazar la parte final de la ruta; los pilotos desconocen el lugar de aterrizaje, que no está indicado en ningún mapa. Creo que la información que les he dado será provechosa, ya que ejercí como maestro en una escuela cercana a Cienaguilla, hace ya bastante tiempo.

—Bueno, vamos a comenzar el chequeo final —dice Díaz Lanz, el piloto principal.

Mientras el avión se desplaza por la pista, cantamos, creo que con más entusiasmo que nunca, el Himno Nacional cubano.

Ya en pleno vuelo y a pesar de mi constante preocupación por la carga, que he seguido amarrando, me relajo después de tanta tensión. Atravesamos el norte de Costa Rica y vemos nítidamente una buena parte del territorio de Nicaragua. Mis compañeros charlan animadamente. A mí me requieren para una u otra cosa los pilotos, hasta que decido quedarme a su lado, parado en la cabina, entre Díaz Lanz y Verdaguer, que es el copiloto. Quieren cerciorarse de que puedo identificar el lugar de destino; les digo que mi verdadero conocimiento empieza cuando estemos comenzando a volar sobre la provincia de Oriente.

Después de cuatro horas, me dicen:

—Mira, ya estamos acercándonos a la zona, volamos sobre la punta oeste de Jamaica, Punta Negril.

Siguiendo lo indicado por Fidel, vamos entrando a Cuba entre Pilón, un central azucarero, y el Pico Turquino, que es la más alta de las montañas de Cuba. Los pilotos nos anticipan que si el día está claro, el descenso será fácil.

Como la aviación de Batista patrulla normalmente la sierra, los pilotos con su pericia ocultan nuestra presencia volando a muy baja altura entre las montañas; hay una expectante calma entre nosotros, y abajo, un aparente silencio.

En ningún momento divisamos las fogatas que nos van a señalar el lugar del descenso. ¿Estaremos realmente sobrevolando Cienaguilla o nos hemos pasado? Veo a la derecha el pueblo de Estrada Palma. ¡Hemos pasado ya, sin darnos cuenta, por nuestra meta!

Al dar un giro de ciento ochenta grados, diviso algo:

—Miren qué fácil sería descender aquí. Conozco esa plantación arrocera, es la finca de los Arca, que tiene habilitada una pista para aviones. Ése es uno de los lugares que yo le había señalado a Fidel para el aterrizaje.

Pero debemos ir al destino que nos han fijado. Ya estamos cerca del momento en que las luces del día comienzan a palidecer, anunciando la inminente oscuridad. Es la hora buscada para descender sin que las tropas de Batista puedan detectarnos y cuando ya la aviación militar ha cesado su jornada de incursiones sobre la sierra.

Para localizar el sitio que Fidel ha seleccionado, indico a Díaz Lanz que vuele a lo largo del contorno norte de las montañas, en la línea en que éstas se enlazan con el llano. De momento vemos lo que parece una bandera blanca, en el centro de un caserío. La señal que nos orientará. Lamentablemente, el lugar que parece han escogido para el aterrizaje no es apropiado. Asumo que Lorié nos espera cerca de aquí en un sitio más adecuado y con fogatas como señales.

No vemos las fogatas. Los pilotos hacen un paso rasante, pero la improvisada pista no sólo es irregular sino que también tiene obstáculos. Es un camino de carretas con surcos profundos. Los pilotos estiman que es imposible el aterrizaje y nos elevamos de nuevo; se está haciendo de noche y hacen un nuevo intento.

—Hay un bulto grande sobre el camino, parece que es leña. Se hará muy difícil aterrizar —dice Verdaguer, quien asesora como copiloto.

Ya estamos casi a nivel de tierra y Díaz Lanz tiene que abortar el aterrizaje, acelera los motores que rugen y se estremecen mientras impulsan el avión hacia arriba.

Los pilotos deciden aterrizar a pesar de que el espacio disponible es de más o menos doscientos metros.

—Sujétate bien —me dice Díaz Lanz, pues voy de pie entre ellos, fuertemente agarrado a los asientos del piloto y copiloto—. ¡Sujétate bien, que me voy a tirar aquí!...

Lo dice tenso pero decidido, con la vista concentrada en el camino. El avión toca tierra con los frenos clavados y absorbemos una sacudida estremecedora. Por un milagro el impacto no me catapulta contra las ventanillas de la cabina. Me aferro con tal firmeza que siento dolor en todo el cuerpo. Díaz Lanz, para esquivar los obstáculos del camino, hace una maniobra arriesgada, dirigiendo la nave hacia la derecha, lo que provoca un choque contra los postes de una cerca, la rotura del tren de aterrizaje y el destrozo de una hélice. El fuselaje cruje y se estremece, como un animal moribundo, hasta que por fin se detiene. Saltamos rápidamente con las armas listas porque no sabemos si el ejército de Batista controla el lugar. Esperamos, conteniendo el aliento. La máquina todavía se queja por los impactos, con un ruido de metales y de un motor ya languideciente. Se escuchan las voces de Verdaguer y de Díaz Lanz, que son los últimos en bajar del avión.

Hay silencio. ¿Por qué no se ve nadie, amigo o enemigo? La tensión va en aumento y sólo la brisa casi nocturna de la sierra es presencia entre nosotros. Esperamos… algo se mueve, gente que sale de una casa. Llevan el uniforme verde olivo del ejército y están bien armados. ¿Son soldados o rebeldes? Como no levantan los rifles para disparar, nos mantenemos expectantes y alertas. Al acercarse los primeros del grupo nos damos cuenta de que son combatientes rebeldes. Amplias y reconfortantes sonrisas nos sacan un peso de encima. Saludo afectuosamente al comandante Crescencio Pérez y de uno y otro lado se generan escenas de alegría incontenible.

—Lo hicieron. ¡Viva la Revolución! —exclama un guerrillero, levantando hacia lo alto su fusil.

En medio de toda esta algarabía, a un rebelde de la tropa de Pérez se le escapa un disparo de su arma.

—¡Te voy a fusilar, coño! —amenaza Crescencio al guerrillero—. ¡Te voy a fusilar por idiota!

Hace pocos minutos llegamos y la situación nos revela la crudeza de la sierra. Intervengo y le digo a Crescencio que comprenda que todos están llenos de euforia, que es un momento excepcional en el que cualquier situación involuntaria se puede producir. En fin, que pase por alto la cosa.

Crescencio acepta, pero me advierte que la vida en la guerrilla me enseñará que descuidos así pueden resultar fatales.

Hago luego un aparte con el capitán Delio Gómez Ochoa, que también ha venido a recibirnos en su carácter de oficial ejecutivo de la Columna 1 del Ejército Rebelde, bajo el mando directo de Fidel. Gómez Ochoa me adelanta que pronto vendrá Fidel a encontrarse con nosotros, pues ya le estarán informando que la expedición llegó. Me doy cuenta, mientras converso con el jefe rebelde, de que los hombres de la guerrilla de Crescencio Pérez están mal armados, en tanto que los de la Columna 1 lucen mejor pertrechados.

Trasladan las armas que trajimos a unos vehículos y vamos todos hacia la casa de uno de los hijos de Crescencio, donde nos servirán de comer. Continúa el clima de intensa alegría. Preparan una mesa grande para los recién llegados, algunos de los que nos esperaban y otros de distintas guerrillas que siguen llegando.

Tengo sed, mi cantimplora está vacía y pregunto dónde puedo llenarla. Me dicen que a sólo doscientos pasos hay un río. Lo busco en medio de una noche espléndida, con luna brillante. El perfume de las plantas crece mientras me acerco a un remanso, desde donde miro el paisaje de palmas, la vegetación tan típicamente cubana me envuelve. Parece como si todo se hubiera detenido en este instante. El sueño que he acariciado durante meses alcanza su realización plena en tierra cubana. Es un momento intenso en que se establece una armonía de mi espíritu con la noche de palmas, río y luna. Siento una dicha profunda. Es difícil estar con uno mismo en medio de una revolución. Pienso, sin embargo, que si los actos en esta nueva etapa de mi vida coinciden con los dictados de mi conciencia, estaré cumpliendo a cabalidad con mi misión, dándole sentido a mi presencia en este lugar, aferrado al suelo de mi patria.

He llegado hasta la orilla. Me siento limpio como las aguas del río que a mis pies refleja nítidamente la luz de la luna. A menos de un año de habérseme dicho que en realidad lo que aquí faltaba eran armas y balas, no hombres, es una satisfacción profunda haber podido concretar el objetivo de la expedición desde Costa Rica, con sólo algunos tropiezos. El éxito ha sido posible por la contribución y el esfuerzo de muchos.

Detesto la violencia pero estoy dispuesto a dar la vida en este intento por devolver a los cubanos la libertad. La dictadura no ha dejado otra alternativa a quienes creemos tener derecho a vivir en una sociedad libre y justa sobre principios de civilidad y convivencia en paz.

Miro el río, quieto y cristalino, el perfil de los árboles, las palmas... La cantimplora está repleta. Ignoro en qué momento me he inclinado para llenarla. Mi cuerpo agradece, mientras bebo, la frescura del agua del remanso en medio de esta armonía del cosmos, la noche serrana y mi mundo interior. Pero debo regresar a las realidades de la lucha en este nuevo escenario de deberes y esperanzas. Vuelvo sobre mis pasos hacia la celebración bulliciosa por el arribo de la expedición. Siento que soy un luchador abrazado a sus ideales y que quizá busca en el firmamento respuestas a las incógnitas de la existencia.

8
La guerrilla

El fin y el principio de un aventurero es la soledad, aunque quiera negarla. Pero todo lo nuestro aquí es comunión de ideales, sentimientos y esperanzas. Lo que hacemos no tendría sentido si no existiera un vínculo con los demás.

Día 30 de marzo de 1958. He regresado al bullicio optimista en la casa del hijo de Crescencio Pérez. Me ubican en una mesa grande donde se habla animadamente. Las preguntas a los expedicionarios son incesantes, no exentas de admiración por lo que los rebeldes llaman una proeza: el primer avión cargado de armas que llega a la sierra.

—Aquí está Fidel —dice Crescencio, y se levanta a recibirlo.

El comandante ingresa a la casa por una puerta lateral. Entra en el comedor dando grandes zancadas, secundado por un séquito de varios oficiales rebeldes y por Celia Sánchez. Sin saludar a nadie y dirigiéndose a todos en general, con voz autoritaria dice:

—¿Quién de ustedes es Huber Matos?

Me pongo de pie. Sin dejarme decir una palabra, Fidel me da la mano y casi simultáneamente me abraza. Su alegría es incontenible, desbordante.

—Bueno, creo que tienes mucho que contarme —dice.

Ágil, a pesar de su corpulencia, en sólo tres pasos llega al otro lado de la mesa donde van a ubicarlo. Se encuentra con el rostro sonriente de Pedro Miret.

—¿Y tú qué haces aquí? —la pregunta no es precisamente tranquilizadora para Miret.

—Mira, Fidel, si yo no vengo en ésta, no hay expedición.

Sorprendido por semejante descaro, digo fuerte pero secamente:

—Sobre eso hay mucho que hablar; vamos a dejarlo así por ahora.

Y callo, convencido de que el momento no es apropiado para entrar en detalles aclaratorios.

La comida nos lleva poco tiempo. Nos levantamos de la mesa y aprovecho para conversar con Celia, que está afectuosa y contenta. Me comenta que le había dicho a Fidel: «Tranquilízate, esa gente viene».

Ahora se siente respaldada por lo que hemos logrado. Sin falsos rodeos celebra que todo haya salido bien y dice que en ningún momento dudó de nuestra capacidad para alcanzar la meta propuesta. Siento admiración por esta mujer tan entregada a la Revolución como valiente. Hablamos unos minutos y luego salimos.

Un grupo rodea a Fidel, alborozado como un niño con juguetes nuevos. Exclama y grita una y otra vez: «¡Ahora sí ganamos la guerra!». «¡Con esto los destrozamos!», al mismo tiempo que hace disparos en la noche con las distintas armas traídas de Costa Rica. Celia y yo lo observamos sin poder evitar sonreírnos. Es un poseído que, al tiempo que da rienda suelta a su dicha disparando sin cesar, desconcierta a mis compañeros, que saben cuánto costó reunir y traer los pertrechos.

De pronto se calma.

—Traigan los mulos —le dice a uno de sus ayudantes. Y da instrucciones para que carguen a los animales con armas y balas. Unas irán con destino al Che, otras serán para las distintas guerrillas que operan en la sierra, y las restantes quedarán para Fidel y su Columna 1.

Algunos escopeteros piden fusiles, pero la verdad es que no hay para todos. El Ejército Rebelde ha crecido notablemente en los últimos meses, según me dicen, y con el paso de los días se advierte cada vez más la importancia de nutrir su heterogéneo arsenal, en el que los más vetustos y rudimentarios instrumentos de guerra alcanzan tanto valor como el más moderno equipo.

Fidel ordena quemar el avión para evitar que el ejército lo capture y lo pueda usar como propaganda, diciendo que fue ocupado con armamento, e incluso hasta repararlo. Es muy probable que el ejército venga con refuerzos en las horas del día. Se retira todo lo que puede ser útil, luego se rocía combustible y se le prende fuego, un espectáculo inusual en medio de la noche serrana.

Los pilotos, Díaz Lanz y Roberto Verdaguer, se muestran algo deprimidos por la suerte de la nave y yo pienso en todas las cosas que uno ha quemado por llegar a este día en la sierra: la calidez hogareña, el desarrollo de la propia vocación, el mundo del arte y de la música, la búsqueda intelectual, las amistades de toda una vida...

Metales retorcidos y cenizas. Es todo lo que queda del avión.

Fidel revisa personalmente las armas que se envían a cada grupo guerrillero. Luego se acerca y me dice:

—Muy buen trabajo, Huber, excelente. Ahora te mandaré otra vez al extranjero para que te dediques a organizar más expediciones.

No me sorprende ese argumento y le digo:

—Mire, comandante, hace ya tiempo quise incorporarme al Ejército

Rebelde y usted me mandó a decir que en él sería sólo un hombre más, que lo que hacía falta aquí eran armas y municiones. Lo entendí perfectamente y puse manos a la obra. Salí del país a buscarlas y aquí me tiene con ellas...

—Es verdad —me interrumpe observándome.

—He venido con un grupo de compañeros decididos a luchar y quiero estar al lado de ellos en el combate. Hay suficientes cubanos capaces de organizar expediciones como la nuestra.

—No estoy tan seguro —responde.

—Sí, los hay. No puedo regresar y dejar aquí a estos hombres. Estoy moralmente obligado a compartir riesgos y sacrificios con ellos.

Fidel está molesto, aunque trata de disimularlo.

—¡No, no, yo no lo veo así! —me dice tajantemente—. Ésta no es una cosa que depende de ti. Aquí soy yo el que manda, tienes que repetir lo de Costa Rica. ¡Ésa es tu función en esta guerra!

Él cree que la discusión ha terminado; lo sorprende mi respuesta:

—Discúlpeme, no estoy discutiendo su mando, es una cuestión de carácter moral la que alego. Puedo repetirle, palabra por palabra, lo que acabo de decirle; pero creo que no es necesario. Usted conoce mi intención, me quedo aquí, creo que tengo derecho a disponer de mi vida. Hay otros hombres, como el mismo Ricardo Lorié, que le serán muy útiles trayendo más armas a la sierra.

—Bueno, entonces lo que te interesa es pelear —replica Fidel contrariado.

—Quiero compartir la suerte de los que han venido conmigo.

—Está bien, quédate —dice con marcado enojo y desdén—. Reúnete con tu grupo, que yo les buscaré un jefe.

Le cuento a mis compañeros la conversación y están satisfechos pero inquietos de que nos pongan a Miret como jefe.

—Si tú me lo permites, Huber, yo le diré esto al comandante —dice Evelio Rodríguez, que muestra más disgusto que los demás con la sola idea de esa designación. Antes de que le conteste está junto a Fidel y sin preámbulos le advierte:

—Comandante, nosotros nos incorporaremos a la lucha pero Miret no puede ser jefe del grupo. Nómbrenos a otro cualquiera, no nos interesa ese señor.

Fidel, que todavía está atento a la distribución de las armas, no le contesta, pero Evelio advierte en su expresión un asentimiento. Poco más tarde los temores se disipan porque se acerca con gesto cordial un teniente del Ejército Rebelde, Humberto Rodríguez, que nos anuncia que él organizará con nosotros una nueva guerrilla. Este oficial, herido en combate, ha estado fuera de actividad en los días previos a nuestra llegada a la sierra. Se muestra locuaz y nos anticipa que a la salida del sol recibiremos la primera instrucción militar.

También pide unirse a nosotros, y lo consigue, un muchacho de apenas dieciséis años, Carlos Mas, campesino jovial incorporado ya hace un año a las unidades rebeldes. Poco después del aterrizaje, cuando trasladábamos las armas del avión a los vehículos, nos contaba con entusiasmo las peculiaridades de la vida en la sierra y los momentos de mayor peligro que él había vivido.

Pasamos la noche sin dormir, conversando y presenciando el ajetreo de la gente que vino a ver las armas, a preguntar y a contarnos detalles de cómo se hace la guerra.

Desde el inicio del foco guerrillero en la Sierra Maestra a finales de 1956, los rebeldes han estado muy escasos de armas y municiones. Tras el desastre de Alegría de Pío, poco después del desembarco, las preocupaciones básicas de los expedicionarios fueron sobrevivir y reagruparse. En marzo de 1957, la llegada del contingente armado que envió Frank País, al mando de Jorge Sotús, hizo posible la toma del cuartel de El Uvero en mayo de 1957, con lo que aumentó el armamento de la guerrilla y su capacidad para evitar ser aniquilada por el ejército. Hasta ahora la estrategia rebelde ha consistido principalmente en emboscar al ejército desde posiciones ventajosas, causándole bajas y a veces tomando los pertrechos de los soldados. No todas estas operaciones han sido militarmente exitosas para la fuerza guerrillera, pero los rebeldes se han convertido en una leyenda que trasciende las fronteras de Cuba. El comandante Ernesto Che Guevara y los capitanes Camilo Cienfuegos y Efigenio Amejeiras, entre otros, se han destacado por su valentía. Las tropas del ejército comandadas por el coronel Ángel Sánchez Mosquera son las más respetadas por los rebeldes, y han hecho avances profundos en nuestro territorio sin que ninguna fuerza guerrillera los pueda detener. El Che se ha visto en aprietos y ha tenido que correr para escapar de Sánchez Mosquera.

Actualmente, las fuerzas rebeldes están integradas por unos seiscientos combatientes. La Columna 1, de Fidel, y la de Crescencio Pérez operan al oeste del Pico Turquino. Hacia el este de esta montaña se encuentra la comandancia de Guevara. Más hacia el este y al sur de Palma Soriano está la comandancia de Juan Almeida; y en la sierra de Cristal está la comandancia de Raúl Castro. Raúl y Almeida fueron ascendidos a comandante hace unos treinta días. Camilo y sus hombres se han unido esta semana a una guerrilla subordinada al Che, que opera en los llanos del Cauto, al norte de Bayamo.

El amanecer soleado entibia nuestros cuerpos y nos desperezamos. Alguien comenta que en la tarde anterior, unas tres horas antes de nuestra llegada, la tropa de Crescencio Pérez se había batido con efectivos militares que trataban de ocupar el lugar. Crescencio y su gente lograron rechazarlos a pesar de su inferioridad numérica y de armamento.

¡Hoy es el día de nuestra verdadera incorporación al Ejército Rebelde! En un terreno cercano a la casa donde pasamos la noche, el teniente Humberto Rodríguez forma con nosotros un nuevo pelotón. Con el teniente a la cabeza —es el estilo de la sierra, el jefe siempre debe ir al frente, tanto fuera de combate como durante el desarrollo de éstos—, parte nuestro pelotón en fila india, a una distancia de aproximadamente cinco metros uno del otro cuando no se advierte la proximidad de peligro, y a diez o doce bajo la amenaza de la aviación.

Rodríguez nos instruye sobre cómo marcar los senderos con ramas para orientarnos en medio de una dispersión; cómo comunicarnos unos con otros con voz gutural, casi inaudible, en medio de las acciones o en áreas de riesgo, sobre todo de noche, cuando es fácil caer en una emboscada o confundir al contrario con uno de los nuestros. Caminamos cerca de diez kilómetros en unas cuatro horas mientras nos instruyen. Llegamos donde ha instalado su comandancia Fidel, Panamá, una finca que en tiempos normales estaba dedicada al ganado de leche.

Si la noche anterior me sorprendió el exabrupto de Crescencio Pérez, amenazando con fusilar al rebelde que dejó escapar un tiro, la escena que presencio es aún más cruda: cerca de una mesa en la que se ha derramado leche y las moscas disfrutan del alimento ya casi descompuesto, en medio de un grupo de oficiales y de la tropa apretujada, Fidel amonesta groseramente a un jefe de guerrilla, el teniente Derminio Escalona. Por la naturalidad con que escuchan, tengo la impresión de que es una costumbre que el comandante use un caudal de insultos y amenazas con miembros del Ejército Rebelde que han cometido un error o una falta.

¿Qué ha pasado para que se ponga así? Me cuentan: dos días antes, Escalona, al frente de su guerrilla, ha bajado hasta las inmediaciones de Manzanillo con el fin de tender una emboscada al enemigo y en vez de sorprender, lo sorprendieron. Debió improvisar una veloz retirada mientras los aviones ametrallaban y lanzaban bombas contra su grupo disperso. Este lamentable suceso costó la vida a tres rebeldes. El caso pudo haber sido de imprevisión o mala suerte, y no puedo concebir que un jefe de la guerrilla merezca ser abochornado y humillado en esta forma. No quiero seguir presenciando este espectáculo tan poco edificante para los hombres que estamos recién incorporados y que en cualquier momento tendremos que salir a combatir.

Me alejo unos minutos. Se acerca a hablarme Haydée Santamaría,[1] una compañera apasionada por la lucha y con notables antecedentes en la Revolución. Participó en el asalto al Cuartel Moncada y fue detenida junto a otros insurgentes, entre ellos su hermano Abel y su novio Boris Santa Coloma, ambos asesinados con posterioridad al combate. Amnistiada en 1954, es una de los actuales dirigentes del Movimiento 26 de Julio. Siente devoción casi religiosa por su hermano caído y tiene una notable pureza en su entrega a la Revolución. Iniciamos así una amistad que en pocos momentos parece venir de muchos años.

Noto que algo le preocupa y me lo dice:

—Huber, me gustaría que me contaras más sobre la expedición, sobre todo de la actitud que asumió Pedro Miret. Sé que él ha actuado como una cuña que los ha interferido, pero siempre ha sido un buen luchador y por eso lo quiero. Como escuché su versión quisiera conocer la tuya.

Me sorprende un poco que Haydée toque este tema, que he preferido ignorar.

—Escucha —le digo—, si él te ha dado su historia de la expedición, puedo pormenorizarte la mía, que no es muy halagadora para Miret. Pero como todos estamos envueltos en esta lucha, déjalo con su versión; prefiero no entrar en pequeñeces e intrigas y avanzar unidos por el camino de la Revolución.

Haydée acepta mi razonamiento.

El pelotón se dedica a prácticas de tiro en las últimas horas de la tarde. Junto a un arroyo, sin disimular su fervor por estar ya integrados a la lucha en la sierra, mis compañeros muestran verdadero interés en alcanzar la mayor destreza. Saben que pronto tendremos que salir a enfrentar al ejército.

Con los últimos disparos del entrenamiento se cierra una jornada que ha sido para mí aleccionadora en muchos sentidos. Me duermo

1. Haydée Santamaría se suicidó el 26 de julio de 1980, veinte años después del triunfo revolucionario. *(N. del A.)*

pensando que estoy en el lugar que tan largamente he anhelado. La noche se extiende y ahonda; se siente su silencio.

Es el primero de abril, día que Fidel ha fijado para iniciar lo que él llama «la guerra total», una vasta intensificación de la actividad guerrillera, a fin de ambientar la huelga general que debe producirse en todo el país, bajo la dirección del Movimiento 26 de Julio.

Las guerrillas comienzan a bajar hacia el Llano para operar por la noche. Fidel permanece en su cuartel; no participa en los encuentros armados.

Cerca del Llano nuestra guerrilla se divide en dos secciones: una a cargo del capitán Gómez Ochoa, en la que voy yo, se encamina a las proximidades del central Estrada Palma; y otra, encabezada por el teniente Humberto Rodríguez, enfila hacia la zona de Yara.

Sostenemos algunos enfrentamientos menores. Nos disparan desde posiciones fortificadas detrás de unos arbustos y contestamos con la mayor celeridad y con todo nuestro entusiasmo de novatos. Buscamos al enemigo y responde tal como lo esperábamos. Durante varias horas continúa la operación y pronto me acostumbro al silbar de las balas cercanas y a eludir el fuego de los morteros. En realidad ésta es una operación de acoso, para provocar una respuesta con un volumen de fuego muy superior al nuestro: una táctica de desgaste para desmoralizar al enemigo. Cuando amanece nos reunimos con la otra parte de nuestra guerrilla.

No hay nada para que los hombres se alimenten porque no hay mecanismos de abastecimiento. Por esta razón nos vemos en la necesidad de andar trechos largos buscando un poco de malanga, comida básica del campesino cubano. Nos tiramos a descansar sobre el piso de tierra en una vieja casa de campesinos ahora deshabitada. Aquí las pulgas hacen su festín. No hay posibilidad de asearnos porque el agua está lejos. Los recién llegados aceptamos la realidad tal cual es, pero creemos que el Ejército Rebelde debería contar con una organización de retaguardia que permita a los hombres reponerse y continuar en mejores condiciones.

Así pasan los primeros días. Uno de los compañeros recorre de ocho a diez kilómetros buscando malanga pero vuelve sin nada. Ya otros pasaron por el campo donde se da el ansiado tubérculo y se lo han llevado. Es un día de ayuno forzoso y hay que tener en cuenta que las horas de que disponemos fuera del combate son muy pocas. Llegamos a nuestro campamento cerca del mediodía y caemos rendidos en la tierra. Apenas descansamos un poco, cuando hay que iniciar el regreso al Llano para aprovechar la claridad, ya que cuando oscurece tenemos que ir hacia el lugar de la acción.

Se nos ha advertido que seamos cautelosos al entrar a las tiendas y otros negocios del Llano, para evitar que nos delaten. Esto limita nuestras posibilidades de abastecimiento.

Por otra parte, una orden rigurosa nos impide regresar al mismo lugar de partida. En la estrategia guerrillera es peligroso crear cualquier tipo de rutina.

Tenemos los pies adoloridos y llagados por la permanente marcha, y además porque existe en la sierra un insecto parecido a la pulga, la nigua, que penetra en las uñas de los pies y provoca una comezón muy molesta. La nigua se introduce debajo de la piel del hombre y de los animales y allí deposita sus huevos.

Sin sacarnos los zapatos ni la ropa debemos atravesar ríos con el lecho arenoso. Después de muchos kilómetros, la arena metida en los zapatos se convierte en una capa de esmeril que despaciosa pero obstinadamente va llagando los pies. Trato de superar estos problemas como puedo, pero mis compañeros han comenzado a quejarse de la desorganización que advierten en la sierra. No es que esto los desanime para luchar, es que han encontrado una realidad decepcionante. Sé que tienen razón. Por la falta de organización en la retaguardia y porque las operaciones guerrilleras no siempre responden a la lógica. Los riesgos no justificados pueden ser fatales.

—No se preocupen, el triunfo será el mejor premio por todos estos pesares.

Aligeramos nuestras mochilas porque las correas nos abren surcos en los hombros. Ya en los primeros tres o cuatro días regalamos a los campesinos cosas que trajimos de Costa Rica: un botiquín de primeros auxilios, una capa de nylon, una hamaca, prismáticos, zapatos y un uniforme de repuesto.

Le digo al guajiro Epifanio Díaz, viejo amigo y dirigente local del Partido Ortodoxo:

—Guárdame esto por si algún día vuelvo por aquí.

Al fin, me deshago hasta de la mochila vacía. ¿Volveré? Uno sale todos los días acostumbrándose a la idea de que una bala puede dejarlo allí, como una cosa, sobre el terreno de los combates. Pero siempre está la esperanza aunque se quiera ser escéptico, de que sí, que uno volverá. Voy conociendo este fenómeno de la guerra, como las características topográficas del terreno y el carácter y valor de los hombres que me acompañan.

El teniente Humberto Rodríguez me dice:

—Tú eres desde ahora segundo jefe de mi guerrilla. He advertido que tienes aptitudes y creo que mereces asumir ese cargo.

Nuestro pelotón guerrillero baja todas las tardes al Llano a atacar posiciones del ejército. Es un hostigamiento violento y reiterado para minar su moral e inducirlo a retirarse del área.

En las operaciones nocturnas uno va preparado para soportar el nutrido fuego de ametralladoras, fusiles y morteros que viene de posiciones defensivas fijas. Las fuerzas del ejército no salen de noche a enfrentarse con las unidades rebeldes. En esta área del Llano próxima a la sierra, el ejército se siente seguro durante el día. En la noche la ventaja está del lado de los rebeldes, tanto por la oscuridad que favorece los movimientos de la guerrilla como por la información y solidaridad que brinda la población civil.

Por lo general nuestro pelotón se divide en dos escuadras, una con Gómez Ochoa y otra con Humberto. Con este último van los seis habaneros que vinieron en nuestra expedición desde Costa Rica.

Al regresar de una de estas incursiones al Llano, Evelio Rodríguez, que por su inteligencia y disposición liderea este grupo de La Habana, quiere hablar conmigo. Su rostro y la cara preocupada de sus compañeros delatan algo serio. El asunto parece apremiante y nos separamos del resto de nuestra gente sin pronunciar palabra.

—¿Cuál es el problema, Evelio?

—Oye, Huber, nosotros no queremos volver en operaciones al Llano bajo el mando de Humberto Rodríguez. Anoche sacó de su casa, allá cerca de Yara, a un campesino; lo engañó, haciéndolo caminar con nosotros como dos kilómetros diciéndole que nos sirviera de guía y lo asesinó a la orilla del río. Cuando hubo completado su «hazaña» nos dijo que el hombre era un informante del ejército, un chivato; ninguno de nosotros cree que esto sea cierto. Estos guajiros están todos con nosotros y el pobre hombre no parecía ser un confidente. Humberto es un asesino, un enfermo que gusta de escenas atroces para impresionarnos con su sangre fría. Habla tú con quien tengas que hablar, con el capitán Delio Gómez o con Fidel para que resuelvan esto.

Me siento indignado con el relato.

—Si las cosas son así como tú las cuentas —le respondo—, se trata de un hecho repugnante e incompatible con la moral del Ejército Rebelde.

Por lo visto, Humberto es un tipo sanguinario. Prometo a mis compañeros plantear el caso en instancias superiores y vigilarlo de aquí en adelante.

Hablo con Humberto y le transmito el gran disgusto de los compañeros y advirtiéndole que hechos como ése no se deben repetir; eso es denigrante para nuestro pelotón y para el Ejército Rebelde. Trato también el asunto con Gómez Ochoa, quien promete llevarlo a conocimiento de Fidel.

Mis compañeros de pelotón siguen muy decididos a combatir, pero están agotados; y algunos, desilusionados. Vuelven del Llano, del encuentro con el enemigo y para descansar tienen que arrojarse al suelo, sin alimentos, sin medicinas y sin posibilidades de asearse. En su mayoría son hombres de La Habana que funcionan con una lógica que no corresponde a esta realidad: las niguas y las pulgas, la tierra, el sudor pegado al cuerpo y la alimentación precaria día a día. Pero esto les molesta menos que la desorganización y falta de previsión en la retaguardia del Ejército Rebelde. Ni médicos, ni vituallas. Ellos dan todo lo que tienen: inteligencia para el combate, calor y valor en la pelea. Pero luego padecen una carencia total de consideración, como si para el combatiente nada más que hubiera la misión de hostigar o aniquilar al enemigo.

Esto va en detrimento del mismo campo operacional, pues los hombres debilitados, sin reservas físicas y con el único acicate de su propio valor, van dejando de ser eficaces para el combate ante un enemigo bien pertrechado y extraordinariamente provisto de todo lo que necesita.

No padezco tanto porque a diferencia de ellos, nacidos y criados en la ciudad, mi infancia, mi adolescencia y gran parte de mi vida adulta, transcurrieron en el campo. Antes de aprender a leer, sabía sembrar maíz. Como era el mayor de los varones, ayudaba a mi padre en todas las tareas del campesino.

Las montañas donde nos encontramos se perfilan a unos kilómetros de Yara, mi pueblo natal. Desde muy pequeño gusté de escalar las ondulaciones de la sierra, en particular el Cerro Pelado. Recuerdo que, saltando de piedra en piedra, me sentía como un deportista o como un héroe de las historietas de aventuras que de vez en cuando leía. Aquél era mi hábitat y también lo es hoy, aunque las circunstancias sean otras muy diferentes. El campo me dio dureza y esto me permite comprender solidariamente a mis compañeros.

Ser un guerrillero en la sierra es estar de cara al sacrificio, al sueño y al hambre. Lo que más anhelamos es el combate pero esta ansiedad no es una compulsión desatinada. Somos militantes de una causa.

Queremos hacer la historia y no disfrutarla. No estamos involucrados en la vanidad de la acción; sabemos que es un medio para alcanzar un bien común.

El fin y el principio de un aventurero es la soledad, aunque quiera negarla. Pero todo lo nuestro aquí es comunión de ideales, sentimientos y esperanzas. Lo que hacemos no tendría sentido si no existiera un vínculo con los demás.

La motivación principal del aventurero no es la fraternidad; donde él dice «yo», los revolucionarios decimos «nosotros».

9

Una noche de mucho ruido

> En medio del silencio que mantenemos los
> guerrilleros ante la inminencia del combate,
> la camioneta de Fidel se pierde en la oscuri-
> dad con el ruido quejoso de su motor.

El 7 de abril paso a ser formalmente segundo jefe de la guerrilla, con el grado de segundo teniente. Cada guerrilla, compuesta por doce o catorce hombres, está a cargo de un capitán o de un teniente, según las necesidades propias de las operaciones. Por encima de estos jefes está el comandante de la columna. Las columnas rebeldes no son unidades tácticas articuladas, sino conjuntos de guerrillas que juegan sus roles por separado o conforme a las decisiones superiores.

El ochenta por ciento de la tropa del Ejército Rebelde en esta área pertenece a la Columna 1, cuyo jefe es Fidel. Esta columna está compuesta de varios pelotones y cada uno de éstos actúa solo, en misiones cotidianas que por lo general comienzan al atardecer y finalizan en la mañana del día siguiente. Los principales pelotones guerrilleros son: el que manda el capitán Francisco Cabrera, cuyo jefe en las acciones es el teniente Ramón Paz; el del capitán Raúl Castro Mercader (sin parentesco con Fidel); el del capitán Lalo Sardiñas; y ahora, por el armamento que tenemos, el nuestro, conocido como «los expedicionarios». Otros son los de los tenientes Derminio Escalona y Marcos Borrero. Cuando se quiere actuar en operaciones más importantes, es decir, por encima del nivel de guerrilla, se crean transitoriamente las agrupaciones que suponen la acción combinada o conjunta, en el mismo frente, de varios pelotones.

Con la Columna 1 también se desempeña la de Crescencio Pérez, que puede actuar con autonomía en circunstancias tales como encuentros súbitos con el enemigo o simplemente para distraerlo. Sin embargo, en los operativos importantes se atiene a las instrucciones precisas de Fidel. Los hombres de Crescencio, no obstante su valor, tienen un armamento que los limita para alcanzar buenos resultados en los enfrentamientos. El armamento condiciona la actitud mental del combatiente. Por eso, una columna integrada en su mayoría por escopeteros debe renunciar a la posibilidad de lograr éxitos debido a que sus armas tienen un poder limitado. El escopetero es como un francotirador, que se desplaza, hace algunas descargas y se retira buscando refugio. Desde allí continúa en la misma forma de hostigamiento menor. No obstante, todo sirve dentro de una fuerza irregular en la que son escasos los medios para combatir. Los escopeteros también sirven para vigilar caminos y cuidar eventualmente las posiciones, pero no para defenderlas.

Los hombres con fusiles o con ametralladoras de mano tienen responsabilidades diferentes a las de los escopeteros y se les exige un mayor rendimiento. El rol es distinto y el resultado también.

Hay otro factor de cardinal importancia: la calidad de los oficiales. Una buena oficialidad crea una buena tropa. Éste es un axioma tan válido para los ejércitos regulares como para las fuerzas rebeldes. Una de las formas de obtener de los hombres su mejor disposición moral es darles el ejemplo como jefe. Esto puede superar las deficiencias en materia de pertrechos o de vituallas. Mis primeras experiencias en la sierra me servirán, ya con rango de oficial, para poner en práctica estas premisas. Lo ideal sería que el jefe pudiera inspirar en su tropa un sentimiento de confianza y admiración basado en la toma de decisiones inteligentes y en el acierto para apelar, ya al arrojo, ya al estoicismo, cuando la situación lo exija.

Vivimos con expectación porque somos nuevos aquí. Son los primeros días de la «guerra total» declarada por Fidel. La huelga general anunciada por el Movimiento 26 de Julio debe paralizar el país, aunque el paro aún no tiene fecha precisa. Las esferas gubernamentales están inquietas porque saben que en cualquier momento puede iniciarse una ofensiva guerrillera.

La noche es clara. Mis compañeros y yo charlamos animadamente mientras vamos, junto con los miembros de otros pelotones, en camiones hasta un punto determinado por la comandancia: el caserío de La Gloria en las inmediaciones de la sierra, más precisamente en el término municipal de Campechuela, al sur de Manzanillo.

Por lo menos cien hombres estamos reunidos aquí, una fuerza considerable dada la exigua integración habitual de los pelotones. Hay tensión, como en toda espera. Algunos conjeturan que habrá fuertes combates en esta zona del Llano y que si conquistamos posiciones importantes las sostendremos. Son suposiciones que alimentan la camaradería.

Mientras esperamos instrucciones, nuestro compañero de pelotón, Napoleón Béquer, sufre un problema de fatiga y lo dejamos con el personal de la comandancia para que reciba atención.

Acaban de informarnos que la operación ha sido cancelada; no hacemos preguntas. Percibo indicios de frustración pero nadie emite juicio. Esto es otra de las disciplinas que aprendemos en la sierra: el revolucionario obedece y no interroga. Puede parecerse en esto al soldado de ejércitos regulares, pero aunque existe una similitud en el acatamiento ciego, en el guerrillero el respeto a esa norma toma carácter de muda juramentación. Para nosotros no hay códigos escritos, ni manuales de procedimientos impresos que van de mano en mano. Todas son experiencias que nos transmitimos verbalmente y en otros casos se trata solamente de percepciones de la realidad. La suma de todos esos conocimientos empíricos crea una conducta en nuestra vida de insurgentes. Lo que para el soldado es obediencia profesional, para nosotros es una mezcla de adhesión y de entrega al mando que reviste un carácter casi sagrado. De otro modo nuestra lucha, escasa de todo menos de valor e idealismo, sería irrealizable.

Por fin nos movilizan otra vez, el 8 de abril de 1958, en horas de la tarde. Comienza a oscurecer. Los camiones, cargados de hombres y armas, penetran la noche incipiente con mucho cuidado. Nos aproximamos a la costa del golfo de Guacanayabo, rodeados por una serie de pueblos y caseríos de los que ya nos llegan sus débiles luces. Sin palabras, comprendemos que el propósito de nuestro viaje es atacar el cuartel del central San Ramón. Nos sentimos fuertes para el ataque pues somos más de cien hombres. Esta noche entrará en acción una de las ametralladoras calibre 50 y los obuses de mortero que trajimos de Costa Rica.

Justamente antes de iniciarse el combate, los oficiales recibimos las instrucciones, costumbre establecida en la sierra para evitar cualquier filtración o acto de espionaje.

Por primera vez participo en una reunión informativa de estas características, y también me estreno en un cambio de impresiones como oficial. El capitán Delio Gómez Ochoa nos dice:

—Ustedes deberán ir a la vanguardia en el ataque. Son gente que se ha portado bien y que además posee buen armamento; constituyen un pelotón de primera. Van a tener el peso de la carga contra el cuartel. Otros grupos los van a ayudar desde los flancos. Ellos vendrán por detrás y desde diferentes ángulos con fuego de mortero y de calibre 50.

Calculamos que en el cuartel hay más de treinta hombres muy bien atrincherados. Pero a nuestro favor tenemos la superioridad numérica, el factor sorpresa, un buen armamento y la decisión de lograr una victoria.

Minutos antes de que se inicie la operación veo que en una camioneta conducida por uno de los hombres de la escolta de Fidel llega éste con Celia Sánchez y Haydée Santamaría. Nos saludamos rápidamente porque no hay tiempo para mayores cumplidos. Alcanzo a escuchar a las dos mujeres insistiendo, casi rogando a Fidel que desista de participar en la acción que se avecina. El temor de ellas es que una bala nos deje sin el comandante del Ejército Rebelde. Argumentan que no puede sacrificarse en cualquier operación y que su lugar está asignado en la sierra para concebir las estrategias, organizar los cuerpos combatientes y, sobre todo, liderar la Revolución.

Fidel protesta porque aduce que su puesto está en la vanguardia del combate. Sin embargo se va en el vehículo, mientras se escucha su voz, entre las de Celia y Haydée, todavía en la discusión sobre si debe o no el comandante exponer su vida como un rebelde más. En medio del silencio que mantenemos los guerrilleros ante la inminencia del combate, la camioneta de Fidel se aleja en la oscuridad con el ruido quejoso de su motor.

¿Qué significa esta escena de Fidel entre dos mujeres que intentan protegerlo del peligro? Tenemos la elegancia de no comentarlo en el pelotón. Lo que nos concierne ahora es sorprender a la tropa del cuartel de San Ramón.

Nos ponemos en posición de combate. Cada grupo sólo conoce su parte en la operación. Nosotros somos la vanguardia y veo con sorpresa que el jefe de nuestro pelotón, el teniente Humberto Rodríguez, se queda atrás arguyendo alguna dificultad. Como no está en su lugar, asumo temporalmente su posición. Creo más necesario, dada la tensión previa al combate, estar al frente de los hombres, que ir a pedirle explicaciones a Rodríguez.

La señal que esperamos para avanzar es un obús de mortero. Empieza el combate y ganamos terreno hasta que la explosión de una granada de mortero me ciega y me tira al suelo. Rafael Pérez Rivas[1] grita:

—¡Nos matan, coño, nos matan los nuestros! ¡Es el fuego nuestro! ¡El tiro está muy corto! ¡No podemos avanzar más porque nos matan!

Detenemos el avance momentáneamente, le debemos a Rafael que las granadas de mortero sucesivas no nos exploten encima.

---

1. Pérez Rivas era el único miembro del pelotón con instrucción militar previa, pues había sido sargento de la marina de guerra. (N. del A.)

Estamos a menos de cien pasos del cuartel; la lluvia de obuses y balas se hace creciente y obstinada. En medio del fuego, Pérez Rivas sigue gritando para que corrijan los disparos del mortero. De atrás continúa una verdadera lluvia de pólvora y plomo que el enemigo responde con mayor intensidad. Al parecer, el ejército, informado de nuestros planes, recibió un refuerzo considerable y está parapetado en distintas posiciones fuera del cuartel. Estamos a su merced, tanto frontal como lateralmente. Nuestra vanguardia no puede avanzar porque sería aniquilada, principalmente por los nuestros.

El ejército, con su sorpresiva posición lateral, es otro factor determinante en la confusión que hay entre nosotros.

Voces desesperadas se dirigen hacia los encargados del fuego de mortero para que reorienten los disparos, pero en este fragor los llamados se pierden. Quedamos metidos en una cuña. Es indudable que este ataque ha estado mal planeado o mal dirigido, o ambas cosas a la vez.

Como varios de mis compañeros, permanezco pegado al suelo sobre un terreno pelado, donde la única posibilidad de protección es una piedra que poco a poco voy atrayendo, hasta unirla casi a mi cabeza. Mientras, somos blancos fáciles en este fuego cruzado. En vano espero que el mortero y la ametralladora 50 sean dirigidos hacia la derecha y hacia el cuartel. Pasa el tiempo y seguimos igual: disparando sin poder avanzar y hostigados implacablemente.

Se prolonga el combate y nada cambia. De nuevo intentamos avanzar y falla el esfuerzo. La falta de coordinación es tan evidente que cualquier otro intento podría terminar en un sacrificio inútil. Nuestro pelotón trata por todos los medios de cumplir su objetivo, pero es imposible. Somos blanco del enemigo y de nuestra retaguardia.

¿Hasta cuándo vamos a soportar esta absurda situación mientras gastamos inútilmente miles de balas? No sé ni estoy en posibilidad de averiguarlo. Un compañero me dice que atrás está herido Humberto Rodríguez, pero no de gravedad. Luego de cuatro o cinco horas de ataque continuo y caótico, se ordena la retirada.

Arrastrándonos, abandonamos las posiciones. Con el agobio de la frustración nos vamos alejando del escenario. ¿Qué sentido habrá tenido todo esto? Respuestas hay muchas, pero la verdad es que se ha improvisado una acción sin medir las graves consecuencias de una serie de decisiones. El colmo es que los artilleros de la calibre 50 han dejado el arma abandonada. Se lo digo a Gómez Ochoa, que no puede reprimir un gesto de fastidio y les exige volver por el arma. Ochoa se lamenta de que han muerto tres compañeros. Uno, un muchacho de sólo quince años, Pablito Huelves, que recibió una bala por la espalda. No fue el enemigo el que lo liquidó, fue la fusilería guerrillera. Los otros dos han caído en el fuego cruzado como si hubieran estado en tierra de nadie, sorteando posibilidades de salvarse de esa realidad que es el ejército regular y del absurdo que somos los rebeldes.

Regresamos con el ánimo sombrío. Con el despertar de la mañana llegamos al caserío de El Aguacate, donde caemos rendidos sobre el suelo polvoriento.

—Ya está el comandante aquí —me dice alguien.

En medio de su escolta y visiblemente indignado, Fidel se mueve entre los oficiales pidiendo explicaciones sobre el fracaso de la operación. Veo cómo algunos hombres, incluido el propio Fidel, rehúyen en lo posible la responsabilidad de lo acontecido. Pero el comandante es quien debe dar las pautas de disciplina y organización en el Ejército Rebelde. Más tarde me entero de que ha degradado a varios oficiales participantes en el frustrado asalto.

Con nuestro pelotón su actitud es totalmente distinta: él sabe que hicimos cuanto se pudo. Soy ascendido a primer teniente y jefe de guerrilla en reemplazo de Humberto Rodríguez, que está con fractura en una pierna. Hace pocas semanas era yo un hombre de apoyo en el exilio, con aspiraciones de combatir en la sierra como simple guerrillero. Hoy soy jefe de una unidad guerrillera y esto aumenta mi compromiso.

Hablo con el capitán Gómez Ochoa.

—Oye, cuando vimos a Fidel allí creímos que iba a conducir en persona el operativo. Pero al final eso quedó a tu cargo. Creo que has procedido cumpliendo órdenes. No sé a ciencia cierta quién es el culpable del resultado y no me interesan los nombres, acabo de llegar a la sierra y se supone que de guerra no sé nada. Sin embargo, esto ha sido un fracaso completo y ese fracaso tiene un nombre: falta total de coordinación. Estamos vivos de milagro pero así es como se desmoraliza la gente. Pienso que si bien esto no quita impulso a la causa revolucionaria, no deja de ser decepcionante.

Gómez Ochoa asiente y luego de un reflexivo silencio, me dice:

—Tienes razón, Huber, de todo esto tenemos que hablar con Fidel en la primera oportunidad.

En cajas de madera rústica enterramos a dos compañeros, porque el tercero no fue encontrado a la hora de la retirada. El entierro nos deja una sensación de dolor que asimilamos en silencio.

Los guajiros nos informan que ha comenzado la anunciada huelga general. Nosotros no hemos podido contribuir al éxito del paro con una operación victoriosa como pudo haber sido el ataque de San Ramón. Éstos deben de haber sido los planes del comandante.

Pocas horas después del entierro me citan a una reunión en la comandancia que está en una vieja casa de El Aguacate. Aquí me encuentro a Fidel con su ayudante, el teniente René Rodríguez. Es la tarde del 9 abril de 1958.

Fidel entra rápidamente en materia. El día ha sido muy malo para él.

—Bien, Huber, tú vas a realizar una operación sobre la que ahora recibirás instrucciones. René cumplirá otra misión. Las acciones son independientes, pero prefiero dar las directivas a los dos para ganar tiempo.

Fidel permanece de pie entre René y yo. Me pone una mano en el hombro y me dice:

—Tú sabes que hay huelga general y que no hay actividad en las carreteras, salvo excepciones. Tenemos información de que mañana por la mañana fuerzas del ejército que operan en Manzanillo van a salir en guagua hacia Bayamo y Campechuela, apoyadas a distancia por vehículos blindados. Nuestros informantes nos dicen que los soldados irán en las guaguas para sorprender a contingentes guerrilleros que se encuentran en el Llano, pero nosotros tenemos que sorprenderlos a ellos. ¿Comprendes?

—Sí —respondo—. ¿Cuántos soldados podrán venir en esas guaguas?

—No muchos —aclara Fidel— porque estarán mezclados con civiles a fin de ocultar sus intenciones. No muchos, pero sí bien armados. Además, allí no está lo grave sino en la retaguardia de las guaguas, que serán seguidas por tanquetas. Tampoco sabemos con exactitud si éstas serán dos, tres o una solamente. Lo importante es emboscarse y detener o atacar lo que transite.

—¿Dónde centraremos la operación? —pregunta René.

—Espera, espera —Fidel no soporta las interrupciones—. Tú, Huber, vas a salir a la carretera a provocar el ejército en el tramo de Manzanillo a Yara, en el puente de Las Mochas. Inmediatamente después de la acción te retiras con tus hombres hacia Jibacoa; de ahí te mueves con tu guerrilla a reforzar una de las dos emboscadas que tendremos esperando los refuerzos del ejército. Una es la emboscada de Ramón Paz, en El Pozón; la otra es la del capitán Raúl Castro Mercader, en el Puente de Serrano. Son las únicas dos vías que puede utilizar el enemigo para atacarnos después de que lo provoques en Las Mochas. De modo que tu trabajo es dar un golpe sorpresivo para obligarlo a perseguirte viniendo de Manzanillo o de Yara. En cualquiera de los dos casos lo derrotaremos con las emboscadas que les tenemos preparadas. El ejército no conoce los atajos por donde el práctico te llevará a Las Mochas. La sorpresa que le darás será completa y después estoy seguro que la emboscada de El Pozón será devastadora.

—Y tú, René —siguió diciendo—, interceptarás entre Calicito y Campechuela. El práctico que llevas te instruirá en los detalles de la operación. A los dos grupos se les suministrarán más pertrechos. ¡Ah!, y también refuerzos en hombres porque creo que les van a hacer falta.

Me mira fijamente y me sorprende con estas palabras:

—En ti tengo confianza, pero te voy a advertir una cosa: el valor se gasta. Adminístralo.

Luego, volviéndose hacia René y con una expresión hosca y el tono duro en la voz, le dice:

—A ti también quiero advertirte algo pero en sentido contrario. Por favor, no me hagas una mierda.

René ha sido por largo tiempo ayudante de Fidel y está acostumbrado a ser tratado irrespetuosamente por él. Es una relación difícil de entender.

Se produce un momento molesto. René sólo atina a decir:

—No temas, Fidel, todo saldrá bien.

Pero el comandante no quiere escucharlo y repite:

—¡No me hagas una mierda!

Siento vergüenza como participante de esta escena. A distancia, la Sierra Maestra es un espectáculo magnífico; vista de cerca, tiene sus fealdades.

10

El 10 de abril

¡Qué ganas tengo mulata
que se acabe esta jodienda,
para soltarle la rienda
a esta pasión que me mata!

Sin recuperarnos todavía de la noche anterior, salimos hacia el Llano en una camioneta grande. En Jibacoa recogemos los refuerzos prometidos: Blas González, capitán de escopeteros, con una ametralladora; Francisco Cabrera, con un fusil Garand, y un guajiro llamado Güije, con un Springfield. También Luis Guisado, con un revólver.

Nuestro pelotón quiere resarcirse del fracaso de la noche anterior, con una victoria. En la sierra cada guerrilla trata de anotarse más méritos que las otras. Es humano, y para la guerra esta competencia es tan conveniente como la motivación ideológica.

En una tienda compramos provisiones que Alfredo Díaz, el encargado de nuestros víveres, mete en un saco. Es un escopetero al que conozco desde que era niño y ahora se ha sumado al pelotón. Estos víveres son oro en polvo para nosotros.

Además de la camioneta, que es de doble tracción, disponemos de dos vehículos que se encuentran muy maltratados por el uso violento que se les da en la sierra. De algún modo nos acomodamos en la camioneta pues tendremos que transitar por caminos muy malos. Dejamos los otros vehículos en un lugar seguro para encontrarlos a nuestro regreso y partimos hacia Las Mochas, el sitio preciso para la emboscada: un puente en la carretera de Manzanillo a Yara, no muy lejos de mi casa. Esta proximidad con mi pasado inmediato me impresiona. Por esta carretera viajaba yo como un civilizado y pacífico profesor todos los días. Ahora, con barba incipiente, uniforme verde olivo y una ametralladora en la mano, me debato por momentos entre dos dimensiones: la guerra y la paz.

Tenemos un buen armamento: nueve subametralladoras y cinco fusiles. Distribuyo a los compañeros sobre el terreno. Casi sobre la misma carretera hay una yerba que en Cuba llamamos la brasileña, donde me sitúo con algunos de ellos. Varios de éstos quedan al descubierto porque la yerba está muy pobre y nos deja sin protección. Se quejan:

—Oye, Huber, aquí estamos totalmente expuestos a las balas del ejército. ¿Qué posibilidades hay de escapar con vida entre esta yerba tan rala y la carretera pelada?

Tienen razón, pero debo actuar de acuerdo a las órdenes que recibí. Ésta es una guerra audaz, con riesgos lógicos e ilógicos.

—Si de arriesgar la vida se trata, la arriesgaremos todos. Me quedaré en la misma posición que ustedes, aquí en primera fila, igual que siempre.

En el portal de una casa pongo a un hombre con un fusil muy bueno para que nos cubra la retirada. Otro compañero tiene la misión de detener a los guajiros que se acerquen a la emboscada, porque dejarlos pasar es exponerse a una posible delación, aunque por lo general esto no sucede. La identificación popular con los rebeldes es cada día mayor, pero no podemos correr riesgos. Cualquier civil que pasa a nuestro lado y nos ve queda retenido dentro de una de las casas, fuera de todo peligro.

Alfredo mira algo azorado todo el movimiento. Muy excitado, me dice:

—Oiga, Huber, yo no hago nada aquí. Estoy con las provisiones y no tengo arma adecuada para defenderme.

Lo miro de frente y le digo:

—Mira, Alfredo, quédate aquí en el cauce seco del arroyo, donde hay otro nivel y suficiente vegetación. Así podrás cuidar bien las provisiones, que son importantes para el resto del día. No he acabado de decir esto cuando ya el hombre arrastra el saco hasta el punto que le indico.

—¡Coño, qué poca suerte! —exclama Evelio ante una sorpresa.

En el momento en que estamos ante la inminente llegada del ómnibus con los militares, aparece un automóvil en sentido contrario a la emboscada. Le hacemos señas para que se detenga, pero el chofer, al darse cuenta de que somos guerrilleros, acelera. Cuando está frente a nosotros, abrimos fuego. Acribillamos el vehículo y milagrosamente ninguno de los dos civiles que lo ocupan sufren ni siquiera heridas menores. Son amigos míos de Yara que iban a Manzanillo con una urgencia familiar. Se sorprenden y se alegran de verme. Sabían que andaba por la zona, pero nunca esperaban encontrarme y mucho menos en estas circunstancias. Me disculpo con ellos. Uno es un joven a quien conozco desde niño: Piri Puebla; el otro es uno de los chofe-res del pueblo, Mateo, que me explica que no midió lo que hacía al continuar la marcha del auto y, peor aún, al lanzarlo a más velocidad. Sacamos con prisa de la carretera el auto totalmente agujereado por las balas, porque ya se ve la guagua.

Uno de los nuestros, apostado en el camino como un paciente campesino que aguarda cotidianamente el ómnibus, le hace señas. El autobús sigue su marcha y entonces nuestras armas rompen con inten-so fuego. La primera víctima debe ser el chofer, porque mientras con-tinúa el incesante martilleo, la máquina se va violentamente, como enloquecida, hacia la baranda de concreto del puente. De su interior repelen nuestra carga con otra lluvia de disparos. Son por lo menos dos docenas de armas de uno y otro lado, escupiendo plomo en medio de un ruido ensordecedor que se prolonga por unos minutos.

—Ya está bien. ¡Vámonos, vámonos! —grito a mis compañeros mientras observo un blindado ligero que viene a distancia detrás del autobús.

No he revelado a mi gente que, de acuerdo con las directivas de Fidel, nuestra acción termina con el ataque al ómnibus y que inme-diatamente debemos replegarnos para que el ejército mande las tropas de refuerzo que caerán en la emboscada.

—¡Vámonos, vámonos! —repito a viva voz, porque el tableteo de las armas automáticas se impone.

Siempre disparando, comenzamos a retroceder. Guiados por el prác-tico, un moreno de apellido Lastre, nos internamos en la senda que él recorre con orgullo de conocedor, hasta que encontramos la camioneta y nos alejamos del escenario del encuentro. Todavía no tenemos cons-tancia de que haya salido tras nosotros ningún contingente militar.

La expectativa y la tensión durante el combate acentuaron nuestra ansiedad. Estamos ahora ante otra realidad no menos acuciante: ¡tenemos hambre!

—¿Dónde están los víveres? —pregunto a mis compañeros.

El hombre más próximo al preocupado portador de las provisiones me dice que Alfredo, pese a que se encontraba en el lugar más prote-gido, estaba sumamente inquieto.

—Lo tenía detrás mío, a pocos pasos de mi posición. Se lamentaba de haber venido con nosotros, hablaba solo. Yo no estaba en condi-ciones de hacerle mucho caso. Le escuché una frase que, a pesar del momento que estábamos viviendo, me hizo gracia. Dijo: «Alfredo no va en ésta». ¡Yo no sabía que en ese momento se largaba con las pro-visiones!

La noticia no puede ser peor para el grupo. Sin embargo, la expresión tan original de Alfredo nos hace reír de buena gana. Pronto el hambre nos recuerda que hay premuras mayores que el humor y el relajamiento después de una jornada de marchas y acción. ¿Qué hacemos ahora sin los víveres? Lo que tenemos que hacer rápidamente es dejar atrás los terrenos descubiertos de las arroceras para alcanzar la vegetación, porque en cualquier momento pueden llegar los aviones.

Ahora el ejército enviará refuerzos para atajarnos antes de que nos retiremos a la sierra. Si las tropas salen de Manzanillo, una emboscada las sorprenderá en El Pozón. Allí está el capitán Ramón Paz, oficial muy competente; su tropa cuenta con minas y buen armamento. Si, en cambio, el ejército viene en nuestra persecución saliendo de Yara, otra emboscada lo aguarda en medio del camino a Jibacoa. Su jefe es el capitán Raúl Castro Mercader, también hombre probado en la sierra. Nuestra misión está cumplida; ahora nos retiramos a reforzar una de las dos emboscadas. Cada una de ellas tiene mucho más hombres que nuestro pelotón.

Vamos en dirección a Jibacoa. A pesar del hambre hablamos animadamente. Algunos de mis compañeros se divierten recordando pantagruélicos almuerzos y opíparas cenas antes de venir a la sierra. No somos la imagen del héroe revolucionario visto a gran distancia de la realidad; estamos sucios y cansados.

Llegamos a Jibacoa y volvemos a hacer compras con una premura que el dueño del negocio no entiende, pero nosotros sí. Le decimos al hombre lo que pasó con Alfredo y todos reímos.

Estando aquí, viene un vecino del pueblo y me dice que el juez de la localidad, Alberto Labrada, un amigo mío, tiene algo urgente que decirme. Su casa está a cincuenta metros. Hacia allí me dirijo rápidamente acompañado por dos de mis hombres. Cuando voy caminando veo a un caballo corriendo a todo galope hacia donde estoy. Lo domina diestramente un niño casi desnudo, montado a pelo. El niño me hace señas desesperadas con sus manos.

—¿Usted es el jefe de la guerrilla? —dice nervioso.

—Sí, ¿qué pasa?

—El ejército está aquí, ha venido por un lugar increíble.

—¿Qué dices?

—Que el ejército cruzó el río por un desvío y está aquí ya, son varios camiones.

El pequeño guajiro desaparece con la misma celeridad con que ha llegado. Miro desde la curva en que estoy hacia el camino y efectivamente, a unos ochenta o cien metros de aquí, avanza una columna militar con camiones y *jeeps*. Son muchos soldados.

Con todas mis fuerzas grito a mis compañeros que están en la tienda:

—¡Salgan, salgan de ahí que tenemos el enemigo arriba! ¡Repliéguense! ¡Repliéguense! ¡Tenemos el ejército aquí arriba!

Disparo casi simultáneamente mi M-3, tanto para desorientar a los soldados como para alertar a los compañeros que están todavía en la tienda. Los guerrilleros que me acompañan disparan también. El fuego es contestado de inmediato por el ejército. No sé de dónde surge un campesino que nos indica un camino de escape. Saltamos una cerca y nos retiramos por un campo de caña cortada, un llano completamente visible para los soldados que nos disparan con gran intensidad mientras retrocedemos evitando que nos cerquen. Vemos que en la calle única del pueblo se combate también y, dada la extraordinaria superioridad del ejército, pensamos que los compañeros que quedaron allá deben de estar muertos.

Los dos rebeldes que me acompañan y yo, ayudados por nuestro guía voluntario, penetramos en un sao,[1] quedando a salvo de la metralla. Agitados, casi sin aire, jadeantes, nos parapetamos en este sitio y tratamos de ver qué hacemos para socorrer a los otros. Cuando han transcurrido unos cuantos minutos nos enteramos de que los hombres de nuestro pelotón que estaban en la tienda, han logrado replegarse hacia el río, menos Luis Guisado, que fue capturado por el ejército y asesinado allí mismo.

Desde nuestro refugio vemos cómo la tropa de Batista incendia la tienda y algunas viviendas. Las llamas del odio crecen ante nuestra vista. Son como el símbolo de la impiedad de un régimen que se sabe despreciado por su pueblo. Las casas arden y nosotros también, pero de impotencia y ansias de desquite.

Samuel Rodríguez, uno de los nuestros que estaba en la tienda, llega donde estamos y nos cuenta que la soldadesca ha cometido todo tipo de vejámenes contra los campesinos. Entre otras tropelías asesinaron civiles, y un vehículo militar arrastró el cadáver de Luis Guisado.

En nuestro grupo ya somos cuatro. Observamos que el ejército se retira en dirección de la emboscada de El Pozón. Van ahora en sentido inverso al que había previsto Fidel: es decir, de Jibacoa a Manzanillo. De todos modos caerán en la emboscada que está a unos cinco o seis kilómetros.

1. Área semiboscosa, de árboles y matorrales. (*N. del A.*)

Como nos destruyeron nuestros vehículos apresuramos el paso hacia allá para participar en el combate. Transcurridos unos minutos, el estallido de una mina y el intenso fuego de la fusilería nos dice que la acción ha comenzado. A medio camino se acerca una camioneta del Ejército Rebelde a gran velocidad. Le hacemos señas y se detiene. Es el capitán Ángel Verdecia, un oficial con fama de valiente que se dirige hacia El Pozón con tres rebeldes. Nos montamos y ya somos ocho. Nos incorporamos al combate gritando «¡Libertad o muerte!», para que los guerrilleros del capitán Paz sepan que somos rebeldes. El estruendo y el frenesí de la lucha impiden que Paz nos identifique. No podemos establecer contacto con él y su gente. Con gran sorpresa nos damos cuenta de que la intensidad del fuego decrece, lo que nos lleva a una conclusión: Paz se ha retirado. Probablemente piense que somos refuerzos del ejército. Ya el encuentro se ha decidido a favor de los rebeldes, pero todavía quedan unos cuantos soldados con los cuales estamos enfrentados. Finalmente dominamos la resistencia de los valientes que no han querido rendirse. Sólo ocho se entregan como prisioneros, otros escapan entre los matorrales.

Si los nuestros no se hubieran marchado, la captura de los efectivos militares habría sido completa. No obstante, ésta ha sido una acción sumamente exitosa. La columna del ejército fue destruida, sus vehículos humeantes están ante nuestra vista. Hay unos cuantos cadáveres esparcidos por el campo. Los prisioneros están aterrados, porque piensan que los vamos a matar como hace el ejército casi siempre con los nuestros. Uno de ellos nos da una mirada donde el odio y la angustia quedan superados por el temor.

Camino hacia el sector en donde estaba emplazada la mina de la emboscada y me encuentro con un espectáculo tan deprimente como inesperado: un montón de cadáveres en la zanja lateral del camino, uno sobre otro, como si alguien los hubiera colocado en una fosa común. Pero no, nadie ha podido atinar a hacer eso en medio del combate que acaba de finalizar. Lo que ha sucedido es que el grueso de la tropa, al ser sorprendido por la emboscada, entró en la paradójica actitud de ir hacia las armas que le disparaban en vez de buscar refugio en el otro costado del camino. Dos de mis compañeros con experiencia de combate en la sierra me explican que éste es un fenómeno común en estos encuentros armados. Los que se hallan de golpe ante la boca de los fusiles y aturdidos por estallidos de las minas, avanzan hacia el fuego sin percatarse de que van hacia la muerte. Aunque sean enemigos nuestros, siento piedad por ellos, siento piedad por mí, obligado a matar a mis semejantes. ¡Qué estúpida matanza entre gentes de un mismo pueblo!

Voy a inspeccionar los vehículos del ejército, pero están acribillados a tiros, inutilizados. Uno de los *jeeps* de color verde, me resulta conocido en algo, no sé bien en qué. Me acerco y me doy cuenta de que es el mío, aquel que buscaba el ejército y que posteriormente incautaron con los demás vehículos de nuestro negocio.

Regresamos caminando a Jibacoa. Verdecia y sus hombres se llevan a los prisioneros en la camioneta. Nos desplazamos con mucho cuidado, ocultándonos a veces en los breñales, pues los aviones hacen vuelos de reconocimiento que auguran ataques a corto plazo.

En Jibacoa nos reunimos con más de cien rebeldes de la emboscada del capitán Raúl Castro Mercader y otros que han venido de la sierra como refuerzos. También recojo a los hombres de mi guerrilla que se dispersaron cuando el ejército irrumpió sorpresivamente en la tienda.

Muchos están contentos por los resultados de la jornada y desesperados por probar un bocado. Un rebelde canta un tema popular cubano:

> ¡Qué ganas tengo mulata
> que se acabe esta jodienda,
> para soltarle la rienda
> a esta pasión que me mata!

Nos reímos de episodios que, en verdad, no fueron demasiado ligeros y nos lamentamos por el compañero perdido y la tragedia que sufrió la población en manos del ejército. Recuerdo con admiración a aquel niño semidesnudo que corriendo en su caballo nos salvó con su voz de alerta.

Salimos a pie hacia la sierra a través de terrenos dedicados a la siembra de arroz. Como están sin cultivar, seremos vulnerables a la aviación. Efectivamente, apenas nos localizan nos disparan con sus ametralladoras y cohetes, obligándonos a correr y a protegernos.

Llegamos por la tarde a Cayo Espino bajo el asedio de los aviones. Aquí el ataque aéreo es despiadado. Los aviones se lanzan en picada descendiendo a pocos metros, mientras descargan sus ametralladoras con rabia. Nos refugiamos en los barrancos del río Jibacoa pero los aviones se turnan atacándonos a nosotros y al poblado de Cayo Espino.

Como no tenemos con qué responderles, el mejor recurso es quedarse inmóvil, si es posible parapetado en algún desnivel del terreno.

Rogelio Acevedo, uno de los guerrilleros que está aquí, amenaza a otro rebelde que se ha puesto nervioso por el bombardeo. En un momento, Rogelio encañona con su fusil al hombre que sufre la crisis, gritándole:

—¡Coño, si no te quedas quieto te mato! ¿Me has entendido?

El hombre, atemorizado por la amenaza, se queda callado e inmóvil. La actitud de Acevedo, que al igual que su hermano Enrique es ejemplo entre los combatientes, ha sido la más apropiada, porque los movimientos que hagamos delatan nuestra posición.

Los síntomas más graves causados por la tensión de este ataque son las quejas que escucho de dos o tres de mis hombres:

—Ésta es una guerra suicida, de locos. Si no nos matan en ésta, nos matan en la próxima, pero seguramente de aquí no saldremos vivos.

—Tienen razón —les respondo—, pero así es nuestra guerra y no la podemos modificar.

Se callan a regañadientes, pero estoy de acuerdo en que la prueba que vivimos puede destrozar los nervios de los más fuertes. Yo mismo soporto la tensión del día como una carga desproporcionada sobre mis hombros, aunque reconozco que en estos momentos siento más hambre que temor de morir. Cosas de la guerra, desigual o no.

El ataque cesa cuando llega la noche. La población de Cayo Espino está en las calles. Los rostros se ven compungidos, en algunos casos atontados. La crueldad de la aviación contra los pobladores ha sido desmedida. Casas incendiadas o semidestruidas. Un cuadro trágico que no olvidaré. Los ojos de los niños reflejan dolor y a la vez una interrogación tan inocente como insondable. Entre las bajas fatales se encuentran Orestes Fonseca, un niño de ocho años, y Eduardo Guerra, el padre del compañero Felipe Guerra Matos.

De vez en cuando alguien grita, confundido y bajo la enorme presión de las circunstancias:

—¡El ejército! ¡Viene el ejército!

Falsa alarma. De todos modos tomamos precauciones. Decimos a los vecinos que estamos seguros de que no vendrán esta noche. Algunas mujeres, con sus niños en brazos, corren llorando en dirección a las primeras estribaciones de la sierra. Esta gente cree que mañana los aviones arrasarán el poblado. Veo ancianos sacando de sus casas algunas pertenencias que los han acompañado toda su vida, para salvarlas de la acción destructiva de quienes deberían preservar el orden y la seguridad pública. Batista ha puesto a los militares contra el pueblo.

Nuestra urgencia inmediata es el hambre. Mis hombres miran en todas direcciones buscando una solución y yo trato por todos los medios de resolver esta crisis. Recuerdo que no muy lejos de donde estamos vive un amigo con quien tenía bastante comunicación en otros tiempos. Como está en nuestra ruta, llevo hacia su casa el grupo de rebeldes.

El guajiro nos recibe con alegría y con la generosidad proverbial de los seres humildes.

—Oye —le digo—, estamos desfallecientes. ¿Podrías cocinarnos algo?

El buen hombre mide con la vista el número de bocas expectantes y se da cuenta de que su pan y su leche, o a lo mejor su queso y alguna carne, no serían suficientes para saciarlas. Silenciosamente sale de la casa y a los pocos minutos regresa con una vasta provisión de yuca que cocina ante el júbilo general de los combatientes. Comemos con avidez y nos sentimos más reanimados.

Dormimos un rato en el suelo, sin alterar la norma de dejar una posta, a fin de asegurarnos contra cualquier contingencia.

He recibido dos recados de la comandancia. Uno de Celia, que me informa el envío de refuerzos dispuestos por Fidel, para «que puedas romper el cerco que ha establecido el ejército a tu pelotón». Sonrío y le contesto en estos términos: «Celia: Afortunadamente nos zafamos de la sorpresa que nos dio el ejército, con la pérdida de un solo hombre. Todo ha salido maravillosamente. Dimos el golpe, el ejército vino y la columna fue destruida. Saludos. Huber», y agrego información sobre la toma de los prisioneros y la incautación de armas. Después me llega otro recado, esta vez de puño y letra de Fidel, expresando su reconocimiento por el éxito del operativo.

Antes de que amanezca nos despedimos del guajiro —«Nanito Galiano, a la orden»— y comenzamos el ascenso a la sierra. Mientras caminamos, un rebelde me informa que la huelga general iniciada el 9 de abril ha fracasado. Un golpe duro para nosotros, aunque entiendo que si en el Llano la gente del Movimiento enfrenta los mismos problemas de organización, ese fracaso es explicable. Si para llevar a cabo un ataque como el de San Ramón, en apoyo a la huelga, se ha demostrado una incapacidad total, ¿qué puede esperarse de un esfuerzo para paralizar a todo un país? Otro fracaso.

Aquí en la sierra, sin embargo, prevalece la firme voluntad de combatir.

El día ha resultado largo. Temprano en la mañana tuvimos la acción junto al puente de Las Mochas. Luego, el ataque sorpresivo del ejército en Jibacoa, que no vino desde Manzanillo ni desde Yara como había previsto Fidel. Después participamos en el combate de El Pozón. Por último, hemos estado no sé cuántas horas bajo el acoso de los aviones. En el curso del día perdimos un hombre, nos asesinaron a varios campesinos y dos de mis compañeros de la expedición, al parecer, sufren psicosis de guerra. La lucha recién empieza y el camino puede ser muy largo, lleno de peligros y sinsabores, pero lo importante en la vida y con más razón en la guerra, es querer y olvidar.

> … los insultos más crudos del idioma caste-
> llano los dedica nuestro comandante a su
> asistente…

Es el 11 de abril de 1958. Después de tres días de peripecias y de
andar fatigoso, acampamos en una de las casas de El Purial, caserío
abandonado casi por completo como consecuencia de la guerra. En
esta zona agreste de la sierra estamos, como de costumbre, sin provisiones y en espera de nuevas órdenes.

Se nos ha incorporado un santiaguero de apellido Repilado, que
pertenecía a otra guerrilla y viene armado con un fusil.

Envío un rebelde a conseguir malanga donde pueda. Mientras descansamos, observo en los rostros de varios de mis hombres una expresión de desconcierto. Uno de ellos tiene los ojos desorbitados y otro
tartamudea un poco, como si todavía estuvieran bajo el fuego de los
aviones. Al final Evelio, respetuosa pero firmemente, me explica que
los otros cinco compañeros de La Habana y él prefieren no seguir en
la sierra. Quieren pasar a la lucha de la clandestinidad en la capital. No
por cobardía, me aclara, porque donde se sienten bien es durante el
combate. Los desalienta la condición miserable en que están viviendo,
fatigados y hambrientos. Muestran sus pies, llagados como los míos.
Tienen buenas bases para creer que las circunstancias no van a mejorar, aclarándome que en ningún modo es una deserción.

Me duele esta determinación porque la lucha nos ha hermanado.
Hoy mismo comunico la situación a la comandancia. Fidel me contesta en unas líneas muy escuetas en las que ordena que me entreguen
las armas y que, por ahora, estos hombres permanezcan en el pelotón
hasta nuevo aviso. Voy a utilizarlos en la búsqueda de víveres y otras
funciones de apoyo, incluida la vigilancia. Son mis compañeros, revolucionarios valiosos que dejaron atrás muchas cosas para integrarse a la
guerrilla. No todas las personas tienen la misma capacidad para adaptarse a las dificultades de la vida en la sierra. Fidel también me dice
que, en reemplazo de estos rebeldes, me enviará otros más experi-

mentados. Como combatientes en el pelotón ya no hay ninguno de los que vinieron conmigo en la expedición.

Tres días después, todavía aquí en la casa del amigo Epifanio Díaz, en El Purial, uno de los tantos caseríos de la zona, se incorporan los cinco rebeldes ofrecidos por Fidel. Uno de ellos, Ramón Pérez, me causa buena impresión; otro me parece un tipo alocado y quizá problemático. Los tres restantes son curtidos campesinos que llevan algún tiempo en el Ejército Rebelde y han pasado su vida en lo abrupto de las montañas.

Esta noche, con cara de culpa pero sonriente, como si nada hubiera pasado, aparece Alfredo Díaz en nuestro campamento. Viene cansado de tanto andar y de la carga que trae. Su deserción reviste cierta gravedad, pues perdimos un compañero al tener que regresar a la tienda donde fuimos sorprendidos por el ejército. No espero mucho para interrogarlo.

Se acobardó en la emboscada, me dice, y, avergonzado, se fue al Llano, donde estuvo varios días. Allí hizo contacto con mis familiares, ofreciéndose para ser portador de las cosas que ellos quisieran enviarnos. Con esto quiere demostrarme sus buenas intenciones. Trae provisiones, medicamentos y cartas.

Durante esta ausencia pudo haber deslizado alguna información entre gente allegada al ejército, revelando nuestra posición y otros pormenores. Esto y los demás agravantes serían suficiente razón para fusilarlo, según las normas usuales en la sierra. Sin embargo, hasta el momento de su falta no ha tenido malos antecedentes en la guerra. Lo conozco desde niño y sé que es una buena persona.

Con humildad me dice:

—Si usted me perdona y me da la oportunidad le demostraré que no soy un traidor. Que sólo tuve un momento de miedo como nos puede pasar a todos. Voy a juntar fuerzas y valor para reivindicarme.

—Está bien. Aunque un desertor desanima casi siempre a la tropa, te voy a dar la oportunidad que me pides. Con una condición: si vuelves a fallar, todo habrá terminado para ti. Tienes la oportunidad de permanecer con nosotros; eso sí, debes andar siempre muy claro. No quiero que me llegue ni una sola queja sobre ti.

—Acepto las condiciones —responde— y quiero que sepa que cuando me deje combatir quedará satisfecho de mi actuación.

Una orden de movilización nos levanta el ánimo. En un viejo camión, que sufre tanto al andar como nuestros molidos huesos, salimos con rumbo desconocido. Sus rezongos mecánicos hieren la paz de una mañana que ha comenzado a crecer dentro de una tenue envoltura de sol. El capitán Gómez Ochoa, a cargo del contingente del cual formamos parte con otras dos guerrillas, me comenta que solamente ha recibido la orden de movilizarnos.

Andamos durante cuatro horas o más en las ondulaciones de la sierra. Nos detenemos en un punto próximo a Belic, cerca de donde desembarcó Fidel cuando vino con su expedición desde México. Llegan por distintas vías otros camiones con personal rebelde; dos de estos camiones siguen con rumbo desconocido, probablemente a tomar una posición de avanzada. Nuestra misión aquí es un verdadero enigma. Matan una res de buen tamaño y hay carne abundante para toda la tropa. Cada rebelde toma su pedazo y lo va asando en un colosal brasero, al que de rato en rato se le echa más leña para mantener la hoguera. En esta área el cultivo de la tierra no ha sido afectado por la guerra; hay malanga, plátano y yuca en abundancia.

De este lugar es Carlitos Mas, el joven rebelde de nuestra guerrilla, tan buena persona como buen combatiente.

Encuentro a mi viejo amigo Napoleón Béquer. Está en un pequeño grupo del personal de la comandancia bajo las órdenes de Gómez Ochoa. Cuando pertenecía a nuestro pelotón tenía una buena arma, un M-3. Ahora lo encuentro con un viejo fusil italiano y no se siente a gusto; quiere que haga gestiones para regresarlo a nuestra guerrilla, con lo que estoy muy de acuerdo.

Pasamos tres días sin saber qué va a suceder. Hay dudas sobre la organización de nuestro ejército. Los comentarios sólo se hacen en niveles de gran confianza porque en general los guerrilleros, aunque sientan profundamente las molestias, aprenden a no discutir ni a poner en tela de juicio las decisiones de sus superiores. Hay ciertas excepciones, ya que se trata de una tropa formada por voluntarios entre los que hay algunos universitarios y jóvenes con inclinaciones artísticas e intelectuales. Pero los más son campesinos, guajiros dedicados a duras labores de la tierra. Estos serranos, sumados a la Revolución con una pasión admirable, conviven con intelectuales y profesionales, también vestidos con el uniforme verde olivo y animados por el mismo fervor. A pesar de las preocupaciones, para todos lo fundamental es vencer al enemigo.

En medio de esta espera, algunos oficiales y un periodista ecuatoriano que está haciendo un reportaje se toman varias botellas de ron. Esto riñe con las normas del Ejército Rebelde.

Sin explicaciones se nos da la orden de abordar los camiones y ponernos en movimiento. Unos dicen, haciéndose eco de noticias inconsistentes, que el ejército está cercándonos a prudente distancia y hasta anticipan que esta noche nos llegará la orden de atacar el cuartel de Pilón; pero en realidad estamos regresando a nuestras bases y nos quedan kilómetros y kilómetros por recorrer.

Acampamos en Gaviro, donde Gómez Ochoa nos informa que ha sido ascendido a comandante. Agrega que su ascenso responde a la necesidad de mejorar la Columna 1, de la que es oficial ejecutivo. Nos dice además, que de acuerdo con Fidel seremos ascendidos a capitanes: Derminio Escalona, Marcos Borrero y yo. Me siento contento porque llevo sólo tres semanas en la sierra.

En la reunión donde se formalizan nuestros ascensos, planteo el problema de las bebidas alcohólicas. Lo hago aquí, porque Escalona está presente, y a él suele vérsele en el Llano con una botella de ron en la mano, dejando muy bajo el nombre del Ejército Rebelde. Gómez Ochoa promete preocuparse por todo lo que concierne a la disciplina y la buena imagen ante el pueblo.

Me avisan que salga con el pelotón hasta Las Vegas, un pueblo en el que Fidel ha instalado la comandancia y que está en las estribaciones de la Sierra Maestra. Al llegar a este lugar se incorpora a nuestra guerrilla Napoleón Béquer, al que nombro en el cargo de segundo jefe.

Voy a ver a Fidel. Lo encuentro en el portal de una tienda que ahora le sirve como comandancia. Está rodeado de unas veinte o veinticinco personas y, sin ningún preámbulo, empieza a reprocharme en tono irrespetuoso mi desempeño en las acciones, sin concretar nada específico. Durante unos minutos me dice cosas que considero injustas, ofensivas y que no vienen al caso.

—Ya ves que estoy enterado que los otros días te pusiste a comer porquería. Faltaste de una manera muy lamentable a tus deberes de guerrillero y eso no lo puedo tolerar...

Pasan por mi mente las escenas de las múltiples acciones en que he participado y no registro nada que me pueda reprochar. ¿A qué se refiere este hombre? ¿Serán los hechos de Jibacoa, donde el ejército se apareció por una vía que él ignoró en los planes? Si hubo falla fue suya.

Cómo voy a aceptar esta descarga, si más bien nosotros evitamos que el remanente de la unidad del ejército pudiera escapar cuando el capitán Ramón Paz se retiró de la emboscada. Parece una inversión de la realidad. Sigo pensando y no encuentro el error. ¿Qué hay detrás de todo esto?

Sin perder la serenidad lo interrumpo:

—Mire, comandante, he venido aquí a la sierra a cumplir mis deberes de cubano. Ni de usted ni de nadie acepto expresiones irrespetuosas e injustas. Si tengo que soportar situaciones como ésta, aquí tiene mi arma y me voy a sembrar malanga para el Ejército Rebelde. No estoy acostumbrado ni sirvo para recibir insultos como los que usted suele repartir entre algunos de sus oficiales.

Mis palabras lo dejan sin reacción alguna. Me parece que es la primera vez que alguien se atreve a contestarle así. Y continúo:

—Quiero decirle que estas cosas no favorecen a nadie y menos a la Revolución. Todos los que estamos involucrados en este esfuerzo debemos respetarnos porque de ese modo se mantienen las jerarquías. Creo que con este proceder suyo lo único que hacemos es degradar el sentido de la lucha. Yo, por mi parte, no estoy dispuesto a soportar situaciones de esta naturaleza.

Fidel permanece mudo, sin mover un músculo. No esperaba esta reacción. Pasan dos o tres minutos sin que él vuelva a articular palabra y, ante la sorpresa de los presentes, doy la espalda y me voy.

Camino hacia la casa donde está mi guerrilla, que ahora ha crecido más en número que en capacidad combativa, porque los que han depuesto las armas tendrán que permanecer entre nosotros indefinidamente. Presumo que Fidel será duro y vengativo con ellos y no les permitirá que vayan a incorporarse a la acción clandestina en La Habana, como lo han pedido. ¿Y qué me importan a mí estas cuestiones en la situación en que estoy? Lo más probable es que me envíen bajo arresto a la cárcel de Puerto Malanga. Prefiero ser un rebelde preso en la sierra que prestarme al maltrato injusto para hacer méritos.

Hablo con mis compañeros minutos después del incidente:

—Creo que muy pronto tendrán otro jefe, porque pienso que de un momento a otro dejo el pelotón. Me voy a sembrar malanga o me mandan a la cárcel.

Relato lo sucedido en medio del estupor general.

Nadie entiende nada.

—No se preocupen, yo tampoco —les digo, optando por asimilar lo acontecido, sin permitir que me abrume.

¿Por qué será así Fidel? ¿Por qué necesitará maltratar a sus subalternos? ¿Será para sentirse seguro de ser acatado como jefe?

Una de las cosas que más desfavorablemente me han impresionado son sus desahogos contra René Rodríguez, su ayudante personal. Ignoro si las cosas que le dice son merecidas o no. Lo cierto es que los insultos más crudos del idioma castellano los dedica nuestro comandante a su asistente, en reproche por diferentes cosas.

Desde mis primeros días en la sierra presentí que Fidel se valdría de cualquier pretexto para humillarme públicamente y así imponerme las reglas de su juego, haciendo de mí un Derminio Escalona, un René Rodríguez, o uno de los tantos que callan cuando los trata con rudeza de amo. Lo que él realmente ha procurado con esta reprimenda es ridiculizarme ante sus hombres; poner las cosas en su lugar según su criterio y reafirmar su posición de jefe indiscutido aunque sea al precio de la injusticia.

—Venga, venga por acá, yo le explicaré —y me separa del grupo—. Ese guajiro vende marihuana y tiene el respaldo de Fidel, es de toda su confianza.

Por varias horas esperamos el desenlace. Por fin, en la tarde, Celia me avisa que Fidel quiere verme. Tomo la precaución de dejar mis armas porque no sé lo que me espera. Voy tranquilo hacia la comandancia. Al acercarme veo que nada delata un movimiento fuera de lo normal.

Celia me recibe afectuosa pero la noto preocupada, me indica:

—Pasa, Fidel está en la parte de atrás, en la trastienda.

Lo encuentro acostado en un catre rústico, está revisando unos papeles. Su rostro es indescifrable. Me señala un taburete y me dice:

—Siéntate, tenemos que hablar.

Se incorpora y hace silencio por espacio de casi un minuto. Mirándome con una expresión muy distinta a la de esta mañana, deja a un lado los papeles.

—Huber, olvídate de lo que pasó esta mañana. Ahora enfrentamos una situación de amenaza por los planes del ejército y tú eres el hombre que me hace falta. El ejército nos está rodeando; ha tomado casi todos los caminos que utilizamos para abastecernos y para bajar al Llano. ¿Te das cuenta de lo que esto significa? Tú eres un hombre responsable... El apropiado para un trabajo relacionado con la ofensiva militar que se nos viene encima. Como fracasó la huelga de abril, la ofensiva contra nosotros puede ser descomunal y debemos preparar un baluarte defensivo en el corazón mismo de la sierra; en La Plata, para ser preciso. Allí estableceremos la comandancia del Ejército Rebelde. Tienes que cavar trincheras y túneles, preparar el lugar para resistir lo que venga. También debemos organizar una reserva de armas y municiones y crear un buen aparato administrativo.

Le manifiesto que su plan es razonable pero que, en vista de la situación, creo que sería más útil luchando con mis hombres contra el ejército.

—Olvídate de eso —me contesta—, conviene más tu aporte en el plan general.

Celia llega y participa en la conversación. Ella tiene la ilimitada confianza de Fidel. Vuelvo a decir que puedo ser más útil en el frente que en un puesto de retaguardia, por importante que éste sea; aunque comprendo que sus órdenes son razonables y que, en cierto modo, me confieren una responsabilidad que no debo rehuir. Fidel agrega:

—Mañana por la mañana sales para La Plata. Me reuniré contigo en cuatro días y te orientaré en lo que tendrás que hacer; pero te adelanto que además de las obras defensivas, serás jefe de la guarnición que tendrá a cargo la seguridad del campamento y el responsable de las funciones administrativas.

Celia me acompaña hasta la puerta y me dice:

—Huber, tengo total confianza en ti. Cuando vayas a organizar la seguridad en La Plata conviene que pongas especial empeño en evitar que se te cuelen infiltrados de Batista; sabes que quieren matar a Fidel. Pon mucho cuidado en la organización de la vigilancia, ¿sabes...? No quiero que a Fidel le pase algo malo.

La comprendo. Detrás de la máscara de guerrillera tenaz y dura, se encuentra el sentimiento de una mujer. Es sorprendente en esta circunstancia, pero es que el ser humano no se desnaturaliza del todo en medio de una guerra o en las más severas condiciones de vida. La lucha no es el tiempo ideal para el amor, pero el poder del amor supera los sacrificios que nos imponemos por seguir una causa, vocación o una quimera. Cuando el amor llega no hay edades, ni tiempos imposibles. Es lo que veo en Celia y me conmueve.

En mi campamento me reciben con alegría.

—¡Imagínate lo que decíamos aquí hasta hace unos minutos! —me comenta uno de los compañeros—. Que se nos había acabado el jefe y que Dios sabe quién nos tocaría en suerte.

—Pues tendrán que resignarse, pendejos, porque el castigo que esperaba parece ser un ascenso.

Cuento lo sucedido y todos se alegran.

Es el 26 de abril. Muy temprano en la mañana nos ponemos en camino. Llevamos los presos que están aquí hasta la cárcel del Ejército Rebelde en Puerto Malanga, cerca de La Plata; son infiltrados que nos envían los escopeteros de Crescencio Pérez desde el Llano.

De pronto, en un claro del camino, curiosamente llano porque aquí todo es irregular, veo cuatro mulos, dos hombres, varios sacos que no sé lo que contienen y una báscula. Esto es muy extraño y me intriga la actitud de los hombres cuando me acerco para indagar de qué se trata.

Carlitos Mas me coge por el brazo queriendo alejarme del lugar.

—No, capitán, deje eso.

—Pero ¿qué pasa aquí?

—Venga, venga por acá, yo le explicaré —y me separa del grupo—. Ese guajiro vende marihuana y tiene el respaldo de Fidel, es de toda su confianza. Aquí siembran marihuana y Fidel tiene algunos acuerdos con los que se dedican a eso.

—¡Coño! Pero ¿cómo es posible?

—Sí, capitán, ése se llama Clemente Pérez y es uno de los pocos ricos que se ha quedado aquí en la loma. Es de la total confianza del comandante. Le trae algunas cosas del pueblo. Clemente y los que negocian con él tienen también amigos entre los guardias.

Me sorprende y asquea todo esto. Si escarbo este asunto creo que renunciaría a lo que he venido a hacer aquí.

—Capitán, no se moleste por esto de la marihuana —Carlitos insiste—. Usted no es quien decide en eso. Lo nuestro es tumbar a Batista y que triunfe la libertad.

El argumento no me convence. Me muerdo los labios con frustración y seguimos adelante.

Ya agotados hacemos noche en El Toro. Mañana continuaremos hacia La Plata. Uno de los presos que traemos para Puerto Malanga quiere hablarme.

—Capitán, conmigo se ha cometido un grave error. Soy campesino del área de Campechuela. Me detuvieron cuando intentaba llegar a la zona rebelde para incorporarme a los alzados y me acusan de «chivato» sin base alguna. Soy un hombre bueno, ayúdeme. Haga que me pongan a su servicio, no me interesa el combate. Quiero trabajar para la Revolución. Ayúdeme, me llamo Pedro...

—Si las cosas son como tú dices, trataré de ayudarte. Por el momento nada puedo hacer.

Mientras le respondo, estoy ya casi convencido de que Pedro es un buen hombre.

El 27 de abril llegamos a La Plata y acampo con la mitad de los hombres en lo que será la entrada principal del campamento en la cordillera central de la sierra. En su costado norte hay un alto pico que, por ahora, no reviste importancia para la seguridad del área. Me establezco en una casa rústica y amplia a la que le faltan las paredes, que cubrimos con pencas y yaguas.[1] Repilado, que días atrás vino por su cuenta desde otra guerrilla, me ayuda como secretario del pelotón. Es un hombre instruido y diligente.

Indico a Béquer que con el resto de los hombres se haga cargo de la posición defensiva en el otro extremo, conocido como La Casa de Medina. Cuando Béquer va hacia allá, resbala y se fractura una pierna. Dos días después, el doctor Martínez Páez, famoso ortopédico habanero incorporado al Ejército Rebelde, lo enyesa. Dejo al competente y servicial Carlitos Mas acompañando a Béquer.

Fidel llega y conversamos largamente. Pone énfasis en las obras defensivas que hay que realizar en la zona y en la seguridad exterior e interior del campamento.

Siguiendo sus instrucciones contratamos a campesinos de la zona para trabajar en las obras. Los rebeldes también participan. Hacemos trincheras con protección para el fuego de mortero y como defensas contra la infantería enemiga; también túneles para protegernos de los ataques aéreos.

Solicité a la cárcel que me enviaran a Pedro y lo tengo como civil ayudando en la cocina de nuestro cuartel. Está contento y agradecido.

Exploro la zona y elaboro un plan general de defensa ajustándome a las instrucciones del comandante, que sólo se refieren al lado oeste. Le sugiero que también preparemos el lado este, pero sobre esto guarda silencio. Los días son intensos. Temprano en la mañana me ocupo de las obras delegando parte del trabajo de dirección en algunos hombres que han ido aprendiendo. Efectúo recorridos por toda el área para conocerla en sus detalles. Voy también al otro extremo del campamento para ver cómo andan Béquer y sus hombres.

Ordeno a Repilado que haga un censo de población en el área. Encontramos que muchos niños y jóvenes no saben leer y le encomiendo que resuelva el problema. En poco tiempo tenemos una escuela funcionando a unos tres kilómetros de aquí.

En más de una oportunidad Fidel me envía rebeldes recién llegados para incorporarlos a la guarnición. Entre ellos tengo aquí dos hermanos procedentes de Holguín, de apellido Teruel, que me recomienda de modo especial.

—Éstos tienen que ser muy buenos, ¡te lo aseguro!

A lo que le respondo:

---

1. Penca: hoja de palma real. Yagua: parte del tallo que se desprende con la hoja de la palma. *(N. del A.)*

—Casi toda la gente que viene a incorporarse a la guerrilla es muy buena.

—Sí, pero con ese apellido tienen que ser buenos.

Me llama la atención que ya en otras oportunidades este hombre se impresiona con los apellidos poco frecuentes. Es muy raro que a los Pérez, Rodríguez o Martínez les conceda potencial. No sé en qué se sustenta esa inclinación a privilegiar a las personas por su apellido. Los Teruel, efectivamente, resultan buenos.

En uno de los compañeros que entregaron sus armas, Evelio Rodríguez, encuentro un excelente ayudante.

Se observan aquí cafetales mal atendidos, campos abandonados, casas pobres y dispersas y algún ganado misérrimo de las montañas. Los pobladores son gente muy humilde, en su mayoría campesinos que viven como un sueño esta invasión de actividades bélicas en sus pacíficos y lentos sistemas de vida. Nos miran con asombro y simpatía. Mujeres de rostros cansados observan nuestras idas y venidas y en sus miradas advierto, por momentos, una luz de esperanza. Tanto se ha engañado a estas familias durante las campañas políticas que ahora estos guajiros presienten que los rebeldes venimos en una función distinta, sin palabras dulces ni promesas sino con armas, compartiendo su hambre y aguantando los mismos insectos y las mismas inclemencias del tiempo.

Durante la noche los rebeldes incautan una cantidad enorme de reses en los llanos próximos a la sierra, incluso de los dueños de fincas que nos han ayudado. Fidel dice, con entusiasmo, que son para asegurar provisiones durante la ofensiva. Pero la cantidad excede desproporcionadamente nuestras necesidades. Es triste ver los estragos que sufre este ganado del Llano, forzado a subir a la montaña.

Preocupado por la reputación del Ejército Rebelde, le pregunto a Fidel:

—¿Nos hemos transformado de revolucionarios en cuatreros?

Su respuesta es una mirada con semblante hosco.

Parte de la carne se distribuye entre los campesinos y hasta nuestro campamento llega algún ganado.

El comandante vuelve a inspeccionar todo lo que se hace y expresa perplejidad y satisfacción al observar las obras.

—Huber, ¿cómo es posible que hayas podido hacer esto? —y señala un túnel ya terminado—. ¿Me puedes decir cómo?

Aunque agradezco sus elogios no dejo de preocuparme, porque quizás él esté pensando en encasillarme en la función de constructor de defensas y otras misiones de apoyo, apartándome del frente.

No estaba equivocado. Casi una semana después de su visita, me dice:

—Dentro de pocos días tendrás que ir a realizar una tarea tan buena como ésta en otra área.

No contesto nada todavía; aquí en la sierra, lo que hoy se afirma como irreversible, mañana puede tomar un giro insospechado y transformarse en otra cosa. Aprovecho mi relación con Fidel para sugerirle mejorar los servicios de asistencia en la retaguardia.

Fidel me invita a que participe en las conversaciones habituales que sostiene con oficiales rebeldes, con miembros del Movimiento 26 de Julio en las ciudades y otras gentes que llegan del Llano.

Las reuniones en realidad son en gran parte un largo monólogo del comandante; sin embargo, los cambios de impresiones resultan interesantes. Se trata de estrategia y tácticas revolucionarias. Entre los visitantes sobresalen las personas con buen criterio y cierto nivel cultural. En estas reuniones el énfasis está en el apoyo económico a la sierra y en una mejor organización del Movimiento 26 de Julio en el Llano. En algunas ocasiones llegan personajes misteriosos, con credenciales ficticias, que entregan mensajes directamente al comandante, de parte de algún oficial del ejército.

Hoy me sorprende el capitán René Rodríguez, ayudante y responsable de la seguridad personal de Fidel, que viene con órdenes del comandante para que fusile yo a un hombre que está detenido. Según él, es un vendedor de lotería que se ha infiltrado en la sierra como espía.

—René, no estoy aquí en La Plata para fusilar a ese hombre ni a nadie. Eso está fuera de mis responsabilidades y no me voy a echar a cuestas esa ejecución. Es más, no tengo conocimiento de que haya habido un juicio que respalde esa pena de muerte. Si Fidel me ordena en forma personal que fusile a ese individuo, le diré que no, aunque con mi actitud pierda méritos.

Si me quisieron probar con este asunto de fusilamientos, ya conocen mi posición. Me entero después de que René Rodríguez se encargó de la ejecución.

He visto en Fidel cosas negativas, como sus exabruptos, los insultos a los oficiales y su tendencia al autoritarismo, a lo que se añade su tolerancia o complicidad en el negocio de la marihuana. Todo esto me tiene con un conflicto de conciencia y una seria preocupación con respecto al futuro. Sin embargo, he llegado a la conclusión de que, como no podemos esperar perfección en la condición humana, y este hombre se ha ganado la confianza del pueblo, no debo dejarme vencer por los aspectos negativos de su carácter ni por su falta de consistencia ética. Si somos exigentes queriendo medir a Fidel con la escala de valores de nuestros héroes, como José Martí, Ignacio Agramonte o Céspedes, habría que irse de aquí. Por ahora me queda la esperanza de poder ayudar en la superación de esos defectos. El pueblo tiene fe en los rebeldes de las montañas y en su líder principal; tiene fe en la obra democratizadora y justa de la Revolución. Mientras tratamos de detener la ofensiva, tengo que tragarme este asunto de la marihuana y las otras cosas que me disgustan. Tenemos un enemigo bastante fuerte al que hay que derrotar para poder restablecer la democracia y la paz social.

En una de mis visitas diarias a la comandancia, Fidel me dice que debería capacitarme en el uso de explosivos.

—Tienes que saber manejarlos. Anda, dedícate un poco, tú tienes habilidad para todo.

El halago es uno de sus recursos cuando quiere convencer. Me explica lo que sabe del asunto. Eufórico y desbordante para todo, Fidel da sus demostraciones con minas que él mismo conecta y hace estallar, sin preocuparse mucho por evitar accidentes. Hoy estuvo a punto de matar a Luis Crespo, el jefe del taller de armería del Ejército Rebelde. Cuando Crespo va a examinar detalles de la instalación del explosivo, Fidel conecta el equipo de detonación y la mina estalla. Crespo reacciona espantado y mira al comandante sin comprender qué ha sucedido. Felizmente la mina no lo ha herido.

Después de tres o cuatro sesiones de aprendizaje he asimilado lo básico en el montaje y la detonación de minas. Pero el comandante está entusiasmado y continúa con sus demostraciones; algunas veces sus experiencias y enseñanzas son llevadas al más crudo realismo utilizando puercos y gallinas del campesino en cuya casa ha instalado ahora su comandancia. Triste espectáculo, no sólo por los animales que revienta o destripa sino por el rostro del matrimonio guajiro que ve desaparecer, sin provecho alguno, sus pocas aves y cerdos. Uno de estos días ha desbaratado, con un explosivo, a un verraco que probablemente era el único cerdo macho que existía en la comarca. En otra de estas pruebas, con un cañoncito que alguien le ha traído, le apunta a un torete y con la primera bala atraviesa el animal de lado a lado, entre el vientre y los cuartos traseros. Fidel da alguna compensación económica al matrimonio campesino, pero a pesar de eso, donde existe una tradición de apego al ganado y a los animales de corral, veo que los dueños lo miran con extrañeza, con dolor y con secreto repudio.

Muchos civiles que acuden a ver a Fidel y que vienen desde el Llano, hacen una escala obligada en mi campamento. Los recibo y casi siempre la conversación gira sobre su ascenso a la sierra, en mulo o a pie.

Entre las previsiones para enfrentar la ofensiva del ejército, se instala una línea de teléfono que, oculta en la vegetación, comunica nuestro campamento con áreas próximas. Beto Pesán, uno de los compañeros de la conspiración ortodoxa en Manzanillo, trabaja en esta tarea.

Por vía telefónica coordino con la comandancia, quién va y quién viene, o a quién hay que demorar antes de subir a ver a Fidel.

Ha llegado Carlos Rafael Rodríguez, uno de los principales dirigentes del Partido Socialista Popular (comunista). No conocía personalmente al individuo. Sin preguntárselo, me dice que tiene entrada en la sierra, como para que entienda que no es mal visto por el comandante. Trato de sondearlo para ver si me entero del motivo de su presencia, pero es un sujeto esquivo. Habla de sus recuerdos de la guerra civil española y comenta las últimas novedades de La Habana. Me cuenta que en Caracas se ha firmado un pacto entre los comunistas, el Movimiento 26 de Julio y otras organizaciones cubanas, a fin de coordinar una acción común contra la dictadura, sin que esto suponga compromiso político alguno por parte de los nuestros.[1] Comenta que los comunistas apoyan nuestra lucha, lo que me resulta difícil de creer. Los comunistas están haciendo un trabajo de dos caras, algunos de ellos mantienen buenas relaciones con Batista y otros con Fidel. Es oportunismo y pienso que no los necesitamos como aliados. Tiene mucho más sentido alcanzar el triunfo sin llevarlos como lastre.

Rodríguez me dice que le va a pedir a Fidel que lo deje en la sierra como colaborador. No sé cuál es su papel o su intención; pero pasan los días y veo que se ha quedado en La Plata.

El 10 de mayo llega desde Jamaica en una avioneta Juan Vivero, un buen amigo mío de Manzanillo. Quiere incorporarse y lo aceptamos muy gustosamente.

El 28 de mayo recibo una orden de Fidel para que me presente en el alto de Montpie, lugar de la sierra cercano a La Plata y uno de sus sitios preferidos. Dice que vaya con cinco hombres de los nuevos que todavía no tienen armas.

1. El Pacto de Caracas, compromiso detallado para el regreso de la democracia a Cuba, se firmó en Venezuela el 20 de julio de 1958 por las principales organizaciones opositoras a Batista, incluyendo al Movimiento 26 de Julio. Contrario a lo que dice C. R. Rodríguez, los comunistas fueron excluidos. *(N. del A.)*

Al llegar saludo \ Carlos Franqui, quien ha venido en un pequeño avión desde Jamaica con algún armamento. Viene con la intención de hacerse cargo de Radio Rebelde, la planta transmisora que ha empezado a funcionar aquí en la sierra. En confianza me dice que tiene la impresión de que Fidel no está muy contento con su arribo. Para ayudarlo le hablo a Celia de la capacidad y condiciones personales que aprecio en Franqui. Ella comentará esto con Fidel.

En la tarde estoy de regreso en La Plata.

Ya tenemos bien adelantado un sistema defensivo previendo un avance enemigo desde el oeste. En el este, como Fidel no le confiere importancia, no hemos hecho nada. Realmente la seguridad de este campamento no depende tanto de las trincheras como de mantener bajo nuestro control una amplia zona con su adecuado perímetro defensivo y la capacidad para contraatacar cuando sea oportuno. Un ejército guerrillero tiene que sacar provecho de la movilidad y del factor sorpresa.

La relación diaria con Fidel me permite conocer la lucha desde la perspectiva de la Comandancia General y tener una amplia percepción de las relaciones entre el Llano y la sierra, predominantemente de tipo político y no siempre fáciles. También estoy al tanto del apoyo económico que las ciudades envían a la fuerza guerrillera de las montañas. A la vez, he podido conocer un poco más de este hombre inteligente, audaz y raro que, sin duda, me ha traído aquí para algo. Me aleja del frente y me sitúa en la retaguardia junto a él, después de un encontronazo personal donde quedó claro que no acepto insultos.

¿Cuál o cuáles son sus verdaderos propósitos? Es difícil contestar esa pregunta. Pero presumo que quiere conocerme de cerca, saber si tengo aristas vulnerables y, seguramente, le interesa convertirme en uno de sus fieles seguidores. El tiempo despejará la incógnita de sus intenciones.

Casi todas las mañanas, cuando la niebla se disipa y se impone la luz del sol, escuchamos el canto de los ruiseñores y a veces los descubrimos posados en las ramas de las copas más altas, regalando sus trinos al paisaje de la sierra, en dúo con la brisa que se hace sentir como susurro al penetrar el alto follaje que corona el perfil boscoso. Si los acontecimientos no me hubieran traído hasta aquí, no tendría idea de la belleza de estos escenarios.

A veces paseo la vista desde este privilegiado mirador hacia el valle central de nuestra provincia, regado por el río Cauto y sus afluentes. Es una panorámica predominantemente verde, más oscuro el verde cuanto más lejano; y hacia el oeste, el azul del golfo de Guacanayabo. Todo un maravilloso paisaje de nuestra linda Cuba.

En las montañas el espectáculo del bosque es impresionante. Durante las horas de los trabajos defensivos mis ojos se recrean contemplando la tupida y vigorosa vegetación del bosque serrano. Húmedo y sombrío en su nivel más bajo, donde los helechos compiten entre sí, apenas brotan de la tierra alfombrada de musgos y de hojas descompuestas; luego, cuando alcanzan una altura de dos o tres metros, ceden el espacio a la madeja verdeoscura de las plantas trepadoras y parásitas, que en unos casos parecen conformarse con vivir en la sombra, adheridas a los troncos de los gigantes del bosque, y en otros forcejean en busca de la luz solar. En lo más alto, empinados y señoriales, con sus copas, redondeadas unas y cónicas otras, los árboles centenarios en un incansable mano a mano con el viento, la lluvia, la niebla, el sol, la noche y la marcha del tiempo.

13

El Che Guevara

> No estoy seguro de que el Che sea sincero.
> Tengo la impresión de que estamos trabados
> en un amistoso encuentro de esgrima ideoló-
> gica.

Pasados unos días, Fidel me ordena que me encuentre con él en el alto de Montpie y que vaya con el grupo de campesinos que trabajan a jornal en la construcción de trincheras. Como son civiles no todos aceptan, pero logro convencer a varios de los más capaces y salimos con las herramientas a lomo de mula.

Llegados al lugar, Celia me dice que Fidel quiere hablar conmigo de algo importante; se va y vuelve con un uniforme nuevo.

—Quítate ese uniforme que traes, está muy maltratado, ponte este otro.

Fidel está entretenido en una competencia de tiro con el Che. Luego nos reunimos los tres.

—Te vas, con los hombres que traes, a construir una línea defensiva en el sector que está a cargo del Che —me dice—, la zona de Gaviro, Las Mercedes y Las Vegas. Por ese sector van a avanzar una o más de las columnas del ejército que ya tienen posiciones en el área. Con tu gente y con el personal de la escuela de reclutas, que cerramos, construirás trincheras, fosos antitanques y refugios para protegernos de la aviación.

—Fidel, yo cumplo órdenes, pero te aclaro que tú sobrestimas mi capacidad.

—Quieras o no, estás a cargo de nuestro cuerpo de ingenieros —me responde sonriendo, tratando de comprometerme—. Además, sigues siendo jefe de la guarnición de La Plata y de tu guerrilla.

Salimos con el Che hacia la Mina del Frío, en donde está la escuela de reclutas que ha sido desactivada y que Guevara estructuró y atendió personalmente. El Che también dirigió la fabricación de material bélico y se le atribuye la idea de la granada Sputnik, lanzada con un fusil. Es una carga explosiva con un cordón de mecha que se enciende un segundo antes de disparar la granada con una bala de salva.

Antes de salir del alto de Montpie y durante el camino, Guevara trata de sacarme lo que puede sobre mi posición ideológica, la que explico sin entrar en detalles. Él, por su parte, me expone la suya, a veces con disimulo, a veces con mayor claridad. En sus palabras hay un alto grado de contenido social dentro de una tendencia marxista que no comparto.

El Che es un comandante valiente, castigado por un asma tenaz. Ambos vamos al frente del grupo. Él monta su caballo y yo voy a pie, por lo que me recrimina cordialmente. Los capitanes caminan con su mochila a cuestas —si la tienen— y siempre a la cabeza de sus hombres. Los pocos comandantes que hay en la sierra pueden ir a caballo o en mulo y llevar un mochilero. Esto es una norma establecida en la práctica, no una disposición de reglamento. Por mi parte me siento muy bien caminando; así, entre la insistencia de Guevara y la larga travesía avanzamos hacia nuestro objetivo. Hacemos noche en la escuela de reclutas de Mina del Frío, donde nos reunimos con los muchachos que se integrarán a nuestro contingente.

Converso en la escuela con algunos compatriotas del área, con los cuales tenía relaciones antes de la lucha. Me dicen que a pesar de que la escuela está en medio de la vegetación y muy disimulada, los aviones la han localizado y la bombardean todos los días. Como no hay refugio inmediato, apenas se advierte la proximidad de los aviones, todos se guarecen en el túnel de una mina abandonada.

El Che vuelve a decirme que mañana tendré que montar a caballo y que me deje de historias o pretextos para seguir a pie. No le contesto pero sonrío. Él es el comandante, yo un capitán y estoy a sus órdenes, aunque me trate de igual a igual. La metralla de la aviación le ha hecho daños considerables a la casa de mi amigo Mario Sariol, donde paso la noche. El Che tiene su sitio para pernoctar. Quedamos en reunirnos a las siete de la mañana para continuar.

Ya claro el día, reaparece Guevara montado en su caballo y trayendo otro, ensillado, que pone a mi disposición e insiste en sus razones. Se siente mal en su cabalgadura viéndome a pie, pues queda ante todos como un privilegiado y eso le molesta. Además, como advierto que él cree que caminar para mí es un capricho, mi actitud puede pasar por necia. Me resigno a cabalgar.

Mi modesto desayuno, una taza de café con leche y algunas malangas, está servido cuando oigo una voz insistente: ¡Avión! ¡Avión! Mi reacción es lenta pues es mi primera vez aquí. No sé si es una falsa alarma. Además no puedo evitar mi naturaleza reflexiva.

Con paso rápido entra el Che y me grita:

—Por aquí, Huber, por aquí...

Ambos corremos, tirándonos en unos cafetales como a cuarenta pasos de la casa cuando ¡ya tenemos un avión encima! De inmediato estalla un cohete cerca de nosotros. El estruendo es impresionante pero ninguno de los dos sufre un rasguño. Caen otros cohetes en nuestra cercanía, mientras las ametralladoras hacen su parte obligándonos a mantenernos contra el suelo. El ataque es continuo durante cuarenta minutos, es una típica operación de acoso. Pasado el peligro, me apresuro a ver cómo está la gente. Mucho ruido y por suerte ningún muerto ni herido. Regreso a la casa a terminar el desayuno de café y malangas. A pesar de lo que acaba de suceder lo disfruto como si estuviera en el ambiente más tranquilo y normal del mundo. El fuego de los aviones no es siempre efectivo en la sierra, porque la vegetación y los accidentes del terreno hacen difícil a los pilotos identificar los objetivos.

En el camino, estrecho y sinuoso, el Che y yo vamos despacio, seguidos por más de cincuenta reclutas desarmados. A veces los animales van casi pegados, porque en las estribaciones montañosas hay espacios muy estrechos bordeando precipicios. Los caballos son buenos conocedores, pisan firme y avanzan confiados.

La conversación con Guevara dura horas. Me pregunta mucho. Es argentino y aunque tiene conocimientos generales sobre Cuba, quiere enterarse, en detalle, de la forma en que viven los obreros cubanos, de cómo es el régimen económico y laboral de los empleados públicos y del campesinado. A él parece interesarle más la problemática social que la política, o aquélla como elemento consustancial de ésta. Respondo lo más objetivamente posible; parece un hombre inteligente, con una buena dosis de espíritu aventurero. Cuando le toca hablarme de su vida y de sus inquietudes me es fácil ubicarlo como un hombre de extrema izquierda, ávido de realizar proezas.

—¿Te consideras un marxista? —le digo.

—Bueno —no se sorprende por mi pregunta—, he leído bastante a Marx. Es posible que de algún modo lo sea, pero no soy lo que pueda llamarse un marxista propiamente dicho. Además, no pertenezco a la clase de hombres que caben dentro del Partido Comunista, porque mi modo de pensar es diferente a las aberraciones de sus dirigentes.

—Y ese pensamiento tuyo, ¿encaja en la Revolución que estamos haciendo?

—Sí —aclara—, porque ésta es una Revolución que restablecerá la constitución que ustedes los cubanos han tenido y respetado; una constitución liberal, democrática, en la que obviamente habrá que hacer reformas.

Continúa diciéndome que cuando triunfemos la vida va a seguir en Cuba como antes de la dictadura, pero con mejoras económicas y sociales. Que nada de lo que se establezca se parecerá al sistema implantado en países totalitarios; menos aún al soviético, donde no hay libertad alguna. Comenta sobre el sistema soviético diciendo que él mismo está en contra de su sentido de la vida porque él nada más puede vivir en un medio democrático, en el que haya pasión por solucionar los problemas más acuciantes del pueblo, pues detesta la situación del hombre en una sociedad totalitaria.

En el camino, el Che me habla de un tema del que había oído algunas cosas: Fidel ha llamado a la sierra a los dirigentes del Movimiento 26 de Julio en el Llano, para discutir con ellos el fracaso de la huelga del 9 de abril. Me dice:

—Varios de ellos tendrán que quedarse aquí, después de haber demostrado su poca capacidad en el manejo de un asunto importante.

Prefiero guardar prudente silencio sobre el tema. Creo que Fidel, que en más de una oportunidad ha demostrado desprecio por la gente que lucha en las ciudades y desde ellas nos ayuda, podrá ahora cobrar las cuentas que deben y las que no deben, y se las arreglará para asumir el control total del Movimiento 26 de Julio. Tras una breve pausa, me pregunta sobre Dostoievski, Balzac y otros autores. Le contesto refiriéndome concretamente a sus obras, no a su pensamiento filosófico; aprovecho para devolverle preguntas, pero no estoy seguro de que el Che sea sincero. Tengo la impresión de que estamos trabados en un amistoso encuentro de esgrima ideológica.

Llegamos a Gaviro, un caserío silencioso y tranquilo. Los hombres están agotados, es mucho lo andado, y la comida es poca. Por la mañana los distribuiré en las casas vacías del poblado.

Guevara me advierte que muchos de los reclutas que traemos para trabajar en las defensas son indisciplinados. Me nombra algunos que son útiles.

Sin embargo, confío en mi experiencia como maestro para sacar lo mejor de las personas. El Che no lo sabe, pero antes de salir de la escuela de reclutas les hablé a los muchachos:

—A ustedes los han licenciado pero vinieron a la sierra a luchar. Dicen que no son aptos para el combate, pero en el trabajo de las trincheras podrán demostrar su calidad y su interés en los propósitos revolucionarios; es muy probable que en medio de esa tarea, tengan que soltar las palas y coger los fusiles. Confío en que se comportarán como verdaderos guerrilleros, que fue a lo que vinieron a la sierra.

De este modo trato de motivarlos y comprometerlos, a la vez que disciplinarlos. Ahora tendré ocasión de ver si mis palabras han caído en saco roto o si han producido el efecto buscado.

Al despedirnos, le pido al Che que venga temprano en la mañana, pues necesito sus orientaciones sobre la ubicación de la línea defensiva.

Al día siguiente, después de un brevísimo preámbulo iniciado por Guevara sobre la literatura de su preferencia, abordo el asunto de las defensas.

—Necesito que tú señales, sobre el terreno, dónde prefieres las obras defensivas.

Su respuesta me sorprende:

—No, Huber, eso lo determinas tú, no yo.

—No, he venido aquí a tus órdenes, es asunto tuyo. Las fortificaciones de campaña que necesitas deben establecerse con un criterio estratégico-táctico que solamente tú puedes definir...

—Oye —me responde—, Fidel te mandó para acá conmigo. Tú eres el técnico y por lo tanto el asunto queda a tu cargo, no hablemos más de esto.

—Pero tú eres el jefe de la defensa aquí, tú vas a situar a los hombres.

—No, no, los hombres se van a ubicar donde tú dispongas las fortificaciones.

Es la orden de un comandante y, no obstante mi desconcierto ante esa transferencia de responsabilidades, debo acatarla. Empleo la mañana para reconocer el área y trazar la línea de trincheras y fosos antitanques. En esta zona conseguimos más herramientas y por la tarde empezamos. Estas construcciones deben realizarse como parte de un plan debidamente elaborado, pero la proximidad de las columnas del ejército me obliga a comenzar inmediatamente con las excavaciones. El esquema general lo iré disponiendo conforme observemos las posiciones del enemigo, acampado a sólo cuatro kilómetros. Con prismáticos es fácil seguir los movimientos de las tropas del ejército y obrar en consecuencia. Debemos primero fortificar la ruta por donde muy probablemente avanzarán los soldados. Haremos otro escalón en un nivel más alto para darle fondo a la línea defensiva.

Empezamos a trabajar. Unos tumban palmas y árboles, mientras otros se ocupan de las excavaciones. La tarea es dura pero la gente no pierde el tiempo. Debemos mantener este ritmo para sacar el mayor provecho. Con frecuencia nos interrumpe el fuego de los aviones y tenemos que protegernos. Los mismos huecos que hacemos para las defensas nos sirven de protección provisional. Afortunadamente, la

135

gente que vino conmigo tiene ya amplia experiencia en este tipo de asedio, sabe cómo evadirlo. Los hombres responden muy bien y las obras avanzan con rapidez.

Esta tarde visito al teniente Rogelio Acevedo, jefe de una guerrilla que el Che tiene acampada en las inmediaciones del área que estamos fortificando. Hablamos de nuestras esperanzas de triunfo en los próximos meses. De pronto se me ocurre preguntarle:

—Si el ejército ataca por aquí, ¿tú qué vas a hacer?

—¿Yo? Ponerme a las órdenes suyas.

Quedo desconcertado.

—Oye, yo qué tengo que ver, si mi responsabilidad aquí son las trincheras.

—No, Huber, el Che me ha dicho que si atacan, me ponga inmediatamente a sus órdenes.

—Bueno, Rogelio, pero si hoy hubieran venido los soldados mientras estaba atareado en mi trabajo, habría sido difícil darte orden alguna. El Che no me ha dicho nada en ese sentido.

—Será cierto eso, Huber, pero usted está aquí, es un capitán y para mí las órdenes del comandante Guevara son sagradas.

Al final terminamos riéndonos de este cambio de acatamientos que ignoraba. Ambos sabemos que en el momento justo asumiremos las obligaciones que nos corresponden. Me siento estimulado por la confianza del Che y la disposición de Rogelio y se lo hago saber. Analizamos la situación para coordinar una buena defensa en caso de ataque. Nuestro trabajo prosigue desde que amanece hasta tarde en la noche.

Se presenta algo inesperado: tres prostitutas que llegaron a la zona en días recientes nos están creando dificultades. Viven en una casa cercana y algunos de nuestros hombres están inquietos. Furtivamente, tres de ellos salieron en horas de la noche y llegaron bastante tarde por la mañana. Alguien dice que una de las mujeres puede estar espiando para el ejército. Aunque desestimo la idea, no puedo tampoco ignorarla. El noventa por ciento de los guajiros de esta zona se ha marchado, por el insistente hostigamiento de los aviones y la posibilidad de combates en tierra. Por eso quizá se han acercado a nuestros compañeros. Están en una casa dentro del perímetro de la finca que ocupamos y voy a visitarlas con un escolta. Cuando llego nos tratan muy amablemente. Son mujeres guapas, en particular la que parece ser la jefe.

—He venido a verlas porque tengo hombres bajo mis órdenes que se escapan para venir aquí y eso genera indisciplina. Puedo resolver esto arrestándolas pero no estoy aquí para eso; nos podemos poner de acuerdo, ustedes se van del área y evitamos problemas.

—Está bien —la jefe responde—, comprendo su situación. Dénos unas horas para ver cómo nos vamos.

Envío a la cárcel de Puerto Malanga a los que se escaparon por la noche. En una guerra, perdonar a quienes violan las normas es dejar la puerta abierta a mayores dificultades.

Con un mensajero que se ha ofrecido, envío una carta a mi madre, que vive en Yara, aproximadamente a treinta kilómetros de aquí. Imagino su preocupación al escuchar todos los días el bombardeo de los aviones contra nuestras posiciones. Le pido disculpas por la preocupación que le cause mi presencia en la zona. A los tres días recibo su respuesta, que no me sorprende y me llena de orgullo:

«Yara, 12 de junio de 1958
»Mi querido hijo:
»No tienes que pedirme disculpas. Desde que supe que habías regresado a Cuba y estás en la Sierra, luchando por la libertad de nuestro pueblo, siento que estoy creciendo a pesar de tener más de setenta años. Cumple tu deber y no te angusties por lo que pueda suceder.
»Un beso,

»Salustina».

Pasan los días y por aquí el ejército no ataca, pero me preocupa bastante que la ofensiva avance en otros frentes sin que los rebeldes puedan detenerla.[1] En una nota a Fidel le explico que la construcción de las fortificaciones la pueden continuar algunos de los hombres capacitados que trabajan conmigo. Le digo que seré más útil combatiendo y quiero estar donde se decide el éxito o fracaso de la ofensiva, luchando junto a los hombres que se juegan la vida en el combate. No estoy hecho para la retaguardia.

El camuflaje de las trincheras y los fosos para detener tanques han cambiado la fisonomía de la zona. No obstante queda mucho por

---

1. La ofensiva comenzó a finales de mayo de 1958 con la concentración de catorce batallones de infantería y varias compañías independientes. Aproximadamente seis mil soldados. La mayoría de las columnas avanzaban por la vertiente norte de la Sierra Maestra desde Bayamo hasta Manzanillo, mientras que un batallón reforzado desembarcaría por la costa sur para atacar por la retaguardia el Campamento La Plata. (N. del A.)

hacer pues nos atrasan los ataques de la aviación. Hoy, día de los Padres, desde que amaneció hasta el oscurecer, los aviones no nos han dejado trabajar. Un ataque implacable. La mayoría de los muchachos han resistido con aplomo, solamente algunos reflejan un poco de nerviosismo.

Han pasado tres días y Fidel no contesta. Estamos a 16 de junio y le mando otro mensaje:

«Comandante Fidel Castro: ésta es la segunda nota que le envío. Creo que mi posición no es aquí en la retaguardia como responsable de un grupo de desarmados, construyendo trincheras y haciendo huecos con carácter defensivo. Uno de los hombres que está a mi cargo puede dirigir este trabajo. En estos momentos mi contribución es mucho más útil al frente de la tropa, deteniendo al enemigo. No le veo sentido a mi permanencia en este lugar cuando puedo rendir más con mi guerrilla, tratando de parar al ejército que pretende desalojarnos de la sierra. Huber Matos».

Al mediodía, recibo una nota de Fidel. El mensaje es tan escueto que me intriga. No dice: «Ven», sino «Ven inmediatamente».

14
El coronel Sánchez Mosquera

Media hora más tarde se despeja la incógnita del modo más desagradable que pudiéramos imaginar. De la cima del cerro nos llega una balacera tremenda...

A caballo y con un guía que me lleva por muchos vericuetos llegamos al alto de Montpie, donde encuentro un ambiente de gran preocupación. Fidel me está esperando y de inmediato me describe muy gráficamente cómo el ejército penetra en la sierra con varias columnas, con la intención de converger y atacar el Campamento La Plata. Unos once batallones con más de cuatro mil soldados apoyados por la aviación avanzan para arrebatarnos la sierra. El ejército ha obligado al Che a replegarse. Se comenta que Fidel amenazó a uno de los capitanes del Che con degradarlo por haber abandonado su posición. El enemigo evita poner a prueba las fortificaciones que hicimos en Gaviro, pero ha avanzado por la zona de Las Mercedes que defendía Guevara. El ataque de la aviación está ahora concentrado en Las Vegas. Las tropas del ejército han tomado Las Mercedes y amenazan toda la zona de Las Vegas y otros puntos. Fidel me señala el Pico de Santo Domingo, donde hay dos pasos que defender.

Mientras hablamos, él observa los movimientos de los aviones que bombardean Las Vegas, describiendo un amplio óvalo que los aproxima al lugar donde estamos. Sorpresivamente el comandante dice:

—¡Ven, corramos a refugiarnos en el túnel!

Lo sigo por la ladera unos veinte metros hacia abajo hasta lo que parece una cueva de ratón gigante por donde penetra con todo el volumen de su cuerpo, mostrando un apuro y agilidad que no son usuales en él. Con Fidel entran Celia y dos personas más y se quedan ahí, agazapados.

Me extraña tanta precaución y, como realmente no hay peligro, me quedo afuera del hueco. Desde la cueva sale como un huracán la voz de Fidel, regañándome porque no me pongo a salvo con ellos. Le digo que no se preocupe, que no va a pasar nada; pero él insiste.

—Alguien debe quedar afuera —le respondo— para estar al tanto de los aviones cuando retornen a sus bases.

Comprendo que queda desairado ante los demás, poniendo en evidencia su temor. Él es el jefe y dos cosas le molestan: que no lo obedezca y que involuntariamente deteriore su imagen. Pero ése no es mi propósito, ya estoy acostumbrado al acoso diario de los aviones.

Cuando éstos se alejan sale de la cueva contrariado; su elocuente mutismo lo delata. Furioso, se sacude el polvo del uniforme y pienso que me va a hablar fuerte. Algunos episodios sobre el temor de Fidel a los aviones circulan entre los rebeldes que han vivido experiencias similares.

Pero el comandante no hace comentarios y vuelve, molesto y ceñudo, al tema que tratábamos cuando la proximidad de los aviones lo impresionó.

—Mira —me dice—, el coronel Sánchez Mosquera viene embistiendo fuerte con dos batallones hacia La Plata, uno en la vanguardia y otro de refuerzo que trae dos días atrás. Su columna es la elite del ejército de Batista y él su mejor oficial de campaña. Ni Guillermo García, que es un buen oficial, ha podido detenerlo en los últimos días; ni el Che, ni otros jefes guerrilleros competentes pudieron anteriormente.

Hace una pausa y mirando hacia el pico que antes me había señalado, continúa:

—Quiere entrar en La Plata y hay que pararlo. Puede venir por dos caminos: el de Santo Domingo o el de Santa Ana. Recoge tu gente y te vas a reforzar al capitán Lalo Sardiñas que está en el camino de Santa Ana, o al capitán Paco Cabrera que está en el de Santo Domingo; los dos tienen posiciones fijas. Ahora bien, como tú eres el más nuevo en la sierra, el mando es de ellos. En cualquiera de los dos casos, tú vas como refuerzo.

Como Fidel valora mi condición de combatiente, sé que esto de que Sardiñas y Cabrera son más viejos que yo en la lucha es su modo de cobrarme que me quedara fuera de la cueva ante el supuesto peligro de los aviones. No le doy importancia.

Voy a La Plata a recoger mi pelotón, al que no veo desde hace varias semanas. Lo que queda de él se reduce a cuatro hombres. ¡Qué decepción! El resto de la gente con buenas armas fue enviado a otras zonas. Nuestro cuartel ha sido convertido en hospital a cargo del buen amigo manzanillero, el doctor René Vallejo. Han traído al capitán César Lara con una herida seria en una pierna.

Al amanecer comenzamos una marcha cuesta abajo que demorará cinco horas. El comandante me ha dicho que, de acuerdo a la actividad en el teatro de operaciones, me dirija hacia Santo Domingo o a Santa Ana.

Se trabaja diligentemente en la instalación del teléfono que irá desde el campamento central a los probables frentes. Dos horas más tarde, nos encontramos a Luis Crespo, que viene huyendo con varios mulos cargados con el material del taller de armería. Nos confirma que el enemigo está avanzando hacia El Verraco para lanzarse sobre Santo Domingo. En la marcha, los estallidos de mortero confirman la versión de Crespo. Entramos a Santo Domingo, que está despoblado: sus habitantes han huido. En el alto del Cacao encontramos atrincherado al capitán Paco Cabrera con sus hombres. Son aproximadamente las dos de la tarde del 18 de junio; estamos agotados y sudorosos, pero optimistas.

Nuestro armamento es de cinco subametralladoras y una escopeta en buenas condiciones. El hombre de la escopeta es Alfredo, el de «Alfredo no va en ésta». Se nos unió al salir de La Plata reclamándome la oportunidad de reivindicación que me había pedido.

Cabrera tiene sólo cinco combatientes. Con mis seis hombres no formamos ni siquiera un pelotón que pueda enfrentar la fuerza que se acerca. Tenemos la ventaja de que la posición está en un alto y los soldados son un blanco fácil durante el ascenso. Pero al estudiar el área me doy cuenta de que el ejército no está obligado a casarse con esa posibilidad, porque a la derecha hay un cerro más alto que puede ocupar y entonces seríamos nosotros los que pasaríamos a ser un blanco óptimo.

Con los prismáticos observo los movimientos de la columna enemiga acampada a unos dos kilómetros: más de trescientos soldados. Preparan una res para comérsela y seguramente vendrán hacia nosotros mañana en la mañana.

—Oye, Paco —le digo a Cabrera—, esta posición serviría sólo si tuviéramos más hombres. El enemigo es numeroso y bien armado; no tenemos chance de detenerlo. Yo vengo de refuerzo, pero te sugiero que cambies esta posición y se lo informes a Fidel. Aquí vamos a perder hombres y armas.

Cabrera está nervioso. Escucha con atención cada una de mis palabras.

—Huber, si intento trasladar la posición a otro lugar —me dice con expresión de convencimiento—, Fidel me fusila.

—Paco, no podemos perder las armas; aquí nos matan y se las llevan, de eso puedes estar seguro. Estamos frente a Sánchez Mosquera y no frente a novatos.

Durante algunos minutos discutimos y no encuentro forma de que ceda.

—Mira —responde al fin—, yo no puedo cambiar la posición, me voy a La Plata a consultar con Fidel.

—Si te vas me estás trasladando el mando y haré inmediatamente el cambio que necesitamos.

Paco me pide que lo espere, que no cambie la posición. Le digo que el ataque puede darse en cualquier momento y una dilación podría ser fatal. Después de lo ocurrido en Jibacoa el 10 de abril, sé que los planes de Fidel no son infalibles y que hay que proceder según las realidades en el escenario del combate.

Cabrera, aunque no está de acuerdo en manejarse sin las directivas del comandante, me dice:

—Bueno, Huber, procede como a ti te parezca, es asunto tuyo.

—Explícale a Fidel que todo lo que yo resuelva en esta posición será responsabilidad mía, porque no hay ningún medio de comunicación con él dentro del tiempo que disponemos. Hay que adecuar nuestro plan a los movimientos del enemigo, díselo.

Cuando Cabrera se va, recorro el área con rapidez acompañado de uno de sus hombres, tratando de escoger un lugar donde parapetarnos con ventajas.

A unos tres kilómetros creo encontrar el sitio ideal para una emboscada. Es un sector escabroso donde el camino atraviesa en diagonal un arroyo, hay un peñasco y mucho bosque.

Dejo al hombre que me acompaña para que examine cada detalle de los alrededores y vuelvo a la posición.

—Bueno, compañeros, a levantar todo. Nos vamos para otro lugar.

Poco después cavamos y establecemos una línea de trincheras en forma de ele. Cerca del peñasco, en el cauce del arroyo y en lo que constituye el brazo más corto de la «L», acumulamos piedras grandes para ubicar algunos hombres, al igual que en otros puntos altos que dominan el lugar. Estos últimos harán fuego contra el grueso de la columna. Pasamos la noche sin descansar, abriendo huecos, moviendo piedras, terminando lo que es el brazo largo de la ele. El alba nos sorprende cansados pero con una mayor seguridad ante la acción. Las trincheras, correctamente camufladas, permiten la movilidad de los hombres y nos protegen contra un enemigo treinta veces superior. La mina y los cables que van hasta el equipo de detonación están disimulados por la vegetación.

Tengo aquí a un rebelde, Robertico, un muchacho muy despierto de escasos trece años, armado con la pistola 45 que Cabrera le ha dejado en custodia; forma parte de su guerrilla. Se planta delante de mí y con firmeza me dice:

—Óigame, capitán, yo quiero participar del combate como su ayudante.

Lo miro, un niño. Pongo algunos reparos pero él insiste. Contra mi voluntad tengo que aceptarlo como combatiente.

—Atiéndeme: quedarás en la trinchera a mi lado. Tu obligación será manejar el equipo de detonación de la mina. Yo te indicaré lo que debes hacer. ¿De acuerdo?

Asiente con expresión de dicha. Sé que en esa tarea los riesgos serán reducidos, ya que la mina está lejos de la trinchera, y le advierto que tenga tanto cuidado con la pistola que lleva como con el enemigo.

En las primeras horas de la mañana del 19 de junio el ejército avanza con un intenso fuego de fusilería y de morteros, táctica insólita para un militar avezado como Sánchez Mosquera, porque con las detonaciones va delatando su posición. Sin duda quiere amedrentarnos; el ruido es hostigador, incesante, creciente. Es como la marcha de la muerte que se acerca.

Un guajiro del área nos trae constantemente información sobre el desplazamiento de los soldados. A las diez de la mañana tenemos al enemigo encima, a cinco minutos de la emboscada. En este momento regresa el capitán Cabrera con dos hombres que son buenos combatientes, Mario Santana y Rafael Lastre. Rápidamente ubico a los tres. Cabrera me dice que Fidel acepta mi criterio y le ha indicado que se ponga a mis órdenes.

La tropa ya está aquí, anunciándose hasta con su respiración. La punta de la vanguardia está formada por casi treinta hombres que avanzan disparando, creyendo que los rebeldes no vamos a presentar pelea en este lugar. Abrimos fuego al tiempo que estalla la mina y el grupo es prácticamente aniquilado.

El ataque los ha sorprendido por completo. Tratamos de apropiarnos de las armas de los caídos, pero el resto de la columna dispara hacia donde está su propia gente, sin importarle si están heridos o muertos. Insistir en tomar las armas sería una temeridad suicida, son unos trescientos hombres disparando. Un verdadero infierno de balas que sacan chispas a las piedras, penetran la tierra y obturan la vegetación. Nos retiramos por el cauce del arroyo.

Ha sido un golpe desmoralizante para esa tropa y vamos ahora en busca de otra posición para causarle más desgaste. En esta zona no podemos pretender detenerlos completamente, pero lo haremos cuando intenten avanzar, cuesta arriba, hacia La Plata. Hace tres días Fidel me dijo: «Si logramos derrotar a Sánchez Mosquera, habremos ganado la guerra». Me he propuesto hacerlo retroceder porque estoy seguro de que los demás batallones que conforman la ofensiva del ejército esperan el resultado de su avance para caernos encima.

Sin perder tiempo nos situamos a un kilómetro en la misma cuenca del arroyo. Estamos optimistas porque con doce armas de guerra y una escopeta ganamos la primera partida.

Sánchez Mosquera nos tiene una sorpresa: en vez de traer toda su columna por el camino, la ha dividido y avanza con pinzas laterales que protegen al grueso de la tropa, que viene un poco más atrás. Si nos quedamos aquí nos pueden envolver y liquidarnos.

Nos retiramos pasando por el caserío de Santo Domingo, en el que seguramente acampará el ejército a descansar y atender sus heridos. Con la experiencia que ha tenido, no emprenderá el ascenso sin preparar bien la operación, así que no debemos precipitarnos. Antes de que caiga la noche nos acercamos al campamento para vigilarlo. Colocamos una mina por si se le ocurre mandar alguna patrulla a explorar la ruta hacia La Plata.

Durante las últimas horas de la tarde y la noche no pasa nada. El capitán Paco Cabrera ha regresado a La Plata y allí se quedará; con él, envío el informe de rigor y solicito al comandante nuevas instrucciones.

Éstas llegan con refuerzos al mando del capitán Geonel Rodríguez, estudiante de ingeniería y discípulo preferido del Che. Ha sido el alumno más destacado en la escuela de reclutas de Mina del Frío y se ha convertido en un combatiente de primera. Geonel y su gente tienen buen entrenamiento.

Ahora tengo más de veinte hombres bien armados, pero los riesgos son mayores porque Sánchez Mosquera conoce nuestra capacidad de maniobrar y adecuará sus operaciones conforme al desgraciado encuentro que acaba de ocurrirle.

Seguimos instrucciones de Fidel y nos situamos a la entrada del bosque de El Naranjo, donde rápidamente cavamos una línea de trincheras para protegernos contra el fuego de mortero y la fusilería. Hago un reconocimiento de toda el área para comprobar si el plan de Fidel tiene sentido.

Pero encuentro dos sorpresas. La primera no tiene que ver nada con nuestra estrategia: campos sembrados de marihuana. Al indagar, me dicen que esto es parte del negocio de Clemente Pérez, el protegido de Fidel que encontramos anteriormente vendiendo su mercancía. ¡Otra vez esta mierda!

La otra sorpresa es haber comprobado, en este recorrido por barrancos y selva tupida, que, probablemente, la línea de trincheras que construimos no sirva para nada, porque entre la posición de Lalo Sardiñas, en el camino de Santa Ana, y la nuestra, en el camino de Santo Domingo, hay un cerro que domina las dos vías en su punto de unión. El ejército puede tomar esta altura sin enfrentar a ninguno de los dos y seguir hasta La Plata, anotándose una victoria tan sorpresiva como aplastante para la causa rebelde.

Fidel ordenó construir algunas trincheras en el área, por cierto, escasas y mal ubicadas, sin tomar en cuenta que el enemigo puede sorprendernos con la toma del cerro. Probablemente el comandante, a pesar de su gran conocimiento de la sierra, no le ha dado importancia al cerro, creyendo que subirlo es imposible porque la vegetación es muy tupida.

Pero frente a un hombre tan astuto como Sánchez Mosquera, no dejo de considerar cualquier posibilidad, teniendo en cuenta que el acceso este a La Plata, desde Santo Domingo, no fue fortificado como el lado oeste.

Envío un mensaje a Fidel:

«Hice un reconocimiento detallado de toda el área relacionada con el acceso a La Plata, explorando hasta donde está Lalo Sardiñas. Mi conclusión es que el lugar donde hemos construido las trincheras no es el más apropiado. Aquí no evitaremos que el enemigo pueda avanzar. Debo situarme en el cerro y en el punto de convergencia de los dos caminos, el de Santa Ana y el de Santo Domingo, de modo que quede asegurado que no pase ninguna tropa. Quien pretenda hacerlo, tendrá que pasar por encima de nosotros. Espero su respuesta con instrucciones».

Fidel reacciona del modo que menos esperaba. Se siente molesto, primero porque cree que su conocimiento de la sierra es muy vasto y piensa que no se le puede escapar ningún detalle; segundo, porque no es la primera vez que mi criterio no coincide con el suyo. Me contesta en forma un poco insultante y me dice, entre otras cosas:

«Si seguimos retrocediendo, pronto no faltarán razones para abandonar la parte más importante de la Sierra Maestra, así es que quédate donde yo te indiqué».

145

Respondo lo siguiente:

«Comandante: En mi nota anterior le expresé con toda sinceridad mi opinión después de haber hecho un cuidadoso reconocimiento sobre el terreno, dada mi responsabilidad de defender la vía de acceso a La Plata. No hay razón para que me haya contestado de la manera que lo ha hecho, pues estoy dispuesto a morir hoy mismo en la posición que se me ha asignado. Lo importante es detener al enemigo y es eso lo que debo y quiero hacer. No obstante, haré lo que usted dice porque es mi obligación ajustarme a sus órdenes, pero la responsabilidad será suya. Huber Matos».

Con las sombras de la noche, aparece el comandante, sin camisa y sudado, con una expresión de disgusto.

—¿Qué es lo que pasa? —me dice.

—Lo que sucede se lo he explicado en los papeles que le envié.

—Sí, pero quiero que me lo detalles ahora, sobre el terreno.

Reitero y amplío lo que ya le he comunicado mientras muerde su tabaco y mira a un lado y al otro. Después me observa fijamente y al final dice:

—Bueno, ¿cuántos hombres tienes tú?

—Somos veintitrés hombres armados.

—Mañana por la mañana sitúas a Geonel con la mitad de esos hombres en el cerro y tú te quedas aquí con el resto. Si Lalo Sardiñas tiene problemas, lo auxiliarás.

—Está bien, pero con eso no hemos resuelto el problema. Debo situarme con todos los hombres en la convergencia de los dos caminos, cubriendo éstos y el cerro.

—Déjalo así como yo he dispuesto.

Por la mañana, sitúo a Geonel con un total de once hombres en el cerro indicándole que refuerce las trincheras y se mantenga muy vigilante.

Un día después, Fidel dispone que me traslade con el resto de los hombres hacia donde se lo he planteado, pero no exactamente en donde se unen los dos caminos, sino un poquito más abajo, en la base del cerro. Obedezco pero sigo preocupado por la convergencia de los dos caminos. Temo que Sardiñas no pueda aguantar en su posición si lo atacan con fuerza y no estaré en el lugar apropiado para detener al ejército. Construimos unas trincheras muy buenas y me ocupo de mejorar otras próximas, incluidas las del cerro donde está Geonel.

Nuestra estrategia guerrillera ha cambiado a una guerra de posiciones. Si tomamos ventaja de las irregularidades del terreno podemos obtener grandes provechos de nuestros limitados recursos en hombres y armas. Si no aprovechamos al máximo estas circunstancias, las ventajas las tendrá el enemigo, que posee una tropa numerosa y bien armada, apoyada por la aviación y por el fuego artillero de sus morteros de 81 milímetros.

Ya no se trata de montar una emboscada o dos para sorprender al ejército. En este momento el esquema defensivo responde a la necesidad de cerrarle el camino y desgastar y desmoralizar a su tropa, hasta que tome conciencia de su derrota y se marche de la sierra, si es que puede hacerlo. Explico estos detalles a mis hombres para reforzar su moral combativa y alertarlos de las astucias que Sánchez Mosquera puede poner en juego. Enfatizo la importancia de las trincheras frente a una tropa que viene cuesta arriba, a la que tenemos que derrotar de todas formas. Por cada hombre de los nuestros ellos tienen quince o veinte, pero nadie en la sierra construye mejores trincheras que las nuestras y la moral de nuestros hombres es más recia aún.

Es 26 de junio. El hilo telefónico de la comandancia ha sido extendido entre los árboles hasta un lugar próximo a nosotros. Esta posibilidad de comunicación es oportuna porque, obviamente, éste es el frente más importante del Ejército Rebelde en el momento actual.

En los días que siguen tenemos que soportar el fuego de morteros y los ataques espóradicos de la fusilería de los soldados. Además, hay una ametralladora calibre 30, emplazada a buena altura, en la falda de una loma situada frente a nosotros. Esta arma nos importuna con cortas ráfagas cada vez que percibe un movimiento en nuestras filas.

Fidel ha mandado al teniente Braulio Coroneaux con una calibre 50 —de las que vinieron de Costa Rica— para ser instalada en el punto hasta donde llega el teléfono. Su ayudante, Pedro Camejo, fue alumno mío hace más de diez años, cuando yo trabajaba como maestro en la Sierra Maestra. El arma sirve para apoyar nuestras líneas; pero no puede, por el ángulo de tiro, contestar a la ametralladora del ejército.

Santo Domingo es un caserío en medio de un valle. Al establecer Sánchez Mosquera su campamento en esa localidad, se ha metido en un hoyo, pensando que estará poco tiempo aquí, que es una base para seguir avanzando. Aunque ha tomado posiciones en puntos altos de las lomas que lo rodean, con excepción de las que están hacia La Plata, que las tenemos nosotros, su situación es desventajosa. Quizá por eso y para amendrentarnos nos fustiga con fuego de mortero y con el de la aviación, que ha localizado nuestras posiciones, pese a que muchas de ellas están debajo de los árboles.

El comandante me manda al teniente Zenén Mariño con un pelotón para que se sitúe cerca de Lalo Sardiñas.

El 28 de junio, Sánchez Mosquera, que obviamente cuenta ya con unidades de refuerzo, ataca la posición de Sardiñas en el camino que viene de Santa Ana. Este movimiento me extraña, pues el ejército se expone a quedar encajonado entre Sardiñas y nosotros. Además, la tropa atacante está obligada a escalar una escarpada barranca sin posibilidad alguna de forzar el paso.

Intrigado, voy estudiando el área hasta el lugar donde se encuentran los pelotones de Sardiñas y Zenén Mariño. Junto a Zenén participo unos minutos en el combate, convenciéndome de que allí no hay que preocuparse. Por el contrario, si contáramos con recursos para contraatacar podríamos darles un severo golpe.

Camino hasta donde está Coroneaux, quien además de manejar la ametralladora 50, es responsable del teléfono recién instalado.

—Avísale a Fidel lo que está pasando —le digo—. Si tiene tropa disponible que la envíe, pues con recursos adicionales podemos contraatacar y capturar prisioneros y armas. Recuérdale que los hombres que tenemos están completamente comprometidos en función defensiva.

Subo al cerro y le digo a Geonel:

—Todo esto está muy raro, vigila a cuatro ojos para evitar sorpresas.

De regreso les repito a mis hombres en las trincheras que atraviesan el camino:

—Muy alertas porque este ataque encierra una gran interrogante. Sánchez Mosquera tiene una carta oculta.

Media hora más tarde se despeja la incógnita del modo más desagradable que pudiéramos imaginar: de la cima del cerro nos llega una balacera tremenda, es el ejército tirándonos desde la posición asignada a Geonel.

Lamentablemente acontece lo que días antes había previsto e intenté evitar por todos los medios. El jefe enemigo se dio cuenta que si nos tomaba el cerro nuestra línea defensiva quedaría prácticamente en sus manos, y lo ha logrado.

De momento aparece, con lágrimas de rabia, Carlitos Mas, el oficial adolescente en el que nunca he podido encontrar un atisbo de cobardía. Detrás de él, Geonel llora de indignación y pena; vienen con sus uniformes bastante rotos.

Dicen que en las dos horas que lleva el combate contra la posición de Sardiñas, aprovechando el ruido de la fusilería y los morteros, un grupo de soldados abrió con machetes una trocha en la espesura. Cuando menos lo esperaban, los soldados sorprendieron por detrás a los rebeldes, quienes no tuvieron otra opción que lanzarse por la pendiente del cerro. Creen que los demás se han salvado también.

Las trincheras arriba eran buenas, así como la calidad de los combatientes, pero con seguridad falló la vigilancia, a pesar de que se lo advertí insistentemente a Geonel.

Me siento humillado. Por un descuido estamos con la mitad de nuestra línea a merced de la intensa carga de fusilería que llega desde la posición abandonada. Estamos obligados a una retirada general, o a jugárnoslo todo tratando de recuperar el cerro, por muy difícil que esto parezca. En unos minutos la infantería enemiga se lanzará sobre nosotros y perderemos hasta la 50.

Corro hacia donde se encuentra Coroneaux, quien ya tiene la ametralladora medio desarmada. Le pregunto por qué hace eso.

—Me la llevo en el mulo porque aquí la perderíamos en menos de una hora. Esto es un hueco y nos aplastan. Iré donde usted diga, Huber, porque de aquí nos vamos. ¿No?

—¡No, no! —le respondo—, de aquí no se va nadie. Voy para arriba con algunos hombres a sacar de allí a esos cabrones.

Coroneaux me mira con alegría que expresa con un grito delirante: «¡Coñooo!». No lo olvidaré nunca. El hombre quiere entrar en acción sin medir nada y comienza a armar la calibre 50 a pesar de la balacera que viene desde arriba.

Corro hasta nuestras trincheras, a unos ciento cincuenta metros, reúno a los hombres y les digo:

—Necesito tres de ustedes que me sigan dispuestos a morirse ahora mismo reconquistando el cerro.

Todos quieren acompañarme, pero no debo debilitar esta posición ni puedo llevar a muchos a una muerte casi segura. Escojo a Miguel Ángel Espinosa, Manuel Ángel Pérez y a Carlitos Mas, pero Robertico, el niño de trece años se atraviesa:

—Yo voy, le llevo los cargadores del Eme-Tres suyo. Déjeme ir con usted.

—Tú eres casi un niño, no puedes disponer de tu vida; no, quédate. No asumo esa responsabilidad.

—Capitán, yo voy de todos modos y recuerde que tengo aquí una pistola cuarenta y cinco —dice mientras recoge los peines del M-3.

—Bueno, está bien, manténte protegido por mi espalda.

Llevamos cuatro ametralladoras de mano: tres M-3 y una Beretta.

Corro hasta donde está Coroneaux.

—Atiéndeme —le digo—, nosotros cinco vamos a subir al cerro a recuperar la posición. Durante nuestro ascenso debes mantener el fuego bien alto, de manera que cubras nuestro avance con el estruendo de tu arma, así daremos la impresión de que es un contraataque con mucha fuerza. El ángulo de tiro no te permitirá hacerle daño al enemigo, pero el impacto psicológico de tu fuego será un buen apoyo para nuestro intento. Lanza ráfagas cortas y persistentes.

Coroneaux nos despide con un grito de júbilo.

Vamos trepando la cuesta, que es semiboscosa; avanzamos rápido entre las grandes piedras y los troncos de los árboles. Detrás, Coroneaux mantiene su fuego que, junto con el nuestro, produce un trueno continuado que aumenta al responder el enemigo.

Pero Carlitos grita:

—¡Miren, miren... estamos metidos en el fuego de la Cincuenta!

Es cierto. Coroneaux dispara muy bajo y prácticamente estamos a su merced. Las balas de la ametralladora arrancan astillas en los troncos de los árboles y sacan chispas de las piedras junto a nosotros.

Mando a Robertico a que le diga a Coroneaux que levante el tiro aunque no le haga ni un arañazo a los soldados, y reiniciamos la marcha hacia arriba desafiando la intensidad del fuego. Robertico regresa; es todo un combatiente, viene disparando su pistola tan cerca de mí que me deja medio sordo. El infierno del fuego continúa.

Los soldados retroceden; probablemente creen que somos dos docenas de locos subiendo a ciegas, a fuerza de balas, entre la vegetación y las rocas. Alcanzamos la cima del cerro avanzando al paso de nuestras ráfagas. Ahora son ellos quienes se lanzan en desbandada ladera abajo, temiendo ser aniquilados. Vemos una cantidad enorme de casquillos y balas regadas entre la maleza, ¡las trincheras están otra vez en nuestras manos!

En la misma cúspide del cerro, en medio de la intensa alegría de nuestro grupo y con un impulso que no puedo frenar, grito irracionalmente, como creo que jamás lo hice en mi vida:

—¡Viva la Revolución, cojones!

Reaccionamos como ante la presencia de un milagro. Mis compañeros están eufóricos pero escudriñan el área buscando algún soldado rezagado.

El cerro está en nuestras manos porque al actuar con rapidez no le dimos tiempo al adversario de consolidar su posición.

Estando aquí llegan los refuerzos que pedí para cortar el escape de la tropa que envió Sánchez Mosquera a atacar a Sardiñas con la intención de confundirnos. Algunos son del grupo de combatientes de Santiago de Cuba que están acampados en la retaguardia, no lejos de nosotros, en el camino hacia La Plata y bajo el mando de René Ramos Latour (Daniel). Entre los que vienen a participar en el combate están Carlos Chaín y Fernando Vecino, a quienes indico el rumbo que deben tomar para caer sobre el ala izquierda de la tropa del ejército, que está en una posición muy vulnerable. También llega el capitán Andrés Cuevas, un bizarro combatiente al mando de un pelotón de refuerzo bien armado. Traen una ametralladora calibre 30.

Cuevas va derecho al grano:

—Y bien, Huber, ¿qué es lo que podemos hacer?

—La tropa que ataca por el lado de Sardiñas está encajonada en esa dirección. Avanza con tu gente por ahí y le cortas la retirada. Después, entre tú, Sardiñas, Zenén y algunos de mis hombres, será fácil derrotar a todo el que quede atrapado. Con toda seguridad se tomarán prisioneros y pertrechos.

Llega también Pedro Miret con un mortero y sus correspondientes ayudantes y se incorpora a la acción del contraataque.

Mis hombres están ansiosos de participar y autorizo a varios para que se integren al intento de cerco y regresen en la mañana, porque no podemos bajar la guardia en nuestras posiciones. Sánchez Mosquera tiene más de trescientos hombres en el vallecito, a unos cuatrocientos metros; de él siempre se puede esperar cualquier cosa.

Durante la noche del 28 al 29 de junio, el fuego no cesa. Se capturan prisioneros y se recogen armas y municiones, pero cuesta trabajo doblegar a esta gente, aunque estén acorralados. Es una tropa valiente, motivada por un jefe audaz. Los rebeldes de Lalo Sardiñas no tienen más remedio que eliminar a un grupo de soldados que resistía desde una cueva y que se negaba a rendirse; con granadas de mano resuelven la situación. Sardiñas y su guerrilla han tenido un importante papel en estas acciones. Los enfrentamientos han durado más de veinticuatro horas.

En un mensaje, Fidel me dice que hay que continuar la acción hasta las últimas consecuencias y atacar el campamento de Sánchez Mosquera. Estoy seguro de que el campamento no se podrá tomar, pero vamos a atacar para aprovechar la ventaja de la derrota que han sufrido, y castigarlos un poco más. Para este operativo el comandante moviliza tropas que vienen desde distintos lugares.

El 29 de junio la gente de Radio Rebelde coloca algunos altoparlantes en la zona. Por la noche se transmite música cubana muy alegre para desconcertar a los soldados y demostrarles que estamos seguros y contentos en nuestras filas. Una hora antes de atacar escuchamos la guaracha, *Ahorita va a llover,* que se repite con intención claramente burlona. En el fondo del valle, el ejército está protegido con buenas trincheras, complementadas con posiciones defensivas entre las montañas.

Las tropas enviadas por Fidel se sitúan de manera que puedan envolver a la columna en su momento. El comandante llega al caer la noche. Del personal bajo mi mando, Zenén Mariño va avanzando por el cauce del río, mientras Geonel y yo damos un gran rodeo por la izquierda para tomar posiciones en los puntos señalados.

Después de una trabajosa marcha estamos muy cerca de las trincheras del perímetro defensivo que asaltaremos por sorpresa. Pero no hay nadie, han sido abandonadas en medio del ataque general. Uno de los nuestros exclama:

—Mire, capitán, aquí está el *rompío* por donde huyeron.

Para asaltar otras trincheras caminamos con sigilo en medio de las dificultades del terreno y del silbar de las balas, pero nos ocurre igual que antes: nadie las cuida.

Al llegar aquí, Geonel Rodríguez tiene que descansar un poco; atacado por la disentería como muchos más, tiene que trepar dolorosamente las cuestas. Pálido y agotado por el constante flujo de sus intestinos, se lamenta del espectáculo que nos da. Nosotros lo animamos restándole importancia a su problema. Geonel es un gran combatiente.

Después de escudriñar las trincheras que teníamos que atacar, apoyamos con fuego de acoso el ataque múltiple al campamento.

Pasamos esta segunda noche en duros enfrentamientos desde todas las direcciones en que se encuentran apostados los rebeldes, y principalmente en las inmediaciones del núcleo central del campamento. Con el amanecer cesa la densidad del fuego; sólo algunos disparos aislados mantienen el clima de guerra. Noto que el asedio de los otros grupos rebeldes se limita cada vez más. Es posible que Fidel haya ordenado la retirada, convencido de que tiene que conformarse con lo que se ha hecho. Creo que nos quedamos solos ante las narices de Sánchez Mosquera sin que la orden de repliegue nos llegara, quizá por la dificultad en ubicarnos. Si el ejército nos detecta estamos a sus expensas porque todas las demás fuerzas rebeldes se han marchado. Han pasado casi cuarenta y ocho horas desde el comienzo de las acciones y no hemos dormido un minuto. Estamos fatigados, hambrientos y con la amenaza de tener al enemigo encima en cualquier momento. Nuestros adversarios deben de estar también cansados.

Desde aquí seguimos cada movimiento de los soldados. Es como tener ante nuestros ojos un escenario donde las figuras se mueven en la luz con absoluta seguridad, desconociendo la presencia de los espectadores que, en este caso, son parte del mismo drama. Si nos ven, la situación se tornará extremadamente difícil para nosotros, así que busco una solución sin más demora. Cerca hay un pequeño cafetal al lado del camino, donde sitúo a los hombres en posición de emboscada. A los más agotados los mando con Geonel Rodríguez a nuestras trincheras para que recuperen energías. Me quedo con la mitad de los rebeldes del grupo.

Nos valemos de las piedras y los arbustos para protegernos, pues lo lógico es pensar que el ejército enviará alguna patrulla a inspeccionar la zona. Si esto sucede, tendremos oportunidad de sorprenderla y hacerle algunas bajas.

Parece que en el campamento están también agotados. Las horas vividas han sido probablemente demoledoras para los soldados, tanto más cuando han pasado de una situación ofensiva y supuestamente victoriosa a una defensiva y humillante.

Durante el tiempo que pasamos aquí me ocupo de algo que tiene su parte entretenida: evitar que los hombres se duerman. Para eso cojo un montón de piedrecitas y cuando veo a alguno cabecear, le arrojo uno de estos inocentes proyectiles, lo sobresalto y lo mantengo en vilo. Repito este juego durante un rato para mantenerlos despiertos. Pero al cabo de un par de horas también yo caigo en un profundo sopor y quedo tan dormido como los demás.

Al despertar me doy cuenta de que hubiéramos podido ser presa fácil de los soldados. Nos podrían haber dado muerte a todos sin riesgo alguno para ellos y se habrían resarcido parcialmente de la derrota sufrida.

La audacia de Sánchez Mosquera y su experiencia contra los rebeldes le llevaron a subestimarnos. Lanzó demasiados hombres en un ataque arriesgado para engañarnos, mientras otra tropa subía por dentro de la vegetación para tomar el cerro por sorpresa. Le costó muy caro su error. Retomamos el cerro y dejó una buena tropa encajonada, que ha sido diezmada. En nuestras filas la confianza es muy grande, nos anotamos una gran victoria sobre la unidad elite de la dictadura.

Estamos en la mañana del 30 de junio. Llevamos dos días de ajetreo bélico. Siento alegría al haber podido contribuir a un cambio radical en la situación del frente. Hemos asestado un golpe tremendo al ejército. Obviamente, si las posiciones hubieran permanecido donde Fidel quería, Sánchez Mosquera estaría hoy en La Plata.

—Vámonos de aquí, somos la única guerrilla en este lugar. El ataque debe haber terminado hace cuatro o cinco horas —le digo a mis compañeros. Partimos, más que como combatientes, como sombras que se tambalean bajo el sol.

> Lo llevo cargado (...) y me dice:
> —Huber, esto es la muerte; yo acabé ya, pero
> tú no te desanimes (...) todos mis sueños...
> todo eso termina aquí.

Llegamos a nuestras posiciones anteriores, donde nos encontramos con los guerrilleros de Geonel, ya descansados. Cavamos más trincheras entre las rocas y los árboles. Es una posición realmente inexpugnable.

Los soldados prisioneros que son llevados hacia La Plata se asustan con los incesantes ataques de la aviación. El bombardeo contra nuestras posiciones es denso y empecinado. Al pasar cerca de este diluvio de metralla los prisioneros parecen creer que han llegado al final de sus vidas. Tienen miedo y a la vez se asombran de que aquí actuemos como inmunizados ante la destrucción.

La aviación es un arma impresionante, sobre todo cuando arroja sus bombas incendiarias, que explotan con una inmensa bola de fuego y calcinan los árboles y todo lo que su poder aniquilante alcanza. Cuando el ataque no es con napalm, nuestras trincheras nos salvan de ser alcanzados por las bombas convencionales, los cohetes y el fuego incansable de los morteristas del ejército. Es un acoso sin tregua. A cualquier hora del día, especialmente en la mañana y en las últimas de la tarde, nuestra posición es sacudida una y otra vez por la explosión de los obuses de morteros.

Nos llegan noticias de la emboscada que hizo la gente de Camilo a un contingente de la tropa de Sánchez Mosquera que transportaba hacia el Llano militares heridos en los recientes enfrentamientos en Santo Domingo. El enemigo sufrió nuevas bajas y perdió pertrechos. Camilo ha regresado de los llanos del Cauto y está acampado hacia el lado oeste del Campamento La Plata.

Dentro de nuestras trincheras el agua de la lluvia penetra por los techos, que son cajas construidas con troncos de árboles rollizos, mucha tierra y piedras. La constante filtración hace fangoso el suelo; permanecemos embarrados durante horas, y al dormir lo hacemos sobre una masa cuya humedad penetra en nuestros huesos con toda suerte de molestias físicas. Esto dura días.

La tropa de Sánchez Mosquera juega algunos trucos que afectan a nuestros hombres. Estamos siempre alerta; todas la noches escuchamos los cencerros de los mulos en el campamento del ejército, como si estuvieran preparando los animales para reiniciar el avance. Es una treta, pero surte efecto porque los nuestros permanecen despiertos a pesar del cansancio, preparados para responder a un ataque por sorpresa.

—Oye —me dice un compañero—, están amarrando los mulos en el potrero, van a avanzar.

—Sí, es posible, pero debemos esperar aquí. Ésta es nuestra posición, ellos que hagan lo que quieran.

Todo es falsa alarma. Consiguen su propósito a la vez que ensayan uno que otro leve intento de avanzar. Sólo son conatos de combate, escaramuzas. Bombas y metralla, todo sigue igual.

Matamos el tiempo hablando del futuro de Cuba, del ansiado triunfo de la Revolución, de nuestro rol en una sociedad más justa y sobre todo, libre de despotismo. Nuestro pensamiento llega aún más lejos: queremos que la Revolución cubana, una vez alcanzado el poder, introduzca cambios que puedan ser útiles para otros pueblos hermanos de Nuestra América.

La disentería se ha propagado, son muchos los que ahora la padecen. Los enfermos que pueden controlarse salen a buscar un lugar cercano donde aliviarse. Un explicable hedor nos acosa. Procuro que los hombres vayan más lejos, pero reconozco que es peligroso.

Aviones, napalm, lluvia, morteros y disentería: una realidad cotidiana, obsesiva, enajenante. El drama de la comida se acentúa. De vez en cuando mando a alguien a ver qué pueden conseguir en los alrededores. Algunas veces traen pepinos maduros y amargos, incomibles, que consumimos como si fueran manjares. Hemos llegado a conformarnos con granos de café verdes que, así y todo, comemos. No podemos apartar a un hombre de su puesto de combate enviándolo a buscar víveres a la comandancia de La Plata; son casi tres horas de marcha hacia arriba y más de una hora de bajada. En las actuales circunstancias mejor es preservar a todos los combatientes aquí y soportar el hambre.

Sucede algo que, si bien altera nuestros tácitos reglamentos, no deja de ser chistoso. Nuestro sistema de postas o guardias es de relevos cada dos horas. Con la ayuda de un reloj, el único que tenemos, se rotan los turnos. Advierto que el tiempo pasa demasiado rápido para uno de los nuestros.

Sin hacer comentario mando a buscar otro reloj que tiene un rebelde en una posición cercana. Lo traen y descubro que uno de mis viejos compañeros de la expedición cumple su turno adelantando la hora.

—Mañana te vas para arriba al amanecer —le digo—. Dejas el arma y te vas.

Es uno de los hombres que habían entregado sus armas cuando quisieron abandonar la sierra para volver al Llano. Se había rehabilitado participando en la lucha por iniciativa propia. Llegó a ser un buen combatiente, pero actitudes como la suya perjudican la disciplina del grupo. Lo siento.

Llegan tres mujeres que se ofrecen para cocinar. Vienen de la comandancia de La Plata, donde se enteraron de la desastrosa situación que tenemos aquí. Supongo que Fidel ha estado de acuerdo.

—Mire, capitán —dice Rita, la mayor de ellas—, nos vamos a establecer en una casita que está muy cerca de aquí y que tiene al lado un arroyo para proveernos de agua. No vamos a correr grandes riesgos. Usted tiene que encargarse de que desde la comandancia le manden algo de carne y otros alimentos.

El lugar, aunque protegido del fuego directo del ejército, es vulnerable a los disparos parabólicos de los morteros y al fuego de la aviación.

A pesar de que tengo algunas dudas en aceptarlas, las observo con admiración. Los civiles de retaguardia, que podrían haberse encargado de abastecernos de vituallas, nos abandonaron asustados. Ahora tenemos un nuevo ayudante en este grupo, Zamora, un preso al servicio de la comandancia que buscará lo que pueda para que ellas cocinen.

Las cosas cambian un poco. Rita avisa cuando tiene algo preparado y vamos a buscarlo. Lo único lamentable es que no tenemos sal. Además, como somos muchos, las raciones resultan muy pequeñas.

Comunico al comandante el estado en que se encuentran mis hombres y le sugiero que, aunque sea en parte, los releve. La disentería, el hambre y el cansancio los han convertido en remedos de combatientes. Aunque muestran entereza y el valor de siempre, se hallan por un tiempo incapacitados para sostener una posición como ésta.

El comandante me manda al teniente Dunney Pérez Álamo.

—Huber, aquí estoy con gente fresca.

Pérez Álamo viene a relevar a Geonel Rodríguez y sus once guerrilleros. Sitúo a Álamo con sus nueve hombres en el cerro. Yo me quedo en las trincheras que cortan el camino, en su base.

Geonel Rodríguez, antes de despedir a su gente, me dice:

—Oye, Huber, yo tendría que ir con ellos, pero deseo quedarme porque me siento mal como hombre y como combatiente, después que los soldados nos arrebataron la cima del cerro. Te ruego que me dejes a tu lado, quiero rehabilitarme y demostrar quién soy.

—Quítate esa preocupación, no tienes que recriminarte nada. La posición que perdimos la recuperamos y estamos en una situación ventajosa sobre el enemigo; puedes quedarte aquí todo el tiempo que quieras. Arregla, eso sí, tu situación con la comandancia como responsable de tu grupo. En cuanto a mí, no tienes problema.

Se queda como auxiliar mío. Conversamos a menudo y en una oportunidad, como en confidencia, me dice:

—Cuando termine la ofensiva a ti te van a ascender a comandante; nadie me lo ha dicho pero yo lo sé: serás comandante rebelde y jefe de columna. Te pido que cuando eso suceda me lleves con tu tropa; por eso pienso hacer méritos en los próximos combates, para ser tu segundo cuando te asciendan.

—Geonel, si ese día llega y es como tú dices ¿qué inconveniente tendría yo para hacer lo que me pides? Falta un buen trecho hasta entonces y mientras tanto hay mucho por hacer. Deja de soñar y únicamente piensa en que aquí debemos derrotar al ejército.

—De acuerdo.

La presencia de las mujeres ocasiona trastornos que no son su culpa. Los hombres están inquietos y, aun cuando es comprensible en las circunstancias en que vivimos, no dejo de preocuparme. Con el pretexto de ir a buscar agua al arroyo cercano a la casita, muchos compañeros tratan de hacer contacto con ellas sin que esa aproximación llegue a crear conflicto. Van desde nuestra posición y enseguida regresan. No sólo la procura del agua sirve de excusa, también se ofrecen para ir a traer la comida, cuando tenemos la suerte de que llegue un poco de carne.

Me entero de que el comandante René Ramos Latour y sus hombres están bajo mis órdenes desde antes de los ataques del 28 y 29 de junio. Ramos Latour es un combatiente con muchos méritos revolucionarios. Su nombre de guerra es «Daniel».

—¿Qué haces tú aquí con tus santiagueros? —le pregunto, porque la mayoría de su grupo es oriunda de Santiago de Cuba. Ocupan una casa en ruinas y llena de pulgas, donde conversamos.

—Las instrucciones de Fidel son que me ponga a tus órdenes cuando haya combates. Ya nuestra gente participó en los enfrentamientos recientes.

—Es cierto, y lo hicieron muy bien.

A partir de esta charla trato de disimular la incongruente situación en que nos ha puesto Fidel: un comandante bajo las órdenes de un capitán. Probablemente es un intento suyo para humillar a este hombre y, por extensión, a todos los santiagueros vinculados a Frank País. Procuro evitar cualquier roce o malentendido ofreciéndole a Daniel mi amistad.

Como el ejército no se ha atrevido a recoger todos sus muertos, la situación es en extremo desagradable. Algunos campesinos nos ayudan a recoger los cadáveres, que quedaron desparramados en el área. Ya los perros y los puercos se están cebando con sus restos. Esto es inaceptable para nosotros, porque ni la guerra ni el odio nos dominan.

Es 9 de julio. El ejército está atacando la posición de Zenén Mariño y voy hacia allá a ver qué tipo de refuerzo puede necesitar. Zenén es un buen oficial y su tropa está bien entrenada. El intento fracasa.

De regreso a mis trincheras paso por el arroyito cerca de la casa donde nos hacen la comida. Aprovecho para refrescar mis pies maltratados, adoloridos por casi treinta días continuos de tener puestas estas botas militares. Mis medias de lana están destrozadas, hechas una sola masa con el fango de las trincheras que se ha pegado a mis pies como una segunda y grumosa piel. Milagrosamente no estoy llagado. Mientras descanso con los pies en el arroyo, mi mente vuela hacia los míos y hacia el pasado. Siento la frescura irremplazable del agua y disfruto de unos raros minutos de paz, sólo ensombrecidos por la visión de los cadáveres de los soldados muertos en combate, que han dejado sobre la tierra su sangre también cubana.

Me he dado una tregua. Pero siento una voz interior que me dice que debo volver junto a mis compañeros, a mi lugar: una esquina de mi destino en el tiempo.

El enemigo ha recibido refuerzos y esperamos, día tras día, el ataque. Tenemos información de que sus planes son hostigar nuestras posiciones por los flancos y luego atacar con una gran columna central. La parodia de los mulos y los cencerros sigue noche a noche para mantenernos en estado de nerviosismo. Cada vez el efecto es menor, porque los ardides en la guerra pierden eficacia cuando se repiten.

Esta misma tarde llega la embestida con toda su furia. El Naranjo recibe la obstinación del fuego de mortero y el acoso de los aviones. Tratan de ablandarnos con un intenso bombardeo. Parece que se han abierto sobre nosotros las puertas del infierno.

El cerro que domina la línea es otra vez el punto de disputa. Ahora lanzan al ataque su infantería: la columna central del ejército empieza a ascender por la ladera boscosa. No tengo dudas de que están interviniendo sus unidades de refuerzo. Nuestro fuego es cerrado y llega hasta los soldados desde distintos emplazamientos, pero su avance es continuo. Un impresionante ritmo en las ráfagas de sus fusiles-ametralladoras marca el audaz asalto. La acción parece que tendrá que decidirse en la misma cúspide del cerro, donde ahora tenemos nuevas y mejores trincheras. Corro hacia allá para obtener información directa y tomar parte en la acción. Quiero responsabilizarme de todo lo que sucede y darle apoyo al teniente Pérez Álamo y sus hombres.

Me encuentro con que la reserva de municiones del pelotón está muy reducida. El cuadro está claro: en la cima dominamos nosotros; abajo, hasta los tres cuartos de la ladera, protegido por su intenso fuego, el control está en manos de la tropa que avanza entre la tupida vegetación. Forzosamente, la decisión será aquí arriba.

De la acción del día 28 conservo en mi poder varias granadas de mano que tomé de los soldados muertos. Tenemos también unas de las que se hacen clandestinamente en La Habana y luego son enviadas a la sierra. Con estos explosivos y dos granadas Sputnik daremos una sorpresa que debe cambiar el curso de la acción.

Se acerca la tropa del ejército. Al principio, en medio del violento combate, con arengas tratamos de persuadirlos a que se pasen a nuestras filas, recordándoles su origen popular. Pero los soldados responden con insolencias que nos llevan a contestar con igual lenguaje. Avanzan dando vivas al coronel Sánchez Mosquera, un verdadero ídolo en el que confían plenamente, coreando a la vez el nombre de Batista. Sobre los rebeldes llueven plomo e insultos. Particularmente gritan procacidades en las que involucran los nombres de Fidel y Celia.

El estruendo de las balas y el tono de los insultos se vuelven una sola cosa. El enemigo cada vez está más cerca; ahora, a veinticinco o treinta metros, ladera abajo, escudándose en la vegetación.

Nosotros, parapetados, de bruces en el suelo, otros metidos en las trincheras. Aguardamos para contar con el mejor ángulo de tiro. Mientras más se nos acerquen, mayor será el estrago que logremos.

—¡Viva la Revolución! ¡Viva Cuba! —grita la gente de Álamo, y simultáneamente lanzamos las granadas.

La magnitud de los estallidos sorprende a los soldados, quienes por unos segundos quedan inmóviles. No contaban con semejante sorpresa. La explosión de las granadas paraliza el avance enemigo, más por lo inesperado que por el daño que puedan haber causado. Se detienen temiendo una repetición, mientras intensificamos el fuego de fusilería y ametralladoras. Con júbilo vemos que se repliegan después de haber llegado casi a nuestra línea.

Creo que este nuevo fracaso de Sánchez Mosquera ha definido el curso futuro de la ofensiva en la sierra. Estamos en un victorioso 9 de julio que hará historia en Cuba y en nuestras propias vidas.

Estas tropas habían preocupado tanto a Fidel que semanas antes nos dijo:

—Son columnas muy fuertes, hay que resistir todo lo que se pueda; pero si nuestras posiciones son insostenibles, no nos quedará más remedio que levantar la comandancia de La Plata y llevárnosla hacia el Pico Turquino.

Ahora, al ver retroceder a la tropa elite del ejército, después de varios días de intentar quebrar nuestra resistencia con todos los recursos a su alcance, estoy seguro de que nuestra campaña ha triunfado. El coronel Sánchez Mosquera podrá hacer todavía otros intentos, pero está definitivamente derrotado, y con él, la ofensiva para aplastarnos en la Sierra Maestra. Después de esta victoria será mucho más fácil para los rebeldes derrotar a las demás columnas enemigas que amenazan la sierra.

Nos consolidamos en las posiciones con una nueva seguridad en nuestras fuerzas. Mientras me preocupo de los asuntos estrictamente bélicos, no puedo descuidar los problemas de la retaguardia. En este aspecto tengo una novedad: Zamora, el hombre que nos trae los escasos víveres desde la comandancia de La Plata, se ha escondido ante el fragor y la dureza de la guerra. Me comentan que, aterrorizado por el fuego de los morteros, se ha refugiado en el alto de La Plata, de donde el hombre no quiere moverse. Dice que abandonará su tarea y volverá a su rincón en la costa cerca del Turquino.

Lo mando a buscar y cuando viene cabizbajo, le digo:

—Óyeme, tú tienes que quedarte aquí con la tropa auxiliando a las mujeres. Si están ellas aquí ¿cómo vas a cogerle miedo a la guerra? En una guerra hay leyes estrictas; tú lo sabes.

Se encoge de hombros y me responde:

—Está bien, me quedo, pero aquí nos van a matar a todos. Hay mucho fuego de mortero y los aviones me asustan.

Tiene razón. La función continúa dentro de un estruendo sin intermitencia. Sin embargo creo que lo peor ha pasado. Comento esto con Geonel quien, de pronto, me dice muy sonriente:

—Huber, mira, vuelvo en un rato, voy a la casita a visitar a esa gente.

Esa gente son las muchachas. Como tiene el mismo rango mío, y aunque ha quedado como uno de mis auxiliares, lo dejo ir.

Poco después, Carlitos Mas me dice:

—Capitán, voy a buscar la comida, ya debe de estar lista.

Pienso que sí y lo autorizo. Se marcha para recorrer unos doscientos metros hasta la seductora casita. Sonrío para mis adentros. No obstante estar los rebeldes sucios y harapientos, con la fatiga reflejada en sus rostros, el galanteo opera en ellos como una corriente desbordante.

Ya están Geonel y Carlitos en la casita cuando se me acerca Evelio con gesto de hombre preocupado por el grupo.

—Hay que traer agua —me dice—, se acabó; me voy para el arroyito.

—Bueno, bueno, pero apúrate. Ya hay bastante gente allí.

Pasan algunos minutos y mientras los tres hombres conversan y se entretienen, demorando en lo posible su regreso, comienza un fuego de mortero violento y sostenido.

Alguien grita:

—¡La casa está ardiendo!

Desde donde estoy parado no puedo ver bien lo que pasa en la hondonada, por eso corro hacia allá. La casita, una estructura sumamente endeble con techo de pencas de palma, está siendo arrasada por el fuego. Me detengo paralizado. Luego continúo sin aliento hasta llegar ante lo que queda de la vivienda sobre la que ha caído una granada de mortero.

Cerca de mis pies hay un hombre tendido con una grave herida en el cuello, que sangra copiosamente. Zamora, el civil al que la guerra aterrorizaba, está muerto.

Con ayuda de las mujeres que han quedado ilesas, y de algunos compañeros, comienzo a sacar a los otros. Geonel tiene una profunda herida en el torso a la altura de los riñones; lo veo muy mal. Carlitos, a pesar de que puede caminar, está también herido. Muestra su entereza al querer ayudar. Evelio tiene quemaduras en el cuerpo pero no parecen graves.

Una tras otra las granadas estallan a nuestro alrededor. Sin duda los morteristas han visto el humo de la casita ardiendo y continúan su ataque. Las mujeres se comportan con un valor extraordinario. Llega más colaboración de las trincheras. Miguel Ángel Espinosa y Rey Pérez, con otros rebeldes, se encargan de asistirme rápidamente para que el traslado de los heridos no se vea impedido por el fuego de los obuses.

El estado de Geonel es gravísimo. Lo llevo cargado hasta unos cuarenta metros y me dice:

—Huber, esto es la muerte; yo acabé ya, pero tú no te desanimes. Ésta es nuestra revolución, la Revolución que salvará a Cuba; ya lo verás.

—¡Qué va, chico! Tú esto lo superas, eres un hombre joven.

—No, no, Huber, yo sé lo que estoy hablando, todos mis sueños... todo eso termina aquí. Los que quedan, y tú entre ellos, seguirán con esto, con la lucha por la libertad y la justicia... Lo sé...

—No, hombre, olvídate de eso; te llevaré para que te atiendan. Después tendremos tiempo de conversar.

A pesar del ánimo que le voy dando siento una profunda tristeza porque creo que tiene razón. Es muy difícil que Geonel sobreviva y él lo sabe.

El grupo de Ramos Latour viene a prestar auxilio; entre ellos el comandante Faustino Pérez, que es médico. Ellos se llevan a Geonel y a Carlitos para el hospital de La Plata.

Después de una impaciente espera, al día siguiente nos informan que Geonel ha muerto. Sabía que el desenlace iba a ser fatal por la gravedad de sus heridas, mas la noticia me conmueve. Para el Che será también un golpe muy fuerte; era su discípulo favorito.

Pero lo que no esperaba y me sacude es la muerte de Carlitos Mas, acaecida un día después de la de Geonel. A los dieciséis años, Carlitos era un oficial rebelde competente y un muchacho extraordinario.

En las trincheras hay silencio y abatimiento. Los obuses caen cerca y los aviones no perdonan un solo día. Nadie dice nada, pero tampoco ocultan su pena.

Antes de que lo llevaran al hospital, Carlitos me había pedido que me quedara con algunas pertenencias íntimas: un pañuelo, un retrato de la novia, una cuchara metálica y algunas otras fotos.

—Tú mañana o pasado estarás aquí de regreso.

—Sí, sí, Huber, pero por favor quédese con esto.

Recordándolo aquí, entre las montañas de la sierra y en torno a las trincheras, lo veo con sus dieciséis años hablándome con insistencia de que su lugar en la lucha estaba a mi lado y de que él iba a morir, cuando le tocara, junto a su capitán. Lo repetía antes de nuestro desesperado ascenso al cerro y también en momentos inmediatos a algún combate; pero no se cumplió su vaticinio. No me olvidaré de Carlitos mientras viva. Era valiente, empeñoso, inteligente, bueno de sentimientos. Se hacía querer de sus compañeros.

Hay tumbas que comprometen como el más sagrado juramento ante la patria. La de este valiente muchacho es una de ellas.

Informo a la comandancia en La Plata lo sucedido en nuestro frente y solicito a Fidel que, así como hace unos días relevó a la mitad de los hombres en estas posiciones, haga lo mismo con la otra mitad. Explico que mis hombres tienen ánimo para seguir en la pelea pero están agotados por el cansancio acumulado. Le digo que no creo que el enemigo intente avanzar, pero que me quedaré hasta que Sánchez Mosquera se retire.

Curiosamente, algunos de estos hombres a los que quiero relevar por su bien y para mantener la eficacia en la lucha me dicen:

—Nosotros no queremos irnos de aquí. Ahora que nos han matado a Geonel y a Carlitos, tenemos que actuar con más ganas, con más fuerzas.

—No —les respondo—. El comandante ha confirmado la otra mitad del relevo. El ejército está derrotado. No atacarán más por aquí. El problema de ellos estará ahora en la retirada.

En días pasados, Fidel ordenó que se llevaran la ametralladora calibre 50 y el pelotón de Lalo Sardiñas para la zona de El Jigüe, donde hay un batallón del ejército en posición comprometida. Zenén Mariño permanece aquí bajo mis órdenes cubriendo el área que tenía Sardiñas. Al parecer, coincidimos en que Sánchez Mosquera no insistirá en la ofensiva y comenzará un repliegue en cualquier momento, aunque este coronel todavía puede darnos algunas sorpresas.

Durante el día la aviación sigue hostigando y el ejército continúa sus ataques con mortero y fusilería. Por la noche insisten en hacernos creer que atacarán. Tratan de mostrarse activos en una simulación de fervor bélico del cual no queda nada.

Nos informan que una columna del ejército con más de doscientos hombres bien armados, al mando del comandante José Quevedo se ha rendido en El Jigüe. Luego de unos errores tácticos incomprensibles los soldados se entregaron. Lamentablemente, Cuevas, el valiente capitán rebelde, murió en esa operación.

En la mañana del 25 de julio Fidel me manda a buscar, al tiempo que llega la tropa de relevo. Vienen equipados con parte de las armas capturadas en El Jigüe. Son aproximadamente unos treinta bisoños al mando del capitán Jaime Vega. Están eufóricos, ansiosos por demostrar lo que valen en un combate. Aun cuando la mayoría de ellos son poco expertos en estas lides, algunos —según me dice Vega— tienen condiciones y pasta guerrera. Las armas recibidas los mantienen excitados. Mis hombres, agotados y hambrientos, los miran con indulgencia y con una comprensiva sonrisa.

Hemos vivido treinta y seis días con sus noches casi sin dormir, entumecidos por la humedad de las trincheras y sujetos a los rigores de un enfrentamiento que ya no constituye amenaza.

—Bueno, a recoger las cosas. Nos vamos —digo a los compañeros que saldrán conmigo hacia La Plata.

Hacemos entrega de las trincheras a Vega, al que explico las características de la posición y le detallo nuestro modo de operar y el del enemigo. Luego me reúno con mis hombres para proponerles una forma aleccionadora de despedirnos.

—Miren, esta gente merece una lección. Han venido a los postres de este largo combate y se presentan como si fueran ellos y no nosotros los que rechazaron al ejército. Se me ocurre que pueden ponerse a prueba si suenan algunos disparos.

Los compañeros de mi grupo celebran lo que se anticipa como un buen espectáculo. Sin esperar más le digo a Germán Santiesteban, un aguerrido combatiente serrano:

—Dispara tu fusil contra las trincheras del ejército. No gastes muchas balas, es solamente para sobresaltarlo y que reaccione. Germán hace una descarga con su Springfield y la respuesta es como yo la esperaba: los obuses caen estruendosamente en el área donde están nuestras trincheras, acompañados del fuego contundente de la fusilería del ejército.

Muchos de los muchachos quedan unos segundos petrificados en las inmediaciones de las trincheras y luego corren a protegerse con la expresión del que descubre que lo que hasta ahora parecía una aventura, puede convertirse en una tragedia. Hasta los que hemos iniciado la broma tenemos que sumergirnos en las defensas junto a los azorados bisoños, que tienen así una prueba de lo que hemos vivido aquí.

Se trata, sin duda, de una broma pesada pero aleccionadora, para que tengan una idea de lo que ha sido este frente.

Cerca del crepúsculo del 25 de julio llegamos a La Plata. Fidel me recibe enseguida. Sin preámbulos entramos en el tema de la lucha en Santo Domingo y en particular de la línea defensiva que ha estado a mi cargo en la zona de El Naranjo. Le presento un resumen verbal de la situación y su probable desenvolvimiento.

165

—Huber, yo sé muy bien cómo está aquello; lo sé mejor que tú, tengo ya rodeado al ejército. Sánchez Mosquera tiene que rendirse.

—No será tan fácil con él —le respondo—. Es un hombre demasiado astuto, demasiado escurridizo. Tú lo sabes.

—Sí, pero tiene que rendirse; no tiene por dónde escapar.

—No estoy tan seguro. No creo que, aunque le haya ido mal, debamos subestimarlo. Peleará duro para abrirse paso hacia el Llano.

Pero no hay nada que hacer. Se trata de una más de las ideas fijas del comandante. Hablamos de otras cosas y estamos de acuerdo en que mis hombres necesitan descanso inmediato.

Mientras conversamos, espero en vano que haga algún comentario sobre el plan defensivo que le propuse y sin el cual el resultado final de los combates en Santo Domingo habría sido otro. Pero Fidel prefiere desviar la conversación hacia la euforia, afirmando que la tropa enemiga se rendirá.

Al abandonar el puesto de mando se me acerca Carlos Franqui. Me invita a que hable al día siguiente al pueblo cubano por Radio Rebelde, emisora modesta pero eficaz que está bajo su dirección y que opera junto a la comandancia. El día siguiente es 26 de julio, el aniversario del asalto al Cuartel Moncada en 1953.

Le digo a Franqui que haré lo posible por cumplir su deseo pero sin prometerle nada, porque lo único que sé es que tengo que dormir durante varias horas. Estoy muerto, completamente fatigado. El ascenso desde El Naranjo hasta el firme de la sierra lo hemos sentido más que en otras ocasiones.

—Por favor, Huber, tienes que venir mañana; cuento contigo —me insiste Franqui.

He acordado con Evelio Rodríguez y con otros compañeros rendirles un humilde homenaje a Geonel y Carlitos tan pronto sea posible. Dentro de un par de días iremos hasta el sitio donde están enterrados y juraremos allí ser fieles a los ideales de la Revolución por los cuales ellos sacrificaron su vida.

Geonel Rodríguez era un hombre joven, tan noble de sentimientos como inteligente, valiente e idealista. Estudiante de Ingeniería de la Universidad de Las Villas, había venido a la sierra como tantos de su generación, a servir a Cuba y a su pueblo. Fue uno de los capitanes más audaces del Ejército Rebelde.

Carlitos Mas, un adolescente campesino rebosante de entusiasmo e idealismo. Además de inteligente, en combate era valiente y astuto. Leal y generoso con sus compañeros a toda hora. Teniente rebelde a los dieciséis años, un verdadero guerrillero salido de la entraña del pueblo. No era el único joven que ofrendaba su vida en servicio a su nación y a la causa de la libertad; pero sí era un genuino representante de los más nobles ideales de la juventud cubana en este momento de nuestra historia.

16
La retirada

Me doy cuenta de que nos hemos metido en la líneas del enemigo y estamos prácticamente en sus manos.

Con mis guerrilleros llegamos al suroeste de La Plata, donde aliviamos el hambre. Nos tiramos al suelo para descansar y dormir sin explosiones a nuestro alrededor por primera vez en más de un mes.

Así amanece el 26 de julio de 1958. Franqui me envía un recordatorio para la participación radiofónica celebrando esta fecha. Pero recibo una nota de Fidel que me ordena presentarme en La Plata. Un segundo mensaje dice que me movilice con urgencia porque Sánchez Mosquera está rompiendo el cerco. Cuando arribamos a la comandancia, nuestro jefe ha salido en dirección a Santo Domingo. Nos reunimos con él en el punto llamado alto de La Plata. El comandante y su grupo están en una pequeña barraca, escuchando mensajes del ejército en un transmisor de los que usan los militares. Comienza a llover.

Fidel me detalla que en medio de un aguacero, y aprovechando la sorpresa, la tropa de Sánchez Mosquera rompió las defensas rebeldes que lo cercaban por el sector del comandante Guillermo García, y desde allí intenta emprender la retirada al Llano.

—Lo que tienes que hacer —dice— es marchar hasta Santo Domingo y atacarlo por la retaguardia mientras Guillermo y Lalo Sardiñas se encargan de frenarlo; así lo destruiremos en la retirada.

—De acuerdo.

El aguacero está embravecido y no podemos salir de inmediato. Esperamos casi dos horas mientras el comandante sigue atentamente los mensajes de radio del ejército. Algunas de las comunicaciones indican que el coronel está herido, pero esto puede ser un truco. Ya antes trató de hacernos creer que había abandonado a su tropa, dejándola acéfala. También propagó un rumor en el Llano de que se retiraba de la lucha porque Batista le había comunicado que la guerra estaba perdida. No le hacemos caso a esas historias que pretenden hacernos descuidar la vigilancia. Él sabe que además de derrotarlo, queremos capturarlo.

Cuando amaina el mal tiempo, partimos descendiendo con dificultad debido al fango y el agua. En la zona de guerra será imposible avanzar en la oscuridad, sobre todo porque tendremos que cruzar un río que debe de estar crecido a causa de la lluvia. En El Naranjo acampamos con los santiagueros de Ramos Latour en la casa de las pulgas. Pasamos la noche haciendo poco caso a las picaduras de estos insectos; estamos mojados y enfangados. Le pregunto a un hijo de Crescencio Pérez, cuya guerrilla también participa en esta operación, si sabe la posición del ejército en retirada.

—No sé dónde están, ni creo que nadie por aquí lo sepa.

Amanece y salimos a recorrer la zona explorando primero el campamento de Sánchez Mosquera. Vamos penetrando con precaución en su perímetro defensivo. No sabemos si todavía está aquí o si ha dejado alguna emboscada para sorprendernos. El campamento está vacío. Sólo encontramos las tumbas donde enterraron a sus soldados muertos. Un cementerio que quedará en la soledad de la sierra como otro doloroso testimonio de esta guerra fratricida.

Seguimos tratando de hacer contacto con el enemigo. Caminamos por la orilla del arroyo de El Cacao, dejando atrás el punto donde emboscamos a la columna de Sánchez Mosquera el 19 de junio. Cuando llegamos al alto del Cacao escuchamos disparos y explosiones esporádicas. Avanzamos con cuidado y nos sorprende que el «combate» se reduzca a municiones que el adversario ha hecho estallar en algunas casas y en la vegetación, para confundirnos.

Un poco más tarde encontramos a los rebeldes del comandante Guillermo García y los del comandante Lalo Sardiñas, recientemente ascendido a ese rango por su importante actuación en Santo Domingo. Pregunto por estos oficiales y uno de los guerrilleros me dice:

—Mire, capitán, están allí.

Para llegar al punto indicado hay que caminar unos veinte metros por un claro de vegetación semiboscosa. Cuando me dirijo hacia allá, aparece un rebelde entre matojos y árboles, y muy sofocado me dice:

—Déme un poco de agua de su cantimplora, que tengo mucha sed.

Me detengo para darle la cantimplora y nos estremece la explosión de una granada. Instintivamente nos tiramos al suelo. La ha lanzado un avión y estalla en el preciso lugar donde debería estar de no haberme parado para darle agua a este compañero.

—Me has salvado la vida, muchacho.

Una esquirla de la granada hirió superficialmente en la cara a Sardiñas; no le hace caso.

Guillermo está aquí también y me dice:

—Huber, la situación es un rompecabezas. Esta tropa dispara y se esconde para confundirnos; no hemos podido liquidarla porque se escurre. Tú sabes lo hábil que es este personaje.

—¿Y no es posible ubicar el grueso de su columna?

—Espera, voy a completarte la información. Hemos tenido algunos encuentros, pero no hay manera de darles un golpe decisivo porque no mantienen frentes constantes. Se escabullen como duendes y nos han hecho gastar un montón de balas.

—¿Entonces?

—Entonces —me responde García— lo que tienes que hacer es quedarte con tus hombres, que están frescos, mientras aprovechamos para dar un poco de descanso a los nuestros. Si bien el enemigo es escurridizo, el fuego más importante viene desde aquellas casas y de esos saos. Ése es el frente que ahora tienes que cuidar; pero parte de ese fuego puede ser el mismo truco de las municiones que hacen estallar.

Me quedo en esta posición mientras ellos se van a descansar. Antes del anochecer vuelven los aviones con su amenazante rutina, obligándonos a tirarnos al suelo. Esta vez son «jets» que hacen mucho ruido y poco daño.

Le envío un mensaje a Fidel pidiéndole instrucciones y explicándole la situación y lo convenido con los comandantes. Regresan Sardiñas y García y me dicen que han recibido órdenes de Fidel de atrincherarse en un punto lejano, Providencia, para cerrar el paso a la tropa enemiga que debe bajar por el camino del río Yara.

Entre mi pelotón y los rebeldes que recogí en Santo Domingo tengo sesenta hombres bien armados. Dispongo de una ametralladora calibre 30 y de un mortero. Por esas razones Sardiñas y Guillermo quieren que sea yo quien vaya hasta Providencia, a pesar de las instrucciones de Fidel. Ellos se encargarían de perseguir a la tropa en retirada, que es mi misión, porque sus guerrilleros están fatigados y tienen pocas municiones. Les insisto que comuniquen a Fidel las razones de este cambio de misiones sin pérdida de tiempo.

Hay tres o cuatro horas de camino hasta Providencia. Vamos bajando montañas a paso rápido pero atentos. Cerca del cementerio me encuentro a Vilo Acuña con su tropa. Pregunto por el enemigo y me responde:

—Sólo puedo decirte que a mí me situaron aquí y que por este lugar han pasado varias guerrillas que no sé dónde han ido. De nuestro enemigo sé menos; seguramente está por aquí cerca, pero no sé dónde está.

Sin un oficial que coordine, hay una verdadera confusión. Esto es una invitación al caos. Trato de controlar mi preocupación diciéndome que yo no dirijo la guerra.

Más adelante encuentro al teniente Eddy Suñol en la misma ambigüedad. Suñol me pide el mortero para situarse en un pequeño cerro, donde el arma le será más útil que a nosotros. Prometo enviárselo tan pronto haya posicionado a mis hombres.

Al amanecer exploramos el área. Mi gente tiene hambre; pasamos por un campo de caña y aquí los más ansiosos cogen trozos y se los van comiendo. Llegan hasta nosotros algunos grupos guerrilleros que han sido enviados también a Providencia. Todos tienen igual incertidumbre y confusión. Cada uno de los ocho o diez oficiales al mando de tropa ha recibido de Fidel una nota en la que le dice que cuide esta posición, o que avance en tal o cual dirección. Pero, al parecer, el único que sabe dónde está el enemigo es él. Y él está arriba, lejos, en La Plata.

Sitúo a mi gente en las proximidades del río, por donde se supone que forzosamente pasará el enemigo. ¿Dónde está escondida la tropa de Sánchez Mosquera? ¿Dónde ha pasado la noche con sus heridos? ¿Cómo se ha agazapado tan bien que nadie tiene idea de su refugio? ¡Increíble!

Lalo Sardiñas da por cierto que Sánchez Mosquera tiene una herida en el cuello, lo que ratifica la comunicación captada por radio. Quizá los rebeldes, incluido Fidel, han subestimado al coronel creyendo que está mal herido.

Se inicia un fuego contra nuestras posiciones sin que podamos determinar el punto exacto de donde proviene. No es como en los combates convencionales en que uno sabe cuál es su lugar y cuál el del enemigo. Aquí se hace muy difícil precisar desde dónde nos disparan, debido a la vegetación, los accidentes del terreno y el rápido desplazamiento de los soldados.

Vemos un grupo de unos veinticinco soldados al otro lado del río; los barremos con la ametralladora calibre 30 y la fusilería. Aparece otro grupo, se le abre fuego y se meten en un maizal; terminan desapareciendo en la maleza. En la misma dirección vemos a otros soldados y les disparamos. Pero no... no son soldados. Son gente nuestra; doy la orden: «¡No tiren! ¡No tiren! ¡Parece que son rebeldes!». ¡Tremenda confusión!

Lo que sucede es que el ejército no va en grupo cerrado sino en pequeños contingentes aislados, moviéndose rápidamente para mantener el desconcierto. Las avionetas de reconocimiento que vuelan sobre nosotros deben de estar orientándolos en la retirada. Las distintas guerrillas rebeldes están cada una por su lado, tratando de localizar a los soldados y disparando cuando creen que los han encontrado. Hay momentos en que los rebeldes se encuentran sorpresivamente frente a frente con los soldados, como si el campo de batalla fuera un laberinto en el que, perdidos, buscan una salida. A pesar del caos o gracias a él —uno nunca sabe— estamos golpeando al enemigo.

En mitad del combate aterriza un helicóptero a unos quinientos metros de nuestra posición. Vemos subir a dos o tres personas. Seguramente se trata del coronel Sánchez Mosquera, herido, con alguno de sus ayudantes. Les disparamos pero la distancia es demasiado grande para lograr precisión. Lo cierto es que la cabeza de la fuerza militar, el hombre del ejército batistiano que más nos interesa capturar, ha escapado. Imagino la cara que pondrá Fidel cuando se entere.

En este estado de cosas no se puede mantener un desarrollo coherente del combate que nos dé mejor resultado. Ordeno a mi gente que deje de disparar. No me queda más remedio que salir a tratar de hacer contacto con los demás jefes de guerrilla para iniciar una acción coordinada. Escojo a dos hombres: uno serrano, muy bueno en la pelea, conocido por «Gallego», que tiene un fusil-ametralladora Browning; el segundo es Jesús Vázquez, uno de tres hermanos que forman parte de mi tropa; porta una carabina M-1.

Mientras caminamos encuentro a un muchacho que conozco del Llano, Angelito Botello, un auxiliar del Ejército Rebelde.

—¿Qué haces por aquí solo?

—Busco a alguien que pueda darle una mano al capitán Paz, que está en una situación difícil. El ejército mandó un refuerzo grande y Paz está peleando muy duro, pero no sé cuánto va a aguantar.

—¿Dónde está pasando eso?

—Por allí, desde donde viene ese fuego.

Evidentemente hay un cambio de disparos localizado en medio del enfrentamiento general.

—Es allí —me reitera Angelito.

Vamos hacia allá aunque el fuego está decreciendo. Pienso que ya debe de estar decidida la acción.

Angelito nos indica el camino; dejamos de avanzar porque nos disparan desde distintos lugares. Nos protegemos con la vegetación y cuando pasamos por un barranco pegado al río, nos vuelven a disparar. Empiezo a gritar, anunciando que somos rebeldes. Levantando aún más la voz, les repito el santo y seña que nos identifica. El fuego comienza a ceder, pero me desconcierta una avioneta militar que sobrevuela bastante bajo sin atacarnos. Nuestros uniformes son del mismo color verde olivo del ejército, aunque están gastados. Quizá nos confundan con soldados; todo es posible aquí donde reina la confusión. Resulta extraño que gente tan lista pueda caer en semejante equivocación.

Angelito nos guía por un sendero protegido contra cualquier ataque sorpresivo. Caminamos unos cincuenta pasos entre arbustos hasta que salimos al claro. Haciendo un ademán como para que nos detengamos, Angelito dice:

—Mire, ahí están los nuestros.

—Pero, ¿estás seguro de que ésa es la gente nuestra?

—Sí, ahí está la tropa de Ramón Paz.

Veo, a menos de cuarenta metros, gente que se desplaza entre los árboles. Aparentemente son rebeldes pero no hacen ningún movimiento que demuestre que nos han visto, lo cual, en los momentos que estamos viviendo, es altamente sospechoso. De todos modos, los llamo:

—¡Eh, compañeros, aquí estamos!

Una mano que sostiene un fusil en alto hace agitar en la punta de éste un pedazo de tela amarilla, en señal de saludo, acompañado de un silbido que no es usual entre nosotros. Advierto un hecho revelador: la tela, que se usa para limpiar los fusiles, está demasiado limpia para ser de un rebelde.

Me doy cuenta de que nos hemos metido en las líneas del enemigo y estamos prácticamente en sus manos. La avioneta de reconocimiento debe haber informado a los militares que cuatro «barbudos» van caminando hacia su posición.

Estamos en la boca del lobo; pero hay que salir de alguna manera. En susurro digo a mis compañeros.

—Al suelo, es el ejército…

Sin terminar la advertencia, por lo menos setenta armas nos disparan. Por encima de nuestras cabezas pasa un vendaval de plomo que aumenta en la medida en que nuevos fusileros se agregan a los primeros. Deben de ser más de cien soldados los que disparan.

Instintivamente respondemos al fuego para facilitar nuestro escape. Nos arrastramos entre la yerba, que no llega a dos pies; vamos alcanzando un desnivel en el terreno que nos permite escabullirnos en la vegetación hasta que, a unos ciento cincuenta metros, encontramos una quebrada en la cual estamos a salvo. El efecto en los cuatro ha sido tremendo; estamos agitados, tensos, jadeantes.

Un pedazo de trapo demasiado limpio y la circunstancia de que los rebeldes, a fuerza de su estilo de vida, no pueden andar con los uniformes muy cuidados, nos salvan la vida.

Regresamos a nuestras líneas y nos enteramos de que el capitán Ramón Paz, con quien intentábamos hacer contacto para respaldarlo, cayó en combate sorprendido por una tropa de refuerzo que vino en auxilio de la columna en retirada. Era uno de los oficiales más capaces del Ejército Rebelde y dirigía probablemente la mejor de las guerrillas. Cuando Angelito Botello nos encontró ya había muerto. Es un hecho doloroso y su muerte priva a nuestras filas de un hombre muy valioso. Pero la lucha, sin él y también por él, debe continuar.

Los aviones ametrallan indiscriminadamente a riesgo de atacar a sus propias tropas. Al mediodía cesa el ataque aéreo y avanzamos hasta las posiciones donde pueden quedar remanentes de sus tropas. Tomamos una buena cantidad de pertrechos y municiones dejadas en la fuga.

Con dos hombres salgo a buscar a la gente que distribuí en el sector crítico. Vamos encontrando rebeldes de otros pelotones caminando sin rumbo cierto, confundidos por la irregularidad del combate. Todos sabemos que a pesar del desorden se ha logrado una importante victoria. Hay anécdotas, como la del teniente Félix Duque, que al distanciarse de su tropa se encontró cara a cara con dos soldados del ejército y en el forcejeo pudo salvar la vida lanzándose por un barranco. En los combates muchas veces los hombres escapan de la muerte por una fracción de segundo o por una rápida reacción instintiva.

Reúno a casi todos mis hombres y a unos veinticinco de otras unidades rebeldes; todos están fatigados y con hambre. En total ochenta guerrilleros; acampamos en una casa grande y vacía. Encomiendo a uno que busque algo que la familia pueda haber escondido antes de huir; encuentra miel y sal. Se mata una puerca arisca y flaca y se fríe en la poca grasa que tiene. La gente sacia escasamente su apetito con la pobrísima ración que se distribuye.

Aparece, en medio de este descanso, el morterista que le había enviado a Suñol. Viene sin nada en las manos y con cara de preocupación.

—¿Y dónde está tu mortero?

—No... Yo no sé qué se hizo del mortero.

—¿Cómo que no lo sabes? Se te advirtió que esa arma era muy valiosa.

Me mira un poco asustado. Es un muchacho dentista de La Habana que se ha sumado con fervor a la Revolución, pero que quizás ignora las responsabilidades de un hombre en la guerra.

—Oye, lo que hacemos aquí no es un juego. La guerra tiene sus leyes y tú has perdido un arma importante para nosotros. Vete inmediatamente con tu ayudante a buscarlo. La pérdida del mortero te puede costar la vida.

Sé que la inexperiencia y los pocos años hacen a los hombres más vulnerables a las situaciones de peligro. Lo vivido aquí en estos días puede quebrar a los más aguerridos. ¿Cómo no va a perturbar o a espantar a un muchacho que hasta hace poco era alumno universitario, inmerso en los asuntos de su juventud y su familia? Por suerte, encuentra el mortero.

La columna de Sánchez Mosquera, con serias pérdidas y en estado de desmoralización, alcanza el Llano. Desde el punto de vista militar logramos una victoria. Sin embargo, para algunos de nosotros es una victoria a medias. Son los avatares de una guerra que hay que ganar metro a metro. Pero bien, era la tropa elite que vino a derrotarnos y salió deshecha y en desbandada.

17
Arroyones

En medio del silencio que ha traído la noche, los soldados fuman y conversan. Hablan de la guerra, que consideran perdida, de mujeres, de sus familiares.

En la mañana, envío a los rebeldes que pertenecen a otros pelotones a sus respectivas unidades. Ahora, con mis guerrilleros más fogueados voy camino a La Plata, aunque es posible que Fidel se haya aproximado al escenario donde se combatió. Subimos por la margen del río Yara, con la esperanza de encontrarnos con él.

Cuando hemos avanzado como seis kilómetros, un rebelde me informa que Fidel está en el caserío de El Cristo, a unos cuatro kilómetros de aquí. Dejo a mis hombres para que descansen y busquen comida.

—Vámonos tú y yo solos —le digo al guía.

Nos aproximamos a El Cristo caminando sobre las piedras del río, bordeamos a veces su margen derecha, a veces la izquierda. El agua se desliza o salta entre las rocas. En los remansos, parece buscar descanso para iniciar de nuevo su alegre marcha hacia el golfo de Guacanayabo.

Es temprano todavía. La casa que ocupa Fidel tiene buena custodia.

Pregunto a un rebelde que hace guardia:

—Dime, ¿dónde está Fidel?

—Capitán, el comandante está por allí, en el río.

Veo que están preparando comida.

—Estamos asando un puerco para el desayuno de Fidel, también estamos hirviendo malanga. Si se queda con nosotros, comerá.

La invitación es tentadora.

Sorteo unos peñascos y sigo por una senda de cabras. Al fin lo encuentro. Protegido por los árboles, en un hueco de suficiente profundidad, está Fidel con un mochilero llamado Chichi Puebla. La cabeza del comandante sobresale del escondite escudriñando el cielo mientras Chichi, con una pala, saca arena del hueco para darle más capacidad.

La escena resulta extraña. El combate concluyó ayer y en zona alejada. Sólo se oyen a distancia los motores de un avión de reconocimiento. Pero la máquina parece ir en otra dirección, no en ésta, ¿por qué tanto temor?

Me detengo a poca distancia con una lucha interior. Me dan ganas de decirle: «Hombre, ¿qué haces ahí? ¿No ves que estás haciendo el ridículo?». Pero debo evitar una humillación o una ofensa. Además, y éste es el verdadero motivo de la conversación que pienso sostener con él, vengo disgustado por la forma en que se manejó la operación en Providencia.

Antes de que yo pueda decirle nada, habla él:

—Duque... ¿dónde está Duque?

—No lo sé exactamente. Pero tengo entendido que en el camino de Providencia tuvo un encuentro con unos soldados y salvó su vida arrojándose por un barranco.

—Entonces, ¿no sabes dónde puedo dar con él?

—No, no lo sé.

Lo veo fastidiado, más que por carecer de noticias de Duque, porque lo haya sorprendido escondiéndose de esa manera y, precisamente yo, que lo había visto en una situación parecida hace un mes y medio. Guardo silencio; quizás esto le resulta todavía más condenatorio. Lo pienso por cierta expresión airada que no puede disimular.

—¿Y bien? —me pregunta.

—Oye, Fidel, allí había ocho o diez fuerzas rebeldes, cada una por su cuenta, sin que nadie supiera dónde estaban situados los otros, ni poder hacer nada en conjunto. Mientras sigamos actuando así desperdiciaremos las oportunidades de una victoria rotunda. Deberíamos haber capturado toda la tropa de Sánchez Mosquera. Llegaron instrucciones a cada pelotón rebelde para que actuara, sin un jefe ejecutivo que coordinara la operación de acuerdo con la fluidez del combate. Sin un oficial con mando efectivo, hoy puede ser uno, mañana otro, pero siempre debe haber alguno, volveremos a caer en lo que acabamos de vivir. Nadie sabía a quién le disparaba.

—Deja eso —me contesta—. Ya me lo has dicho otras veces y sé bien cuál es tu criterio. Pero ahora estamos ante otra emergencia: esta noche vamos a atacar el campamento del ejército en Arroyones y tú vas a dirigir la operación. Vas a disponer de ciento veinticinco a ciento cincuenta hombres. Tienes que salir ahora mismo para allá y hacer el plan de ataque; hazlo antes de que oscurezca. A las once de la noche llegaré con más de cien hombres para el ataque. Entonces se hará como tú dices: habrá un solo jefe y serás tú.

—No he venido a eso sino a pedirte que no descuidemos un aspecto esencial de las operaciones: que haya un responsable con capacidad para coordinar las acciones, de modo que no se nos vayan de las manos.

—No, no; esta noche vamos a proceder como lo planteas, mandando tú.

Confieso que la perspectiva me entusiasma; sin embargo, la urgencia de esta misión me hará postergar un tiempo más el encuentro con algún alimento. Ya en este momento me cuesta controlar el hambre.

Él sigue hablando.

—Huber, dile al práctico que te acompaña que vuelva adonde están tus hombres y les diga que recibirán instrucciones mías; yo te daré otro guía. Llevaré los cien hombres, algunos morteros, una calibre 50 y otros pertrechos. Pero tu gente también será necesaria; me encargaré de recogerla.

Fidel no se mueve del hueco y por momentos, cuando cree percibir el ronroneo de los motores de un avión, parece inquietarse.

Aunque me hubiera gustado tener un jefe que no se cuidara tanto, comprendo que la naturaleza humana tiene sus facetas contradictorias.

Él continúa con sus instrucciones:

—Cerca de aquí hay una tropa de Almeida... Necesitas una escolta fuerte porque debes acercarte a reconocer el campamento. Al frente de esa tropa está el teniente Israel Pardo, quien será la cabeza de la escolta que vas a necesitar; son veintiséis hombres.

Hablamos un poco más y queda convenida la característica de la misión.

Salgo hacia el punto donde está el pelotón de Almeida y paso por la casa que sirve de comandancia a Fidel. Pregunto si tienen algo de comer y contestan que ya está hervida la malanga. Es lo único que me pueden ofrecer, me dice uno de los hermanos Vázquez, dueño de la casa, «porque el lechón todavía tiene para rato».

Como un poco de malanga y me marcho. En el camino recojo a Israel Pardo con sus hombres y salimos hacia Arroyones, sorteando lomas y esquivando el patrullaje de los aviones.

Pasamos frente a una casa de gente amiga de Fidel en la que, según me comentan, algunos rebeldes que vienen conmigo, se dedican al cultivo de la marihuana. ¡Otra vez esta porquería! Veo aquí el almacenamiento de matas cortadas y dispuestas para su proceso. Es la tercera vez que me encuentro con el asunto de la marihuana en los predios de la sierra, donde se supone que la autoridad rebelde debería sentar bases éticas para la futura sociedad cubana.

Los aviones nos detectan y hacen vuelos rasantes disparándonos. Como tenemos que protegernos nos atrasan la marcha. También hay bombardeos fuertes contra las posiciones rebeldes al mando de Camilo en Las Vegas.

En ese lugar los rebeldes están atacando mientras los capitanes del batallón sitiado han enviado mensajes a Fidel. Como ahí no está Sánchez Mosquera, negocian para rendirse. Muy cerca de allí está Arroyones, cuyo campamento atacaremos esta noche.

Caminamos un poco más y llegamos a la zona. Desde una loma que llaman La Llorosa observamos el campamento enemigo. En esta loma la humedad es constante, quizá debido a pequeños manantiales que se abren paso hasta llegar a la superficie. Dejo aquí a los hombres de la escolta y desciendo en compañía de Israel. Nos arrastramos entre los breñales hasta el perímetro del campamento para tener de cerca una impresión de sus defensas. Aunque tienen sus guardias establecidas, los soldados están entretenidos, descuidando los riesgos de la guerra.

Ha caído la noche, nosotros, olfateando casi las posiciones nos acercamos a una trinchera grande que domina el campamento. Le señalo a Israel que ése es el lugar por donde podemos comenzar el ataque. Hay ahí cuatro hombres completamente «regalados», nos arrastramos para oír lo que dicen.

En medio del silencio que ha traído la noche, los soldados fuman y conversan. Hablan de la guerra, que consideran perdida, de mujeres, de sus familiares. Son personas como nosotros, que anhelan dejar la sierra para volver a su ambiente, al hogar con sus seres queridos.

Israel me dice en voz casi imperceptible:

—Saltemos sobre ellos ahora mismo y les quitamos las armas; será fácil, bastará con una ráfaga.

—Lo podemos hacer pero echaremos a perder la operación de esta noche. Abrir fuego sería apartarme de las instrucciones que me dio el comandante. Esta noche les tomaremos todo el campamento con un ataque organizado.

Permanecemos callados para escuchar un poco más.

Por varias horas subo y bajo la loma para saber si Fidel ha llegado. Vuelvo al perímetro del campamento una y otra vez. Me arrastro por la tierra y las rocas verificando que las posiciones del ejército no hayan cambiado. Pero el comandante no llega y él sabe que el ataque debería haber empezado, a más tardar, a las once. Sobrepasamos ya la medianoche. Aguardo un poco más e Israel me dice:

—Huber, ya es la una.

Al fin, a la una y media de la madrugada, llega Fidel acompañado por mucha tropa.

—Bueno, aquí estamos listos —le digo.

—No, ya no, la tropa en Las Vegas se rindió esta tarde. Finalé, que es el jefe de la tropa aquí acampada, lo sabe, y mañana saldrá huyendo con su batallón; de esto puedes estar seguro porque hemos captado sus transmisiones. Están muy asustados; los derrotaremos fácilmente en el camino con una buena emboscada.

—Fidel, este campamento lo tomamos sin dificultad esta noche. Los soldados están completamente desprevenidos y sin interés alguno en una guerra que saben está perdida. Aquí no hay alarma y no debemos perder la oportunidad.

—No, Huber, ahora tienes que irte a Las Mercedes, a cercar un batallón que está allá muy bien atrincherado, al mando del coronel Corso. Está más o menos a seis horas de camino, no puedes perder un minuto.

Muchos hombres nos rodean mientras hablamos. Nunca he visto tantos rebeldes juntos y tan bien pertrechados. Traen mulos, armas pesadas y suficientes municiones. Hay no menos de cuatrocientos rebeldes.

Fidel está eufórico con el éxito en Las Vegas. Al principio trata de disimularlo con actitudes displicentes pero luego no puede contenerse y exclama:

—¡Bueno, ya ganamos la guerra! ¡Esto se acabó! ¡Se acabó!... ¡Coño!

Todos celebran sus fervorosas expresiones de triunfo. Pero un teniente de mi tropa, Paco Cabrera, se me acerca y en voz baja, me dice:

—¿Tú crees que ya terminó la guerra?

—Ése es el estilo de Fidel de ver las cosas. Es lógico que esté contento, pero de ahí a terminar la guerra falta un gran trecho. Nos queda bastante por hacer.

> No podemos rendirnos, ni retirarnos, ni que-
> darnos cruzados de brazos. He enviado un
> papel urgiendo a Fidel y otro al Che, para
> que se los den donde puedan localizarlos,
> pero no hay respuesta alguna.

Con una explicación pormenorizada, Fidel me indica el plan: el batallón del coronel Corso es fuerte, tiene casi cuatrocientos soldados y no debe darse cuenta de la fuerza con que lo cercaremos.

—Va a estar rodeado por otras guerrillas, pero como Corso se retirará por el camino que atraviesa la loma de La Herradura, en ese punto tú te vas a situar. Cuando intenten escapar, los desbaratas. Por ese camino puede venir una columna de refuerzo del cuartel de Estrada Palma y, para interceptarla, Eddy Suñol los emboscará en Sao Grande. Él tendrá autonomía pero tú tienes que supervisarlo.

Voy hacia Las Mercedes con unos ciento cuarenta hombres. Cojeo ligeramente de la pierna izquierda, que me lastimé cuando me arrastraba alrededor del campamento de Arroyones. También va hacia esa zona el comandante Ramos Latour (Daniel) con una tropa casi igual en número a la mía.

Daniel retrasa un poco su marcha para darme oportunidad de alcanzarlo. Nos saludamos con afecto y recordamos nuestras conversaciones en la comandancia de La Plata y su llegada con refuerzos a la zona de El Naranjo, donde luchamos contra Sánchez Mosquera.

Daniel es un hombre inteligente, modesto, íntegro. Hemos hablado acerca del futuro de Cuba luego del triunfo de la Revolución y sobre la necesidad de que se preserve su verdadero espíritu, para que ni oportunismo ni ambiciones frustren lo que se está cimentando con tantos sacrificios. Faustino Pérez coincide con nosotros en que, tras la victoria, será conveniente organizar una «asociación de combatientes» de la Revolución cubana, que sirva de coraza contra cualquier intento de traicionar el ideario rebelde y al pueblo cubano.

Al amanecer todavía continúa la marcha de las dos columnas. Es el 30 de julio de 1958 y hace justamente cuatro meses que estoy en la sierra. Siento el peso de las varias horas de camino en mis piernas. El teniente Pinares,[1] que viene con la tropa de Daniel, se me acerca. Todos lo consideran un buen guerrero; maneja una ametralladora calibre 30.

—Oiga, capitán —me dice algo agitado—, quédese aquí con nosotros. Dentro de un tiempito vamos a tener un encuentro con la tropa que viene retirándose de Arroyones.

—Quédese, capitán, aquí los vamos a limpiar a todos —insiste Pinares—. La tropa que usted trae es buena y con la que tenemos nosotros, esto lo arreglamos enseguida.

Le explico que traigo instrucciones precisas de marchar sin demora a otra misión.

Dos horas más tarde llegamos a La Herradura. Divido a mi gente en tres secciones, cada una con un teniente. Quedo al frente de todo en la sección del centro, junto al camino. A Suñol lo envío a cubrir su parte en Sao Grande.

Como a cuatro kilómetros en la dirección por donde veníamos, comienza un combate. El fuego al principio es muy nutrido, pero pronto afloja y cesa por completo. Esto es muy raro. Cuando ha transcurrido más de una hora empiezo a sacar conclusiones: o la tropa en retirada de Arroyones consiguió escaparse o se entregó a la columna de Daniel. Pero nos sorprende la llegada de un rebelde pidiendo un guía para conducir a su comandante al hospital de Las Vegas. Dice que Daniel está muy mal, tiene una herida muy grave en el vientre causada por un obús de mortero.

Les facilito el guía que necesitan. La noticia me produce una profunda pena, pero la tensión propia del inminente combate me obliga a reponerme. Doy instrucciones para que se abran nada más algunas trincheras; hay que dar a entender que somos pocos rebeldes. Voy a ver cómo anda Suñol y encuentro su emboscada en un mal lugar. Está en un antiguo campamento abandonado por el ejército; pero lo que es bueno para el ejército no necesariamente es bueno para nosotros. Ellos tienen aviación y nosotros debemos escondernos del asedio aéreo.

Le busco otro lugar en Sao Grande, entre un caserío y una densa arboleda, donde es difícil que los aviones lo detecten.

He indagado cuáles son las fuerzas rebeldes que cercan al batallón atrincherado aquí en Las Mercedes. Los demás sectores, que no tendrán

---

1. Antonio Sánchez Díaz (Pinares) murió con el Che Guevara en Bolivia, en 1967. *(N. del A.)*

el peso del combate, están a cargo de comandantes. No sé si Fidel me situó aquí porque me tiene confianza o porque disfruta poniéndome pruebas difíciles.

Haremos vigilia las veinticuatro horas. La línea de defensa es muy larga y vulnerable. Sin vigilancia adecuada, en cualquier momento podemos ser sorprendidos y derrotados. En la noche nos avisan que Daniel ha muerto;[1] la tropa de Arroyones logró escapar.

En la mañana del segundo día, el ejército hace preparativos para abandonar su campamento. Algunos soldados salen a arrear ganado al perímetro para llevárselo en la retirada. Contrariando los planes, un teniente rebelde, creo que de la tropa de Almeida, abre fuego contra los soldados que recogen los animales. La respuesta es inmediata y se generaliza un cambio de disparos que va en constante aumento. Ordeno a mi gente que se abstenga de tirar, pero ya algunos lo han hecho y es demasiado tarde para mantener discreción sobre nuestras posiciones.

El batallón enemigo no imaginaba las fuerzas que lo rodean. ¿Quién los mueve ahora? La imprudencia de ese rebelde echa a perder el plan. Tendremos que esperar aquí hasta que les lleguen refuerzos. El factor sorpresa ya no está de nuestro lado.

La aviación no se hace esperar. Las ametralladoras de los B-26 lanzan sus ráfagas sobre la larga línea de La Herradura. Debemos hacer más trincheras sin pérdida de tiempo, hay muchos a merced del fuego aéreo.

Hasta ahora había resultado difícil que mi gente cavara trincheras. Hay pocas herramientas y la mayoría de estos rebeldes vienen de diferentes guerrillas; no se les puede disciplinar en corto tiempo. Pero desde que las ametralladoras de un avión matan uno de nuestros muchachos, abriéndole el vientre y dejando al descubierto sus vísceras, empiezan a trabajar a toda velocidad turnándose en el uso de las herramientas.

Mando a comprar arroz y un poco de manteca a una tienda de Cayo Espino, un pueblo cercano. Guardamos los víveres en la casa de un guajiro ubicada al extremo de nuestra línea. Voy a visitarlo para agradecerle su ayuda pero me entretengo conversando en las trincheras próximas cuando me avisan que la casa del guajiro, felizmente sin ocupantes, acaba de ser pulverizada por una bomba de napalm.

---

1. Su muerte en combate, junto con sus antecedentes de probado valor, lo convirtieron en uno de los héroes de la Revolución. *(N. del A.)*

Pasan los días y la columna de refuerzo no aparece. Seguimos fortaleciendo el cerco mientras los aviones mantienen su ritmo de fuego. También lanzan en paracaídas alimentos y pertrechos para los soldados, quienes, con su fusilería y ametralladoras, impiden que se los arrebatemos.

La espera, para una tropa guerrillera, incluso bien emboscada, es de agobiante suspenso, porque además de vigilar y supeditar todo a una sorpresa que pueda destruir en instantes lo planeado, requiere paciencia y sacrificio para soslayar el hambre, la suciedad, las inclemencias del tiempo y los estados de ánimo de los propios compañeros.

Sospecho que el refuerzo que está preparando el ejército es de primer orden y que vendrán con tanques y toda suerte de recursos para abrirse camino por nuestro lado. Mientras tanto, los aviones volando a baja altura tratan de localizar la emboscada que tenemos para enfrentar al refuerzo. Llegan noticias de que Camilo está en el Cerro Pelado para impedir su avance; esto será una gran ayuda.

Ocurre algo insólito. Dos mujeres guajiras, con pañoletas en la cabeza cuyos colores las destacan más, vienen por el camino de la emboscada de Sao Grande, con sendos sacos de yute, al parecer, muy cargados de ¡vaya a saber qué! En lo alto, se divisa un avión de reconocimiento. Los rebeldes sabemos que no se debe dejar pasar a nadie por un camino emboscado. Pero las guajiras no sólo cruzan por allí observando los detalles de la emboscada, sino que una de ellas comienza a agitar su pañoleta como si estuviera saludando al avión.

Vienen caminando hacia nuestra posición en La Herradura y continúan haciéndole señas, con sus pañoletas desplegadas, al pequeño avión de reconocimiento. Hasta para el más ingenuo es obvio que están en una misión de espionaje. Me parece increíble que Suñol haya permitido esto. Mando a detenerlas de inmediato, pero el daño ya está hecho. El piloto debe haber informado al Estado Mayor la posición exacta de la emboscada.

Interrogo a las guajiras que han cumplido su rol de espías con la tranquilidad más absoluta. Informo lo sucedido a Fidel y a ellas las envío a la cárcel rebelde que ahora está en Las Vegas. Los sacos tienen cientos de cartas para los soldados del campamento de Las Mercedes. Si no fuesen mujeres les habríamos disparado en plena función de mensajes y pañoletas.

Le sugiero a Fidel la conveniencia de relevar a Suñol para levantar la moral de sus hombres, quienes enfrentarán una dura prueba pues ya el ejército conoce dónde lo esperamos.

Siento tomar esta decisión pues es un buen amigo. Suñol lo entiende y no rehúye la responsabilidad. Está preparado para cualquier sanción.

Fidel lo sustituye por el teniente Félix Duque. Manda diez hombres de refuerzo y ordena que Suñol permanezca en la emboscada como combatiente. Esto se hace con premura, pero nada va a devolvernos la ventaja que teníamos antes.

Ordeno reforzar la posición de la emboscada hasta donde sea posible. Instalamos una mina para contener el avance de los tanques. Pido apoyo a la comandancia (ahora en Las Vegas) y me envían un artillero con una bazuka. Trae el prestigio de haber dañado un blindado y me propongo aprovecharlo bien.

Lo ubico en la emboscada, de modo que pueda disparar a los tanques por el flanco, donde son más vulnerables. Además, así estará menos expuesto al fuego enemigo. Me sorprende diciéndome:

—¡Ah, no... aquí no! Tengo que ponerme frente al avance de los tanques, en el camino. El Che me dijo que cuidara el arma y que procediera como me parezca más conveniente.

No me queda más que complacerlo. Lo envió el Che, que dicen que es el oficial ejecutivo de esta operación, aunque nadie me lo ha comunicado ni lo he visto por aquí.

Presiento el inminente ataque del ejército. Me muevo constantemente pese a mi pierna lastimada, tratando de reforzar la moral de los hombres.

El 6 de agosto en la mañana, mientras recorro la emboscada de Sao Grande, viene el ataque de la columna de refuerzo con toda su furia, sin que ninguna tropa rebelde le obstaculizara su desplazamiento y sin que nadie nos avisara. Avanza con fuego continuo de morteros, blindados y ametralladoras, apoyado por el sostenido machacar de la aviación. Nuestra respuesta, también cerrada aunque con muchísimo menos poder de fuego, se suma a este pandemónium.

La aviación nos dispara cohetes con precisión, y hasta los árboles que le sirven de camuflaje a nuestras trincheras están ardiendo. Temo que el batallón del coronel Corso intente atacar en el momento en que nuestra emboscada es destruida.

Debo volver a La Herradura para evitar que la moral de mi gente se afecte. Le digo a Duque que resista lo que pueda y después se retire hasta donde estamos. La altura de la colina nos dará mejores ventajas para enfrentar los blindados y la infantería del refuerzo.

Recorro la distancia, más o menos un kilómetro, entre la emboscada ya semidestruida y la línea de trincheras en la loma.

Desde lo alto de La Herradura presencio el panorama del combate: casas incendiadas, fuego de los morteros y de los blindados, continuo martilleo de la aviación. En fin, un cuadro extremadamente desfavorable para nosotros. La aviación destrozó la emboscada sin que contáramos con una sola arma apropiada para hacerle frente.

Casi de inmediato comienzan a llegar a la colina los rebeldes de la emboscada. Han abandonado sus posiciones porque se les agotaron sus balas, o porque sus nervios no resisten más. Uno de ellos me cuenta que Cordumí, el de la bazuka, fue aniquilado por el cañonazo de un tanque. El osado «bazuquero» mató a varios soldados que precedían al tanque. Por una rara disposición, el ejército avanza con una escuadra de infantería delante de estos vehículos blindados.

Veo a Félix Duque, hombre de incuestionable valor, llegar con los que parecen ser los últimos que se retiran. Entre ellos vienen varios heridos que sin pérdida de tiempo remitimos al hospital de Las Vegas. Uno de ellos es Suñol, herido en la cara y en otras partes.

Pronto tendremos al enemigo atacando nuestra posición, pero aquí es otra cosa. Podremos resistir hasta que se nos agoten las balas.

Ordeno construir rápidamente más trincheras y muevo una parte de los nuestros a las nuevas defensas. Sé que nos vamos a encontrar luchando simultáneamente en uno y otro lado de la larga colina; el problema será la falta de municiones. Estamos camuflados por una cerca de júpiter –planta común en la sierra– estremecida por los obuses de los tanques. Si pudiéramos superar nuestra limitación de municiones, resistiríamos hasta que llegue la noche. Y la noche es de los rebeldes.

Como somos los únicos que estamos combatiendo, envío mensajes a los otros jefes del cerco rogándoles que nos manden balas. Uno de los comandantes, Guillermo García, sostiene algunos tiroteos con el batallón cercado, pero es aquí donde se decidirá la acción. Nuestra tropa está en una situación de completa desventaja porque se nos agotan las municiones, aunque con capacidad para revertir el cuadro siempre y cuando conservemos La Herradura.

Contestan que ellos también están escasos. Es inconcebible que no puedan desplazar recursos inactivos al sector donde se decide la acción. No sé dónde se encuentra el Che, y Fidel dicen que está en Las Vegas a varios kilómetros de aquí. ¿Por qué están ilocalizables quienes con una orden ayudarían a mover balas y hombres donde se necesitan para hacer posible el triunfo? No comprendo esta manera de dirigir la guerra.

Si sostenemos esta posición hasta la noche, nos reagruparemos, y mientras las tropas del ejército buscan dónde acampar, podremos atacarlos y desmoralizarlos, cambiando por completo la situación.

Lo importante es ganar tiempo; son las tres de la tarde. Reúno a los oficiales y les explico el plan:

—Tenemos que resistir unas tres horas más; podremos hacerlo racionando las balas. El enemigo no nos podrá desalojar de aquí porque tenemos trincheras. Y aunque la aviación siga tirando podrá matarnos algunos hombres pero no a todos. Con mensajes no hemos podido conseguir balas; voy a intentarlo personalmente. Veré al comandante García. Es un oficial amigo, capaz de comprender la situación de conjunto que afrontamos. No podemos rendirnos, ni retirarnos, ni quedarnos cruzados de brazos. He enviado un papel urgiendo a Fidel y otro al Che, para que se los den donde puedan localizarlos, pero no hay respuesta alguna.

Dejo a Duque, segundo jefe de nuestra tropa, con la orden de resistir; regresaré lo antes posible. Debo cruzar un claro hasta llegar al punto en que se encuentra Guillermo. Emprendo la marcha con dos hombres de escolta. Un rebelde llamado Eutimio, de la guerrilla de Zenén Mariño, y Miguel Ángel Espinosa, quien me acompañó en la recaptura del cerro en Santo Domingo. A pesar de la aviación, que nos sigue con sus ráfagas de ametralladoras, y del fuego sostenido de la infantería del batallón cercado, logramos llegar ilesos a la posición de Guillermo García.

—Guillermo —le digo—, necesito resistir unas horas hasta que llegue la noche. El éxito de esta operación consiste en que nosotros podamos mantenernos en La Herradura. En la oscuridad podemos reagruparnos y atacar como se hizo en Santo Domingo. Para esto necesito balas. Si no puedes facilitármelas, dame unos pocos hombres armados.

García escucha pensativamente y me contesta:

—Hombre, creo que tienes razón; pero no puedo hacer eso sin una orden de Fidel. Si tú te puedes comunicar con él, que está en Las Vegas, y a través tuyo me lo ordena, lo haré. De otro modo es imposible.

Y con un gesto súbito, me alerta:

—Mira, además de lo que te digo tienes otra novedad: tu gente se está retirando de la loma.

—¡Carajo... es cierto!

Desde donde estoy veo claramente a mis hombres abandonar con rapidez nuestra posición, siguiendo el perfil de la colina hacia el Oeste.

Esto me desconcierta; no lo esperaba. Le indiqué a Duque que teníamos que resistir. ¿Por qué ha hecho esto?

Duque es muy valiente, pero ha actuado atolondradamente, tal vez a raíz de la experiencia del destrozo que nos causó el ejército en la emboscada. De todas maneras es inadmisible que haya ordenado la retirada contrariando mis instrucciones.

—Ya no puedes seguir con tu plan para esta noche —dice García—. Ni mis hombres ni mis balas te son necesarios.

—Sí, así es.

Tengo una sensación amarga en la boca, no entiendo la lucha de esta forma. Los combatientes tienen que agotar los esfuerzos hasta el final. Como no puedo rendirme ante lo que veo, decido regresar inmediatamente a nuestras trincheras.

—Voy para allá, a ver si puedo parar la retirada. ¡Suerte! —le digo a García.

—¿Qué dices? Pero, Huber, mira lo que intentas hacer... Por allí no hay quien pueda pasar; cuando estés llegando a La Herradura, si es que llegas con vida, te encontrarás a boca de jarro con los soldados que avanzan a tomar esa posición. Quédate conmigo y retírate con nosotros. Yo tampoco podré aguantar mucho tiempo aquí. Al irse ustedes de La Herradura, quedamos a expensas del ejército.

—Por eso te decía que mi posición era esencial como protección de todo el perímetro del cerco.

—Entiendo, pero ya nada puede hacerse.

Con los dos hombres de escolta salgo de regreso hacia La Herradura. Somos un blanco extraordinario para el fuego enemigo. No obstante, todos tenemos ya alguna veteranía en andar sorteando las balas, y así, con dificultad pero también con prudencia, nos abrimos paso.

En forma sucesiva, dos aviones dirigidos por una avioneta de reconocimiento nos atacan, como si constituyéramos una fuerza y no tres hombres sobre una pequeña sabana. Milagrosamente, tampoco hacen blanco las balas que vienen desde trincheras enemigas emplazadas a sólo doscientos metros. Corremos veinte metros y nos arrojamos al suelo; ganamos otros veinte y nos tiramos sobre la tierra, repitiendo una y más veces esta operación. Nos protegemos entre unas hierbas porque los aviones insisten. Estamos completamente localizados. Las máquinas pasan a pocos metros de nuestras cabezas y las ráfagas de sus ametralladoras hacen temblar la tierra a nuestros pies.

—Ahora sí que estamos mal —dice Espinosa.

Tiene razón. El fuego de fusilería y la metralla de la aviación se concentran en nosotros como las víctimas de una ceremonia fatal.

Guillermo estaba en lo cierto, por aquí no hay salida; pero como jefe no puedo hacer otra cosa que tratar de unirme con mi gente. Además estoy indignado con la actitud de Duque. Me urge acercarme al grupo para, cuando menos, pedir una explicación.

Calculo que estamos a unos cien metros del perfil de la colina de La Herradura. Si bien ganamos un poco más de terreno, corriendo como podemos, nos damos cuenta de que llegar a nuestra posición se torna casi imposible. Se me ocurre un plan.

—Escuchen: si los tres nos quedamos aquí somos hombres muertos, no podemos perder tiempo. Si intentamos salir uno a uno, alguno de los tres puede salvarse. Es cuestión de correr a toda velocidad para sortear la balas. Ustedes dos tienen que intentarlo primero y yo me quedaré para escapar después. Tengo la pierna lastimada y no puedo correr como ustedes. Si los tres marchamos juntos somos un blanco fácil.

—¿Estás seguro, Huber, de que podrás hacerlo? —pregunta Espinosa.

—Sí, pero les pido un favor. Si no llego, apenas se unan con el resto de la gente díganles que traten de rescatar mi cadáver de alguna manera. No dejen que el enemigo coja mi cuerpo. Me exhibiría ya muerto por Yara y Manzanillo, lo que sería muy doloroso para mi familia. Pueden venir a buscarme por la noche, el ejército no va a andar en la oscuridad buscando rebeldes muertos.

—No, Huber, aquí nos quedamos los tres y correremos el mismo riesgo —dice Espinosa.

—No, no, hagan como digo... tú debes salir primero, Miguel Ángel. Escucha, ésta es una orden que te está dando tu jefe.

Hace algunos intentos más de apelar mi decisión, pero en vano. Finalmente sale: un hombre corriendo entre una lluvia de fuego. Miguel Ángel es muy rápido, alcanza la colina y se pierde entre la vegetación.

Eutimio, un hombre de unos veinticinco años, me cuestiona.

—No, capitán, usted no se queda solo en este lugar. Yo no me moveré si usted no lo hace.

—Escucha, Eutimio, la cosa está resuelta. Te pones en marcha ahora mismo, corres como sabes hacerlo y, si puedes, alcanzas a Miguel Ángel. Me esperan unos minutos a ver si tengo suerte y si no llego, siguen a reunirse con nuestra gente.

Insiste en no abandonarme pero termino convenciéndolo. Se larga desafiando la balacera, llega ileso a la colina salvadora y desaparece entre los breñales.

Todo ha salido bien. Bueno, ahora me toca a mí, me digo, mientras los aviones continúan con su maldito fuego rasante. ¿Qué me voy a quedar haciendo aquí? ¡No! Aquí, ahora o más tarde, seré hombre muerto. Pensando en eso comienzo a correr unos veinte o veinticinco pasos. La balacera arrecia, me arrojo al suelo y como puedo, haciéndome creer que la pierna está buena, vuelvo a correr hasta que alcanzo la colina. Los tanques todavía disparan sobre La Herradura y el fuego de la fusilería está más próximo.

Sin un solo rasguño, reitero para mí aquella frase que dice que en la guerra el factor más importante es la suerte. Evadiendo contacto con el enemigo encuentro a mis compañeros entre la maleza. Tan pronto salimos del área de la balacera se inicia un fuerte aguacero.

Avanzamos hacia el oeste amparándonos en la vegetación. Caminamos deprisa para evitar que la crecida del río, que tenemos que cruzar, nos impida continuar la marcha hasta encontrar un lugar donde guarecernos. El aguacero arrecia hasta convertirse en un pequeño diluvio. Pienso que en medio de este mal tiempo y favorecidos por la noche podríamos haber resistido perfectamente en nuestra posición, para emprender acciones ofensivas.

Llegamos al río. Las aguas están frías y agitadas, pero lo cruzamos. Empapados y agotados atravesamos un sector con mucha vegetación, después un claro y divisamos una casa. Ya es de noche. Las sombras han caído tan deprisa como la lluvia.

Tocamos a la puerta de la humilde vivienda campesina. Un hombre de expresión desconfiada nos enfrenta. Al percibir que somos rebeldes se tranquiliza y nos da una cordial acogida.

Le contamos rápidamente lo sucedido y preguntamos si podemos secar nuestra ropa y si nos pueden brindar algo, unas yucas por lo menos. El hombre accede con la mejor disposición y nos da de comer.

Junto al fuego nuestras ropas se secan. El guajiro nos presta un caballo y mando a Miguel Ángel, que conoce el área, a localizar a nuestra tropa. Al cabo de dos horas regresa con rebeldes que andaban buscándome.

Al amanecer nos reunimos con el resto de la guerrilla. Vamos hacia Las Vegas. Me entristece ver varios heridos, a uno de ellos lo traen en una improvisada hamaca. Tenemos que ir muy despacio, con el agravante de que en más de una oportunidad los aviones hacen vuelos muy bajos disparando sus ametralladoras. Mientras caminamos hablo con Duque.

—Actuaste irresponsablemente. La retirada en mi ausencia no tiene justificación alguna.

Duque esquiva el asunto.

—Ya no podemos hacer nada.

Tres errores, entre otros factores adversos, marcan claramente el comienzo y el fin de la frustrada operación de Las Mercedes. Uno, el hecho de que un teniente de la tropa de Almeida disparara a los soldados cuando se preparaban para emprender la retirada. Otro, el haber dejado pasar a las guajiras que pusieron en conocimiento de los aviones el lugar de la emboscada. El tercero es no haber contado, otra vez, con un oficial ejecutivo que pudiera decidir en el teatro de operaciones. Si hubiéramos cambiado fuerzas de los sectores no comprometidos y ociosos del cerco, hacia La Herradura, el resultado habría sido muy distinto. Esto me duele porque estábamos en el lugar más difícil, sin posibilidad de contar con recursos para superar al adversario.

Hacemos noche no muy lejos del poblado de Las Vegas, donde están ahora la comandancia de Fidel y un hospital en el que atenderán a los heridos. Ya hemos enviado a los más delicados.

Por la mañana partimos, es 8 de agosto. Nuestra fuerza ha tenido muchas bajas; no obstante quedamos alrededor de cien hombres. Llegamos a media mañana, dejamos los heridos en el hospital y vamos a acampar. Circunstancialmente me encuentro al frente de varias guerrillas, pero como soy capitán, me preparo para devolver a los rebeldes que no son de mi pelotón.

Fidel me recibe en su comandancia instalada en la antigua tienda de Las Vegas. La tienda es muy popular entre los guerrilleros por el uso que ahora se le da. Sale y entra gente constantemente. A pesar de su modestia supone para nosotros la existencia de un verdadero cuartel general.

Acompañado por los tenientes Francisco Cabrera González y Dunney Pérez Álamo ingreso a la comandancia. Fidel nos dice que prefiere conversar afuera, en el patio junto al cafetal.

—Bien, Fidel, quiero hacerte un breve informe de todo lo sucedido —le digo.

—No, Huber, no hace falta, lo conozco bien. Ustedes hicieron lo que pudieron. La operación se echó a perder desde el principio por la irresponsabilidad de ese tipo que disparó contra los guardias y luego por el episodio de las espías.

Es obvio que evita tratar el tema que lo compromete moralmente: no habernos respaldado cuando necesitábamos recursos en el área crítica.

—Hay una cosa que está bien clara —agrega Fidel—, y es que el

Ejército Rebelde, en el conjunto de las operaciones, ha salido triunfante. Éste es el final de la ofensiva del ejército y ésta es la última tropa de ellos que sale de la sierra. Tenemos que apretarlos porque para escapar requieren auxilio. Ahora va la ofensiva nuestra. A los que no les hemos podido quitar las armas aquí, se las quitaremos en los cuarteles.

Después de una pausa, me mira fijamente y me anuncia:

—Bueno, Huber, quiero decirte algo más: ya eres comandante. Eres comandante y jefe de una columna que tú mismo vas a organizar. En la sierra vamos a crear tres primeras columnas fuertes para batir al enemigo en el Llano. La tuya irá hacia Camagüey. Traes algo más de cien hombres y yo te enviaré otros tantos. Así tendrás doscientos, entre los cuales tienes que elegir noventa y con éstos formarás tres pelotones de treinta rebeldes cada uno, con tres capitanes, uno para cada pelotón. Me parece que los capitanes que debes escoger son Félix Duque, como segundo jefe de la columna y a la cabeza de uno de los pelotones; los otros dos podrían ser Paco Cabrera y Álamo, que están aquí contigo.

Aclara que es una sugerencia, porque en la elección de los hombres prefiere que siga mi propio criterio. De cualquier modo Fidel ha dado el consentimiento para tres nombres. Obra con astucia como siempre, pero lo ha hecho con cierta discreción.

Continúa con sus instrucciones.

—Creo que debes acampar en dos caseríos: El Cristo y El Toro. Allí te enviaré el resto de los hombres para que hagas tu selección.

Hablamos de algunas cosas más, del futuro, de cómo será la ofensiva, del estado en que se encuentra la moral del enemigo. Me ratifica que el ejército, muy maltrecho, anda buscando por todos los medios encerrarse en sus cuarteles. Insiste en que la guerra ya está en sus últimos tramos, aunque a mí me parece que todavía falta bastante.

Luego me dice con especial énfasis que, alcanzado el triunfo definitivo, el Ejército Rebelde deberá quedarse en la Sierra Maestra como una garantía revolucionaria, sin participar del futuro gobierno.

—Huber, el gobierno debemos dejarlo en manos de los civiles. Vigilar, vigilar mucho desde aquí, donde nada pueda llegar a dañar nuestra misión y nuestra imagen de custodios del nuevo proceso.

Coincidimos en ese punto de vista. Reflexiona más sobre la idea y enseguida comienza a enumerar planes de largo alcance. Advierto que está tratando de indagar sobre mi posición respecto a ese porvenir de la Revolución victoriosa y el nacimiento de otra Cuba. Busca especialmente mi respuesta, y se la doy.

—Fidel, mi interés personal en el futuro es reintegrarme a mi profesión, volver a la enseñanza. Pienso que una vez que se disfrute de paz y el país se ponga en marcha dentro de un marco de libertad y respeto a los derechos del ciudadano, con las reformas que se han prometido al pueblo en pleno proceso de realización, mi misión como rebelde estará cumplida. Tú sabes que no tengo aspiraciones de liderazgo político.

Cuando la reunión concluye, Fidel me retiene. Expresa su satisfacción por mi paso acelerado y activo dentro de las fuerzas rebeldes. Me dice que debo sentirme orgulloso de que mi ascenso a comandante lo sea al frente de una de las tres columnas fuertes del Ejército Rebelde que han de bajar al Llano a iniciar la ofensiva contra el ejército. Las otras dos las conducen figuras prominentes de la sierra, con un halo legendario no sólo entre los combatientes, sino también entre el pueblo cubano: Camilo Cienfuegos y Ernesto Che Guevara, ambos expedicionarios del *Granma*.

En este momento de cierta intimidad, Fidel ha puesto de lado sus resabios y sus malentendidos conmigo y muestra su beneplácito por mi desempeño en el enfrentamiento al enemigo y su derrota en la sierra. Es la primera vez, desde nuestro arribo a Cienaguilla con las armas de Costa Rica, que trata de identificarse conmigo. Lo encuentro muy afectuoso y dispuesto a demostrar respeto y amistad.

Hace cuatro meses y nueve días que llegué a la sierra. Estoy sorprendido del acelerado proceso de integración a toda esta realidad. Me he asimilado completamente a un modo de acción junto con hombres a los que nunca había visto. Los dirijo ahora como si lo hubiera hecho durante toda la vida. Esto me llena de confianza, de mayores anhelos para organizar y crear sobre la marcha; me obliga también con oficiales veteranos en la sierra, como el mismo Fidel, el Che y Camilo, a mantener el nivel de eficiencia que ellos han advertido en mí. Ratifico el compromiso ante mi conciencia de no traicionar nunca los ideales que me trajeron a la Sierra Maestra.

19
La Columna 9

> Lo fundamental de esta operación vendrá después de controlar la zona: tendrás que cercar a Santiago y ablandarla. Cuando esté lista, iré yo para que coordinemos el asalto final.

Vuelvo en la tarde al hospital para indagar por los heridos. Entre los hospitalizados está el teniente Eddy Suñol, con quien tengo una amistad muy franca. Es un hombre valiente, aunque no siempre con suerte en los combates. Las balas lo han alcanzado una vez más.

Su esposa, Lola, es una mujer joven, de gran coraje, que va y viene constantemente del Llano a la sierra trayendo municiones entre sus ropas y llevando mensajes en ambas direcciones. Siempre se muestra atenta a las necesidades de los rebeldes. En una ocasión me consiguió un uniforme por un rato, para llevarse el mío y lavarlo en el río. Fue algo estimulante en la aridez de nuestro ajetreo guerrillero.

Siento pena por haber tenido que informar a Fidel sobre el error de Suñol, al dejar pasar a las dos mujeres espías en Sao Grande, pero en una guerra los procedimientos de lucha y disciplina son indispensables. Cuando me acerco a la camilla del compañero herido, una mano fraternal se levanta para saludarme, y así, con grandeza, Suñol descarga el peso de mi conciencia.

Mientras converso con otros heridos, me llama la atención ver que lo mismo hace Carlos Rafael Rodríguez, el dirigente comunista que llegó a la sierra prácticamente en calidad de refugiado y se mantiene protegido en la retaguardia. Lo observo en una actitud cordial y lisonjera hacia los hospitalizados. Anda disfrazado de «padrecito bueno» ante los guajiros rebeldes, nada suspicaces. Hace notables esfuerzos para caer simpático, con el fin de ir llevándolos sutilmente hacia su ideología. De pronto me ve y se acerca con una disposición amistosa y superficial, propia del modo de relacionarse de los políticos profesionales. Con él hablo de temas generales. No creo en su sinceridad.

El comunismo cubano combatió oblicuamente al Movimiento 26 de Julio, pero al darse cuenta de que el pueblo apoya la Revolución, trató de hacer méritos con los hombres y mujeres del Ejército Rebelde.

Cuando converso con Fidel, me pregunta:

—¿Cómo andan los heridos tuyos?

—No hay ninguno grave. Fui a despedirme y todos se mantienen con buen ánimo. También me encontré con Carlos Rafael Rodríguez.

No me deja continuar. Reflexivo primero y luego con un poco de mal humor, señala:

—Sí, así es... Mientras los nuestros mueren combatiendo, ése anda por la retaguardia, en labor de proselitismo. Pero no se juega el pellejo. Los comunistas del Partido son los que me inspiran serios recelos; sirven para hablar mucho: cotorras que repiten, repiten, repiten...

Lleva el tabaco a sus labios y agrega:

—Los comunistas me preocupan mucho. Es razonable que luchen, que tengan participación en el Ejército Rebelde, pero no en puestos clave. Debes tener cuidado a la hora de elegir los oficiales que te secunden en la columna. Cuídate mucho de esto.

Tomo la orientación como pauta en la selección de los oficiales. No estoy de acuerdo con la designación de Félix Duque como segundo jefe de la columna. No comprendo por qué Fidel ha dado tanta responsabilidad a un hombre que ha cometido serios errores en combate. Sin embargo, es una orden. Aquí, como en todo ejército, regular o insurgente, hay una jerarquía de mando y debo respetarla.

La columna queda constituida con tres capitanes: Félix Duque, Dunney Pérez Álamo y Francisco Cabrera González. A Cabrera, a quien conozco bien, porque se ha hecho oficial a mi lado y ha demostrado mayores méritos como combatiente, lo coloco a la cabeza del pelotón de vanguardia asignándole otros hombres, además de los que trae. La vanguardia deben formarla siempre los más capaces y decididos, es la elite de la tropa.

Pérez Álamo tendrá la responsabilidad del centro. A Duque lo nombro segundo mío siguiendo las instrucciones de Fidel y, para no confiarle la misión de conducir un pelotón, le agrego un título: «jefe de operaciones». Es una manera de cubrir las formas porque en realidad el jefe de operaciones soy yo. Reconozco que Duque es valiente y audaz, pero impredecible y atolondrado en ciertas situaciones. El teniente Antolín Quiroga tiene a su cargo la retaguardia.

Acampamos en los caseríos de El Cristo y El Toro. Fidel me avisa que me entreviste con el Che y haga con él un cambio de hombres. Esto es un atraso y posiblemente una desventaja.

Iré a Las Vegas a ver a Fidel. Él puede dar la orden y cambiar una o más guerrillas de la columna del Che por las mías, pero si es necesario me encaminaré hasta el campamento de Guevara.

Cuando llego a Las Vegas está en efecto una tregua con el ejército, convenida para entregar a la Cruz Roja los militares que tenemos prisioneros. Es el 13 de agosto.

Fidel, que está en una reunión con algunos oficiales, me atiende de inmediato. Como casi siempre, me sorprende con lo que me dice antes de dejarme articular una palabra:

—Has hecho muy bien en venir porque ya acabó la tregua y conviene un cambio de impresiones.

Me comenta algunos hechos relacionados con la tregua y luego me reitera que debo ir a Las Mercedes para hablar con el Che.

—Él te dirá lo que está previsto —añade Fidel, y me deja tan desconcertado como antes.

Tratamos otros asuntos y luego me dirijo hacia Las Mercedes en el mismo mulo en que he venido. Ando sin escolta y al paso corto del animal.

En el camino escucho el motor de un helicóptero del ejército que se aproxima. De momento aparece a muy poca altura y viene en mi dirección. El mulo se sobresalta, y yo, inquieto, busco un refugio para guarecerme. El aparato se detiene casi encima y recurro al arma. Veo a los tripulantes, pero para mi sorpresa, en lugar de atacar, da un giro y se aleja. Tras el susto, sigo la marcha, lenta pero segura, en mi noble mulo.

Arribo a Las Mercedes y me aguardan novedades: se ha prolongado la tregua y el mismo helicóptero del ejército está en tierra dentro del campamento rebelde. ¿Qué ha sucedido? El helicóptero está al servicio de la Cruz Roja Internacional, que lo había solicitado para el rescate de los prisioneros. Como compensación han traído medicinas para los rebeldes, que buena falta nos hacen.

Me entero de que cuando el helicóptero me sobrevolaba, iban con el Che un escolta rebelde y el piloto, quien lo había invitado a volar. Se deben haber divertido viéndome en apuros.

Después de la aventura aérea, el Che se ha puesto con su gente a practicar con el mortero y lo hace con verdadero entusiasmo.

Converso con él.

—Oye, Fidel me ha pedido que venga a hablar contigo sobre el tema de la guerrilla mía que tú necesitas; no tengo problemas en cedértela. Así se lo he hecho saber a él.

—Está bien —me responde—. No entiendo por qué has tenido que tomarte el trabajo de venir hasta aquí, pero bueno, me da gusto verte y decirte que sí, necesito esa gente en mi columna.

Le aclaro que por el momento no pido guerrilleros suyos como contrapartida. Porque —y esto lo digo para mí— lo que me interesa es recobrar la guerrilla de Zenén Mariño, que conozco bien. Es aguerrida, bien entrenada y en su momento es la que reclamaré. Ellos están ahora con Camilo, que es el comandante con el que comenzaron las actividades bélicas. Durante la campaña de Santo Domingo estuvieron a mis órdenes y lo hicieron muy bien. Zenén me ha expresado insistentemente que desea combatir a mi lado.

Regreso a Las Vegas de paso a mi campamento y aprovecho para decirle a Fidel:

—Le enviaré la gente al Che, pero en compensación desearía que dispusieras la devolución de la guerrilla que manda Zenén Mariño. Es una buena oportunidad para recobrarla. Estoy seguro de que la necesitaré.

—Bueno —responde—, eso tienes que hablarlo tú con Camilo, arréglalo con él.

Yo sé el interés de Camilo en esa guerrilla y no le será fácil cederla. Un poco molesto le digo:

—Eso tienes que disponerlo tú, que eres nuestro jefe. No tiene sentido decirle a Camilo que su teniente Zenén Mariño y la guerrilla que comanda quieren ser parte de mi tropa.

Fidel evade el tema porque no le gusta que lo contradigan.

Hoy celebramos el cumpleaños del comandante. Celia ha preparado un pastel y a pesar de que él no se siente muy bien, no rehúye los saludos y aprovecha la oportunidad para hablarle a un pequeño grupo sobre el futuro:

—Ustedes se imaginan lo que un día se hablará en los libros de historia, mucho después del triunfo y de consolidada la Revolución como custodia del poder en Cuba, y como fuente de grandes transformaciones. Que un grupo de gente, empeñada en librar al país de la opresión, creó y llevó adelante un movimiento revolucionario que combatió en las montañas con apoyo del pueblo. Se dirá que un argentino heroico como el Che se unió a los nuestros y que Camilo sabía ganarse a la gente y pelear como pocos. Que Huber Matos llegó desde Costa Rica con una expedición trayendo armas y luego se quedó a combatir, primero como un rebelde más. Ustedes se imaginan lo que se escribirá sobre Frank País y de Raúl...

Y así sigue en sus visiones del mañana y en sus proyecciones, mezclando la realidad con el deseo. Algunos asienten callados. Otros agregan esperanzas propias al sueño de Fidel. Como el encuentro es muy íntimo, aprovecho para conversar con Celia sobre los acontecimientos y las tareas inmediatas.

A los pocos días, en otro de mis viajes a la comandancia, esta vez en La Plata, tengo una feliz novedad: el amigo Gregorio Junco, a quien conocí en Costa Rica, llegó a la sierra procedente de México. Vino por Varadero acompañando a un extraño personaje, Evaristo Venereo, hombre de acción revolucionaria en la Universidad de La Habana.

Junco quiere ingresar a mi columna y le digo que enviaré por él. Pero al mandar hoy a recogerlo, me entero de que Evaristo, su compañero de viaje, ha sido acusado de conspiración para matar a Fidel. No sólo eso, sino también de ser el brazo ejecutor del atentado. Se habla de que Evaristo traía una pistola escondida entre sus ropas. Eso no es cierto. Junco me la mostró a mí, por cierto una pistola muy lujosa, con adornos de oro.

Horas más tarde me dicen que Evaristo ha sido fusilado y que Junco puede correr la misma suerte porque se sospecha que era cómplice de Evaristo.

Muy preocupado, envío de urgencia a La Plata al capitán Francisco Cabrera para que informe a Fidel que confío en Junco por su decidido aporte a nuestra causa desde su exilio en Costa Rica. La gestión tiene éxito y Cabrera regresa con Junco, todavía muy asustado. En el caso de Evaristo no puedo opinar, no conozco los hechos, probablemente nunca se sabrá si se cometió una injusticia. En la investigación y el proceso que lo condujo al fusilamiento, anduvo muy activo el capitán Humberto Rodríguez, el que una vez asesinó sin compasión y a sangre fría a un campesino por su presunta vinculación con el ejército.

En El Toro y El Cristo la aviación nos hostiga a diario, pero tenemos experiencia en evadir sus ataques. Contamos con buenos barrancos, profusa vegetación y un río que nos permite desaparecer de la vista de los aviones. Al terminar la tarde se marchan porque la oscuridad les impide mantenerse en operaciones. Vuelven el próximo día, con tremenda puntualidad y obstinación.

En una nota, Fidel me anuncia que lo espere en la casa de Ramón Corría, uno de los vecinos del área. Es el 15 de agosto.

Llega a la casa y después de saludar a Corría y a otros vecinos que se acercan a darle la bienvenida, quedamos a solas. Entonces extiende sobre la mesa un mapa de la provincia de Oriente.

—Huber, te había dicho que tendrías que ir con tu columna hacia Camagüey, pero tu misión es otra aunque hay que continuar diciendo que vas para Camagüey. Tu tarea será liberar la zona que domina el gobierno entre la Sierra Maestra y la sierra del Cristal, donde está Raúl. Tienes que cortar todas la vías de comunicación que les quedan en el área. Lo fundamental de esta operación vendrá después de controlar la zona: tendrás que cercar a Santiago y ablandarla. Cuando esté lista, iré yo para que coordinemos el asalto final. El tercer objetivo es una operación de diversionismo. El Che y Camilo van a pasar por Camagüey. Será difícil para ellos porque el ejército los puede interceptar, pero tú, que en realidad vas para Santiago de Cuba aunque todos creen que vas para Camagüey, debes provocar al ejército, realizando acciones que distraigan el mayor número posible de tropas. El ejército tratará de impedir tu supuesta marcha hacia Camagüey y así aliviamos la presión y les facilitamos el paso a Camilo y al Che.

Me parece bien el plan.

—¿Y desde dónde iniciaré las operaciones?

—Bueno, en principio, en la zona de la sierra no debes actuar. Quedan algunos cuartelitos por ahí que no queremos atacar.

—¿Cuáles son?

—En San Pablo de Yao hay uno...

—Bien, pero ¿si los soldados se meten conmigo?

—Si se meten contigo los atacas, pero si no, no hagas nada. Hay otro cuartel en Charco Redondo. Déjalo tranquilo. No vale la pena, es muy pequeño.

Me hace otras recomendaciones y entonces trato de recapitular:

—Bueno, en conclusión: del área de Bayamo en adelante puedo atacar, pero dejando de lado las posiciones que indicas en el mapa.

—Sí, así es. Lo más importante es que vas a formar parte de un Tercer Frente que se va a crear alrededor de Santiago de Cuba. Juan Almeida será el jefe. Tú también serás jefe, pero subordinado a él. Sabes que Almeida tiene su columna cerca de El Cobre y Palma Soriano. Su segundo es el comandante Guillermo García. Es una columna muy bien armada a cargo de dos comandantes.

Habrá tres frentes, me dice Fidel: el mío en la Sierra Maestra; el de Raúl, en la sierra del Cristal y el de Juan Almeida, alrededor de Santiago de Cuba.

Me extraña este esquema, sobre todo porque conozco bien la pobre actuación de Almeida como guerrillero, por lo menos desde que estoy en la sierra. Amigo y protegido de Fidel, se ha mantenido siempre en posiciones marginales de la lucha. Quizá Fidel lo esté «cuidando» porque Almeida, por su origen humilde y su condición de mestizo, representa para él una posibilidad de ganar imagen revolucionaria en el pueblo.

El tema de Almeida —no por él, sino por la maniobra en la que Fidel lo sitúa, vaya a saber con qué fines— es escabroso para mí. Significa la interferencia en cursos de acción que puedo organizar con la sola ayuda de mis oficiales. ¿Por qué, si se me confía, entre otras responsabilidades importantes, el cerco y el ablandamiento de la plaza de Santiago de Cuba, tengo que depender de un jefe mediocre como Juan Almeida?

Fidel está tan ajeno a mis pensamientos como yo a los laberintos de su compleja personalidad. Con menos apresuramiento, me dice:

—Hay una columna, la Columna Diez de René de los Santos, que va a representar un buen apoyo a las otras. Actuará conforme se den las circunstancias. ¿Está todo claro o quieres que te amplíe algunos aspectos?

—No, no, está bien. Cumpliremos las instrucciones.

—Algo me queda por decirte. Cuando llegues a la zona de Almeida habla con él para que te oriente sobre la forma de llevar a cabo las operaciones en lo que concierne a los objetivos uno y dos, que, según te expliqué, son unir las zonas rebeldes de la Sierra Maestra con la sierra del Cristal y el cerco y ablandamiento de Santiago de Cuba. Una cosa muy importante: vas a estar en relación de vecindad con Raúl y probablemente coordinarás acciones con él; pero recuerda en todo momento que tú dependes de la Comandancia General.

Se marcha Fidel y reúno a los oficiales, que están a la expectativa. No puedo revelar ningún aspecto de los planes que vamos a realizar; les digo que vamos para Camagüey. Cambiamos algunas impresiones y analizamos la situación de la columna. Además del problema crónico de las vituallas y de la falta de botas, carecemos de balas. Vuelvo a ver a Fidel para tratar de nuevo estos temas y completar un informe sobre otros aspectos que me interesan. Temo que con todos los asuntos que tiene en la cabeza, descuide o postergue nuestras necesidades. Él ha prometido entregarnos algún dinero para resolverlas.

Le notifico que ya están hechas las designaciones en el plano jerárquico y me interrumpe:

—Ah, mira, Huber, quería decirte que al teniente Quiroga no lo hagas capitán, tengo mis razones.

Asiento y comienzo a hablarle del nombre que quiero darle a mi columna. Pero parece que él tiene otra idea.

—Bien —me dice—, sobre eso te informo que el número de tu columna es el nueve y el nombre, José Martí.

—Yo le he dado otro nombre: Antonio Guiteras.[1]

—¿Y por qué?

—Porque Antonio Guiteras es uno de los grandes hombres de la Cuba republicana en los tiempos del gobierno revolucionario de 1933. Guiteras es el autor de la única legislación democrático-social y nacionalista de aquella época. Es el revolucionario de más fecunda trayectoria en la etapa del primer gobierno de Grau San Martín.

No sé si molesto por mi decisión, me responde:

—Bueno... yo pensaba que la columna se llamaría José Martí.

—Dale ese nombre a la tuya, que es la principal. Además, recuerda que en Cuba hay escuelas, instituciones y otras muchas cosas que llevan el nombre de Martí. Nadie hasta ahora le ha dado el nombre de Guiteras a nada. Por eso me parece justo que una columna del Ejército Rebelde, en momentos decisivos de la lucha, lleve su nombre.

—Está bien —me dice.

—Fidel, ¿qué hacemos con el asunto del dinero y de las balas?

—Tendrás que irte sin balas; yo te las mandaré a la zona de Santiago de Cuba.

—Pero, oye, estamos casi en cero... y tenemos que ir chocando con el ejército a lo largo de la ruta, desde Bayamo hasta Santiago para atraer a las tropas que podrían interceptar al Che y a Camilo.

—No te preocupes; ya te las enviaré.

—¿Y el dinero?

—Bueno, en cuanto a eso no tengo más remedio que entregarle lo que hay a Camilo y al Che. Ellos van más lejos que tú.

—Pero ¿cómo podremos arreglarnos?

—Tú lo puedes conseguir. Te daré una autorización para que lo solicites en el Llano mediante algunos emisarios.

—¿Has pensado que lo que obtengamos en esa forma nos alcanza-

---

1. Antonio Guiteras, dirigente revolucionario anticomunista que ocupó la Secretaría de Gobernación y la de Guerra y Marina durante el gobierno revolucionario «de los cien días» que sucedió a la dictadura de Gerardo Machado en 1933. (N. del A.)

rá para toda la campaña? Sabes que tengo gente prácticamente descalza...

—Sí, lo sé, pero no te preocupes. Te iré mandando balas, dinero... lo que pueda. Pídele dinero a Almeida cuando llegues a su zona.

Recurro a mi familia enviando un hombre al Llano. Regresa con una nota señalando un lugar de encuentro. Mi madre y mi hermana Tina tratarán de ayudarme.

Con precaución, para no arriesgar a mi hermana, llego hasta el punto convenido. Ella ha venido manejando un tractor. Me trae varias docenas de botas en dos sacos y me entrega una suma de dinero aceptable. Es un momento muy singular después de tanto tiempo de no vernos.

Entre muchas cosas, Tina me dice que nuestros hermanos Rogelio y Hugo se han ido para Costa Rica y viven en casa de María Luisa en San José, lo que me tranquiliza y contenta doblemente. Desde mi arribo a la sierra temí que en represalia, los esbirros de la dictadura pudieran asesinarlos.

Nos despedimos y vuelvo al campamento, algo mejor provisto para atender los problemas urgentes de abastecimiento. Me desvela la falta de balas. Confío en que Fidel no olvidará esto.

Días después llega Camilo Cienfuegos, siempre cariñoso y sonriente. Se ha enterado de que vamos a partir sin dinero y viene a dejarnos algo del efectivo que le entregó Fidel. Me dice que Fidel quiere que él llegue hasta Pinar del Río para repetir la ruta de Maceo durante la Guerra de Independencia a finales del siglo pasado. Comenta que el tránsito por Camagüey va a ser una prueba difícil, que en la provincia de Las Villas le favorecerá la topografía y también el apoyo de los rebeldes que allí operan. El resto de la misión tratará de cumplirlo como pueda. Nos despedimos con un abrazo; sabemos que tal vez no volveremos a vernos y nos deseamos la mejor suerte.

Camilo se va pero tenemos otra novedad: dos de las muchachas que cocinaban para nosotros cuando la aviación bombardeó la casita junto al arroyo aparecen en el campamento pidiéndome prestar servicios en la columna.

A la primera que llega le digo:

—Discúlpame. Apreciamos mucho lo que hicieron por la tropa en Santo Domingo pero nos toca una ardua campaña. Sólo cuando tengamos un territorio consolidado las llamaremos para que nos ayuden.

Pasados tres días voy a tratar con Fidel la necesidad de un médico y de un auditor de la tropa, la fecha de partida para la zona que vamos a liberar y el bendito problema de las balas. Él me ha dicho que aguarda el arribo de un avión procedente del extranjero con buena cantidad de pertrechos.

En un mulo salgo hacia la comandancia. Voy reflexionando sobre las tareas de movilizar y proveer lo básico para ciento treinta guerrilleros. La responsabilidad no me abruma pero la tomo en serio.

En mis visitas a La Plata me he relacionado con el comandante del ejército José Quevedo, el que se rindió con su tropa en El Jigüe. Aunque fue conocido de Fidel en la Universidad de La Habana, es extraño que un ex oficial del ejército ande aquí armado con una pistola y se desenvuelva como si fuera su asistente. Quevedo me parece una buena persona, pero el trato que recibe aquí me hace pensar que probablemente no vino a la sierra con la intención de derrotar a los rebeldes, sino con otro plan muy distinto.[1]

En Santo Domingo se reinstala el taller de armería, al que envío un fusil ametralladora para su reparación. Pasan los días y no me lo devuelven. Me siento molesto con la demora porque aquí en la sierra la armas son muy importantes. Envío un recado al encargado del taller diciéndole que me devuelva el arma o que, en su reemplazo, me mande por lo menos un fusil. Pero tampoco obtengo resultados. Me desconcierta la negligencia y el inexplicable silencio.

Cuando se aproxima la fecha en que debe partir la columna, Félix Duque va a la comandancia a tratar con Fidel algún trámite. Se aparece en nuestro campamento con un arma nueva. Se trata de un M-2, que me enseña con rostro satisfecho.

—Le cambié a Fidel mi Beretta por esto. Claro, tengo que enviarle la ametralladora cuanto antes, la necesita.

Conozco bien a Duque y sé que es poco formal. Mis compañeros y yo lo consideramos un tanto alocado. Por eso le digo:

—Dame la ametralladora tuya para mandársela a Fidel.

Me trae el arma y la tengo en custodia hasta que, transcurrido un día, pasa por nuestro campamento el capitán rebelde César Suárez, un hombre joven al que he tratado en Manzanillo. Como Suárez va hacia la Comandancia General, le pido que le lleve la ametralladora

---

1. Después del triunfo revolucionario, Quevedo ocupó un alto cargo en el Estado Mayor de las fuerzas armadas y posteriormente fue agregado militar de la embajada de Cuba en Moscú. (N. del A.)

de Duque a nuestro jefe. Le explico el canje y además le comento que, aunque el asunto no es directamente mío, se relaciona con mi tropa y me siento obligado a cuidar de ciertos detalles. Sobre todo porque Fidel le ha reclamado a Duque, según éste mismo me cuenta, los cargadores adicionales del M-2 que se ha traído inadvertidamente. Agrego esos cargadores a la ametralladora que le doy a Suárez, diciéndole:

—Me interesa que le des esto a Fidel sin demora.

Con la tropa está un guajiro de apenas dieciséis años, Hermes Cabrera, que se ha empeñado en venir con nosotros, es ayudante de Félix Duque. Recibo a su madre, una campesina con rostro de sacrificios y penurias. Me dice:

—Comandante: yo tengo dos hijos, uno ya está en el Ejército Rebelde y ahora éste, Hermes, también se me va. ¿Por qué no me lo dan? Él me ayudaba...

Me apena esta situación. Ya me había opuesto al ingreso del muchacho a nuestras filas. Acepté finalmente por el entusiasmo que advertí en él.

—Bueno —le contesto a la pobre mujer—, lléveselo si quiere; pero creo que aunque se vaya ahora con usted, el muchacho va a volver a la columna. No lo podrá convencer. Dése cuenta de que todos los jóvenes en la sierra quieren ser rebeldes...

La mujer no cede. Usa todas sus armas, se queja, protesta en voz alta, llora...

—Señora, cójalo de la mano y lléveselo —le digo.

—Pero si ya lo he intentado y no quiere quedarse conmigo...

—Bueno, lo único que puedo garantizarle, porque la voluntad de él es venir con nosotros y usted no podrá evitarlo, es que trataremos en lo posible de cuidárselo.

Así dejamos el asunto.

El 28 de agosto de 1958, previo a la partida, celebramos un acto patriótico. El teniente Evelio Rodríguez improvisa una exposición sobre las reformas que la Revolución introducirá en la futura Cuba democrática, haciendo referencia especial a los cambios en el sector agrario. Otro compañero, Dionisio Suárez, recita una poesía también alusiva a los principios que sustentan esta lucha.

Para cerrar el acto, hablo de los muertos que han quedado en el camino, del sentido que debemos poner en cada minuto de nuestra acción y del espíritu que debe animarnos en el combate. Trato del carácter misional del Ejército Rebelde, del compromiso sagrado que hemos asumido con el pueblo de Cuba, razón de nuestra presencia aquí y de la sangre que deberemos ofrendar si así lo exigen las circunstancias.

En la madrugada del 28, antes de que la aviación inicie sus rutinarias visitas, iniciamos la marcha. Organizada, disciplinada, con buen entrenamiento, la columna sale hacia combates que serán decisivos para un final victorioso.

Pasamos por todos los puntos donde combatimos en Santo Domingo. Aquélla era entonces una tropa pequeña. Ahora se trata de una columna de ciento veintinueve hombres en total. Tres pelotones con sus capitanes y noventa y siete combatientes armados. Además mensajeros, prácticos, encargados de buscar vituallas, zapadores expertos en transportar y colocar minas. Un comandante, un segundo jefe y dos oficiales ayudantes. También tenemos a Pedrito, un niño de doce años que ha insistido en venir con nosotros como mensajero. Hacemos noche en un lugar llamado El Verraco.

Después de caminar otros veinticinco o treinta kilómetros, la siguiente parada es en un punto conocido como Los Lirios de Nagua. Acampamos aquí y cuando converso con mis oficiales, en la tarde del 29, llega un mensajero con una nota de Fidel para mí. No atino a creer lo que dice este hombre, con quien al parecer vivo en permanente choque de personalidades. Se trata de un texto ofensivo e inaceptable.

Me reclama la ametralladora que le envié con César Suárez hace cuatro días y que debía haberle llegado al día siguiente. Tal vez Suárez se ha demorado en hacer la entrega. No sé.

Fidel está equivocado pensando que, como no logré que me devolvieran el fusil-ametralladora que mandé a reparar a la armería, me he traído hábilmente la ametralladora que Duque debía devolverle.

Todo este problema se podría haber evitado si Fidel hubiera venido a despedir nuestra columna. Allí habría quedado aclarado el asunto. Tampoco hizo acto de presencia cuando la columna de Camilo partió de su campamento, próximo al nuestro, hace pocos días. Inexplicablemente, él descuida detalles importantes dentro de los deberes que le conciernen.

En la nota me reprocha lo del arma, pero este malentendido sirve también para tratar de humillarme. Se refiere a las responsabilidades de mi cargo jerárquico y teme que ese supuesto comportamiento mío —negligencia, distracción o mala intención— se proyecte a decisiones y circunstancias más importantes en el futuro. Se equivoca, pero el texto es sumamente irrespetuoso. No puedo evitar preguntarme: ¿por qué se empeña este hombre, si ha demostrado que le interesa conservarme a su lado, en imponerme un sistema de relaciones que nunca le voy a aceptar?

Me doy cuenta de que, como no he tolerado sus groserías cuando era solamente jefe de guerrilla, Fidel busca, ahora que soy comandante, la forma de doblegarme, recurriendo, como es su costumbre, a tretas como ésta. Los términos son claros y definidos en mi respuesta:

«Comandante: Mi deseo de tener más armas para mi columna tiene un límite impuesto por mi propia dignidad de hombre, que no es menos que la suya. Soy ajeno —y si usted me conociera lo debería suponer así— a lo que Duque le haya hecho, interesado en quedarse con cuatro peines en vez de dos. Su Beretta le fue entregada al capitán César Suárez, con balas, para que la llevara él mismo hasta la comandancia. Créame que hoy he deplorado el haber venido aquí a la sierra. Acepto su insulto como un sacrificio más en esta hora en que lo que importa es la suerte de Cuba. Le devuelvo su papel y le exhorto a que se supere en la forma de tratar a algunos de sus colaboradores, sobre todo a los que creen haber probado que están aquí defendiendo ideales y principios.

»Huber Matos».

Proseguimos camino. Llegamos a la tercera escala. Luego continuamos hasta la cuarta en un lugar llamado La Estrella, cerca de Bueycito, municipio de Bayamo. Nos sorprende un fuerte temporal que poco a poco se convierte en huracán y nos obliga a quedarnos aquí un par de días.

Entonces llega otra carta de Fidel, más ofensiva que la anterior. Me conmina a que me retracte de la misiva o me presente en calidad de detenido en la comandancia y entregue el mando de la columna a Félix Duque. No hago ni una cosa ni la otra. Le contesto a su larga y admonitoria carta con otra concebida en estos términos:

«Comandante Fidel Castro: pienso que la honestidad es una cosa tan necesaria en el hombre, que el día que crea que la he perdido no me interesará más la vida. Un hombre que acepta insultos gratuitamente no es un hombre honesto. Por esto mi protesta. En cuanto a entregar el mando de la columna, no lo voy a hacer, porque me considero digno de este mando y estoy en la obligación de cumplir las misiones que me han sido asignadas. En vez de desahogar de modo injusto su molestia contra mí, pienso que usted haría mejor en sacar provecho de las lecciones que los fundadores de nuestra patria nos han dado. Ellos también tuvieron sus diferencias, pero al final de cuentas el interés superior de la nación los hizo pasar por encima de las reacciones personales.

»Yo no he incurrido en ningún desacato. No lo he desconocido como jefe. Rechazo la forma irrespetuosa en que me ha tratado. Estoy en desacuerdo con los procedimientos que usted utiliza con sus subalternos. Nosotros somos revolucionarios y en nuestras relaciones son ineludibles ciertas normas de respeto. Mientras yo lo crea al servicio de la libertad y del bien de nuestro país, usted será mi jefe.

»Huber Matos».

Aunque trato de que esto no trascienda entre los hombres de la columna, no puedo impedir que el incidente circule, pues el mismo emisario de Fidel, en sus conversaciones con nuestros oficiales, ha hablado del tema que lo trajo aquí, generándose rumores de que estoy en crisis.

El emisario no es otro que el capitán Cabrera, jefe de guerrilla al que sustituí en el alto del Cacao cuando el avance del coronel Sánchez Mosquera y que ahora se desempeña como ayudante de Fidel. Me temo que los comentarios que se han hecho respecto a mis relaciones con el jefe del Ejército Rebelde puedan disminuir mi autoridad con la tropa.

Curiosamente, después de que Fidel recibe mi segunda carta parece quedar cerrado o postergado este enfrentamiento, que tiene características de ser crónico. La guerra plantea otras urgencias.

20
Bautizo de fuego

—Todavía vive pero le queda poco tiempo —me dice uno de ellos mientras se incorpora, permitiéndome ver el rostro del herido. Siento a la vez dolor y sorpresa.

El caserío de El Bombón nos sirve de sexto campamento. Ocupamos las viviendas que están vacías y algunos rebeldes se alojan con pobladores del lugar. Hasta ahora hemos evitado que las patrullas del enemigo nos detecten, pero estamos próximos al Llano y listos para la acción.

Mando a comprar una res con vales que los campesinos podrán cambiar por dinero en la comandancia de La Plata. Voy a bañarme al río acompañado de dos escoltas, y cuando regreso veo a un grupo de oficiales reunidos en un rancho sin paredes. Me extraña porque no hay ninguna reunión en el orden del día. Asocio esta reunión con los comentarios del hombre que trajo la carta de Fidel. He notificado a la tropa que en 48 horas entraremos en acción. Esta reunión se me hace sospechosa. De los quince oficiales que están reunidos, viene uno de ellos, el teniente Evelio Rodríguez, y me dice:

—Queremos hablar contigo.

Lo acompaño hasta donde están los demás pero, disimuladamente, tomo mi M-3 y lo monto con mucha discreción. Con una bala en el directo, me digo: «Bien, si ésta es una conspiración, al primero que me enseñe una oreja...». Estoy decidido a todo; ya he tenido que actuar otras veces en la sierra frente a problemas de indisciplina. Aunque he podido mantener el orden y el respeto al cargo sin disparar un arma, aquí no sé lo que sucederá.

Me siento entre los oficiales, armados todos con pistola y algunos también con sus ametralladoras de mano y con expresión seria.

Hablan dos de ellos: el propio Evelio y el capitán Cabrera. Sus palabras me producen un tremendo efecto. Jamás me había sentido tan pequeño, tan infinitamente pequeño en mi vida.

Los que hablan lo hacen en nombre de todos y me dicen que, siendo un jefe con vocación de riesgo y estando en vísperas de enfrentarnos al enemigo, estiman que no debo marchar delante de la tropa en momentos de entrar en combate.

En otras palabras, no quieren perder al comandante de la tropa y lo afirman sin reservas: «El éxito de la columna depende de tu vida. Debes comprometerte con nosotros a que no seguirás exponiéndote constantemente como cuando eras capitán».

Hasta el momento he estado simulando serenidad, pese a creer que me hallaba entre conspiradores. Sonrío ante esta muestra de adhesión y consideración al jefe. Estoy avergonzado pero me mantengo inmutable.

—Bueno, ustedes saben que nadie es insustituible. Debemos tener en cuenta esto: la tropa está compuesta por hombres que vienen luchando juntos desde el principio y por los que se han ido incorporando. No todos han visto actuar a su comandante en circunstancias cruciales. Una columna que comienza su campaña necesita crear su mística de combate y ésta tiene una relación directa con el rol que juega el jefe. Lo que ustedes me piden no es factible de inmediato. Prometo que más adelante volveremos a hablar de este asunto.

Quedan pensativos. Insisten, pero mantengo mi posición.

—Lo que necesitamos ahora es proporcionarle a la tropa una confianza tan grande que cualquiera de ustedes, si falto, pueda mandar la columna con eficacia. Debemos lograr esa mística para enfrentar al ejército, como también para que nuestros mismos hombres se sientan orgullosos de su capacidad y rendimiento en la lucha. Esta columna, que hemos bautizado con el nombre de Antonio Guiteras, está llamada a escribir historia en nuestro país en relación con la guerra que sostenemos.

Aceptan, pero ponen énfasis en decirme:

—De cualquier manera nosotros queremos que ese compromiso sea un compromiso serio. Cuando ya la columna se haya probado en el combate, tú tendrás que aceptar nuestro pedido.

—No hay que preocuparse por eso. Lo he prometido y lo cumpliré cuando estime que ha llegado el momento.

Mientras nuestra gente descansa, tomo el camino hacia el Llano y me reúno con compañeros del Movimiento 26 de Julio. Me piden que no ataque la zona de Guisa porque la usan para abastecer la Sierra. Escucho y reúno información sobre las localidades cercanas como Santa Rita en el municipio de Jiguaní. Indago sobre la adquisición de alimentos.

Nos movemos de El Bombón hacia la proximidad de Santa Rita, pasando por el caserío de Arroyo Blanco, cercano a la mina de manganeso en Charco Redondo. No atacaremos la mina por instrucciones de Fidel, pues los militares en este lugar han iniciado conversaciones para llegar a un acuerdo con él.

Santa Rita es un pueblo muy interesante emplazado sobre la Carretera Central, a escasos minutos de una importante base militar en las afueras de Bayamo. He decidido provocar al ejército en este lugar. Lo atraeremos y lo obligaremos a perseguirnos, involucrándolo en nuestro juego. Nos interesa desmoralizar a las fuerzas de Batista. Se trata de una clásica acción guerrillera, desgastante y nociva para el enemigo y, por supuesto, con ciertos riesgos para nosotros que no contamos con suficientes municiones.

En la tarde del domingo 14 de septiembre de 1958 irrumpimos en Santa Rita, procediendo de un modo incivilizado como corresponde a nuestro estilo de lucha. A ambos lados de los extremos del pueblo bloqueamos la Carretera Central quemando varios vehículos previamente requisados. Confío el éxito de las emboscadas al teniente Antolín Quiroga, quien tendrá que contener la llegada de las tropas del ejército. Ocupamos el pueblo y destruimos los postes de tendido telefónico a lo largo de la calle principal. Los pobladores contemplan desde sus casas y algunos salen a apoyarnos. Incendiamos la documentación del Registro Civil y Correos, etcétera. Acciones para demostrar que la dictadura no tiene autoridad en el país.

Como refuerzo a las emboscadas de contención he situado a la entrada del pueblo a combatientes con experiencia y bien armados. A los quince minutos llega el ejército, anunciándose con cañonazos de sus blindados. Como no saben cuántos hombres y armas tenemos, su avance es cauteloso. Nuestros rebeldes frenan a los soldados, en tanto otros confiscan alimentos en los negocios dejando vales pagaderos en la Comandancia General.

Mientras se desarrolla el combate voy de un lado al otro supervisando el desempeño de mi gente. Aprovecho para entrar a una tienda y hacerme de una brocha y pintura para pintar un letrero. Estoy terminando ya de escribir sobre el asfalto de la carretera: COLUMNA 9 ANTONIO GUITERAS. LIBERTAD O MUERTE cuando una ráfaga de ametralladora saca chispas del pavimento, casi en mis botas.

—¡Carajo, con esto no contaba! —exclamo mientras de un salto alcanzo la acera.

Me han disparado con una calibre 50 desde un blindado ligero que está sobre la carretera a unos ciento cincuenta metros. Sin embargo, no puedo dejar de contemplar con alegría juvenil el gran letrero sobre el pavimento, que queda como testimonio de nuestro desafío. Es una tontería exponerme a esto porque nos tienen ya bien localizados. Mientras tanto, el vehículo ha seguido disparando hacia donde creen que estoy. Me escabullo para ocuparme nuevamente de mi tropa.

Camino en una y otra dirección al tanto del operativo, cuando alguien me dice:

—Comandante, ya tenemos un muerto, está en el Correo.

Con paso rápido voy al edificio postal y veo a dos rebeldes inclinados sobre un cuerpo inerte.

—Todavía vive, pero le queda poco tiempo —me dice uno de ellos mientras se incorpora, permitiéndome ver el rostro del herido.

Siento a la vez dolor y sorpresa. Es Hermes Cabrera, el muchacho que tanto reclamaba su madre y al que fue imposible hacer que desistiera de ingresar al Ejército Rebelde.

¿Qué ha pasado? Hermes estaba como ayudante de Félix Duque, quien formaba parte de la emboscada de contención en la entrada oeste. Como conozco la psicología de Duque, entre díscola y temeraria, ordené que al muchacho lo pusieran con Napoleón Béquer, a cargo de dañar instalaciones oficiales, sin mucho riesgo. Pero un francotirador, seguramente agazapado entre las casas del pueblo, prácticamente lo ha fulminado con un disparo, alojándole una bala en el cerebro.

Sin un médico quedan pocas esperanzas de salvarlo. Hay que sacarlo con urgencia y le ordeno a un par de hombres que lo hagan, pero creo que para Hermes es preferible un desenlace fatal. Tiempo más o tiempo menos, sobrevendrá lo peor.

Como si Dios respondiera a mis cavilaciones, uno de los rebeldes me dice:

—Comandante, no hay nada más que hacer. ¡Está muerto!

Durante unos segundos los tres quedamos callados ante esa vida segada en plena adolescencia. Pienso en aquella madre desesperada que tal vez intuía el trágico final de su hijo y luchó infructuosamente por evitarlo.

—Sáquenlo de aquí, le daremos sepultura.

Hermes Cabrera tenía dieciséis años, no llegó a disparar un arma ni a dar salida a su joven fogosidad. Lo enterraremos al día siguiente, lunes 15 de septiembre, en el caserío de Las Ortegas. Me emocionará siempre recordar su nombre, con el de otros que también cayeron en la lucha y han quedado como héroes silenciosos en los cementerios de la campiña cubana.

Tarde en la noche, pasadas las doce, nos retiramos en orden. Con pocas municiones pero con movilidad, astucia y coraje hemos mantenido en jaque a una tropa bien armada, apoyada con blindados y a pocos kilómetros de una base militar. Los pudimos convencer de que estaban frente a un contingente guerrillero bien pertrechado. En esta operación hemos contado con las patrullas rebeldes que operan en la zona. No tienen buen armamento pero sí una excelente disposición de lucha y la ventaja de conocer el terreno en sus detalles. Aún después de retirarnos, el ejército sigue disparando sus cañones contra la noche como un desahogo a su frustración.

De lo que no podemos sentirnos orgullosos es del daño que causamos al pueblo, con los métodos brutales de hacer esta guerra, como la quema de vehículos y otras prácticas de destrucción. Uno puede escudarse diciendo: «La guerra es la guerra»; pero, indudablemente, persiguiendo un fin justo se hacen cosas injustas. Bien peligroso es transitar la pendiente de la deshumanización...

Continuaremos a la largo de la Carretera Central atrayendo al ejército para obligarlo al combate mientras nos replegamos sin comprometernos en operaciones largas y costosas.

¡Que Dios te coja *confesao!*

Cuando estábamos aún en El Bombón, el capitán Calixto García, perteneciente a la columna de Almeida, me avisa de un inminente ataque al pueblo de Los Negros, que lo desalojaría de esa zona próxima a Baire. Inmediatamente envié una fuerte avanzada, y ahora, ya con toda la tropa, desfilamos en Los Negros para enviar un mensaje al ejército. La advertencia parece haber sido oportuna y convincente, pues el ejército suspendió el ataque.

En nuestra marcha, el entusiasmo de civiles y de guerrilleros de otras unidades por incorporarse a la Columna 9 es grande pero sólo aceptamos a algunos en casos de excepción. Tenemos nueve grupos de combate: tres en la vanguardia, tres al centro y tres en la retaguardia. Por su experiencia, armamento y agresividad, cada grupo tiene capacidad para batirse con autonomía. La unidad selecta es la punta de vanguardia, o sea, la primera escuadra del pelotón 1. Es la que empleamos para la acciones que requieren más audacia. Su jefe es el primer teniente Raúl Barandela, valiente, astuto y fogueado.

Dándole fuego a vehículos y creando obstáculos al tránsito en la Carretera Central y el ferrocarril, entre Bayamo y Santiago, seguimos provocando al ejército para obligarlo a movilizar cada vez más tropas.

Fidel no ha mandado las municiones prometidas, ni un médico, ni un auditor. Suplimos la ausencia del médico con un enfermero; y el jefe de la columna tiene que hacer de auditor, administrando la justicia en el ámbito civil.

Pasamos por el pueblo de Matías y seguimos hasta Filé. Aquí trabajaron como pastores bautistas mi hermana Eva y su esposo, Pedro Tamayo. Por sugerencia de Eva visito algunas personas que pueden ayudarnos. Luego, con varios de mis hombres hacemos compras en una tienda, cuando una mujer vestida con el uniforme del Ejército Rebelde, y acompañada por un civil, se me acerca y me dice:

—¿Usted es el comandante de la tropa?

—Sí. ¿Qué es lo que usted quiere?

Observa mi ropa buscando las insignias de mi grado, pero no las llevo, visto como cualquier guerrillero.

—Necesito que me ayude —aclara la mujer—. Voy en una misión especial a la comandancia de Juan Almeida, que está en La Lata. Usted sabe que son varios kilómetros, casi todo camino de subida. Me hacen falta dos caballos porque los que traemos están muy cansados. ¿Me los puede facilitar?

—Lo siento, tenemos muy pocos caballos y los montan los rebeldes heridos y los enfermos.

—¿Y por qué no me los consigue en el área?

—Bueno, podría hacerlo si me da tiempo. Acabo de llegar y tengo que organizarme.

Ella se inquieta. Trato de ser amable y hasta de disculparme.

—Esta tarde —le digo—, cuando deje todo en orden aquí, tengo que ir a La Lata; también debo ver a Almeida. Si quiere puede esperar unas horas y luego la llevamos en un *jeep* que conseguiré prestado.

Esta solución no parece convenirle, porque me replica:

—Ah, no, no... Yo no puedo dejar pendiente la misión a la posibilidad de que resuelvan sus problemas aquí. Ya le dije: o me consiguen los caballos o sigo en los que andamos, cansados como están.

Mueve la cabeza en señal de despedida y se marcha con su acompañante.

Atiendo varias prioridades y procuro un vehículo. Salimos y dos horas después de esquivar accidentes del camino, cruzar arroyos, bajar y subir cuestas, encontramos a la pareja que quería los caballos. Van en penosa marcha por el agotamiento de los animales. Nos damos cuenta de que el acompañante es un escolta.

Le digo a la rebelde:

—Aquí hay espacio. Acéptelo porque de otro modo se quedará en el camino.

Ella instruye al hombre para que lleve los caballos hasta una finca. Indago un poco para ver en qué asuntos anda, pero se mantiene distante. Cuando habla es para defender la posición de un jefe muy discutido en nuestras fuerzas, cuyo nombre, Universo Sánchez, surge en la conversación accidentalmente. Hasta me dice:

—Bueno, él no tendrá fama de ser tan buen combatiente como usted, pero yo le aseguro que es un hombre valiente y muy definido en su posición revolucionaria.

—Oiga —le aclaro—, yo no he dicho media palabra de Universo Sánchez.

Por fin llegamos a una loma, donde acaba el camino para vehículos. Antes de comenzar el ascenso visitamos un hospital rebelde donde saludamos a la doctora Melba Hernández, una guerrillera que participó en el asalto al Cuartel Moncada. Trabaja como ayudante y se muestra tan diligente con los heridos como amable con nosotros. Conversamos de lo que está pasando en la sierra, de un triunfo próximo y también de lo que representará para Cuba un gobierno revolucionario en el poder.

Más tarde subimos hasta el puesto de mando de Almeida, pero no está y nos recibe su segundo, el comandante Guillermo García. Éste es un jefe capaz y optimista, una persona de trato fácil, sin rodeos, con la inteligencia natural del hombre de campo.

A la rebelde que nos acompañó en el camino la saluda la gente con simpatía. Extrae de un bolso un fajo de billetes y se los da a García. Dice la cantidad e informa cómo se recaudó. El misterio está resuelto, es una mensajera de Almeida. Esto explica su actitud defensiva y desconfiada.

Cuando me reúno a solas con Guillermo, le digo que he venido a discutir el plan de operaciones con Almeida y a buscar dinero para mi tropa. Le explico que he ido resolviendo la alimentación y demás necesidades firmando papeles en distintos comercios de la sierra y del Llano, y añado que no puedo continuar creando una cadena de deudas del Ejército Rebelde porque nos perjudica ante los civiles. Tampoco es bueno para nosotros porque puede llevar a excesos que linden con la corrupción.

García me entrega el dinero que acaba de recibir —quinientos pesos— y me dice que lamenta que no haya encontrado a Almeida. Sugiere que siga con la tropa hasta el pueblo de Ramón de Guaninao, para facilitar la entrevista. Regreso sin pérdida de tiempo a mi campamento en Filé.

Cuando mi hermana Tina vino a mediados de agosto a las faldas de la Sierra Maestra, acordamos que ella trataría de conseguir más recursos para la Columna 9 y que los traería al pueblecito de Filé, donde nos encontramos el 19 de septiembre. Ha venido con su esposo, Roberto Álvarez, un hombre siempre servicial y bueno. Nos saludamos con todo cariño y me entrega dos mil pesos conseguidos entre varios amigos en Manzanillo. Conversamos sobre la familia y la lucha. Mi hermana y su esposo tienen que salir de la zona rebelde antes de que oscurezca. Mientras nos despedimos, llega la mensajera que llevó el dinero para la comandancia de Almeida. Sin siquiera sentarse me dice:

—Sé que usted va a necesitar mensajeras para su columna. Yo estoy dispuesta a colaborar con ustedes si así me lo ordenan.

—Pues nosotros tendremos gusto en recibirla si así lo disponen.

La columna se mueve hasta Ramón de Guaninao, pasando por el Cruce de Baños, una zona cafetalera con mucha actividad comercial. Apenas llegamos, Almeida me saluda en forma campechana. Es un hombre joven que sabe ganarse a la gente con su extroversión. Le gusta mucho la música y ha compuesto algunas canciones. Se le conoce también como católico, pero ligado a los cultos afrocubanos. No ha tenido mucho acierto como jefe en la acción, pero su amistad con Fidel lo mantiene en puestos relevantes dentro del Ejército Rebelde.

Inicio la conversación:

—Almeida, Fidel me indicó que hablara contigo sobre las operaciones que debo realizar.

—Pero, cómo, ¿tú no hablaste con él?

—Sí, claro, hablé con él.

—¿Y entonces qué carajo tengo yo que decir? Si el hombre ya te dio las instrucciones, ¿qué puedo agregar yo?

Intento conversar sobre los planes pero no hay nada que hacer. Almeida ignora todo o quiere mantenerse fuera de lo que yo debo hacer o no hacer con la Columna 9. No parece estar fingiendo; no es de su incumbencia lo que estoy solicitando de él: instrucciones como superior jerárquico. No creo que sea un pretexto o una evasiva. Es un buen hombre, pero al parecer Fidel, a pesar del afecto que le dispensa, lo relega tomando en cuenta sus limitaciones y, sin embargo, le da posiciones de aparente importancia, como esta jefatura del llamado Tercer Frente.

Algún provecho se consigue porque hemos convenido en realizar una operación conjunta que debo coordinar con Guillermo. Además, le pido a Almeida dos mujeres para que actúen como mensajeras y un práctico del área que tendré que liberar. Almeida no niega la posibilidad de facilitarme el práctico apenas lo consiga, pero se siente pesimista sobre la operación que Fidel me ha confiado.

Trato de definir con él lo concerniente al plan de operaciones y a mis relaciones con su jefatura del Tercer Frente, a la que, según instrucciones de Fidel, estoy subordinado. Quiero que todo quede bien claro. De nuevo me reitera:

—No tengo que darte instrucciones. Lo único que sé del plan de operaciones que te has comprometido a realizar, es lo que me has dicho.

—Bueno, me marcho a cumplir la misión. Si tienes algo que indicarme, dímelo. Sé que, entre otras cosas, tenemos que liberar la zona que separa la Sierra Maestra de la sierra del Cristal donde está Raúl.

Su respuesta es casi una burla:

—¿Tú crees que vas a sostenerte en esa área que pretendes liberar? Tú lo que vas a dar es mucha sánsara.[1]

Y llevándose las manos a la cabeza, a la altura de la nuca, agrega:

—¡Que Dios te coja *confesao!*

En realidad, no cree que podamos realizar la misión y acabo de convencerme que su jefatura es pura apariencia.

No le doy mayor importancia a su despiste. Cubriré las formalidades como si realmente Almeida fuera mi superior; pero estoy consciente de que tendré que actuar por mi cuenta, dependiendo fundamentalmente de las instrucciones y órdenes recibidas de Fidel.

Salgo de la comandancia de Almeida y algunos de sus oficiales me invitan a presenciar el fusilamiento de un desertor de la tropa. Prefiero no asistir.

En la columna de Almeida la figura realmente descollante como combatiente es el comandante Guillermo García. Eso lo saben unos cuantos, incluyendo al propio Almeida. Pero a él no le molesta, está feliz así. Es curioso e interesante que estos dos hombres compartan el mando de la columna donde uno es el jefe nominal y el otro el jefe de verdad, y no parece haber celos ni sombra de rivalidad entre ellos.

Durante la reciente ofensiva del ejército, montada por varias columnas fuertes que debían converger y tomar el baluarte rebelde de La Plata, fue Guillermo García quien estuvo al frente de la columna en los diferentes combates que ésta participó. Donde había acción y balas estaba Guillermo, fuera con buena suerte o sin ella; mientras que Fidel le buscaba algún lugar sin riesgo a Juan Almeida, como para llenar el trámite de que también estaba en operaciones. Esto lo conozco bien porque precisamente cerca de El Naranjo y de Santo Domingo, donde tuvimos que luchar duro para derrotar a Sánchez Mosquera, Fidel puso a Almeida a cuidar una posición —el alto de Gamboa— que no tenía ningún rol. Los poquitos rebeldes que estaban allí con Almeida venían de vez en cuando a nuestras trincheras y hacían chis-

1. Movimiento de un lado a otro sin orden ni dirección. *(N. del A.)*

tes del papel que le habían asignado a su jefe como guardián de una posición que nada tenía que ver con el combate diario.

Pero Almeida es un tipo simpático y dicharachero; lo que pueda faltarle en audacia lo compensa con su buen carácter y sus chistes. Es de suponer que un gran mérito suyo es su incondicionalidad a Fidel. Esta asignatura es muy importante en la escuela de la Sierra Maestra.

Guillermo García no vino en el yate *Granma* como Almeida, Camilo, el Che y otros. Se unió a Fidel pocas semanas después del desembarco. Era negociante de ganado antes de la lucha revolucionaria. Es un guajiro despierto, inteligente y sincero que abrazó la lucha sin detenerse ante riesgos e inconveniencias. Es competente en los combates, buen compañero y buen amigo. Los éxitos de la columna en la acción —la columna existe desde antes de la ofensiva del ejército— los debe a Guillermo. Pero eso lo sabe la tropa, no el gran público; con el tiempo lo sabrá la historia.

De acuerdo con García, tenemos asignada una posición cerca de las probables vías de entrada del ejército. Esta responsabilidad de evitar que el ejército pueda entrar al área es una garantía para nosotros, porque no va a haber sorpresas.

He acordado con Guillermo una serie de operaciones simultáneas: Él atacará, como tenía ya planeado, el cuartel de Dos Palmas, el único que queda en la zona montañosa. Nuestra columna participará en esa acción con veinte hombres que mandan los tenientes Juan Nápoles y Roberto Ruiz.

La operación se inicia el día 21 por la noche, pero después de varias horas, Guillermo ordena la retirada. El ataque no tiene éxito porque la guarnición del ejército resistió e hizo tres muertos a la tropa de García, uno de ellos el capitán Roberto Ramírez.

Esa misma noche varias unidades de la Columna 9 desarrollan el resto de las operaciones. El teniente Filiberto Álvarez ataca el cuartel de Maffo. El capitán Duque y el teniente Joel Chaveco atacan al ejército en Contramaestre. Ambas son acciones de acoso. Yo participo con el Pelotón 1 del capitán Cabrera y la escuadra del teniente Bernardino Salcedo en una incursión a fondo en la ciudad de Palma Soriano. La operación incluye el hostigamiento al cuartel del ejército, a la estación de policía, a una estación de radio, la Zona Fiscal y la Junta Electoral.

Fue una experiencia impresionante la entrada de nuestra tropa a la ciudad de Palma Soriano, donde la población apoya fervorosamente a los rebeldes; y una sorpresa también agradable el repliegue defensivo de las fuerzas encargadas de custodiar la ciudad. Los militares se parapetaron en distintas posiciones sin intentar desalojarnos. Por su parte, Almeida fue hasta la proximidad de Santiago con el propósito de atacar unos carros patrulleros, y regresó sin haber realizado la misión propuesta.

El velorio de los tres rebeldes muertos se convierte en un acto muy emotivo; no sólo se despide con honor a los compañeros caídos, sino que la presencia del los civiles del pueblo revela una vez más su solidaridad entrañable con el Ejército Rebelde.

Tenemos el guía que habíamos pedido, es el teniente José Milán Santana. Me cuenta que ya ha hecho un viaje a la zona de Raúl Castro, donde lo arrestaron hasta comprobar su identidad y su papel dentro de las filas rebeldes. Dice que debió reclamar mucho para que lo pusieran en libertad y le devolvieran su pistola.

—Sé que usted no va a tener ningún problema, pero creo que es conveniente enviar alguna avanzada o emisarios al aproximarnos al territorio de Raúl. Allá las cosas son diferentes.

22
Raúl y Vilma

—Oiga, comandante —me dice uno de ellos—, lo que está pasando aquí no está claro. Hay más detrás de esto. Es falso que haya una conspiración.

El 25 de septiembre la columna se traslada hasta la Gota Blanca, desde donde iniciaremos la marcha hacia el Segundo Frente Oriental. El ejército no debe conocer nuestro rumbo; amparados en la noche cruzamos la Carretera Central entre Palma Soriano y El Cobre. Caminamos varias horas hasta La Concordia, donde en horas de la madrugada acampamos cerca de la casa de nuestro guía, el teniente Milán. Nos hacen café para toda la tropa. Durante el día permanecemos inactivos y en silencio. Al caer la noche avanzamos y al amanecer llegamos a la proximidad de Majaguabo, territorio de Raúl Castro. El guía me ha venido informando sobre este frente. Parece un pequeño estado; aquí los rebeldes no combaten mucho pero todo está muy organizado, en contraste con la sierra, donde se combate incesantemente pero sin estructura organizativa.

Apenas llegamos, la columna se traslada en camiones hasta el pueblo de La Prueba. El comandante Antonio Enrique Lussón trae un mensaje de Raúl, pidiéndome que lo vea urgentemente. Con Lussón llego a Las Caobas, un puesto bien protegido en la parte suroeste de la zona rebelde, donde el jefe del lugar, el capitán Raúl Menéndez Tomasevich y su esposa, que había sido alumna mía en Manzanillo, me tratan con inesperada deferencia.

En El Arpón, donde está la comandancia de Lussón, nos reciben también con afecto y de manera muy llana. Una señora a quien llaman la Tía, con un jabón en mano y un uniforme, me dice sonriendo:

—Mire, comandante, esto es para que se asee y se ponga una prenda como la gente. Usted está muy descuidado, allí está el río, donde puede bañarse. El jefe tiene que andar con la mejor presencia.

Me causa gracia su franqueza y amable reproche. Tiene razón. Yo ando como todos en mi tropa, descuidado y hasta en jirones.

Lussón ignora la razón de la urgencia de Raúl. La lluvia ha hecho crecer el río y tenemos que esperar varias horas antes de continuar. Llegamos en la madrugada y nos reciben Raúl, Vilma Espín y el capitán Manuel Piñeiro. Se suma a la reunión Belarmino Castilla (Aníbal), segundo de Raúl en el mando. Estoy intrigado por la urgencia.

Detrás de su cordialidad, Raúl da la impresión de que oculta algo. Se percibe la presencia de otro Raúl. Esta característica lo hace un individuo al que hay que ir conociendo paso a paso. Hay algo de ambiguo en su persona. Posee una capacidad notable para relacionarse, aunque no convence. Introduce bromas y chistes en su conversación; es afectuoso, pero no sé, me hace recordar las monedas falsas. Trata también de superar su débil naturaleza física con una actitud que quiere ser segura y resuelta. Hay una cosa de la que no tengo duda: es un individuo dedicado a la lucha aunque no todas sus cartas estén a la vista. Advierto, además, su deseo de establecer un puente de camaradería afectuosa y de igual a igual conmigo. Por el bien de la lucha, debo propiciar o buscar con él una relación de colaboración estrecha; pero esto no es fácil con una persona que parece tener más de un rostro.

Cuando por fin tenemos una conversación a solas, me dice:

—Me alegro de que estés aquí, has llegado en el momento más oportuno. Sabes que sólo te conozco por referencias. Cuando llegaste a la sierra ya había salido yo para organizar el Segundo Frente. Pero hay un hecho que me lo dice todo. Para iniciar la ofensiva han partido tres grandes columnas desde la sierra: la de Camilo, la del Che y la tuya. Si Fidel te ha confiado esa responsabilidad y te ha ido ascendiendo de cargo en tan poco tiempo hasta llegar a comandante, es porque te iguala a ellos, con mucha experiencia antes de tu incorporación al Ejército Rebelde.

Sigue exteriorizando su satisfacción por conocerme. Luego de otras referencias generales sobre el estado actual de la guerra, me sorprende con esta revelación:

—¡Aquí hay una conspiración! Está involucrado el profesor Lucas Morán,[1] que ha estado conmigo como asesor político. También está envuelto en esto el comandante Nino Díaz, al que tengo preso. Y hay dos o tres más en lo mismo. Pero no, ¡no son tan pocos! ¡Conspiran un montón de oficiales!

---

1. Lucas Morán: abogado, profesor e historiador santiaguero que defendió a los revolucionarios en el juicio por el asalto al Cuartel Moncada el 26 de julio de 1953. (*N. del A.*)

Sin salir de mi asombro, le pregunto:

—¿Y qué es lo que pretenden?

—La conjura es para controlar el mando de esta zona. Tenemos que actuar drásticamente. Necesito tu respaldo. Esta noche va a haber un consejo de guerra. Quiero que digas allí que has venido a formar parte del tribunal. Hay que amenazar a esta gente con la acción de tu columna, que trae fama de ser de lo mejor del Ejército Rebelde. Esto puede parar cualquier intento sedicioso.

Estoy ciertamente alarmado. No puedo concebir que todo sea real. Aunque tal como él me lo presenta, tengo que decirle:

—Raúl, mi tropa está aquí para combatir contra Batista. Si es necesario actuar ante una deslealtad, lo haremos, pero me gustaría conocer más detalles.

—Sí, claro. Hace unos días Lucas Morán vino a hablarme de un proyecto con la finalidad de crear una asamblea de oficiales como un organismo con potestad para tomar medidas en determinadas situaciones. Hasta me dijo que podíamos imitar la organización que tenían los vikingos. ¡Imagínate! Comentó otras cosas igualmente descabelladas y altamente sospechosas. Este proyecto significa un virtual levantamiento contra el mando del Segundo Frente. Me he enterado de que también Nino Díaz participaba de la intentona, junto con otros oficiales que gozaban de mi confianza. A estos últimos, lo que haremos con el juicio será asustarlos.

No encuentro muy claras ni la finalidad real de la conspiración, si es que la hay, ni la justificación de un juicio con las características del que llevará adelante este enigmático hermano de Fidel, pero Raúl no ha terminado su exposición:

—Cometí un error cuando llegué aquí a organizar el Segundo Frente: nombré segundo jefe a Belarmino Castilla y ese cargo tenía que habérselo dado a Efigenio Amejeiras, que venía conmigo desde la sierra y que es hombre de mi confianza. No confío en Castilla. Detrás de esta intentona está la gente de Santiago de Cuba. Ellos pretendían establecer el Segundo Frente antes de que yo llegara y ahora quieren controlar lo que está bajo mi autoridad.

Raúl teme que con la ayuda de otros oficiales Castilla le arrebate el mando, lo que en esencia parece un delirio.

—Menos mal que aquí tengo a Piñeiro, que es hombre de gran valor para mí —añade Raúl.

Al parecer, Manuel Piñeiro es el que le ha dado los elementos probatorios de una conjura; algo de intrigas de palacio vislumbro en este lugar. Me extraña que sospechen de Castilla, que tiene muy buenos antecedentes. Ha sido líder estudiantil en Santiago de Cuba y es un hombre de ideales que proviene del sector intelectual.

Le pregunto a Raúl cómo piensa castigar o procesar a Lucas Morán.

—A Lucas no lo tengo preso. Le di cinco pesos para que tomara una guagua y se fuera de aquí.

Esto me desconcierta más. A un sospechoso de una conjura no se le deja tan fácilmente en libertad como a un niño expulsado del colegio.

De todos modos, creo que algo parecido a una conjura está en marcha y hay que atajarla. Por la noche concurro al juicio y, sin ser miembro del tribunal, me sitúan junto a éste. Estamos en una casona elegante que los rebeldes utilizan como «palacio de justicia». Este poblado de Mayarí Arriba, próximo a la comandancia de Raúl, con casas de mucha mejor presencia, ofrece un panorama bien distinto al de la sierra, con sus ranchos y campesinos pobres.

El instructor del juicio es el comandante auditor Augusto Martínez Sánchez, abogado y hombre de confianza de Raúl, quien también se sienta en la mesa que sirve de estrado. El tribunal lo integran Raúl y Martínez Sánchez, lo que excluye garantía de imparcialidad.

Estoy decidido a brindar mi respaldo a Raúl, aunque veo elementos contradictorios en su versión. No estoy contento con mi papel aquí; tampoco he estado en armonía con mi conciencia en otras situaciones dentro de la lucha y he seguido adelante.

Muchos oficiales del Segundo Frente componen el público de este juicio en el que, por petición de Raúl, haré uso de la palabra.

—Oye, Huber —me ha dicho Raúl unas horas antes—, cuando en el juicio se esté a punto de conocer las acusaciones formales, tú te levantas y dices a qué has venido sobre la base de lo que ya hablamos. Así me ayudarás.

Es lo que hago, me pongo de pie y solicito al tribunal ser escuchado:

—He venido aquí, a la sede del Segundo Frente Frank País, variando la ruta de mi columna, porque sabía que se estaba suscitando una cuestión alarmante y de cierta trascendencia. Durante la marcha recibí instrucciones desde la sierra, enviadas por Fidel, de presentarme ante el comandante Raúl Castro y respaldar todo lo que aquí se haga bajo su conducción. Esto es lo que garantizarán mi tropa y mi presencia. He actuado así porque no se puede favorecer la ambigüedad dejando de lado la disciplina imprescindible en un ejército.

223

Tras mi declaración, veo entre los oficiales asistentes reacciones mudas, miradas entre ellos, expresiones de desconcierto que me ratifican lo extraño del proceso que aquí se vive. Unas horas antes de iniciarse el juicio me ha dicho en confianza uno de los hombres de Raúl:

—Comandante, usted va a participar esta noche en una cuestión que no está muy clara para muchos de nosotros.

Quise indagar más con el oficial pero él no se atrevió a profundizar o tal vez creyó conveniente que yo sacara mis propias conclusiones durante el juicio.

Las actividades del tribunal comienzan con el caso de un rebelde acusado de molestar a una enfermera, al que sigue otro por cobardía en el sector minero de Moa. Hay más acusados por cuestiones sin relación con la conspiración. Preocupado por el problema principal, he ignorado estos hechos menores.

Algunos oficiales, también incluidos en la «conspiración», pasan por el banquillo de los acusados; se sienta después el comandante Higinio (Nino) Díaz, el principal implicado. Los cargos resultan insustanciales. Uno de los más importantes actos de deslealtad que se le imputan a Díaz es el haber ordenado un cuño para su papelería, en el que dice ZONA SUR, como si quisiera independizarse del Segundo Frente.

Tanto Raúl como Martínez Sánchez, el auditor, se esmeran en las preguntas que de modo tajante y solemne lanzan contra Díaz, que se mantiene muy sereno y contesta con propiedad. Las acusaciones siguen, sin llegar a convertirse en cargos serios o concretos.

Súbitamente, varios oficiales muy identificados con Raúl, empiezan a disparar ráfagas de ametralladora en el corredor descubierto desde donde siguen el juicio. Esto me indigna y protesto:

—¡Carajo! ¿Qué es lo que está pasando aquí?

En medio del ruido y del desorden, mis palabras no encuentran respuesta. Veo que Raúl se pone de pie y le arranca las insignias del grado de comandante a Díaz, que se ha mantenido imperturbable. El tribunal encuentra culpable al acusado, pero se reserva la pena a imponerle.

A la mañana siguiente se me acercan discretamente algunos oficiales.

—Oiga, comandante —me dice uno de ellos—, lo que está pasando aquí no está claro. Hay más detrás de esto. Es falso que haya una conspiración. Son celos e intrigas, puras intrigas.

Me entero más tarde de que a Higinio Díaz lo han condenado a diez años de cárcel. Si necesitaba más elementos de juicio, esta sentencia viene a confirmar que algo raro se esconde detrás de toda la supuesta conspiración. En un ejército en tiempo de guerra la conspiración se paga con la vida. Creo que me he prestado para una farsa. No se habla más del asunto.

Establezco mi comandancia provisional en el pueblo de La Prueba, por primera vez, en una casa bien cuidada y limpia. Con Raúl, Lussón y otros oficiales definimos los límites del territorio para evitar interferencias cuando la Columna 9 comience a combatir en la zona por liberar.

Para todos, Vilma Espín es la pareja de Raúl. Actúa como su secretaria y siempre está a su lado, aunque se muestra muy libre, como ajena a un compromiso de ese carácter. Los más enterados dicen que es novia de un rebelde conocido como comandante Nicaragua. Le entusiasma que se fijen en ella; es inteligente y agraciada. Se lo digo y se ríe. Ella es la representante del Movimiento 26 de Julio en este frente. Toma fotografías aquí y allá y me pide que en varias de ellas aparezcamos juntos. Vilma me presenta a dos recién llegados: Lina Ruz, la madre de Fidel y Raúl, quien parece ser una buena persona, y Ramón, hermano de éstos. Ramón hace de enlace entre el Segundo Frente y los sectores civiles.

El Segundo Frente tiene una admirable organización administrativa. Se cobran impuestos, se abren caminos con motoniveladoras y se realizan otras funciones propias de un gobierno. Hay campos de aterrizaje camuflados. Pero ni el ejército ni la aviación atacan como en la sierra, donde los enfrentamientos son constantes y los aviones lanzan un cohete hasta contra un jinete en un mulo. Allá en la sierra se está a la ofensiva y aquí a la defensiva, al menos en el presente; por eso el ejército no distrae sus recursos. El Segundo Frente es el pequeño feudo de Raúl. Hay rebeldes de todas las extracciones, con ninguna, mediana o refinada preparación intelectual; pero predominan los burócratas. Son los que le han dado la estructura, la organización y la fisonomía tan especial a este campamento. En ese sentido resultan muy útiles, aun cuando no tengan condiciones de combatientes. Todos están afeitados y con camisas irreprochablemente limpias y de manga corta. Mis guerrilleros son muy disciplinados pero parecen de un ejército diferente. Obviamente tenemos prioridades distintas.

Le planteo a Raúl la situación de mi tropa. Los hombres andan con la ropa remendada o medio desbaratada. Por orden suya se entrega un uniforme completo y zapatos a cada uno de los nuestros. Napoleón Béquer recibe algunos fondos para comprar provisiones en el camino.

Elaboro el plan de campaña para enviárselo a Fidel y le comento, en nota aparte, la ayuda de su hermano, a quien adorno con algún elogio no del todo sincero. Como mensajero elijo a un chico de trece años, Pedrito, un guajiro de la sierra que puede pasar con todo disimulo entre las fuerzas enemigas. Tiene la rara condición de manejarse en sus cosas como un adulto. De él se cuentan historias muy simpáticas, por ejemplo, la frecuencia con que en su papel de guajirito ha dormido en las estaciones de policía, llevando entre sus ropas mensajes importantes. Se hace querer y compadecer para filtrarse entre las filas enemigas, o las evita inteligentemente.

Pedrito cose a sus calzoncillos el mensaje para Fidel, un comprometedor documento que puede acarrearnos serios problemas si cae en poder del ejército. Contiene todo un plan de operaciones a gran escala. Pero tenemos confianza en su misión porque este niño es uno de los mejores mensajeros del Ejército Rebelde.

Como las lluvias torrenciales me impiden la marcha, aprovecho para ponerme al día sobre la situación de la campaña insurreccional en otros frentes. Las columnas del Che y de Camilo están ya operando en la provincia de Las Villas, después de sortear muchas dificultades atravesando la provincia de Camagüey durante el mes de septiembre. Los encuentros con el ejército no fueron intensos ni tampoco numerosos; pero las dos columnas tuvieron que encarar los serios inconvenientes de los pantanos próximos a la costa sur, la falta de abastecimientos y de buenos guías, además de la presión del enemigo que montó varias emboscadas en la ruta.

Una baja muy sensible en la tropa de Camilo ha sido la muerte del teniente Zenén Mariño, quien fue capturado por el ejército y asesinado cuando, vestido de campesino, exploraba un tramo de la ruta al sur de Camagüey. Esta noticia es muy triste para mí. Zenén quería permanecer con su guerrilla bajo nuestro mando y yo tenía interés en que fuera así; pero la decisión no estaba en sus manos ni en las mías. Era un muchacho admirable, valía como oficial rebelde y como persona.

El Che ha entrado a Las Villas, pasando al sur del pueblo de Jatibonico, y Camilo al norte de este lugar. En esa provincia operan varios grupos guerrilleros con poca actividad: el de Víctor Bordón, de filiación 26 de Julio, el de Eloy Gutiérrez Menoyo, llamado Segundo

Frente del Escambray, así como una guerrilla de inclinación comunista en la zona de Yaguajay, lidereada por Félix Torres.

Mientras tanto, en los llanos del Cauto, al centro de nuestra provincia, está abriéndose paso la Columna 12 bajo el mando del comandante Lalo Sardiñas. Hay además otras unidades guerrilleras procedentes de la sierra que marchan a ampliar los escenarios de combate en la mitad oriental del país. Desde el momento en que el ejército fracasó en las montañas durante la ofensiva de primavera, el avance rebelde es continuo. Nuestra columna atrajo tropas enemigas para que Camilo y el Che pudieran salir de Oriente y cruzar Camagüey hasta Las Villas. Ahora nos corresponde marchar hacia Santiago, la segunda ciudad del país, desde donde se moviliza la mayor concentración de tropas del ejército en esta guerra. Tenemos que dominar el área y crear las condiciones para el asalto final a la ciudad.

23
Hacia Santiago de Cuba

—Es un telegrama para usted.
Leo y releo el texto sin entender bien lo que
dice: CARMEN LUISA NACIÓ FELIZMENTE. LA
MADRE SE ENCUENTRA BIEN. TE RECORDAMOS.
CARIÑOS.

El 8 de octubre por la tarde dejamos La Prueba. Nos acompañan varios guías muy valiosos que nos dio Raúl. La columna avanza lentamente por los caminos fangosos. Vamos en dirección del Central Algodonal, pasando cerca de Jutinicú. Después de una trabajosa marcha, ya en la madrugada, nos tiramos a dormir sobre una gruesa capa de fango en un cañaveral. Cuando amanece, arrestamos temporalmente a unos campesinos que nos han visto. Aunque la población civil está cada vez más identificada con el Ejército Rebelde, no podemos arriesgarnos a una delación.

Sigo comentando con mis hombres que nuestra meta es Camagüey. Los oficiales de la tropa están confundidos, porque éste no es el camino a Camagüey. No desconfío de ellos, pero la guerra tiene sus reglas y la misión de la Columna 9 es importante.

Durante gran parte del día 9 escuchamos tiroteos cercanos, luego fuego de mortero. Dispongo los pelotones en posición de combate, escondidos en una tupida vegetación de bambú al lado de un río, y aguardo mayor información. Si el ejército viene creyendo que somos un grupo de escopeteros se llevará una sorpresa; pero el fuego se atenúa y cesa la alarma. En la noche, a pesar de que el agua de los ríos no ha bajado, reiniciamos la marcha. Al amanecer cruzamos el río Guaninicún.

Llegamos al municipio de El Caney, contiguo a Santiago de Cuba. Es un importante nudo de comunicaciones. Por aquí pasan el ferrocarril central y las diferentes carreteras que unen la capital de la provincia con el resto del país. Además lo atraviesan las líneas telefónicas, las telegráficas y el tendido eléctrico de alto voltaje. Es una zona agrícola y minera donde se extrae manganeso para la exportación, aunque la industria minera está paralizada por la guerra. Los vecinos que nos ven se alarman y nos advierten que estamos en un área peligrosa. Este municipio y los inmediatos, donde vamos a operar, están bajo el control del gobierno.

En la noche del 10 acampamos en Barajagua, cerca de El Cristo, un pueblo de cierta importancia. Aquí el ejército tiene presencia permanente aunque debería ser más numerosa por la situación de guerra; sin duda no nos esperan. Establezco mi puesto de mando en la tienda de Luis Franco, un valioso militante del Movimiento 26 de Julio, que nos brinda ayuda total y se incorpora de inmediato al Ejército Rebelde. Envío a varios grupos a vigilar los movimientos del enemigo y asegurar el control de los sitios estratégicos. Concedo ascensos, entre ellos el grado de capitán al teniente Antolín Quiroga, que deben ser confirmados por la Comandancia General.

Muy temprano, el día 11, iniciamos la confrontación al ocupar un tramo de la carretera entre Santiago y Guantánamo, llamado la Curva de la Ese. Estamos a veinte minutos de Santiago, capital de la provincia y la plaza más importante de todo el escenario de operaciones en esta guerra. Según la información que disponemos, hay en Santiago una guarnición de más de cuatro mil efectivos, entre ejército, marina, fuerza aérea y policía. En el despliegue hemos colocado una unidad en el cerro que domina la vía, para proteger a quienes toman la carretera. Estamos a menos de quinientos metros del cuartel de El Cristo. Esta provocación es para atraer al ejército y demostrarle que su control del área ha terminado. No tenemos municiones para un combate prolongado pero cruzaremos fuego con el adversario, le haremos algunas bajas y nos replegaremos cuando nos convenga.

Parece que hemos hecho impacto en el mando de Santiago, porque demora su respuesta; debe de haber interpretado nuestra acción como un reto. Intensificamos la provocación incautando vehículos, registrándolos, tomando mercancía de los camiones. Quedan en nuestro poder toneladas de manteca, harina, arroz, telas y otros productos. Nos apoderamos de algunos vehículos de doble tracción y notificamos a sus choferes que cuando triunfe la insurrección se pagarán los daños. Los camiones que no nos interesan los sacamos de la carretera y le decimos a los choferes que vengan después por ellos. Con los automovilistas que dejamos pasar hacia Santiago enviamos recados al ejército: «Que aquí los estamos esperando». Procedemos como los dueños de la situación, es decir, dueños de la ruta interceptada y de su entorno.

El enemigo envía algunos vehículos particulares conducidos por soldados vestidos de civil, pero los descubrimos. Uno de estos automóviles intenta atravesar nuestro bloqueo y recibe una lluvia de disparos, estrellándose fuera de la carretera. En la inspección de las guaguas se producen algunos incidentes, uno de ellos lamentable. En un ómnibus viaja un sargento del ejército vestido de civil. Al ver ingresar tres guerrilleros al vehículo, el hombre saca su arma e intenta disparar, pero no se le da tiempo y cae allí, en medio de los despavoridos pasajeros.

Son las once de la mañana y el ejército no responde todavía. El objetivo de impresionarlos se ha logrado y como llegamos desde el amanecer, ordeno la retirada. Miro hacia la cúspide del cerro, donde tenemos de vigía a un joven con una gorra negra en su cabeza, pero no lo veo. Mando a buscarlo y el muchacho no aparece. No da señales de vida por ninguna parte; cuando nos alejamos quedo preocupado por su suerte.

Unas tres horas después, a través de los prismáticos lo veo en la cima del cerro, allí solitario, como si fuera una bandera. Sin saberlo, ha estado solo todo este tiempo haciendo creer a los soldados que todavía permanecemos en el lugar. Nos resulta gracioso ver al confiado rebelde, ajeno a su situación y sin ningún apoyo. Mando diez hombres a traerlo. Salvó su vida de milagro y lo festejamos entre bromas.

Queremos dominar la zona con el menor número de bajas y debo ahorrar nuestras municiones. El 13 de octubre, al caer la noche, atacamos el cuartel de El Cristo para obligar al mando militar de Santiago de Cuba a enviar refuerzos. Tenemos dos emboscadas con minas: una principal en la Curva de la Ese, bajo el mando de los tenientes Roberto Ruiz y Roberto Elías. Ésta debe atacar a los efectivos del ejército que vengan de Santiago. La otra emboscada, ubicada cerca del puente de Jagua, entre El Cristo y Alto Songo, está dirigida por los tenientes Evelio Rodríguez y Vivino Teruel; tiene como misión atacar al refuerzo que venga desde La Maya o Guantánamo.

No tenemos apuro por tomar el cuartel de El Cristo, pero le hacemos fuego de hostigamiento. También lanzamos cócteles Molotov, que no dan resultado por la protección de telas metálicas instaladas recientemente. El ejército no manda tropas en auxilio de la posición atacada. La respuesta es el envío de dos aviones pequeños que disparan a ciegas en la noche, hiriendo a civiles del pueblo. Después de cuatro horas de acoso, nos retiramos convencidos de que ahora aumentarán la guarnición en este cuartel y habrá más armas a capturar en su momento.

Inmediatamente después, divido la columna para reforzar el control de las posiciones estratégicas que el enemigo inexplicablemente ha descuidado. Uno de estos puntos es la altura de Puerto Boniato, que nos da el dominio absoluto de la carretera Santiago-San Luis. La cerramos como adelanto en la operación del cerco a Santiago. Distribuyo las unidades de la columna de acuerdo con el plan que tengo elaborado.[1] Me reservo la Unidad Móvil, un personal escogido, cuyo jefe es el teniente Filiberto Álvarez «el Negro», para desplazarlo en cualquier dirección según las circunstancias.

Debemos forzar al ejército a un combate donde podamos desmoralizarlo, bien porque lo derrotemos o porque tenga que retirarse. Es necesario que el alto mando en Santiago y todas las tropas que dirige se convenzan de que controlamos la zona y estamos aquí dispuestos a combatirlos frontalmente. Tengo fe en mis hombres y en la mística guerrillera de la Columna 9.

Recorro la zona, donde predominan los verdes cañaverales, en busca de un lugar adecuado, y lo encuentro en el alto del Quemado, una colina de roca caliza cubierta por la vegetación, en el camino a la loma del Gato,[2] a unos tres kilómetros de la carretera entre Santiago y Guantánamo. Si provocamos a los militares en esa carretera los obligaremos a venir hasta acá. Hacemos buenas trincheras y situamos al teniente Raúl Barandela con la escuadra elite, reforzada con algunos hombres. Me reservo un contingente muy bueno, para atacar por sorpresa.

El adversario ha estado evadiendo el combate. Como sabemos que constantemente recibe información sobre nuestros movimientos, lo mortificamos poniendo un cartel en la carretera Santiago-Guantánamo, justamente en el Cruce de Jagua. Dice así: TERRITORIO LIBRE. COLUMNA 9, ANTONIO GUITERAS. Aquí quemamos algunos vehículos y concentramos nuestra actividad y presencia.

Cuando estamos en estos preparativos me entregan un papel que me envía el doctor Mario Casanellas, director de los Colegios Internacionales de El Cristo, ubicados en el área que le estamos disputando al ejército.

1. Distribución inicial de las unidades de la Columna 9 en la zona de Santiago: El Pelotón 1 (de vanguardia), al mando del capitán Paco Cabrera, con su base en Barajagua, cubre la zona de El Cristo y Boniato. El capitán Pérez Álamo, con el Pelotón 2, opera desde el Alto del Villalón, como responsable de la zona de El Caney, situando avanzadas en El Escandel y otros lugares. El capitán Antolín Quiroga, con el Pelotón 3, queda a cargo de la cordillera de Puerto Boniato y de una amplia zona al sur de San Luis y Dos Caminos hasta la Carretera Central. (N. del A.)

2. Loma del Gato: lugar histórico de la Guerra de Independencia donde murió el general José Maceo. (N. del A.)

—Es un telegrama para usted.

Leo y releo el texto sin entender bien lo que dice: CARMEN LUISA NACIÓ FELIZMENTE. LA MADRE SE ENCUENTRA BIEN. TE RECORDAMOS. CARIÑOS.

Por unos segundos quedo fuera de la realidad. Confundido o emocionado, no sé, mis ojos se quedan fijos en estas significativas líneas. ¡Ya llegó el hijo que estaba por nacer! Y es una niña... Carmen Luisa. Cuando me despedí de mi mujer en Costa Rica, pedí que si era un varón le llamara Fidel Alejandro, ignorando entonces que el segundo nombre de Fidel Castro es precisamente, Alejandro. Lo cierto es que no es ni Fidel ni Alejandro. ¡Es Carmen Luisa! Carmen por su abuela materna, y Luisa por mi esposa María Luisa. Con toda seguridad, una bella niña a la que espero poder mimar un día.

Carmen Luisa nació el 12 de octubre en San José de Costa Rica. La información tardó tres días en llegar a mis manos. Es como una ventana que se abre en medio del fragor y la total dedicación a la guerra.

Guardo el telegrama en el bolsillo y me detengo unos minutos en la falda de la colina, observando un verde y ondulado paisaje de cañaverales y palmas reales, mientras mi pensamiento remonta la distancia con un mundo de amor y añoranza hacia mis seres queridos.

¡Por fin llega el ejército en camiones! Nuestra patrulla en el cruce de la carretera, simulando una prudente retirada, se repliega por el camino atrayendo al adversario hacia el alto del Quemado. La tropa del ejército está apoyada por carros blindados y por la aviación. Respaldados por su imponente superioridad numérica y por la metralla de los aviones y los cañonazos de las tanquetas, los soldados persiguen a los nuestros sin sospechar lo que les espera. En el momento indicado nuestra gente responde con un fuego intenso desde la posición atrincherada, un vendaval de plomo y pólvora en medio de la tarde. Nuestros rebeldes demuestran una seguridad temeraria, combaten e insultan al enemigo como una forma más de provocación. Son guerrilleros veteranos, hombres muy probados en las luchas de la sierra. Los soldados no esperaban la solidez de nuestro atrincheramiento y quizá por eso detienen su avance y combaten a distancia. No llegan hasta donde tenemos una mina enterrada en el camino.

Mientras el combate se intensifica, me muevo rápidamente con el grupo de refuerzo, atravesando el cañaveral aledaño para atacar por el flanco. Pero los aviones detectan nuestro movimiento y nos ametrallan persistentemente, demorando nuestro avance.

El enemigo, avisado por los pilotos de la amenaza que le viene por el flanco, e imposibilitado de avanzar ante la férrea resistencia, desaloja apresuradamente el terreno, sin dejar de hacer fuego en su retirada. Los aviones siguen atacándonos con furia hasta el oscurecer.

No sé cuántos heridos y muertos cargan en sus camiones pero la derrota pudo haberles resultado mucho más costosa; lo importante es que logramos imponer nuestra superioridad en la pelea. Seguro que se van convencidos de nuestra determinación de ganar la guerra y de nuestra capacidad para lograrlo.

Curiosamente, el rebelde que había quedado antes solo en la cima del cerro es protagonista ahora de un episodio menos divertido. Al llegar nosotros desde el flanco al sector de las trincheras, tras la fuga del ejército, el muchacho salió de la línea de defensa disparándonos su arma; le respondimos participando involuntariamente en su confusión. Felizmente nadie es alcanzado por las balas. Hechos como éste sólo se producen en tropas como la nuestra, donde luchan juntos combatientes de primera con novatos bien intencionados y llenos de coraje.

Acabo por establecer mi comandancia en una colina junto al caserío de Matayegua, entre los pueblos de El Cristo y El Caney. Luego de recorrer la zona me parece el lugar ideal. Hay un cruce de caminos y nuestro campamento está protegido por una densa vegetación en la que se destacan los cafetales con su sombra de árboles frutales. La seguridad de la comandancia queda a cargo del personal de escolta que manda el teniente José Martí Ballester. En este caserío hemos encontrado la entusiasta cooperación de Chicho Aranda, un hombre modesto y valioso que pone a nuestro servicio su casa, la bodega, una panadería y su esfuerzo personal.

Sin dar tregua lanzo las guerrillas de la Columna 9 a hostigar al ejército donde quiera que lo encuentren. Los enfrentamientos son constantes. Antolín Quiroga y sus hombres emboscaron a una patrulla de soldados que se dirigía en *jeeps* a la estación de La Microonda en Puerto Pelado. Las escuadras de los tenientes Evelio Rodríguez, Roberto Elías, Vivino Teruel, Gregorio Junco y Roberto Ruiz, incursionan una y otra vez en la carretera Santiago-Guantánamo, desde San Vicente hasta la proximidad de Alto Songo. El puente sobre el río Guaninicún queda semidestruido e intransitable. El capitán Paco Cabrera tiende una emboscada en el puente de Barbacoa al tren procedente de Santiago, que viene con una fuerte custodia militar, y lo hace retroceder. Tres días después una delegación del sindicato ferroviario de Santiago nos visita, dispuesta a paralizar el movimiento de los trenes cuando lo ordenemos. Optamos por dañar la vía férrea para que los represivos de Batista no les pasen la cuenta por colaborar con la insurrección.

Tengo que ir a la comandancia de Juan Almeida a recoger las municiones que Fidel nos envía. También, por instrucciones suyas, debo conversar con Almeida. Para explorar la zona, voy a pie con una escolta de seis hombres. Como no andamos en misión de combate atravesamos de noche las afueras de Santiago de Cuba.

Las luces de la ciudad me hacen recordar los cuatro años que viví aquí cuando estudiaba para maestro, y las frecuentes visitas que luego hice como dirigente magisterial. Siempre me impresionó la topografía de Santiago. La ciudad, sobre lomas y colinas, está rodeada por un semicírculo montañoso que desciende hasta la bahía. Lo que antes era un entrañable paisaje, ahora, en la oscuridad y acompañado de un grupo de guerrilleros silenciosos, lo estudio como el campo de operaciones de la Columna 9. La toma de Santiago será el triunfo de la Revolución.

Cuando llego a la zona de Almeida me encuentro con la sorpresa de que tienen detenidos a varios ejecutivos de la Texaco, compañía norteamericana que posee una refinería próxima a la entrada de la bahía. No intervengo en el asunto. Pienso que resulta inconveniente buscar fricciones con una empresa extranjera. Me entero luego de que se están haciendo negociaciones para ponerlos en libertad.

De mi nueva entrevista con Almeida tampoco surge nada esclarecedor. Le escribo a Fidel informándole de los planes y de la situación actual. Recojo las municiones y regreso sin pérdida de tiempo.

En el territorio que vamos liberando, un grupo de rebeldes bajo las órdenes de Béquer almacena y distribuye alimentos, ropa y otros recursos con los que también asistimos a los civiles.

El abogado santiaguero Enrique Marimón es el auditor y el reverendo Mario Casanellas es nuestro tesorero. Casanellas es el director de los Colegios Internacionales de El Cristo, el establecimiento educacional más grande de la zona. Un hombre de mucho prestigio y amigo de nuestra familia. Así delegamos funciones a la población civil que tanto apoyo nos brinda. La columna tiene un taller para fabricar uniformes donde trabajan mujeres. En el área hemos abierto escuelas que estaban cerradas y creado algunas nuevas.

Con una planta de radio de onda corta nos comunicamos directamente con la sierra y con todo el país. A través de un equipo móvil estoy en contacto con nuestras principales unidades, que se mantienen atacando constantemente. Pablo Vasilief, un ingeniero santiaguero recién incorporado, a quien llaman «el Ruso», es de gran ayuda en el departamento de comunicaciones radiofónicas que está bajo la responsabilidad del teniente Carlos Álvarez. También instalamos una red telefónica que une a la comandancia con las más importantes posiciones y dependencias de la Columna 9. Valentín Ladrón de Guevara[1] tiene a su cargo el sistema de comunicaciones telefónicas.

Dentro de la intensa actividad que está realizando la tropa, nos visitan dirigentes del Movimiento 26 de Julio que actúan en el Llano, principalmente en Santiago. Mantengo provechosas conversaciones con ellos y coordinamos los pasos a seguir dentro de una acción conjunta. También nos visitan representantes de los empresarios, sindicalistas, intelectuales, religiosos, profesionales, etcétera, lo que me obliga a debutar en la paciente y política actividad de las relaciones públicas. Para coordinar estas actividades cuento con Marina García, la rebelde que antes servía de correo al campamento de Almeida. Ella, con la asistencia de Miriam, hermana del teniente Línder Calzadilla, es extraordinariamente útil.

Ya es un hecho irreversible la continuidad del territorio rebelde entre la Sierra Maestra y la sierra del Cristal, con lo que hemos alcanzado el primer objetivo del plan de campaña, aunque el gobierno tenga todavía algunos cuarteles en el escenario de nuestra acción.

1. Ladrón de Guevara murió en el avión de Cubana que explotó, por sabotaje, en vuelo de Barbados en Octubre de 1976. *(N. del A.)*

24
El cerco de Santiago

> ¡Comandante... una retirada a tiempo vale
> un millón de pesos!

El 28 de octubre iniciamos el cerco a la capital provincial. Se trata de una operación atrevida porque nosotros disponemos de unos ciento cincuenta hombres armados, mientras que en la ciudad de Santiago, según la información que tenemos, la dictadura cuenta con unos cinco mil hombres. Esto incluye los efectivos de siete cuarteles que tenemos entre nosotros y a nuestras espaldas: El Caney, El Cristo, Alto Songo, La Maya, Boniato, Puerto Pelado y San Luis. Estos cuarteles no son serios obstáculos en nuestro plan porque la guerra que hacemos los obliga a la defensiva. En algunos casos más bien los usamos como cebo para obligar al ejército a venir a socorrerlos. La diferencia en el número de combatientes no es tan desventajosa como parece. En una guerra irregular cada insurgente puede enfrentar unos cuantos soldados de un ejército convencional. La topografía en que operamos es muy favorable a nuestra estrategia y tácticas. Además, la Columna 9 tiene un arma formidable: la mística que ha ido creándose sobre el valor y la capacidad guerrera de sus hombres. Este factor psicológico funciona en dos planos: primero, nuestros rebeldes van con entera determinación a donde los mando, dispuestos a lo que sea; segundo, los soldados que los enfrentan saben que esta fuerza guerrillera tuvo un papel decisivo en la derrota de la tropa elite de su ejército, las fuerzas al mando del coronel Sánchez Mosquera en Santo Domingo y El Naranjo.

Santiago de Cuba está asentada en el extremo de una bahía alargada con una entrada estrecha. Al este de la ciudad se encuentra la zona de Siboney; es un área turística de relativa importancia estratégica. En esa zona hay un cuartel de la marina de guerra y una carretera que une al pintoresco pueblito de Siboney con la ciudad. Del lado oeste de la bahía hay grandes extensiones despobladas. En este lado se encuentra la refinería Texaco. Hacia el norte de la ciudad están las vías de comunicación, arterias vitales que enlazan con el resto del país.

Como Santiago está rodeada por un semicírculo montañoso, nos basta con establecer posiciones fuertes para mantener bloqueado el tránsito ferroviario y por carretera, hacia y desde la ciudad. Eso justamente es lo que estamos haciendo. Tenemos cinco fuerzas guerrilleras controlando el semicírculo en los lugares clave.[1]

De manera que todas las vías terrestres que comunican a Santiago de Cuba con el resto del país están controladas o interferidas por nuestras unidades. Mantenemos una presión permanente sobre las fuerzas del gobierno; una situación desmoralizante para los militares, obligados a darnos batalla si quieren romper el cerco.

La Columna 3, de Almeida, y la 10 de René de los Santos, ocupan el territorio al oeste de Santiago, entre el mar y la Carretera Central, vía que teóricamente debe bloquear el comandante Juan Almeida. Dudo que sus tropas tengan mucho que hacer en esta batalla del cerco, pues por razones obvias somos nosotros los que estamos atenazando a la ciudad. La zona que les corresponde al oeste de Santiago está muy poco poblada.

El día 29 de octubre, una avanzada rebelde situada en el caserío de La Torre, cerca de El Cristo, detectó una fuerza del ejército que venía de La Maya y se desplazó por un viejo camino, llamado de Wilson,

---

1. Distribución de la fuerza guerrillera en la etapa inicial del cerco de Santiago: Sector uno: en Siboney y el macizo de la Gran Piedra está el capitán Miguel Ángel Ruiz Maceira con su pelotón. Esta unidad tiene su base en Firmeza y patrullas en la carretera Santiago-Siboney, interfiriendo dicha vía. Sector dos: contiguo al anterior, hacia el oeste, está la zona de El Caney, que incluye también el Country Club, el alto del Escandel y el alto de Villalón. En el área está el capitán Dunney Pérez Álamo, cuyas patrullas interfieren en la carretera Santiago-Caney, sin bloquearla completamente porque nos sirve para el acceso de personas y aprovisionamiento desde la capital provincial hasta nuestro territorio y el de Raúl Castro. Sector tres: el capitán Francisco Cabrera controla la importante zona entre el alto de Villalón y las proximidades de Boniato, así como la carretera entre El Caney y Boniato. Sus patrullas tienen cortado el ferrocarril central que comunica Santiago con el resto del país. También bloquean el tránsito de la carretera Santiago-Guantánamo. En el área se encuentra el pueblo de El Cristo, el macizo de El Bonete y el vallecito de Dos Bocas y San Vicente. Sector cuatro: hacia el oeste, casi terminando el semicírculo del cerco, el capitán Antolín Quiroga y su Pelotón 3 controlan la cordillera de Puerto Boniato con excepción de Puerto Pelado donde se encuentra La Microonda, una fortaleza con la más importante estación de comunicaciones militares de la dictadura en la provincia. Quiroga tiene cortado el tránsito en la carretera Santiago-San Luis. Este sector llega hasta el borde norte de la Carretera Central, interfiriéndola desde las proximidades de Puerto Boniato hasta Puerto de Moya y al sur de San Luis. Sector cinco: hacia el extremo oeste del semicírculo está la guerrilla del teniente José Milán, cerca de Palma Soriano y al norte de la Carretera Central. (N. del A.)

utilizado ahora como desvío por el sabotaje que hicimos al puente del río Guaninicún. No se le disparó, para dar la impresión de que el desvío está sin vigilancia y preparar una buena emboscada cuando intente recorrer de nuevo la ruta.

Esa misma tarde nuestro servicio de inteligencia nos informó que el contingente que cruzó por el desvío llegó a Santiago y regresará al día siguiente con el pago para el personal militar destacado en la zona.

En la madrugada del 30 preparamos una emboscada que queda a cargo de los capitanes Duque y Cabrera. Damos instrucciones a nuestras patrullas en diferentes puntos de la carretera, de no interferir al convoy esperado.

A la una del mediodía entra el contingente. Trae delante un camión blindado con planchas de acero y sacos de arena; le siguen seis carros patrulleros artillados. Desde el camión los soldados perciben algo que les hace entender la inminencia del ataque rebelde y dan voces de alerta. Duque hace estallar la mina sin acertar a dañar el camión y se generaliza un violento combate. El teniente Evelio Rodríguez y otros compañeros se lanzan al asalto del vehículo pero antes de llegar, Evelio cae herido. Varios rebeldes corren a rescatarlo pero él, convencido de que su herida es mortal, rechaza que lo saquen de allí y les dice:

—¡Sigan, sigan el ataque, ya conmigo no hay nada que hacer!

Después de dos horas de combate el contingente es destruido. Nosotros perdimos tres hombres: Israel Martínez, «el Gallego», el guajiro que salvó la vida milagrosamente cuando nos encontramos frente a las filas enemigas en el combate de Providencia. Ángel Mendoza, joven y valiente. Evelio Rodríguez, compañero de la expedición de Costa Rica y de muchos momentos difíciles. Un buen oficial de tropa con un coraje admirable. Hombre de ideales que había puesto lo mejor de su vida al servicio del pueblo cubano. Es la pérdida más sensible que ha tenido la Columna 9. Su muerte me entristece.

Recogemos nuestros muertos y heridos y nos retiramos llevando como prisioneros a los militares que sobrevivieron; dejamos que el ejército recoja a sus muertos apoyado en un refuerzo que llega tardíamente con blindados y fuego aéreo. Conviene que los que han llegado vean destrozado todo el convoy y le den sepultura a los suyos en el cementerio de Santiago.

En la capitanía de Cabrera, en Barajagua, velamos a los tres compañeros caídos y a un soldado que recogimos gravemente herido y que murió camino del hospital. Los cuatro ataúdes han sido cubiertos con banderas cubanas y los honores son idénticos para todos. Temprano en la mañana del 31 de octubre les damos sepultura en la proximidad de El Avispero, uno de varios caseríos que circundan a El Cristo.

Salgo hacia el área de Siboney, donde se encuentra el grupo rebelde que perteneció a la tropa del comandante Nino Díaz, el oficial que Raúl Castro hizo juzgar por conspiración y que está cumpliendo su condena. Sus guerrilleros están incorporados a la Columna 9 por orden de Fidel y operan ya bajo mi mando. Voy a reunirme con ellos para estrechar vínculos. Pretendo también traerme a los más aptos para que me acompañen mañana en la noche en una sorpresiva entrada a la ciudad de Santiago, de donde son casi todos.

El grupo cuenta con pocas armas, pero tiene un médico y un hospital. La carencia de un hospital es para nosotros un verdadero dolor de cabeza. Cuando requerimos servicios médicos para los heridos, debemos enviar a algunos hombres en busca de un profesional a Santiago.

Vamos hacia Siboney en dos vehículos, dando un enorme rodeo que atraviesa en parte el macizo de la Gran Piedra. El camino está en las peores condiciones: fangoso en algunos sectores y en otros accidentado por las sinuosidades montañosas. Fue hecho para extraer madera en camiones de doble tracción. Una ruta difícil y estrecha labrada en el costado de la montaña. En la parte llana, al cruzar pantanos, se funde el motor de una camioneta con buena capacidad y tracción en sus cuatro ruedas. Nos prestan un *jeep* destartalado; no tiene luces ni frenos. Nos repartimos en los dos vehículos. A mi lado va conduciendo el capitán Larrea, recién incorporado a nuestra columna con un grupo de escopeteros.

Nos mantenemos a corta distancia. Al terminar la parte fangosa cruzamos varias veces un río donde los *jeeps* parecen nadar. Salimos del área y seguimos, ya de noche, por la parte montañosa.

Como nuestro *jeep* no tiene frenos ni luces, confiamos en los focos del vehículo que, a nuestras espaldas, viene alumbrando el camino.

Aparentemente no corremos mucho peligro porque de un lado tenemos la pared montañosa y del otro el precipicio. Ante cualquier problema el carro se tira contra el costado de roca y se detiene. Esto parece algo insensato, pero en este andar de combatientes nos hemos acostumbrado a cualquier locura.

Cuando estamos en el tope de una de las alturas, nuestro chofer, Larrea, hace un cambio de velocidad para iniciar el descenso, pero tiene dificultades: la palanca de los cambios queda en neutro. El vehículo toma velocidad camino abajo. Se va distanciando rápidamente del de atrás. Pienso que Larrea resolverá esta situación tirando el *jeep* hacia el costado de la montaña para evitar el precipicio. Los seis hombres que lo ocupamos estamos tensos. El automóvil es descapotado, completamente abierto.

Por fin Larrea enfila el *jeep* contra el costado rocoso, tratando de pararlo. Pero el vehículo, impulsado, rebota hacia el precipicio. Larrea se lleva las manos a la cabeza: «¡Ay mi madre!», exclama, lanzándose del carro. Los otros cuatro hacen lo mismo casi simultáneamente. Quedo solo en el vehículo, que se desploma hacia el abismo oscuro. Intento saltar, pero la correa de mi M-3 se enreda con la palanca de velocidades. Me gritan: «¡Huber!... ¡Huber!»... Pero voy hacia el vacío. La oscuridad es una boca que me traga. Logro zafarme, al fin, del M-3 con su maldita correa. Doy un salto similar al de los paracaidistas. No sé si doy vueltas en el aire. Creo que ésta sí es la muerte.

Debo de haber perdido el conocimiento. Cuando atino a moverme me doy cuenta de que estoy vivo. Arriba veo el zigzagueo de linternas y escucho voces muy fuertes. No puedo articular palabra. Me sangra la nariz y estoy seguro de haberme roto algunas costillas.

Las luces se acercan. Me encuentran sobre una roca a quince o más metros del borde del precipicio. Del *jeep* ni sombras. Ha ido a estrellarse probablemente doscientos metros más abajo. Me levantan con mucho cuidado. Todavía no puedo hablar bien. «Es un milagro... un milagro», dice uno de mis compañeros. Es la madrugada del primero de noviembre de 1958. Estoy adolorido, pero la sangre ha cesado. Tengo verdaderos problemas cuando más necesito estar bien. Esta noche hay que entrar a Santiago de Cuba. Mi preciado M-3 se perdió e insisto en que hagan todo lo posible por encontrarlo. Prometen buscarlo durante el día, pero no quiero irme sin el arma. Al fin, con una linterna, la encuentran. Me colocan trabajosamente en el *jeep* que nos queda; y donde, como un racimo, tratamos de acomodarnos. No cabemos y algunos continúan a pie.

Llegamos por la mañana al campamento donde nos esperaban. Sobrellevo la molestia del dolor sin dar señales externas. El jefe ha de cuidar su imagen más que su vida, aunque no sea valiente.

Todos comentan con asombro que no haya muerto en el precipicio. El médico localiza tres costillas rotas en la parte izquierda y me venda para inmovilizarlas; unas pastillas me alivian un poco. A pesar de todo, puedo caminar.

Reviso cuidadosamente la tropa y doy instrucciones al personal que permanecerá en esta unidad. Inicio el regreso llevándome los rebeldes que he seleccionado. La gente de combate que está aquí no es muy numerosa, pero es buena. Van dos capitanes: Miguel Ruiz Maceira y Rosendo Lugo. También nos traemos al médico, el doctor Juan Luis Vidal, muy competente, por cierto.

Utilizando un camino más corto regresamos a la comandancia en la tarde. Aquí me esperan varios de los oficiales que entrarán a Santiago por la noche y con los cuales me pongo de acuerdo en los aspectos fundamentales de la operación.

Al aproximarse la noche nuestra gente se mueve en vehículos hacia un escalón previo en la cercanía de El Caney. Desde aquí avanzamos a pie. En esta operación participan efectivos de los pelotones 1 y 2, así como del personal traído del área de Siboney. Las escuadras del pelotón 2, del capitán Pérez Álamo, se encargarán de abrir fuego de acoso contra las posiciones del ejército en El Caney y en la loma de San Juan, a partir del momento en que estemos entrando en Santiago, para simular que pretendemos tomar la ciudad.

La caminata no es corta y al acercarnos a Santiago siento bastante molestia en el tórax; lo atribuyo a la presión del vendaje de esparadrapo que el doctor Vidal me puso para mantener las costillas quebradas en su lugar. Lo corto con mi cuchillo y trato de no pensar más en el accidente de la madrugada.

Entramos a Santiago por el reparto de Vista Alegre y por otro aledaño. Hacemos la clásica demostración de fuerza, esta vez de un modo alardoso: nos movemos por el lugar como si fuera nuestro patio, descargando las armas al aire, visitando familias, escribiendo letreros con consignas revolucionarias en los muros, en las aceras y calles; cantamos a todo pulmón el himno del 26 de Julio. Pero el ejército no viene a enfrentarnos y tampoco aparecen los carros patrulleros. Contentos, nos retiramos en la madrugada del día 2. Se alcanzó el objetivo principal: hacer una demostración de fuerza y audacia en Santiago en vísperas de las elecciones del día 4.

Dentro de un par de días se celebrará la farsa electoral con que Batista pretende fingir legalidad. Como candidato oficial se presenta Andrés Rivero Agüero, uno de los colaboradores principales del régimen. En la oposición no hay ninguna figura con credibilidad. Esta maniobra debe contar con el visto bueno de Washington; aunque es justo reconocer que los americanos han suspendido la venta de armas a Batista.

El día 2 de noviembre tenemos cercado el cuartel del central Algodonal con el propósito de rendirlo. Éste es un pueblecito con un ingenio azucarero. Sus propietarios son los Marinello, una familia conocida nacionalmente. El dueño principal, Zoilo Marinello, reside en La Habana pero cuenta con esta custodia militar de sus bienes. El más notorio de esta familia es Juan Marinello, escritor y profesor y la más alta figura de los comunistas cubanos.

Aquí en Algodonal alcanzamos nuestro objetivo sin necesidad de combate ni tener que lamentar bajas de uno y otro bando. Después de más de veinticuatro horas de cerco, y mediante conversaciones, logramos un acuerdo: los once militares entregaron el cuartel y las armas, con derecho a marcharse a Santiago o incorporarse a nuestra tropa el que así lo deseara. Su jefe —un sargento— insistió en que no estaba pactando una derrota porque ellos entendían que la Revolución podía ser beneficiosa para Cuba, y nos pidió que militares y rebeldes cantáramos el Himno Nacional. Así lo hicimos.

Como el día 4 son las elecciones, instrumentamos aceleradamente las acciones para darle más presión al cerco. Hay un suburbio de Santiago llamado San Vicente, que desde nuestra llegada a la zona me ha parecido muy apropiado para retar al ejército y derrotarlo. Se trata de un pequeño valle cerca de Boniato, con una cadena de colinas altas a un costado y más bajas del otro. Una hondonada irregular, ideal para ubicar en su momento el grueso de nuestras fuerzas y librar allí una batalla decisiva.

El 3 de noviembre tenemos ya montada nuestra emboscada con sus puntos más fuertes en San Vicente, utilizando como posiciones atrincheradas los cerros y las construcciones residenciales más apropiadas. Disponemos de algunas minas para destruir tanques, las cuales han sido facilitadas por Raúl Castro. Él se beneficia de nuestro cerco a Santiago, ya que puede sitiar y tomar cuarteles en su amplia zona sin tener que cuidarse de tropas de refuerzo enviadas desde la capital provincial.

Ni el día 3 ni el 4 hay enfrentamiento en San Vicente. El día 5 atacamos el cuartel de El Cristo para obligar al ejército a venir con tropa y darles combate en San Vicente. Si podemos le tomamos el cuartel. Cuando temprano en la mañana nos arrastramos por el terreno para iniciar el ataque, el teniente Línder Calzadilla, que encabeza la escuadra encargada del asalto a una garita, me dice en voz baja, porque estamos muy cerca del enemigo:

—Comandante: ¿adónde va usted?

—A tomar la garita con ustedes —le respondo, sorprendido por la pregunta.

—Usted nos prometió no involucrarse más en acciones de este tipo. No debe arriesgar su vida en pequeñas acciones como ésta, donde puede caer como cualquiera de nosotros.

Sin salir de mi asombro me resisto, moviendo la cabeza en sentido negativo, a aceptar su criterio.

Calzadilla insiste:

—Aunque parezca que estoy incurriendo en desacato, me veo obligado a decirle que los hombres a mi cargo y yo no damos un paso más si usted no se queda aquí. Recuerde lo que nos prometió y le voy a repetir sus palabras: «Más adelante, cuando la columna tenga su mística de combate, voy a cumplir lo que ustedes me piden». Creo que éste es el momento, comandante.

No me ha convencido pero no tengo más alternativa que quedarme. Con un escolta me muevo hacia un punto que me parece óptimo para dirigir la operación. El asalto no consigue el éxito esperado; la garita resiste. El combate se generaliza por tres horas. La aviación nos ataca aquí y también en San Vicente.

En medio del combate nos avisan que el ejército viene hacia acá, que las minas no han funcionado. ¿Qué puede haber sucedido? ¿Habrá fallado el mecanismo de detonación? Al fallar las minas de la emboscada, nuestra fusilería se las ha tenido que ver con los vehículos blindados. Camino unos pasos para buscar un sitio desde el cual vigilar el avance de los tanques sin apartarme de nuestra posición de ataque. Frenarlos es ahora el objetivo.

Un civil que se ha incorporado a la tropa recientemente, y que está en nuestro servicio de inteligencia en la zona, Demetrio Castillo, viejo amigo mío y sin duda un hombre valiente, se me acerca con toda la apariencia de estar preocupado. La columna del ejército está cada vez más cerca y él sabe que si demoramos en marcharnos, la retirada va a ser difícil. Vienen avanzando con sus blindados y disparando contra nuestros fusileros, muy vulnerables en un mano a mano con los tanques, que también nos regalan algunos cañonazos.

Para Demetrio quedan sólo minutos decisivos, todos a favor del enemigo; yo no lo veo así. Hace media hora, cuando empezó a expresarme sus temores, la situación me parecía difícil pero no desesperada como él la ve. Por eso he ordenado persistir en el hostigamiento a los tanques que están ya próximos, con la infantería pegada a las orugas; detrás de los blindados viene el grueso de la tropa.

Ordeno a un grupo de hombres que tomen una altura en la colina que queda a la izquierda: un cerro pequeño en cuya cima hay una casa. Desde allí podrán mantener bajo su fuego la línea del ferrocarril, que el ejército podría utilizar para cortarnos la retirada.

Demetrio sigue repitiéndome:

—Comandante, le digo que estamos perdiendo tiempo. Mire... mire por dónde vienen... nos van a cortar el paso. Hágame caso.

—Cállate, Demetrio, éste no es un asunto que te compete —le digo amistosamente, pero imponiendo las reglas del caso.

El resto de la tropa, que está cercando el cuartel, espera mis órdenes para actuar. Discuto la situación con algunos de mis oficiales. Demetrio se ha quedado silencioso por espacio de algunos minutos. Está nervioso y da pasos sin ir a ningún lugar. Luego, dirigiéndose a mí pero con la mirada perdida, me dice:

—¡Comandante... una retirada a tiempo vale un millón de pesos!

Con esta advertencia se va.

A pesar del momento que estamos viviendo no podemos contener la risa ante la salida de este hombre, que mide de una manera tan especial la importancia de lo que para él es vital: irnos de aquí cuanto antes.

Y, en realidad, es lo que debemos hacer. Mando a retirar a la gente de las distintas posiciones. Y nos vamos, lamentando que el fallo de las minas nos desbarate la operación y al mismo tiempo riéndonos de la singular ocurrencia de Demetrio: «¡Comandante... una retirada a tiempo vale un millón de pesos!».

El ejército entra hasta el cuartel y deja una compañía como refuerzo permanente, que se atrinchera en los cerros inmediatos. Ahora la posición enemiga es muy sólida.

—No hay que desesperarse —les digo a mis oficiales—. Vamos a resolver esto muy bien. Prepararemos mejor las cosas y les cogeremos muchas armas cuando repitamos el ataque.

Sigo convencido de que en San Vicente es donde hay que dar el golpe decisivo. Estudio nuevamente el terreno, revisando casas y recovecos. Lo fundamental sigue siendo la función de las trincheras y la utilización de las minas. Me reúno con los hombres que manejan los explosivos y les planteo que superaremos los fallos en las minas cambiando los mecanismos de detonación que nos dio Raúl, por el sistema que teníamos en la sierra. Las situaremos a mayor profundidad y en medio del camino, por túneles. Así tendrán más efectividad y estarán completamente camufladas.

La zona en que estamos es rica en manganeso, pero la compañía

244

que lo explota —la Cuban Mining Co.— está inactiva por la guerra. Utilizamos sus talleres para fabricar minas. Con los mineros del área hacemos los túneles, es gente muy experta.

Todos los días hay enfrentamientos mayores o menores en el extenso frente del cerco. Así vamos golpeando al enemigo, acosándole, quebrando su moral, quitándole armas y municiones y reduciendo su espacio.

Le escribo una carta al comandante Lussón, oficial de enlace del Segundo Frente y hombre de confianza de Raúl, proponiéndole un plan de operaciones conjuntas y simultáneas. Sin demora Raúl quiere que nos reunamos con su oficialidad en Mayarí Arriba. En la reunión él describe los objetivos que he propuesto. Algunos estarán a cargo del Segundo Frente y otros serán ataques simultáneos de la Columna 9. Raúl reconoce que muchos de los operativos realizados por ellos han sido posibles porque nuestra columna no ha permitido que pasen hacia su territorio las tropas del ejército estacionadas en Santiago de Cuba. Propone que en las operaciones bajo mi mando participen algunas unidades del Segundo Frente y que, como compensación, algunas unidades de nuestra columna participen en las operaciones de ellos. Las armas que se capturen pertenecen a la columna responsable del área.

Preparamos cuidadosamente la emboscada de San Vicente con fuerzas diseminadas controlando las alturas de ambos lados del valle. El ejército está obligado a entrar por la carretera que viene de Santiago hasta los dos barrios residenciales que están propiamente en el valle: San Vicente y Dos Bocas. Aquí es donde tenemos nuestra fuerza principal atrincherada en líneas defensivas y oculta en las residencias de construcción más fuerte. Nuestras defensas, contando el centro en los barrios y las dos alas en las colinas, cubren una distancia de casi cuatro kilómetros de posiciones no continuas. El jefe de este frente es el capitán Félix Duque y su segundo el teniente Raúl Barandela.

El 23 de noviembre por la mañana recorro las trincheras. Como hemos aumentado la presión contra el cuartel de El Cristo, sospecho que desde Santiago de Cuba enviarán refuerzos este día para aliviar a esta tropa. En la guerra la intuición se afina; presiento la inminencia del ataque y he aprendido a confiar en la intuición. Durante el recorrido les advierto a los oficiales:

—Hoy vienen, y vienen con todo.

Exploro uno de los relieves donde considero que tenemos el punto más vulnerable porque no es fácil defenderlo. Desde aquí supervisaré el enfrentamiento; temo que los aviones de reconocimiento hayan observado este flanco y el ejército lo use para abrirse paso. No me gusta intervenir cuando he dado el mando a mis oficiales, pero siempre es sensato estar preparado para el peor escenario. Desde aquí podré anticipar los acontecimientos y tomar medidas.

El ruido creciente de motores es el aviso. Una impresionante columna va tomando forma en la carretera. En la vanguardia un tanque se impone. Avanza disparando cañonazos contra nuestras trincheras. Parecería que nada ni nadie puede detenerlo. Detrás del tanque siguen camiones con soldados y más blindados. Casi simultáneamente aparecen los aviones. No son bombarderos sino cazas muy rápidos que hacen vuelos rasantes sobre nuestras trincheras. Disparan sus ametralladoras y lanzan cohetes. Como habíamos excavado más trincheras de las que utilizamos, varios rebeldes corren de su trinchera a buscar refugio en otra, porque un avión los tiene localizados. Pasados unos segundos explota un cohete en la trinchera abandonada. No puedo evitar exclamar:

—¡Se me salvaron los muchachos!

Los tanques cañonean fuertemente, aunque avanzan con cautela. Cerca de la carretera hemos puesto alambradas. Éstas dificultarán el paso de los soldados y los harán vulnerables a nuestra fusilería. La columna está a unos cien metros de nuestras defensas. Los insultos, de un lado y del otro, arrecian.

La aviación está agresiva. Probablemente los pilotos piensen que su metralla destrozará nuestras líneas. Estamos lo suficientemente cerca de los soldados para que una ráfaga, o los cohetes de los aviones, acaben también con algunos de ellos, pero no parece importarles.

Cuando el fuego es verdaderamente intenso, el tanque que abre la marcha está sobre la mina que enterramos en la carretera. ¡Ahora es el preciso momento de detonarla! Una tremenda explosión sacude todo el valle. El tanque da una vuelta en el aire y cae con su torreta contra el pavimento. La onda expansiva de la mina alcanza a un camión grande de transporte de tropas que seguía al tanque y lo lanza fuera del camino, a unos veinte metros de la carretera. Nuestra fusilería descarga todo su poder de fuego contra la columna enemiga en pleno desconcierto. En el sitio donde estalló la mina se levanta todavía una nube de humo y polvo, y va apareciendo un cráter de varios metros de diámetro. Los transportes con tropas que venían detrás del tanque destruido se retiran atropelladamente en marcha atrás. Temen que haya más minas. Tras el susto y la confusión, continúa el enfrentamiento. El ejército sigue combatiendo pero a distancia, durante horas.

Cuando cae la tarde, el enemigo abandona sus posiciones para guarecerse en el pueblo de Boniato.

Con gritos de júbilo —vivas a la Revolución, al Movimiento 26 de Julio y a la libertad de Cuba—, los rebeldes muestran su alegría por un primer gran triunfo en esta batalla. Fue un combate frontal en el que estábamos dispuestos a detener todo lo que la dictadura mandara. Hemos derrotado al ejército, a pesar de sus blindados, sus aviones y su enorme superioridad en hombres y recursos, incluidos refuerzos del Regimiento Mixto 10 de Marzo, traídos desde La Habana. La batalla de San Vicente no ha terminado; pero sé que ya la ganamos. Capturamos camiones, armamento y municiones abundantes. Colocamos como símbolo de triunfo la bandera del Movimiento 26 de Julio en una palma real, a buena altura, cerca de nuestra línea de trincheras.

Tenemos unos veinte hombres que envió Raúl Castro en el intercambio de tropas. Se ubicaron en el sector del teniente Barandela. Ellos proceden de una tropa buena, la del comandante Efigenio Amejeiras, probablemente el mejor de los oficiales de campaña del Segundo Frente. Como no han tenido mucha oportunidad de enfrentarse a los blindados, ni de soportar el ataque de la aviación, su rendimiento, al menos en la primera etapa de la confrontación, no fue igual al de la gente de la Columna 9, que conoce la desventaja de enfrentar a los tanques con fusiles.

Mientras la columna del ejército trataba de abrirse paso en San Vicente, la tropa cercada en El Cristo hizo un serio pero fracasado esfuerzo por desalojar a los nuestros de las posiciones fuertes que la rodean.

El 24 de noviembre el ejército vuelve a la ofensiva en San Vicente, siempre precedido por sus tanques. Temen la zona minada. Disparan sus cañones contra nuestras posiciones fortificadas. Atacan con mucha prudencia y manteniéndose siempre alejados.

El día 25 el enemigo ataca otra vez en San Vicente con gran poder de fuego y agresividad. Los aviones ametrallan como nunca. En lo más violento del fuego aéreo, usando grúas y otros equipos se llevan el tanque que ha quedado en tierra de nadie.

El 26 en la tarde todo está muy tranquilo. Con los oficiales analizo las acciones cumplidas durante estos tres días.

Cuando visito a los heridos en nuestro hospital de campaña, recientemente instalado en Dos Bocas, un oficial me informa:

—Comandante, algo raro está pasando en las posiciones fortificadas del cuartel de El Cristo. Hay un movimiento extraño al anochecer.

No espero más y salgo en esa dirección, casi corriendo, acompañado de dos escoltas y del hombre que me puso en alerta.

¿Qué encuentro? Una verdadera desbandada, provocada posiblemente por el fracaso del ejercito en San Vicente. Los soldados están abandonando sus posiciones, incluyendo el cuartel. Huyen escondiéndose en cañaverales y malezas. Capturar soldados en fuga es peligroso, es gente desesperada. Para evitar muertes en ambos bandos me voy con varias patrullas a localizarlos. Es, casualmente, el día de mi cumpleaños. Pasamos la noche y casi todo el día 27 en esta tarea, hacemos muchos prisioneros. Si no hubiéramos tenido que trasladar hacia San Vicente algunas de las guerrillas que cercaban el Cuartel de El Cristo, la fuga de estos soldados habría sido imposible.

El mismo día 27 entra una tropa que viene a rescatar a los soldados dispersos que huyen de nuestra persecución. Los prisioneros nos han dicho que antes de abandonar el cuartel y sus posiciones de apoyo, recibieron instrucciones de dirigirse al cuartel de La Microonda en Puerto Pelado. Es una fortaleza que está en una loma bastante alta. Ofrece buena seguridad contra el asedio rebelde y de noche a gran distancia se ve completamente iluminada. Es desde donde viene el refuerzo que hemos detectado.

Nuestra gente, por horas, los espera con una emboscada.

Los soldados del refuerzo ya están sobre nuestra posición, pero vienen distraídos o tomando precauciones menores. Los rebeldes abren fuego. Es una descarga con tal poder que la reacción del enemigo es nula y huye precipitadamente por un flanco. En nuestro poder quedan unas cuantas armas largas y una ametralladora trípode calibre 30.

Norton Benítez, uno de nuestros escopeteros agazapados entre los arbustos, es mortalmente herido al ser sorprendido por el enemigo en su repliegue.

La Columna 9 no está ya compuesta por los ciento cincuenta hombres que iniciamos el cerco. Con las armas y municiones capturadas hemos triplicado el número de efectivos. Nuestra capacidad combativa ha aumentado de forma extraordinaria. Además, en la escuela de reclutas que dirige el teniente Gregorio Junco hay casi trescientos muchachos entrenándose.

Esos logros han tenido su precio. Hemos perdido en combate a varios de nuestros hombres, entre ellos un compañero muy querido en la tropa y para mí un hermano menor: Evelio Rodríguez, a quien otorgamos en ascenso póstumo el grado de capitán. También perdimos en el vuelco de un *jeep* al teniente Roberto Elías, quien estaba a cargo de un sector en Puerto Boniato. Las balas no lo intimidaban, en pleno combate se le veía sonriente; se hacía querer entre nosotros.

25
Ofensiva final

Fidel me escucha en silencio, sin una sola interrupción. Luego, con poco entusiasmo, me
dice: Bueno, tendré que conversar con Almeida sobre esto para que ellos también
tomen parte en la acción.

La aviación no nos da tregua. Día tras día hostiga nuestras posiciones. Si se tratara de bombardeos de saturación tendríamos muchos
problemas, pero más bien son operaciones restringidas de dos o tres
aviones que se turnan en los ataques.

Otro problema que tenemos es el de cuidar y alimentar a un creciente número de prisioneros. Hay tres tipos: los civiles, mayormente
delincuentes comunes del área; los prisioneros tomados al ejército que
están en actitud de cooperación y trabajan como auxiliares de nuestra
tropa, y los que han sido capturados en operaciones recientes y se
mantienen renuentes a ayudarnos. Estos últimos representan el setenta o el ochenta por ciento del total.

A medida que se extiende el campo de operaciones y se intensifica
la guerra con más hombres y más armas, la retaguardia cobra tanta importancia como la acción misma. Almacenamos con tiempo el combustible que necesitamos. La falta de víveres, que en la sierra suponía toda
una odisea, se resuelve gracias a la gran cantidad de mercancía que in-
cautamos en las carreteras en los primeros días de operaciones, y a la
colaboración de los pobladores. Se incorporan a la retaguardia unas
cuantas mujeres, su rendimiento es igual o superior al de los hombres.

La columna tiene talleres para hacer uniformes, fabricar minas,
reparar armas y otras tareas. Disponemos de varias plantas de radio
cuyo funcionamiento se perfecciona cada vez más. Contamos con una
escuela para el trabajo político-ideológico; los oficiales y soldados que
tienen interés real y alguna preparación, aprenden que somos revolucionarios sustentados en el ideario humanista y democrático de José
Martí. Su directora es Pepita Riera, una novelista que se ha unido a la
tropa. Asisto a la inauguración de la escuela y en sus inicios doy algunas clases de Historia e Instrucción Cívica.

Las fuerzas de Raúl Castro llevan cuatro o cinco días atacando el Cuartel de La Maya, ubicado en la zona del Segundo Frente contigua a la nuestra. Siguiendo instrucciones de Raúl, el pueblo de La Maya ha sido virtualmente destruido por el fuego, con el pretexto de que toda la población es batistiana; la afirmación parece tan exagerada como el castigo. Ante este espectáculo me pregunto: ¿qué ganamos sembrando el terror? Alguien se adelanta a cubrir las espaldas de Raúl diciéndome:

—Comandante, hemos tenido que «quemar» casi todo el pueblo porque nos disparaban de todas partes. La aviación nos golpeaba muy fuerte; esta gente está en contra nuestra, prácticamente vendida a Batista.... Le dimos candela, y ya ve...

En La Maya, la Unidad Móvil de nuestra columna, con más de veinte hombres escogidos y una ametralladora calibre 50, se suma como refuerzo a las tropas de Raúl. Fidel mandó la ametralladora para uso de la Columna 9, por vía de Almeida, a quien tuvimos que reclamársela dos veces porque no la entregaba. Su fuego produce un efecto tremendo entre los soldados en su décimo día de resistencia, pero no se rinden. Después de una tregua para conversar se reanuda el combate. Acompañé al comandante Lussón en estas negociaciones. Él es el responsable de este operativo; es inteligente, organizado y decidido.

Una avioneta de Raúl deja caer una granada sorpresivamente en el patio del cuartel, y con este golpe psicológico se provoca la rendición. Más de doscientos soldados entregan sus armas y los escoltamos por el territorio de la Columna 9 hasta Puerto Boniato, de aquí caminarán ya libres a Santiago. Entre los prisioneros identifico al capitán Suárez, quien había estado destacado tiempo atrás en el cuartel de Manzanillo, donde se le consideraba buena persona y un oficial caballeroso. Aunque trata de pasar desapercibido, lo saludo con respeto. En su situación esto representa un reconocimiento.

Cuando despedimos a los soldados, a Raúl se le ocurre hacer unos disparos contra la cárcel de Boniato, que está cientos de metros más bajo. Me sorprende esta acción porque las balas pueden herir a los reclusos y provocar una reacción de los carceleros contra los presos políticos. Le explico lo inconveniente de su entretenimiento.

Antes de que concluyera la operación de La Maya envié refuerzos a otra tropa de Raúl Castro, al mando del capitán Menéndez Tomasevich, que viene a plantearme la situación en que están:

—Hemos peleado duro, pero estamos embotellados. Es la segunda vez que intento tomar el Cuartel de San Luis.

Acompaño al capitán a donde están combatiendo y compruebo que el ejército sigue aferrado a las pocas posiciones que le quedan en la zona.

Tenemos algunos hombres participando en este ataque bajo el mando de los tenientes Bernardino Salcedo y Vicente Rodríguez, y el pelotón del teniente Milán bloquea la carretera Palma-San Luis.

Ordeno a la Unidad Móvil que venga para San Luis. Colocamos la ametralladora 50 en la estación del ferrocarril, muy cerca del cuartel. Distribuyo los efectivos de refuerzo para aumentar el hostigamiento.

Seguramente los militares, informados de nuestros movimientos, van a traer tropas de refuerzo de Palma Soriano. Advierto a Tomasevich que se debe montar una emboscada bien fuerte. Es el propio Fidel quien envía una tropa al mando del capitán Vilo Acuña, para la emboscada. Mando a Duque a reforzar la posición de Acuña, parapetado ya en un lugar llamado El Paraíso, a la espera de los refuerzos del ejército procedentes de Palma Soriano. Al segundo día de estar aquí, Vilo Acuña me informa que el ejército fue rechazado cuando trató de atravesar la emboscada.

En un *jeep* inspeccionamos los alrededores del cuartel atacado. Cuando regresamos a nuestras posiciones por un camino vecinal, uno de los nuestros percibe algo, mira hacia atrás y grita:

—¡Avión!

Todos, hasta el chofer, volvemos la cabeza y efectivamente, detrás de nosotros, a baja altura sobre el camino, viene un bombardero B-26, a unos quinientos metros. Su intención es clara y nosotros, como movidos por un resorte, saltamos del vehículo que sigue su curso unos segundos más hasta que lo impacta la metralla. El avión se empina en el aire, vuelve en picada y lo desbarata como si el *jeep* fuera un enemigo muy importante. Escondidos bajo unos árboles lamentamos la pérdida de nuestro *jeep*, pero reímos del susto y de la suerte.

De nuevo en nuestras posiciones y como a las cuatro de la tarde, llega corriendo uno de los vigilantes que tengo a la entrada del pueblo y, sin ocultar su tensión, me dice:

—¡Comandante! ¡Viene una columna del ejército casi entrando ya al pueblo!

—¿Cómo es eso? ¿Por dónde ha podido pasar?

—Venga, venga... Camine hasta allí y podrá ver muy bien.

Lo sigo hacia el lugar indicado.

—¡Mire los tanques y toda la infantería que traen en camiones!

Con los prismáticos contemplo el ordenado avance del convoy

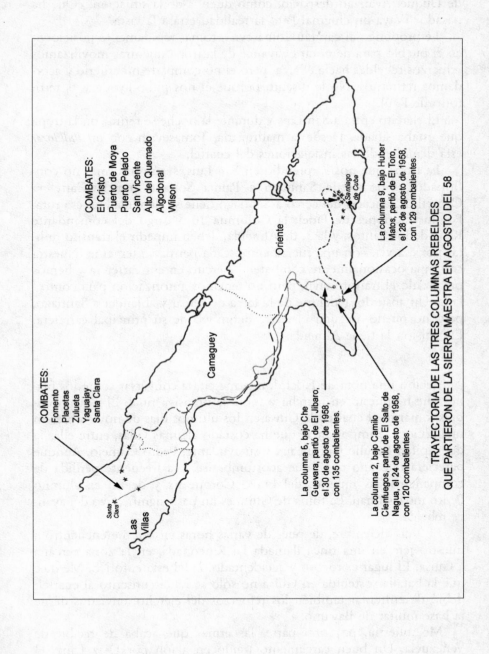

COMBATES:
El Cristo
Puerto de Moya
Puerto Pelado
San Vicente
Alto del Quemado
Algodonal
Wilson

COMBATES:
Fomento
Placetas
Zulueta
Yaguajay
Santa Clara

La columna 9, bajo Huber
Matos, partió de El Toro,
el 28 de agosto de 1958,
con 129 combatientes.

La columna 6, bajo Che
Guevara, partió de El Jíbaro,
el 30 de agosto de 1958,
con 135 combatientes.

La columna 2, bajo Camilo
Cienfuegos, partió de El Salto de
Nagua, el 24 de agosto de 1958,
con 120 combatientes.

Oriente

Camaguey

Las
Villas

Santa
Clara

Santiago
de Cuba

TRAYECTORIA DE LAS TRES COLUMNAS REBELDES
QUE PARTIERON DE LA SIERRA MAESTRA EN AGOSTO DEL 58

hacia San Luis, sin que hayamos recibido una advertencia de Acuña o de Duque. Avanzan despacio, como dueños de la situación. ¿Qué ha pasado? ¡Vaya un enigma! Pero la realidad está a la vista.

Le propongo al capitán Tomasevich tomar rápidamente posiciones en el pueblo para demorar el avance de la tropa mientras movilizamos refuerzos rebeldes hacia el área, pero él no comparte mi criterio y acordamos retirarnos. No le discuto porque él nos pidió ayuda y es territorio de Raúl.

El ejército entra a San Luis y durante la noche se retira con la tropa que estaba sitiada. Desde la madrugada, Tomasevich con un *bulldozer* está demoliendo las instalaciones del cuartel.

La tropa que nos sorprendió en San Luis, según informes no confirmados, vino desde Santiago a Palma Soriano por la Carretera Central. La eficacia del cerco a Santiago tiene su debilidad en esa ruta. Por instrucciones de Fidel, la Columna 10 a cargo del comandante René de los Santos, y la 3, de Almeida, deben impedir el tránsito militar por esa vía, con una fuerza emboscada permanentemente. Nuestra columna ocasionalmente combate al ejército en esa carretera y hemos paralizado el tránsito civil, pero no tenemos autorización para controlarla. Un absurdo. Fidel me da la tarea de cercar y ablandar a Santiago, pero no puedo asegurar el cierre definitivo de su principal carretera. Esa misión la tiene Almeida.

Recibo una nota de Fidel donde me cita a conversar sobre los planes que he puesto en marcha y sobre la ofensiva final. Él y sus hombres tomaron el cuartel de Guisa en los últimos días de noviembre, en una acción de importancia que ha costado algunas vidas, entre ellas la del capitán Braulio Coroneaux y su ayudante, Pedro Camejo. Aunque pareciera que uno tiene que acostumbrarse a la frecuente pérdida de compañeros, las muertes del bravo Coroneaux y de mi ex alumno Pedro me lastiman. La toma de Guisa es un paso significativo del avance rebelde.

El 9 de diciembre, después de varias horas en *jeep* me encuentro a nuestro jefe en una finca llamada La Rinconada, en la zona cercana a Guisa. El lugar es rocoso y accidentado. Fidel está eufórico. Me dice que la batalla sostenida en Guisa no sólo se ha circunscrito al cuartel; debió de enfrentar también los refuerzos del ejército, enviados desde la base militar de Bayamo.

Me muestra, por otra parte, las armas que acaba de recibir de Venezuela. Un buen cargamento traído en avión por Díaz Lanz, el mismo piloto que nos trajo desde Costa Rica. Al parecer, el presidente venezolano Wolfgang Larrazábal, con el respaldo del ex mandatario Rómulo Betancourt, es el que ha proporcionado los pertrechos. Fidel me hace un buen regalo de ese armamento: un fusil ametralladora brasileño.

Me sorprende gratamente la bienvenida calurosa que él y los hombres que lo rodean nos brindan al llegar. Están impresionados por el éxito de nuestra campaña alrededor de Santiago; me dicen que todos los días Radio Rebelde transmite información de los distintos hechos de guerra en los cuales hemos salido victoriosos. En realidad las unidades de la Columna 9 combaten todos los días. ¡Cómo han cambiado mis relaciones con la Comandancia General gracias a los éxitos alcanzados!

Aquí se establece una comunicación por radio con Camilo Cienfuegos. Conversamos brevemente y nos pone al tanto de la campaña del Ejército Rebelde en la provincia de Las Villas. El día 23 de noviembre Camilo tomó el cuartel del poblado de Zulueta. El día 30, en las cercanías de Fomento, la tropa del Che Guevara libró el primer combate de envergadura en la zona central del país. En la actualidad la campaña rebelde en Las Villas marcha exitosamente. A los diferentes grupos guerrilleros que operan en aquella provincia se ha sumado el Directorio Revolucionario encabezado por Rolando Cubelas y Faure Chomont.

En la ofensiva de las columnas rebeldes que partieron de la Sierra Maestra, el único descalabro ha sido el de Jaime Vega, cuya tropa fue destrozada en Pino Tres, Camagüey. Con posterioridad, los prisioneros heridos fueron asesinados por orden del coronel Suárez Suquet.

Fidel sabe que el ablandamiento de Santiago es constante y eficaz. Aprovecho el momento para tratar el asunto que más me urge: el de la Carretera Central. Manifiesto serias dudas de que esa vía esté controlada, le comento sobre la tropa del ejército que viajó por ella y después entró en San Luis. Le pido su autorización para resolver el problema en forma definitiva.

Me pregunta cuál será mi próximo paso una vez que me deje operar libremente allí.

—Todo está planeado y listo. He recorrido el lugar y sé lo que hay que hacer. Pondré a Duque al frente de una fuerza considerable, con elementos escogidos de nuestra columna. Duque irá provisto con minas y otros recursos para destruir tanques; aquello se hará intransitable para el enemigo. El sitio ideal para la emboscada es Puerto de Moya.

Fidel me escucha en silencio, sin una sola interrupción. Luego, con poco entusiasmo, me dice:

—Bueno, tendré que conversar con Almeida sobre esto para que ellos también tomen parte en la acción.

—Fidel —le digo—, está bien que Almeida y su tropa participen, pero el mando tiene que estar en la Columna 9.

Sé que la jefatura militar en Santiago va a combatir decididamente contra el cierre total de la Carretera Central. Sin ella, quedarán arrinconados entre el mar y la Columna 9. Ellos probablemente saben que no estamos autorizados para bloquearla de forma permanente y cuando se enteren de que nos involucramos se alarmarán.

Insisto. Fidel promete que estudiará el asunto; esta espera no tiene razón de ser.

Conversamos detalles de la lucha. Le pido un ascenso a comandante para Félix Duque, que ha ido mejorando como oficial de mando y se desenvuelve exitosamente. Acepta el ascenso pero lo deja para más adelante. También recomiendo el grado de capitán para varios de mis tenientes y recurre de nuevo a dilaciones.

El 12 de diciembre recibo un mensaje cifrado de Fidel pidiéndome con urgencia que mande a Duque a bloquear la Carretera Central en el punto sugerido. Me pregunto el motivo de la urgencia. La respuesta llega enseguida: Fidel ha comenzado a atacar una posición fuerte en la zona de Maffo. Se trata de los almacenes del Banfaic (Banco de Financiamiento Agrícola e Industrial de Cuba), donde resiste un batallón del ejército que está bien atrincherado. Ahora quiere estar seguro de que la Carretera Central estará verdaderamente bloqueada entre Santiago y Palma Soriano. Buenas noticias.

En el día, por la tarde, despachamos a Duque con todo lo necesario para bloquear la carretera. El éxito de la operación le va a garantizar el ascenso a comandante que definitivamente merece. Envío también algunos tenientes que se ofrecen de voluntarios para el combate.[1] Por tener un teatro de operaciones bastante extenso, decido no estar presente como en otros enfrentamientos importantes. Duque lleva aproximadamente cien hombres bien seleccionados y al teniente José Milán con los suyos. Milán ha hecho un buen papel en la zona, es inteligente y decidido. También va el jefe de los mineros, Nicolás Rodríguez (Colón) con sus zapadores. Llevan una planta móvil para posibilitar la comunicación por

---

1. Línder Calzadilla, Carlos Álvarez, Eloy Popa, Miguel Ángel Espinosa, Rey Pérez y Arturo Tirado. *(N. del A.)*

radio con la comandancia de la Columna 9. Elementos de la Columna 10 dirigidos por el capitán Pepín López participarán en el combate.

Desde el 13 en la mañana la tropa emboscada está esperando que el ejército se mueva desde Santiago hacia Maffo, donde está Fidel. El 14 de diciembre, a las diez de la mañana, recibo un mensaje radial de Duque informándome que el combate de Puerto de Moya se halla en pleno desarrollo. El ejército ha llegado con una columna muy fuerte, encabezada por tanques y camiones blindados y con mucha infantería en transportes. Y además, intenso apoyo aéreo.

Cerca del mediodía recibo otro mensaje de Duque, que me solicita con urgencia más balas. La fuerza militar no ha podido pasar, pero él teme quedarse sin balas. Conozco estas situaciones por haberlas vivido más de una vez en la sierra. De inmediato cargamos varios miles de proyectiles en un *jeep*, y con tres hombres partimos hacia Puerto de Moya. Duque llevó municiones para un combate largo, pero si pidió más hay que llevarlas.

Por radio, nos informan que la columna del ejército ha sido quebrada cuando la explosión de una mina destruyó un tanque. Hay otros dos carros blindados dañados y varios vehículos militares quedan atrapados en la emboscada. Nuestra gente dispone de un cañoncito antitanque. Sin embargo, los soldados continúan resistiendo, apoyados por el fuego permanente de la aviación. Estoy casi seguro de que la operación ha de concluir en un éxito total. El plan lo diseñamos con meticulosidad y no puede fallar. Lo ejecutan hombres valientes y experimentados.

Cuando entramos en la carretera San Luis-Palma Soriano un avión nos ataca con sus ametralladoras. No me extrañaría que hayan interceptado el mensaje en que nos pedían municiones y también nuestra confirmación. Los pilotos militares saben que los rebeldes usamos *jeeps*. Si localizan uno lo persiguen con saña. Cuando se va un avión, otro lo sustituye.

Con esta carga tan valiosa, tratamos de esquivarlos internándonos por senderos paralelos a la carretera, ocultos por la vegetación. Vamos a mayor velocidad de la que deberíamos ir en esta clase de caminos. Casi al borde de tener un accidente varias veces, se nos queda el *jeep* completamente atascado en un trecho pantanoso, por suerte cubierto por la vegetación. Un guajiro nos ayuda a salir con su yunta de bueyes.

Cuando llegamos al área de combate, ha oscurecido. Notamos confusión entre la gente.

—¿Cómo está la cosa? —pregunto a uno de mis oficiales que viene a saludarme. Es un hombre de la retaguardia.

—Comandante, peleamos bien pero todavía no sabemos hasta qué punto hemos triunfado.

Parece aturdido por el ataque aéreo y no sabe si el enemigo está atrapado o en retirada.

Decido hacer un reconocimiento en nuestro vehículo. Penetramos donde la oscuridad es más densa. De pronto un *jeep* que viene con las luces altas nos embiste. Mis hombres han estado a punto de disparar; no lo han hecho porque siempre esperan mi reacción o mis órdenes.

Me arrojo hacia la carretera con tan mala suerte que me golpeo fuertemente el tobillo derecho. ¡Y todo es una broma de Duque! Eufórico por la victoria que acaba de comprobar, al reconocer nuestro *jeep*, no ha tenido mejor idea que jugarnos una broma embistiéndonos con el suyo. Es su forma jubilosa de saludarme.

No puedo apoyar el pie pero, con la ayuda de mis escoltas y a pesar de las advertencias de mis compañeros, trato de explorar en la oscuridad. Me interno en el escenario principal, donde la lucha alcanzó su mayor ferocidad. Con la luz de una linterna vemos materiales de guerra y muertos en desordenada dispersión.

Hay un verdadero botín que debe ser retirado sin perder tiempo. Es probable que la aviación retorne al día siguiente temprano, con un segundo ataque, para impedirnos el retiro de los pertrechos y castigarnos por la victoria.

Uno de los carros blindados abandonados por el ejército funciona y lo trasladamos con miles de balas de fusil, cientos de balas de cañón, obuses de mortero y otros. Aprovecharemos el cañón del tanque que abría la marcha. Una mina hizo saltar la torreta a más de doce metros del lugar de la explosión. Revisándolo, sacamos a los soldados muertos para darles sepultura. Hay uno que todavía respira y con cuidado lo mandamos al hospital, tal vez pueda salvarse.

Cuando amanece, el espectáculo es sobrecogedor. Donde anoche era difícil verlos, hoy aparecen más cadáveres diseminados en extrañas y trágicas posiciones. Me pregunto cuántas madres, esposas e hijos llorarán a estos hombres. Miro esto en silencio y no puedo evitar, como en otras veces, reflexionar sobre esta lucha fratricida en la que nos estamos matando los cubanos.

En el hospital, el doctor Juan Luis Vidal me informa que tengo una fractura a la altura del tobillo y me pone una bota de yeso. Me recomienda reposo, pero en estas circunstancias es imposible.

En la tarde vuelvo a Puerto de Moya y encuentro otro signo trágico de la batalla: rastros de sangre en la carretera. Al concluir el combate, el ejército, apoyado por la aviación, retiró precipitadamente en camiones a sus heridos y algunos muertos, dejando en la huida esta impresionante huella sobre el asfalto.

«Colón», el jefe del cuerpo de ingenieros de la Columna 9, murió en el asalto a un camión cargado de municiones. Era un hombre que se había ganado la estima de todos los rebeldes.

Felicito a Duque y le digo que seguramente el ascenso a comandante no se demorará. El plan de operaciones que le costó trabajo aprobar a Fidel, dio el resultado previsto.

En la noche del 14 de diciembre el ejército, derrotado y en retirada, acampó junto a un cuartel ubicado en Melgarejo, a la entrada de El Cobre, donde se encuentra el santuario de la Virgen de la Caridad, patrona de Cuba. Oficiales de la Columna 10, algunos de los cuales combatieron en Puerto de Moya a las órdenes de Duque, persuadieron a los soldados a entregar sus armas y retirarse a Santiago. Así lo hicieron.

Aunque estamos seguros de que no habrá más intentos de romper el cerco, con explosivos destruimos parcialmente el Puente de Venturita, en la Carretera Central, entre Puerto de Moya y El Cobre.

Después del triunfo en Puerto de Moya, Fidel tan sólo autorizó el ascenso a comandante de Félix Duque. Provisionalmente doy el grado de capitán a varios tenientes con mucho mérito.

Durante el curso de la guerra, el Estado Mayor de las fuerzas armadas concentró sus recursos en Oriente, con el propósito de eliminar el foco guerrillero. Ahora, tras las derrotas sufridas aquí en la zona oriental, el ejército está desmoralizado y su debilidad es grande en otros escenarios. El Che está aprovechando esto en Las Villas.

De los siete cuarteles próximos a Santiago, quedan tres por tomar: El Caney, Boniato y la fortaleza de La Microonda en Puerto Pelado.

Tenemos extensas líneas de buenas trincheras, especialmente en el frente de San Vicente, donde después de nuestra victoria el enemigo está atrincherado, sin el menor indicio de planes ofensivos. En la zona de El Caney, como en San Vicente, nuestras trincheras se encuentran frente a las del enemigo, a unos doscientos metros. Pero nosotros no tenemos necesidad de cubrir todo el cerco con este tipo de defensas.

Generalmente donde se encuentra un paso o un camino en el semi-círculo irregular y montañoso que rodea la ciudad es donde tenemos posiciones fuertes. En casi todo el contorno son las lomas las que se encargan de formar una línea natural. Y en esas lomas, bajas o altas, mantenemos una férrea vigilancia.

La estrategia en El Caney es la de acosar a los soldados y amedrentarlos para que abandonen la posición sin necesidad de atacarlos. Usamos aquí el cañón del tanque destruido en Puerto de Moya. Aunque sus balas no den sobre las cabezas de los militares, tienen un efecto de persuasión formidable. También el mortero 81 que capturamos cumple su rol, causando algún daño material y presión psicológica.

En horas de la noche comenzamos a mover vehículos vacíos de un lado para otro. Del área de Puerto Boniato hacemos bajar camiones hasta las proximidades del pueblo de El Caney, que luego desaparecen. Los vehículos se desplazan con las luces encendidas cuando vienen y dan la idea de un movimiento extraordinario de efectivos y armas rebeldes. Este ardid nos ayuda a mantener tenso al adversario.

Con frecuencia envío patrullas a la ciudad de Santiago para desmoralizar al enemigo, darle confianza a la población en el triunfo a corto plazo, y recabar información con vistas al plan de asalto final a la plaza. Estamos reuniendo armas y municiones para esta operación.

Utilizamos el material explosivo de las bombas que lanzan los aviones y no estallan para fabricar nuestras minas. Es increíble que muchas bombas no hagan explosión y que esto se repita sin que la fuerza aérea de Batista tome medidas.

Se dan situaciones curiosas: hay marinos que roban pertrechos, como las codiciadas balas de la calibre 50, y los venden por poco dinero. Ese mercado negro también existe en el ejército y lo aprovechamos negociando con algunos cabos y sargentos. Pero en la mayoría de los casos es la dirigencia del Movimiento 26 de Julio en Santiago la que busca el dinero y se ocupa de esto. El apoyo que recibimos de la ciudad, en todos los aspectos, es increíble. Santiago de Cuba es una ciudad rebelde. Esa misma actitud encontramos en el pueblo de El Cristo desde que llegamos al área.

La columna tiene un Departamento de Cultura al frente del cual está el capitán Rosendo Lugo, hombre inteligente y con ilustración. Preparan los programas para la radio y carteles de propaganda que a veces únicamente dicen COLUMNA 9, TERRITORIO LIBRE, que se colocan en los puntos de entrada a la zona que ocupamos y en distintas carreteras. También editan un pequeño periódico en mimeógrafo, con artículos de orientación ideológica y política interesantes.

El 20 de diciembre me citan a una reunión con Fidel en Contramaestre. Fidel no ha podido rendir al batallón atrincherado en los almacenes del Banfaic de Maffo. Este bastión ofrece una obstinada resistencia y no ha sido fácil dominarlos. La aviación castiga a los rebeldes todos los días.

En una tregua para conversar con los jefes de la tropa atacada, participo por indicación de nuestro jefe; observo y escucho sin pronunciar una sola palabra. El jefe del batallón del ejército, comandante Leopoldo Hernández Ríos, está acompañado por un teniente de apellido Regueira. Este último es el hombre de Batista en esa unidad militar, decide por encima de la opinión del comandante Hernández Ríos.

Fidel les dice en tono amenazante que les va a bombear gasolina con mangueras potentes y después les va a prender fuego. En ese cuartel del Banfaic hay miles de sacos de café en grano que los soldados usan como protección y que pueden arder, provocando un incendio de grandes proporciones. Fidel les ha dado muestras de que dispone de artillería y de que no hay la menor intención de proceder con indulgencia si no se rinden de inmediato.

—Quiero anticiparles —insiste— que los vamos a regar con suficiente gasolina para que mueran todos achicharrados. Así que quiero ver, aquí y ahora, cómo vamos a solucionar esto de buena forma.

Aparenta calmarse un poco y agrega:

—Creo que no es necesario que lleguemos a esos extremos. Todos somos cubanos y en lo primero que debemos pensar es en evitar más derramamiento inútil de sangre. Tenemos un país y un pasado glorioso al que todos nos debemos por igual. Por eso los insto a que encontremos una forma de arreglo; los escucho.

Hernández Ríos, el jefe del batallón, apenas habla, sólo escucha. Pero el verdadero «hombre fuerte», Regueira, no se amilana y replica con cierta insolencia:

—Mire, Castro, yo no creo en los políticos... no creí en Grau San Martín, no creí en Prío... Tampoco creo en usted. No me inspira confianza un acuerdo con gente que actúa del modo como lo hacen ustedes.

Fidel escucha pacientemente sin perder la calma. La conversación se prolonga por un buen rato.

Antes de marcharse, Regueira lanza una pregunta sorpresiva a Fidel:

—Y bien... ¿qué se hará con los que ustedes llaman «criminales de guerra»?

—No tienen que preocuparse por eso. Es un tema que no nos interesa.

La charla entre militares y rebeldes termina sin definición. Pero se establecen bases para un posible acuerdo, más adelante. Fidel promete que si dejan de pelear y entregan sus armas, permitirá a oficiales y soldados irse para Santiago sin problemas.

Cuando voy a despedirme, Fidel me dice que tiene que hablarme de un asunto importante:

—Pronto estaremos allá contigo en la toma de Santiago. Necesito que hagas el plan para el asalto a la ciudad, con todos los detalles de la operación.

—Está bien, en una semana, más o menos, lo tendré listo.

Conversamos brevemente sobre la ofensiva rebelde en pleno desarrollo y tomo el camino de regreso a mi comandancia en las afueras de la capital provincial.

Queda en nuestro territorio una posición del enemigo que nos resulta molesta, el cuartel de La Microonda, también conocido como la fortaleza de Puerto Pelado, en la cordillera de Puerto Boniato. Está situada a dos o tres kilómetros de la Carretera Central y su vigilancia nocturna se apoya en un excelente sistema de reflectores.

Todos los picos que se observan desde Santiago de Cuba son nuestros, con excepción de éste, donde hay un centro de comunicaciones valiosísimo para el ejército. Tenemos que tomarlo. Pienso hacer el menor daño a la estación para disponer de sus recursos técnicos y para evitar muertes en ambos campos. El ataque puede durar de tres días a una semana; aunque tengo la pierna enyesada voy a estar allí. El jefe de la operación es el capitán Raúl Barandela, asistido por otros oficiales.[1]

El 21 de diciembre, avanzada ya la tarde, iniciamos el sitio a la fortaleza. Todas nuestras posiciones están expuestas al enemigo. El primer cruce de fuego es violento, pero, amparados en la noche y evitando los reflectores, logramos cavar trincheras hacia lo alto. Amanecemos con una línea bien establecida. Prácticamente rodeamos la loma con nuestras posiciones atrincheradas, menos la del lado que da a Santiago; los hombres que se sitúen en esa ladera son tan visibles desde el cuartel que pueden ser eliminados rápidamente.

1. Capitanes Filiberto Álvarez y Bernardino Salcedo y los tenientes Roberto Ruiz, Vicente Rodríguez, Juan Nápoles y Jorge Aguirre, entre otros. *(N. del A.)*

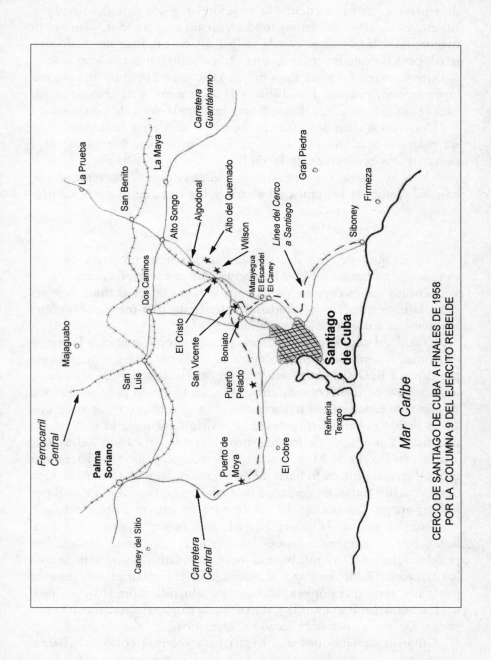

CERCO DE SANTIAGO DE CUBA A FINALES DE 1958
POR LA COLUMNA 9 DEL EJÉRCITO REBELDE

Durante la noche hay fuego esporádico. En la mañana, como era de esperarse, tenemos encima la aviación, que nos castiga muy duro. En esta ocasión respondemos modestamente a su acoso. Ordeno abrir fuego contra los aviones, con la calibre 50. Se produce un duelo desigual, pero de nuestra parte es una obligación contestar a esas máquinas que operan con tanta impunidad. Días atrás dañamos una avioneta de reconocimiento. Los disparos la alcanzaron y el aparato se fue hacia Santiago de Cuba dejando una humareda llena de presagios.

Desafiamos a un bombardero B-26 que insiste en desbaratar nuestra posición. Cuando desciende para iniciar su pasada rasante sobre nosotros, los proyectiles de la calibre 50 hacen blanco en el fuselaje pero la máquina no cae. Sin embargo, elige el camino de retorno a su base en medio de los gritos de alegría y los vivas de nuestros compañeros.

Los tanques del ejército, situados a distancia, protegen con sus cañonazos un flanco de La Microonda con bastante precisión.

Con los radios capturados estamos al tanto de las comunicaciones entre la base sitiada y las unidades del ejército. No me explico cómo ignoran que los estamos escuchando.

Cuando el combate lleva cuarenta y ocho horas se inician las negociaciones. A mitad del camino entre su posición y la nuestra, el propio capitán Barandela conversa con un oficial del ejército, pero no se llega a un acuerdo. Hay más entrevistas sin resultado positivo. En una de esas conversaciones, al retirarse nuestro negociador uno de sus escoltas es herido cobardemente desde la posición enemiga, lo que motiva una furiosa respuesta de los nuestros. Llevamos el cañón del tanque abatido en Puerto de Moya hasta un punto apropiado y se hacen dos o tres disparos utilizando balas de penetración. Se asustan mucho. Con desesperación tratan de construir más trincheras, pero les es difícil por nuestro fuego. Los obuses del mortero no les causan tanto efecto.

Tenemos preparada una emboscada para la tropa que venga a auxiliarlos por la carretera. Sólo pueden recibir ayuda por una ladera casi pelada, donde no hay posibilidad de interceptarlos por el cañoneo de los tanques. Desde Santiago se visualiza el enfrentamiento y nuestra gente nos avisa que por esa ladera están subiendo refuerzos del ejército. Logran llegar hasta arriba y sumarse a la tropa estacionada en la fortaleza. De ambas partes el fuego se intensifica.

Gritan reclamándonos una tregua para volver a conversar. Barandela acepta. Cuando los nuestros dejan de disparar, vemos que los soldados se tiran por la ladera, abandonando las trincheras en racimos humanos. Es una fuga espectacular. Buscan irse por el lado de Santiago de Cuba. Lo de la tregua era una treta para iniciar la huida. ¡Otra desbandada, como la de El Cristo, al caer la noche!

Hoy es 24 de diciembre. Es Nochebuena.

Se escapan y hay que perseguirlos hasta donde se pueda. Ordeno un avance por el sector de la fuga mientras hacemos algunas capturas. No muchas, si consideramos que en el cuartel de La Microonda había probablemente cien soldados y los refuerzos eran unos noventa hombres más.

Encontramos heridos entre arbustos y sobre piedras. En los matorrales se nos entregan en pequeños grupos o individualmente. Para muchos de ellos es un éxito escapar con vida. No nos interesa acumular prisioneros, ya tenemos muchísimos; para nosotros el éxito consiste en tomar la posición y capturar pertrechos. En la huida dejan un valioso botín de armas desparramadas, tanto por el piso del cuartel como en toda la extensión de la ladera.

En la noche, contentos por la victoria, enarbolamos la bandera roja y negra del Movimiento 26 de Julio en la torre de la estación. La habíamos mandado a fabricar especialmente para esta ocasión. Después recorremos las instalaciones, observando que los equipos de comunicación resultaron dañados por nuestros disparos de cañón. Nos llevamos una planta eléctrica en buenas condiciones, grande y portátil.

Tenemos varios heridos y un muerto, Cristóbal Méndez de Blach, combatiente de la Unidad Móvil.

Hoy nos informan que en los días 22 y 23 de diciembre la columna del Che y combatientes del Directorio Revolucionario tomaron las ciudades de Fomento y Placetas, en la provincia de Las Villas, capturando muchas armas. Camilo parece estar medio atascado en Yaguajay, donde tiene cercado a un batallón que ha resistido por varios días.

Impresionante amanecer el día de Navidad, 25 de diciembre. Desde Santiago de Cuba nos comunican que están viendo flamear la bandera revolucionaria, de dimensiones gigantescas, en la cima de la loma de Puerto Pelado. Nos dicen:

—Nos imaginamos que todo eso está en manos de ustedes...

—Sí —respondemos por radio—, está en manos nuestras y de ustedes, porque es otro paso para la liberación de Cuba.

26
El día de los Inocentes

> «... Ninguno de los comandantes que tenemos mando de tropas debe formar parte del futuro gobierno.»

En Maffo los militares todavía resisten en los almacenes del Banfaic. Fidel se ha trasladado con el grueso de su tropa a Palma Soriano, donde ataca el cuartel de la ciudad y las fuerzas que están concentradas en el Central Palma. A solicitud suya varias unidades de la Columna 9 participan en estas operaciones. El 27 de diciembre nos reunimos en Palma Soriano para tratar de nuevo sobre la toma de Santiago. Nuestro jefe está contento. Conversamos. La tropa bajo ataque aquí se ha rendido.

Entre las muchas armas capturadas al ejército hay un fusil ametralladora Johnson codiciado por algunos comandantes.

Inesperadamente Fidel me dice:

—Llévate esa arma, es tuya.

—¿Y por qué no se la das a alguno de los que tanto la quieren?

—No, es tuya; tómala y no hagas caso de tonterías.

No lo desairo, pero me llevo el arma seguro de que la preferencia molestará a algunos. Regreso a nuestro territorio sin perder tiempo.

Con la pierna enyesada y la ayuda de un bastón continúo recorriendo las posiciones del cerco. En las unidades rebeldes hay mucho optimismo. Son comunes las expresiones de júbilo, mientras que en el ejército cunde el desaliento; esta actitud prefigura el último acto. Las fuerzas rebeldes se han convertido en algo arrollador. Las tropas de Raúl han logrado importantes victorias consolidando y extendiendo el territorio del Segundo Frente.

Próximo a nuestra zona, Fidel me avisa para que nos encontremos con él, con Raúl y otros comandantes cerca de El Cobre.

Durante la reunión analizamos la coordinación entre todas las columnas. Al finalizar, Fidel precisa:

—Huber ha estado a cargo del cerco y será el oficial ejecutivo del asalto a Santiago.

Aunque no me sorprende la designación, siento tranquilidad. Llevo meses preparando a mis hombres para la toma de Santiago. Fidel continúa:

—Escúchenme bien. Éste es el ataque más importante de la guerra. La dictadura está derrotada. Ninguno de los comandantes que tenemos mando de tropas debe formar parte del futuro gobierno. Nosotros seremos la reserva de la Revolución, un grupo con autoridad moral para controlar las cosas. Es lo que le debemos al pueblo, a su confianza, apoyo y solidaridad. Ni tú, Huber, ni yo, ni Raúl, ni el Che, ni Camilo; ni ninguno de los comandantes con mando de tropa ocuparemos cargos en el aparato administrativo. Urrutia, que ha venido de Venezuela a pedido mío, se hará cargo de la presidencia. Nombrará sus ministros, los que ayudaremos a escoger. Las posiciones principales quedarán en manos de gente de mucha confianza. Al Ejército Rebelde le corresponde la misión de vigilarlo todo para que el programa de la Revolución se cumpla cabalmente.

Fidel reflexiona unos momentos y agrega:

—Hay que someter a juicio a los criminales de guerra, sin excepciones. No debemos caer en conmiseración con sujetos que han traicionado al pueblo y han cometido crímenes incalificables, torturas y robos como jamás se vio en la historia de Cuba. No habrá perdón. No habrá toallas tiradas[1] para ninguno de los culpables. Esto debe quedar bien claro.

En un aparte, me dice que le prepare un puesto de mando desde donde asumirá el control del ataque a Santiago, y me adelanta:

—Quiero que me presentes cuanto antes el plan de ataque pormenorizado.

—Ya lo tengo listo —le respondo—. Lo traje por si hay tiempo para que tratemos el asunto. Pero te adelanto que yo quiero entrar con gente de mi tropa a la ciudad desde el inicio del asalto.

—No, tú vas a ser el oficial ejecutivo y tienes que quedarte afuera, junto a mí.

—Tú dices que participarán varias columnas. ¿Con qué gente vamos a contar allí? Tanto en mi columna como en las demás tenemos oficiales que conocen muy bien Santiago.

Menciono a los comandantes Lussón y Félix Pena, al capitán Ruiz Maceira y a otros.

—No, no —responde Fidel—, ésos van para otro lugar. Reconozco que son oficiales buenos; pero prefiero que vayan a otro lugar don-

---

1. Expresión popular que significa «clemencia» o «favoritismo». *(N. del A.)*

de no existan compromisos previos de ningún carácter. ¿Me entiendes?

Advierto que trata de poner distancia entre los oficiales de Santiago y su posible popularidad local. Alejándolos, evita el peligro de futuros liderazgos. Mi criterio es diferente pero no voy a convertir el asunto en motivo de discusión.

Hablo algunas palabras con el doctor Urrutia. Es un hombre de unos cincuenta años, ponderado y sereno. Acredita fama de honestidad en todos sus actos y, aunque no es popular en el sentido en que lo puede ser un jefe guerrillero o un político carismático, cuenta con simpatías en la población.

También departo brevemente con José Pardo Llada y otros civiles que acompañan a Fidel. Hay euforia y seguridad en el triunfo final.

Aquí me entero, con personas de Manzanillo, de que mi hermana Argelia fue arrestada en La Habana a fines de noviembre por esbirros del Servicio de Inteligencia Militar (SIM). Viajó a la capital por motivos de salud y al bajar del avión la tomaron presa y no se sabe dónde está. Una cobarde represalia.

He elaborado el plan para la toma de Santiago de Cuba en la residencia de la familia Babum, en Siboney, que está desocupada. Los Babum son dueños de una empresa naviera y otros negocios; simpatizan con la Revolución, como muchas familias adineradas.

Le expongo a Fidel el informe completo y detallado sobre el asalto a Santiago.

—Creo que el lugar ideal para tu puesto de mando es en Puerto Boniato. Allí hay unas casitas en un lugar alto y discreto, medio disimuladas por la vegetación. Tendrás un panorama de toda la ciudad y sus alrededores. También, si es necesario, podrás movilizarte con facilidad.

Despliego ante él un mapa de buen tamaño, y continúo:

—El criterio básico del plan es tomar la ciudad en el menor tiempo posible y con el menor costo posible. El pueblo está entusiasmado con la lucha y considero que va a participar. Es innecesaria una gran concentración de fuerzas rebeldes para dominar la situación. Con mil ochocientos hombres escogidos se logra el objetivo. Lo acertado es aprovechar la desmoralización y el sentimiento de derrota que mina al enemigo, para alcanzar una victoria rápida y aplastante.

El comandante Bonifacio Haza, jefe de la policía de la ciudad, me ha enviado un mensaje con el reverendo Agustín González, garantizando que sus fuerzas se pondrán a nuestras órdenes con todos los carros patrulleros tan pronto yo le indique.[1]

El esquema comprende asalto desde afuera y desde adentro. Aprovecharemos que los militares están en una actitud defensiva. Una columna fuerte —que quiero dirigir personalmente— se abrirá paso durante la noche hasta el centro de la ciudad, y desde allí comenzará a tomar posiciones apoyándose en la sublevación del pueblo, lo que tendrá un impacto psicológico aplastante para los militares. Otras tropas actuarán simultáneamente, con avances desde posiciones perimetrales, para encontrarse con la columna central. Ésta estará atacando o ya habrá tomado edificios dominantes de la ciudad, todos de construcción muy fuerte y ocupados por los militares. Las estaciones de la radio comercial pasarán rápidamente a nuestro poder. Si es necesario, el edificio de la gobernación provincial, donde tiene su cuartel la policía, puede aislarse y tomarse en cuestión de horas. Podría ser nuestro cuartel general si así lo decidimos.

El ejército tiene dos buenas posiciones en Santiago, ambas con características de verdaderas fortalezas: el Cuartel Moncada, y el edificio del Hospital Provincial que usa para la tropa en operaciones. Los sitiaremos hasta que se rindan. En Boniato, cerca de San Vicente, hay una tropa con varios cientos de soldados; no debemos molestarlos durante el ataque porque están neutralizados. A estos hombres los derrotamos en el frente de San Vicente y se rendirán cuando tomemos la ciudad. Lo mismo que otros batallones ubicados en El Caney, en el camino del aeropuerto y hacia el oeste cerca de Marimón y La Pedrera.

La base naval de la marina en Punta Blanca tiene gran capacidad defensiva, pero no nos preocupa. Tenemos informes de que la marina se unirá a nosotros cuando las acciones alcancen intensidad.

Los militares controlan el aeropuerto, ubicado en un área despoblada, de topografía muy particular. Es difícil de cercar. Lo práctico es interceptar los caminos impidiendo todo acceso a la ciudad. Si vinieran nuevos refuerzos por aire desde La Habana los podemos contener, y serán más los que se rindan al final.

Estimo que el ataque durará cuarenta y ocho horas, o quizás menos. La embestida simultánea hacia el corazón de la ciudad para sublevarla, y desde distintas posiciones del cerco, nos asegurará un dominio rápido de toda el área urbana. Quedarán bastiones del ene-

---

1. El comandante Bonifacio Haza Grasso fue fusilado en Santiago de Cuba el 13 de enero de 1959, víctima de la ola de ejecuciones que tuvo lugar en la provincia de Oriente después del triunfo revolucionario. *(N. del A.)*

migo sin otra opción que rendirse. Negociaremos con ellos para evitar una lucha que no tiene sentido. A toda esta gente la hemos derrotado en los dos meses que ha durado el cerco. También hay guarniciones que se rindieron en otros lugares y están allí concentradas, convencidas de la victoria rebelde. La milicia masferrerista no cuenta como cuerpo combatiente. Esos esbirros asesinan a gente desarmada pero no pelearán contra nosotros.

Fidel se muestra complacido, pero me dice:

—Está bien, pero olvídate de que vas a entrar, tú te quedas conmigo.

En la bahía operan dos fragatas, la *Antonio Maceo* y la *Máximo Gómez*. La mayoría de la oficialidad de esta última simpatiza con nosotros. Entre ellos hay una conspiración bien extendida. Uno de estos oficiales, el capitán Trujillo, se ha incorporado a la Columna 9. También tenemos varios de sus marinos. Estoy impulsando la sublevación, contando con la inteligente intervención de dirigentes del 26 de Julio en Santiago. Ellos están al tanto de las garantías que Fidel les ha dado. Los oficiales de la *Máximo Gómez* pueden comenzar a trabajar en la deserción de los oficiales de la *Antonio Maceo*.

Hemos estado acumulando grandes cantidades de gasolina que nos entrega la refinería Texaco durante la noche. Por el día la instalación es vigilada por los marinos, que se retiran al atardecer. Entonces los rebeldes llegan con dos o tres camiones cargados de tanques de 55 galones, que son llenados rápidamente y traídos a sitios seguros en nuestro territorio. La Texaco nos pide absoluta reserva y entiende que pagaremos después del triunfo.

La asistencia médica a los prisioneros es tarea prioritaria; entre ellos hay muchos heridos. El doctor Vidal, secundado por sus enfermeros, hace milagros y tiene una voluntad de servicio extraordinaria. Lo mismo extrae una bala que calma los dolores de oído o de riñón. Sin embargo, con frecuencia hay que buscar un especialista en Santiago, lo que representa un compromiso peligroso para los médicos. Ahora tenemos dos casos serios: un militar que perdió la vista a causa de una bala, y el miembro de la tripulación del tanque que sacamos casi sin vida en Puerto de Moya. Estamos en gestiones con el fin de entregarlos a la Cruz Roja lo antes posible para que reciban tratamiento especializado

El 28 de diciembre, día de los Inocentes en Cuba, es por tradición un día de burlas y bromas. Pero hoy habrá una reunión muy seria y secreta entre Fidel y el general Eulogio Cantillo, jefe de operaciones del ejército. Cantillo es el único de los generales de Batista que goza de respeto entre los rebeldes, por su oposición al asesinato de prisioneros. Con la más absoluta reserva él y Fidel han intercambiado recados, notas y cortesías. Algunos representantes de la dictadura saben que la mejor arma que les queda es negociar, en un intento de ganar algo en la derrota.

La reunión se celebra en el Central Oriente. Los pocos que lo saben viven momentos de tensión. El resultado es un pacto para poner fin a la guerra el primero de enero, con un reconocimiento del triunfo de la Revolución y una alianza entre los militares y los rebeldes.

Tres horas después de concertado el acuerdo, llega Raúl Castro a la comandancia de la Columna 9. Viene contento, con un mensaje verbal de Fidel:

—Huber, vengo a buscarte —me dice entusiasmado—. Se ha logrado hoy un acuerdo con Cantillo por el cual el primero de enero de 1959 termina definitivamente la guerra. En la ejecución del plan tienes una importante participación. Fidel necesita conversar contigo, te espera cerca de Palma Soriano.

La noticia me impresiona. En menos de dos horas llegamos a una residencia en el Central Palma. La vivienda rebosa de gente muy animada. Hay grupos que charlan o ríen, se respira el aire de la victoria. Es como una corriente contagiosa que se desborda.

Fidel, Raúl y yo conversamos en privado.

—Huber, como tú ya sabes, hemos llegado a un arreglo con Cantillo. No te preocupes ya por la preparación del ataque a Santiago. El primero de enero, a las tres de la tarde, tú estarás en el Cuartel Moncada representándome a mí y al Ejército Rebelde. Irás con trescientos hombres escogidos de tu columna, todos bien armados, por si acaso. Allí se hará un pronunciamiento conjunto del Ejército Rebelde y del Ejército Nacional, poniendo fin a la dictadura y a la guerra y proclamando el triunfo de la Revolución, la unificación del ejército y la instauración de un gobierno civil.

Fidel hace una pausa. Está algo excitado. Luego sigue:

—Prefiero que vayas tú con lo mejor de la Columna Nueve. Así daremos una buena impresión y contaremos con un numeroso grupo de combatientes de calidad, en resguardo de algún imprevisto. Yo no puedo entrar a Santiago de Cuba por razones obvias, tú me representarás. Esto es lo fundamental. Tus hombres deben estar bien uniformados y bien armados. No les digas adónde van y mantenlos en actitud mental de combate. No debemos rechazar la idea de que se nos tienda una trampa. Desde Santiago se le dirá a la nación que el Ejército Rebelde y el Ejército Nacional se han convertido en una sola fuerza.

Además, daremos lectura a los puntos principales sobre los que se basa el acuerdo.

Por último, y luego de otras aclaraciones e instrucciones, Fidel señala:

—Estaré atento a todo lo que vaya sucediendo y mantendré suficientes tropas para entrar en acción si llega el caso. Así que, Huber, ya sabes lo que lo tienes que hacer. Olvídate de todo lo demás, deja de lado el ataque y sus preparativos. Ocúpate nada más de lo que te he dicho.

Hace meses que estoy dándole forma al ataque a Santiago y esta noticia de hoy, más las responsabilidades que me da Fidel, cambian el panorama. Estoy como el corredor que, tras haber recorrido muchos kilómetros, en el último esfuerzo para alcanzar la meta se entera de que los jueces han suspendido la carrera. Siento alguna frustración de no poder librar la batalla final, pero me alegro, porque no habrá más muertos.

—Muy bien —contesto—, es como tocar un viejo sueño que se hace realidad. Ahora tienes que dejarme ir cuanto antes. Me espera mucho que hacer.

—De acuerdo —dice Fidel—, nos mantendremos informados.

Al regreso, cito a mis oficiales para una reunión en los Colegios Internacionales de El Cristo. A pesar del extenso y un tanto irregular territorio donde se encuentran, en pocas horas todos están en conocimiento de la cita.

Ya en la reunión, les digo:

—Muchachos, estamos listos para salir a dar la vida en este asalto. Cada uno debe dar instrucciones a su tropa para que laven el uniforme; debe estar en condiciones para lucirlo cuando entremos a la ciudad. Tenemos que dar buena impresión... El que muera, que se vaya al otro mundo bien presentado.

Los oficiales celebran mis palabras con expresiones de alegría. Se fija también la fecha aunque no en forma precisa: el 31 de diciembre o el primero de enero.

El día 30, en horas de la mañana, nuestro jefe me indica que me presente en Palma Soriano con una buena escolta y los miembros de la marina que se han incorporado a la Columna 9.

Cuando llegamos, avanzada la tarde, Fidel me informa sobre los éxitos del Che en Las Villas y me da detalles sobre la rendición de un tren blindado del ejército cuyo destino era la provincia oriental. Aparentemente la oficialidad al mando del tren tenía poca voluntad de combate. Es obvio que el enemigo se desmorona ante la victoria de las fuerzas rebeldes. Los acontecimientos que se están produciendo en Las

Villas tienen una importancia mayor por su proximidad a La Habana. Ya nuestra provincia no es el único escenario relevante en esta confrontación que está en los finales.

La indicación de Fidel de que venga preparado con una buena escolta y con los marinos es para apoyar la sublevación en la fragata *Máximo Gómez*. Los conspiradores llevarán la nave al muelle de la refinería Texaco, con el pretexto de abastecerla de combustible. Como el operativo será nocturno, los rebeldes aprovecharemos para dar respaldo a los tripulantes sediciosos y dominar cualquier resistencia que se presente. También evitaremos que la otra fragata frustre la operación. El capitán Trujillo es el oficial de más alto rango de la marina que intervendrá en el operativo, pero hay unos quince, entre oficiales y marineros, que van con nosotros.

Aunque la infantería de marina participa en la lucha, sus integrantes siempre han tratado de demostrar que la hostilidad hacia las fuerzas revolucionarias es forzada por las circunstancias, y que existe una corriente de coincidencia entre ellos y los «barbudos». Hay algunos marinos culpables de crímenes horrendos contra los revolucionarios, como el célebre torturador Julio Laurent, quien después de torturar y asesinar al teniente Dionisio San Román y al capitán González Brito, hizo desaparecer sus cadáveres arrojándolos al mar.[1] También se le señala autor del asesinato de unos miembros de la expedición del *Granma* que fueron capturados pocos días después del desembarco. Sin embargo, estos hechos no acusan a la marina de guerra en su conjunto. Los responsables de atropellos son muy pocos y probablemente despreciados por sus mismos compañeros.

Salimos en un convoy hacia la Texaco. Paramos en El Cobre, donde está el santuario de la Virgen del mismo nombre. Los sacerdotes católicos nos ofrecen una comida reparadora. Se muestran muy atentos con todos y, de manera especial, afectuosos con Fidel. La caravana, reforzada con más vehículos y rebeldes, sale de El Cobre entre el polvo del camino, la tensión y la sensación de triunfo.

El *jeep* en que viajo va próximo al de Fidel. Así conversamos en las breves paradas que hacemos. Cuando sólo faltan unos veinte minutos para llegar, varios rebeldes que vigilan la zona detienen el convoy y traen hasta el vehículo del comandante a un mensajero recién llegado.

A la luz de las luces del *jeep*, con expresión preocupada como augu-

---

1. El asesinato de estos dos oficiales de la marina de guerra fue cometido luego de ser dominada la sublevación de la base naval de Cayo Loco, en Cienfuegos, en septiembre de 1957. *(N. del A.)*

rando algo negativo, Fidel lee el papel que le envía el coronel Rego Rubido, jefe del Distrito Militar de Santiago de Cuba y segundo del general Cantillo en el mando de operaciones. En el mensaje, Rego informa que Cantillo se ha tenido que trasladar a La Habana y que la operación acordada para el primero de enero queda postergada para cinco días más tarde.

—¡Qué hijos de puta!... ¡Pero mira con lo que nos salen ahora!... ¡Coño! Fíjate, Huber, Cantillo se había comprometido conmigo a que no abandonaría Santiago de Cuba hasta que hiciéramos allí el pronunciamiento conjunto. ¡Y ahora quiere burlarse de mí y de la Revolución utilizando estas artimañas! Toma, lee este papel. Es insultante.

Leo y medito sobre las consecuencias de esta nueva situación.

Fidel me señala:

—Ahora queda sin efecto el acuerdo; se ha vulnerado con esta traición de mierda. Esto de Cantillo de marcharse para La Habana pone otra vez las cosas como estaban antes del 28. Pero esta burla tendrá que pagarla.

Fidel hace una pausa y sigue hablando.

—Huber, me parece absurdo proceder con la operación de la fragata. Es mejor dar marcha atrás y organizar rápidamente el ataque a Santiago. Hay que hacerlo sin más dilaciones, el primero de enero en horas de la mañana.

—Mira —le respondo—, estamos en la noche del 30. De acuerdo con lo que dispones nos quedaría apenas un lapso de veinticuatro horas para el ataque. Todos los pasos previos de este operativo han sido cancelados según tus instrucciones. He dirigido todo el esfuerzo hacia la reunión del primero en la tarde en el Cuartel Moncada. Un cambio de planes como éste demandará por lo menos veinticuatro horas más. Mis tropas están ahora en otra cosa. Las otras columnas que tú piensas utilizar en la operación deben ser trasladadas y hay que prepararlas en sus respectivos escalones de ataque.

Sin embargo, Fidel insiste.

—Huber, tienes que hacer todo lo posible; no podemos demorar más. Los acontecimientos se han precipitado. Dilatar la operación, aunque sea por unas horas, les dará tiempo a ellos para sus jugarretas. Es un lujo que no podemos permitirnos.

—Pero Fidel, una previsión mayor puede ser más efectiva que un apresuramiento —le aclaro—. Vamos a ver cuánto se puede adelantar el ataque.

Estoy convencido de que en la Columna 9 la acción no se podrá concretar en un día. Creo que el momento indicado sería el primero de enero por la noche, lo que posibilitará mover las tropas que están lejos de Santiago. Insisto sobre este asunto.

—Está bien —me dice—, hazlo de acuerdo con lo que tú tienes en mente... Sí, sí... estoy de acuerdo, Huber.

Caminando con cierta dificultad por mi bota de yeso, voy hacia donde están los hombres que me acompañan. Salimos para nuestra comandancia.

A llegar, y sin perder un segundo, atiendo la organización del ataque. Tenemos que actualizar todo conforme estaba antes de la reunión Fidel-Cantillo. Hay que poner en ejecución el esquema desechado el día de los Inocentes.

El 31, víspera de Año Nuevo, el movimiento en nuestra área es coordinado y dinámico. Hago una reubicación de posiciones del personal de combate de la columna, que incluye unos seiscientos hombres. Llegan a la vez los contingentes rebeldes que envía Fidel y que voy distribuyendo en las distintas posiciones concebidas en el plan.

Ya el batallón enemigo cercado en el Banfaic entregó sus armas y se retiró a Santiago.

Hace apenas un rato —madrugada del primero de enero— me he tirado a descansar. No recuerdo cuándo fue la última vez que pude hacerlo. Debo recuperar fuerzas porque las próximas horas serán de gran ajetreo. Tenemos que completar todos los preparativos para estar en capacidad de iniciar el asalto esta noche. Aprovecho para revisar mentalmente algunos de los aspectos de esta operación. Todos los equipos de comunicación están funcionando y además hay un sistema de mensajeros organizado. Los rebeldes están bien armados y con suficientes municiones; hay transportes y gasolina en abundancia. Cada grupo rebelde conoce sus objetivos y su plan operacional al detalle; además tienen capacidad para desarrollar iniciativas cuando sea necesario y estaremos al tanto de cualquier variante. El comandante Bonifacio Haza, jefe de la policía de Santiago, vino secretamente a la comandancia a ponerse a mis órdenes. No se trata de una promesa falsa; trajo de garante al reverendo Agustín González, quien fuera mentor de Frank País, el heroico revolucionario santiaguero asesinado por la dictadura. Por las contradicciones de Fidel, ahora resulta que Almeida, mi jefe titular, queda bajo mis órdenes. Lamento no entrar con la columna de asalto al centro de la ciudad como siempre había planeado. ¿Cuántos de nuestros hombres caerán? ¿Cuántos hogares cubanos estarán de luto mañana? Aquí, recostado al leal M-3, me quedo dormido cuando la claridad del amanecer marca el comienzo de un nuevo día.

27
El triunfo

Es la fiesta más espontánea, más tumultuosa
y más feliz que he visto en mi vida

Mientras descanso, temprano en la mañana del primero de enero de 1959, llega la noticia de que Batista ha renunciado. El dictador ha huido de Cuba hacia la República Dominicana en un avión con sus más cercanos colaboradores. La pretensión es evidente: al entregar el poder a una Junta Militar encabezada por el general Eulogio Cantillo, trata de escamotear el triunfo revolucionario. Dominando el disgusto, voy a la estación de radio de nuestra columna y alerto al pueblo de Santiago de Cuba, afirmando que la guerra continúa. Explico que la maniobra está viciada de nulidad y ha servido para encubrir la fuga de Batista y evitar su procesamiento ante los tribunales de justicia. Los militares no cuentan con el respaldo popular, y si realmente alguien ha triunfado son las fuerzas revolucionarias. El poder debe pasar a nuestras manos y no a una Junta Militar. Advierto a civiles y militares que todos esperen las decisiones de Fidel Castro en su condición de jefe de las fuerzas revolucionarias.

De inmediato envío con Félix Duque un recado a Fidel informándole lo que acabo de hacer y solicitando instrucciones. Le sugiero que se traslade a la comandancia de la Columna 9 y tome sus determinaciones aquí, en las afueras de Santiago, por ser ésta la segunda ciudad del país y el lugar más significativo en nuestra lucha revolucionaria.

Ordeno a mis oficiales un alto el fuego. Sólo se debe disparar si el enemigo ataca. Los rebeldes deben intentar relacionarse con los soldados que están en trincheras muy próximas a las nuestras en El Caney y Boniato. Hay que fraternizar con ellos y garantizarles su libertad si entregan las armas. Por la radio nos enteramos de que Fidel, desde Palma Soriano, ha hecho público su total rechazo a la Junta Militar y al nombramiento del magistrado Carlos Manuel Piedra como presidente de la República. Ha hecho un llamamiento a la huelga general y a continuar la lucha hasta que se reconozca el triunfo de la Revolución.

Salgo para Boniato, donde hay concentrada una gran cantidad de efectivos del ejército al mando del comandante Chávez Guerra. También allí está la cárcel de Boniato con muchos presos políticos. Al llegar a la zona de las trincheras veo que los rebeldes ya están cumpliendo las instrucciones. Les recomiendo tratar a los soldados como compatriotas y argumentar que como la caída de Batista está confirmada, los cubanos ya podemos vivir en paz. Deben tomar todas las armas y municiones posibles.

En una nota al comandante Chávez Guerra, jefe de las tropas que están frente a nosotros en San Vicente, le planteo mi interés en conversar con él. Acepta siempre que vaya desarmado y sin escolta. Le aviso que iré a verlo con dos oficiales, los tres desarmados. Con los capitanes Francisco Cabrera y Raúl Barandela atravieso la línea divisoria y en diez minutos estamos con Chávez Guerra.

Aprovecho los buenos términos de la conversación para solicitarle la liberación de los presos políticos de la cárcel. Me responde que eso queda fuera de su responsabilidad. Le hago ver que él es el oficial a cargo de la zona donde está la prisión. No le comento que en varias oportunidades estuvimos a punto de atacarla y tomarla. No lo hicimos por temor a provocar bajas entre los mismos presos. Mediante emisarios hemos asegurado a los presos políticos que, vencida la dictadura, su excarcelación sería cuestión de horas. Es el momento para proceder a abrir las rejas. Pero Chávez Guerra se mantiene renuente. Le planteo entonces otro asunto:

—Comandante, la Revolución ha triunfado. En La Habana se ha creado una Junta Militar que los rebeldes desconocemos. Vengo a proponerle que se una a nosotros. Es inútil seguir combatiendo. Los hechos se han precipitado y nadie respalda a los sucesores de Batista. El alto mando militar está completamente descalificado.

Chávez Guerra, que merece nuestro respeto por su comportamiento durante la guerra, me escucha atentamente. Hace un silencio largo, como reflexionando, y me dice:

—Mire, comandante Matos, yo soy militar y cumplo órdenes del Estado Mayor. Así que no tengo otra alternativa que acatar las órdenes que me llegan de La Habana. Creo que usted tiene razón, son los rebeldes los que han resultado triunfadores. Como quiera que sea, en La Habana todavía hay un mando. En la organización militar las directrices surgen de la cúpula. Si desde allí me dicen que me ponga a las órdenes de usted, lo haré. Por el momento no puedo dar ese paso.

Chávez Guerra hace una pausa y nos invita a almorzar. Luego, como insiste en su posición, aprovecho entre plato y plato para advertirle cordialmente:

—Bien, comandante, respeto su punto de vista. Pero deseo aclararle que, dadas las circunstancias, la lucha seguirá a pesar de que estamos tratando de evitar más muertos y heridos.

Noto en Chávez Guerra, a pesar de su calma, un poco de tensión. Con pesar le anuncio:

—Lo que nosotros vamos a hacer a partir de esta misma tarde es continuar el ataque. Sin embargo, con la caballerosidad que su persona merece, le notificaré el inicio de las acciones por lo menos una hora antes. Hacerlo de inmediato, en momentos en que sus tropas y las mías están confraternizando, me parece una cobardía. Una hora antes de comenzar el ataque, usted tendrá conocimiento de éste.

—Está bien, si es ésa su determinación —responde con calma, aunque tenso.

—Es casi seguro que esta tarde, a las cinco, estemos ya en acción; pero espere mi confirmación. Es mi deber de conciencia decírselo.

—Gracias, comandante.

Paso por El Cristo en camino a Matayegua y aquí encuentro a Juan Almeida; conversamos unos minutos sobre la situación y le digo:

—Almeida, como la Junta Militar ha declarado que apoya a los rebeldes, voy a enviar una nota al coronel José Rego Rubido, jefe del Distrito Militar de Santiago de Cuba, en la que le informo que hoy vamos a entrar en Santiago de Cuba. Lo haremos atacando o en paz, bajo las seguridades que él nos dé. Si Rego mantiene su posición de que los militares están a las órdenes nuestras, deberá situar sus tanques en la carretera de El Caney, de tal modo que sirvan de vanguardia a nuestra columna. El coronel deberá ir a la cabeza de sus blindados.

Invito a Almeida a que refrende mi carta en su carácter de jefe del Tercer Frente. Es una cortesía, porque ahora Almeida está bajo mis órdenes.

No espero que Rego Rubido actúe como le indico. Mi propósito es llevarlo a que se defina. Mando la nota a través del pastor bautista, Agustín González, quien goza de mucho prestigio entre nosotros.

A las dos de la tarde el capitán Dunney Pérez Álamo me informa que los jefes del ejército del frente de El Caney, el capitán Miguel Acosta y su segundo, me esperan para conversar en el alto de Villalón. Instruyo a Pérez Álamo para que los entretenga; aguardo de un momento a otro la llegada de Fidel. Pasados unos minutos, lo tenemos aquí, viene acompañado por Félix Duque. Conversamos sobre los acontecimientos. Ante una de sus preguntas, le digo que tengo la gente lista para atacar a las cinco de la tarde.

—Desde luego que este ataque no lo llevaré a cabo sin consultar antes contigo y recibir las instrucciones finales. Pero he tratado de presionar al ejército, con el argumento de que vamos a proceder a la acción, para que se decidan de una vez a incorporarse al mando de la Revolución.

—Bueno, vámonos para El Caney. ¿Así que tú hablaste con Chávez Guerra y le planteaste las cosas tal como son?

—Así es.

—Hiciste bien, ganamos tiempo con eso. Y lo de presionar a Rego Rubido, también está acertado.

Antes de salir, llega la respuesta de Rego Rubido. En su carta señala que le es imposible situar sus tanques donde yo le he pedido. «Lo que debemos hacer», dice, «es conversar y evitar más muertes inútiles.»

Comento con nuestro jefe el contenido de la respuesta de Rego Rubido.

La carta del coronel Rego la ha traído el jefe de la policía de Santiago de Cuba, comandante Bonifacio Haza, quien mantiene una prolongada charla con Fidel. Cuando partimos hacia El Caney, Fidel lo invita a sumarse a la comitiva.

Llegamos al alto de Villalón. Aquí nos esperan los oficiales del ejército interesados en dialogar. Fidel les dice que la guerra se acabó y que el Ejército Rebelde es el nuevo dueño de la situación. Pero lo expresa suavemente, en plan de convencer y poco a poco encuentra el terreno fértil. Los oficiales aprovechan esas palabras y aclaran que están aquí en una posición conciliadora, pero desean saber a qué atenerse. No quieren que se dispare un tiro más.

Fidel habla de enviar a buscar al coronel Rego Rubido, para lo que se brinda el capitán Haza, quien sale de inmediato hacia el Cuartel Moncada. Mientras tanto seguimos conversando con los jefes militares.

Transcurrido algo más de una hora, llega Haza con Rego Rubido. Éste se muestra sereno y afable. En su conversación da prioridad a la necesidad de que haya paz. Argumenta que no quiere comprometerse como único responsable en una determinación que involucra a muchos oficiales.

Nuestro jefe le plantea la idea de reunir a todos los hombres con mando militar en Santiago; exponer él sus puntos de vista y escucharlos a ellos.

—Vamos, vamos a Santiago para hablar con los oficiales —dice Fidel.

No se trata de que él va a ir de inmediato a la ciudad. Es sólo una astucia.

En el mismo vehículo viajamos hacia Santiago, Rego Rubido, Raúl Castro, quien acaba de llegar de la zona de Guantánamo, Bonifacio Haza y yo. Fidel baja hasta El Escandel a esperar nuestro regreso.

Entramos al Cuartel Moncada. El personal militar observa nuestro ingreso con una mezcla de temor y curiosidad. Alguien me entrega un recado de los presos que están aquí en los calabozos reclamando su libertad. Les pido que tengan paciencia, que en cuestión de horas quedarán libres. Son revolucionarios del Movimiento 26 de Julio y del Ejército Rebelde. Si el mando enemigo los hubiera considerado autores de hechos graves, lo más probable es que no hubiera quedado uno solo vivo. Aunque es justo señalar que, mientras el general Cantillo fue responsable de las operaciones de guerra del ejército en Santiago, frenó la mano de los asesinos de la dictadura, los seguidores del general Alberto del Río Chaviano y los llamados «Tigres» de Rolando Masferrer.

Le pido al coronel Rego poner en libertad inmediatamente a todos los presos políticos.

—Hoy mismo van para la calle todos los de mi jurisdicción —me dice.

Entre los militares hay un ambiente tenso, de expectación y hasta de temor. Seguramente piensan en las posibles represalias y consecuencias desfavorables que pueda acarrearles el triunfo de la Revolución.

Raúl les dice a los oficiales, a viva voz:

—Fidel tiene las mejores noticias para ustedes, se lo aseguro. Vayan a reunirse con él en El Escandel ahora mismo.

Como si estuvieran asistiendo al nacimiento de un milagro, los miembros de la oficialidad desbordan en expresiones de júbilo y aplauden. Se dirigen a sus autobuses y salimos hacia El Escandel.

Antes de partir hacia el Cuartel Moncada, di órdenes a las columnas rebeldes de que formaran un largo convoy en la carretera. Así, cuando regresáramos con los oficiales del Moncada, éstos podrían ver, por más de un kilómetro, el impresionante cuadro de casi tres mil combatientes listos en sus transportes para entrar a la ciudad.

Los oficiales llegan muy impresionados por el poderío rebelde. Ya es de noche.

Encaramado en la mesa de un pequeño salón de la escuela de El

Escandel, Fidel los arenga. Entre los oficiales hay una corriente fluida, favorable a su discurso.

Sus palabras no pueden ser más persuasivas. Lamenta mucho lo que él llama la «traición» del general Eulogio Cantillo. Dice que de cualquier manera la guerra ha concluido, para bien de todos, porque ha habido muchos muertos, muchas depredaciones y muchas angustias. Es necesario —añade— que aquí, en El Escandel, se concrete un pacto entre el Ejército Rebelde y el Ejército Nacional para sellar el término de la contienda. Ese pacto sería el mismo que habíamos convenido con Cantillo; pacto que «como ustedes saben, quedó sin efecto por la indignante actitud de un general que no tiene honor para respetar la palabra empeñada».

Fidel llama a una franca unión de los militares, con o sin mando, para integrar con los rebeldes un solo ejército al servicio del país y no de intereses mezquinos. «No habrá», afirma, «más guardias pretorianas de dictadores, sino un hombre uniformado, orgulloso de su rol de servidor del pueblo, del cual ha surgido.»

Todavía más eufórico, alentado por las expresiones de asentimiento de sus interlocutores, exclama:

—Ustedes, junto a nosotros, harán su parte en la reforma agraria. Ustedes estarán a nuestro lado, codo con codo, industrializando el país y terminando con el monocultivo. ¡Se acabó el campesino sin tierras!

Agrega algunas promesas sobre el futuro y finaliza su alocución dando vivas a la Revolución, a la libertad de Cuba y a la esperanza común de crear entre todos una patria libre, democrática y plena de derechos, tal como jamás se ha conocido en nuestro territorio.

Entre los militares presentes, muchos de los cuales no parecen hoy haber sido los contrarios de ayer, hay varios con fama de asesinos. Quizás piensen que de algún modo este proceso terminará con una implícita amnistía para ellos. Nosotros, recordando su propósito de juzgar a los criminales, pensamos que no será así.

Un acuerdo informal surge de la reunión: Rego asume la nueva jefatura del Estado Mayor de las fuerzas armadas, reconociendo a Fidel como comandante en jefe.

Se decide que los rebeldes entren a Santiago esta misma noche. Tomo medidas para la marcha hacia la ciudad. El desfile es una procesión de vehículos con sus luces encendidas. La gente va saliendo de sus viviendas para sumarse al acontecimiento. Nuestros camiones y *jeeps* avanzan con lentitud entre un público que se mezcla con ellos en una sola y mayúscula fiesta callejera sin precedentes en la historia de esta ciudad. Nadie se queda en su hogar. Todos se sienten arrastrados por un frenesí desbordante y ruidoso. Nuestra presencia en las calles significa para toda esta gente el olvido del miedo y de las dificultades de la guerra. Nosotros somos su fiesta y en toda esa alegría se encuentra la raíz popular cubana. La gente que nos rodea participó como pudo en el esfuerzo revolucionario. Santiago, a lo largo de la lucha, ha sido una ciudad rebelde.

Los recién llegados, acompañados de una delirante marea humana, vamos hacia el Parque Central, donde se apretujan millares de personas. Desde el Ayuntamiento hablarán los oradores cuando terminen de llegar las tropas rebeldes y los pobladores de la periferia urbana. Es un momento histórico.

Aprovecho el par de horas que tenemos disponibles para recorrer la ciudad con algunos compañeros. Aquí estudié y tengo unos cuantos amigos, me siento como en casa. Además, ahora se me reconoce como el comandante de las operaciones del cerco. Entre la población esto ha adquirido un contorno casi mítico, lo que no deja de darme satisfacción aunque también me abruma un poco.

Subimos por la calle Enramada, la principal de la ciudad, y llegamos a la casa de unos viejos amigos, la familia Rodríguez. Estamos hambrientos y nos ponen una mesa muy generosa. Disfrutamos con esta buena gente un momento muy agradable. Todo nos sabe a gloria. Agradecemos las atenciones y nos vamos hacia el Ayuntamiento.

El espectáculo del parque es impresionante. No cabe una persona más. Miles de hombres y mujeres llenos de entusiasmo agitan banderas cubanas y del Movimiento 26 de Julio; los árboles también están adornados con banderas. La Revolución ha triunfado.

Fidel me pide que permanezca a su lado durante toda esta fiesta popular. Me invita a que hable. Lo hago después de otros oradores. No me extiendo mucho. Doy salida a mis sentimientos de la fecha y recuerdo los aspectos más sobresalientes de la lucha, particularmente aquellos relacionados con los mártires, inolvidables para los revolucionarios. Resalto igualmente las pruebas de unión insobornable entre civiles y rebeldes. Recuerdo las distintas expectativas que se vivieron en el cerco y cómo la moral revolucionaria fue afianzándose dentro de la misma lucha. Porque todo esto que ha tenido un sentido, plantea además un compromiso: restituir las garantías individuales a los ciudadanos y consolidar una democracia socialmente justa.

Nuestro jefe da a su discurso un ímpetu de barricada. Pone énfasis en señalar que se ha dado fin a la dictadura y que ésta no se repetirá jamás en Cuba. «¡Porque no se trata de sustituir a un dictador por otro!» Fidel promete que los militares estarán a las órdenes de las leyes y la constitución de la República. Alaba el proceso electoral y democrático refiriéndose al tiempo limitado que un gobierno debe permanecer en el poder. Sus palabras arrancan de la multitud el más fervoroso de los aplausos. La alegría escapa a las palabras. El acto finaliza formalmente, pero en las calles el festejo continúa durante toda la noche.

En el mismo Ayuntamiento, Fidel, Raúl y yo conversamos sobre la situación en La Habana, donde hay un presidente provisional y una Junta Militar. Nuestro jefe nos dice:

—La Habana la desbarataremos. Están quebrados, sin apoyo y sin tiempo para rehacerse. Lo que sí pienso, descartando que La Habana caerá pronto, es que en Las Villas tendremos dificultades. Porque allí hay gente del Segundo Frente del Escambray y del Directorio que, a pesar de ser revolucionarios, viven en permanente pugna con el Movimiento 26 de Julio y hasta con el Ejército Rebelde. Es decir, la cosa no es sólo interna, sino que puede ser explotada por algunos militares que aún creen que no todo está perdido para ellos.

Se dirige a mí en especial y me informa.

—Además de quedar tú como jefe de la plaza de Santiago y del Primer Distrito Militar, tal como te lo dije esta tarde, tendrás que mantenerte con tu tropa organizada y en alerta.

Entonces agrega:

—Yo salgo por carretera hacia La Habana con una buena parte de la tropa que hay aquí. De la columna tuya me llevo a Félix Duque con más de cien hombres. También me llevo al capitán Oquendo con los tanques que tenemos en Santiago. Reuniré en el camino otros blindados, así como a efectivos de la base de infantería de Bayamo; también tropas rebeldes de diferentes áreas, que iremos integrando a nuestra columna.

Se extiende un poco más en esa planificación y luego de subrayar que Raúl y yo nos quedamos aquí, dice:

—Tú, Huber, prepara tu columna y la tienes lista por si es necesario que en Las Villas entres en acción. No sé cómo andarán finalmente las cosas por allí, pero me temo que por vía de la razón no se podrán resolver. Algo más: si a mí me sucediera cualquier cosa en el trayecto a La Habana... si soy eliminado físicamente, si me hacen un atentado y me matan, tú y Raúl se encargarán de dirigir la Revolución.

Se hace un silencio molesto, una lógica tensión por parte de Raúl y mía. No decimos nada.

—Les reitero —continúa—, si me sucede algo ustedes quedarán al frente de nuestra revolución, asumiendo todas las responsabilidades que se presenten o que el futuro demande. Quiero que esto quede bien claro.

Asentimos con cierta incomodidad, porque ese tipo de preocupación expresada por Fidel nos hace temer por él. Supongo que tendrá una inquietud fundamentada para decirnos eso, o bien se trata de una premonición. Para terminar, puntualiza que debo tener mi mando en el Cuartel Moncada y que Raúl quede en Punta Blanca, la base de la marina de guerra. No se definen las atribuciones de Raúl, pero entiendo que él queda como jefe de la provincia, en la que hay además otro Distrito Militar con base en Holguín, y otros cuerpos armados.

Con Raúl mis relaciones son estrechas, aunque disten de ser sinceras. Quizás le impresiona el afecto al jefe que ve en mis tropas y la forma en que soy capaz de conseguir de mis hombres el mayor rendimiento posible. Por mi parte, reconozco su cooperación para con mi columna. Le he manifestado mi respeto por la extraordinaria organización administrativa del Segundo Frente Oriental. Nuestras personalidades son totalmente opuestas, pero no puedo negar que hemos logrado una interacción inteligente, ni franca ni sincera, debido a la máscara y los vericuetos de este hombre.

El 2 de enero me hago cargo de mis nuevas funciones. Organizo un estado mayor y designo los mandos de la guarnición. En el Cuartel Moncada converso con la máxima autoridad del Ejército Nacional, el coronel Rego Rubido, acerca de la forma de coordinar nuestras atribuciones. Le hago algunas proposiciones de organización que incluyen efectivos de las dos fuerzas. Rego Rubido se muestra no sólo de acuerdo, sino también complacido.

—Bien, Matos —me dice—, he pasado órdenes esta madrugada a La Habana. Tomé algunas medidas que, al ser comunicadas al mando de allá, han sido desoídas o relegadas. No me han hecho caso a pesar de ser yo el jefe del Estado Mayor General del Ejército. Así que pienso que vamos a vivir dificultades. Ustedes tienen que ayudarme a triunfar porque el triunfo mío es el de ustedes. Si no acatan mis órdenes con el rango que tengo, imagínese lo que puede sobrevenir. Le insisto, Matos, necesito su respaldo y el del Ejército Rebelde.

—Ese respaldo lo tiene, coronel Rego, se lo aseguro.

Quiero ayudarle porque es un hombre bien intencionado.

Permanezco en el Moncada durante horas, pues hay asuntos urgentes que no pueden postergarse.

Rego Rubido me invita a ocupar un despacho junto al suyo. Pero para dar a mis actividades un carácter algo civil, prefiero atender la mayor parte de los asuntos en la misma Escuela Normal donde estudié para maestro. Mucha gente útil al país ha pasado por sus aulas y siento especial cariño por este plantel.

En la Universidad de Santiago está el gobierno civil. Conforme se decidió en El Cobre, ningún comandante de tropa lo integra. El magistrado Manuel Urrutia es el presidente de la República. Las designaciones han quedado a cargo de Fidel y de Urrutia.

En mi despacho se presenta Higinio Díaz, el oficial que había sido juzgado en el Segundo Frente, implicado en una conspiración que nunca estuvo clara para mí. Díaz ha permanecido encarcelado hasta esta fecha en la prisión que Raúl tenía en su área.

—Comandante, como la guerra ya terminó y todos han dejado aquello, quedando prácticamente yo solo, he creído conveniente venir a hablar con usted para saber cuál es mi situación. ¿Qué hago? ¿Qué harán conmigo?

—Díaz, yo no he conversado con Raúl sobre tu caso desde que te metieron a la cárcel. Así que ignoro qué piensa. Por ahora quédate en tu casa y no te preocupes, porque a mi juicio tu situación ha dejado de ser controversial. El fin de la guerra y el triunfo rebelde han cambiado algunas cosas. Tu futura situación debe estar entre ellas. Hablaré con Raúl; no te preocupes.

Díaz parece aceptar mi criterio y se marcha.

La responsabilidad de militares acusados de hechos criminales contra rebeldes y la población civil todavía no se investiga. No estamos perdonando, sino dando tiempo a que se consolide el poder revolucionario.

Desde Costa Rica me sorprende gratamente una llamada de María Luisa, gracias a la gentileza de radioaficionados. Ella y nuestros hijos están bien, muy contentos; también mis hermanos. Me dice que la pequeña Carmen Luisa (Carmela) es una muñeca. Están tratando de volar a La Habana. Mi hermana Argelia ya no está presa.

En Santiago se están presentando problemas con gente armada que simpatiza con la Revolución. Hay muchas quejas de que estas personas andan disparando en las calles contra supuestos francotiradores batistianos. Para resolver la situación organizamos una escuela de reclutas a cargo de Aldo Santamaría, en la loma de San Juan. Allá enviamos a estos guerrilleros urbanos y así se acaban las quejas.

También tenemos que frenar a los antiguos guerrilleros de la ciudad, que están desarmando a los militares del ejército en plena calle. Unos cuantos se han quejado de los vejámenes alegando: «¿Pero no somos ahora un mismo ejército, una sola fuerza integrada?».

El 5 de enero llega desde la provincia de Camagüey el doctor Agustín Tomé, a quien Fidel ha enviado con una nota para mí. El mensaje me sorprende: «Huber, trasládate a Camagüey con tu columna. Tienes que organizar esa provincia convirtiéndola en el segundo baluarte de la Revolución. Tú eres la persona indicada para eso. Fidel».

Lo lacónico de estas líneas, más su inesperado mensaje, me hacen leerlas una y otra vez.

En La Habana el coronel del ejército Ramón Barquín, que estaba preso en Isla de Pinos por participar en una conspiración contra Batista, voló a la capital y se hizo cargo de la jefatura del Estado Mayor, desplazando al general Eulogio Cantillo, de quien se rumora que está preso. El magistrado Piedra, que había sido nombrado presidente constitucional en sustitución de Batista, ha quedado sin autoridad. Camilo llegó luego al Campamento de Columbia, sede del Estado Mayor de las fuerzas armadas, y sustituyó al coronel Ramón Barquín. El Che controla la Fortaleza de La Cabaña, segunda guarnición de la capital. La fuerza rebelde del Directorio Revolucionario, que operaba en Las Villas bajo el mando de Rolando Cubelas y Faure Chomont, ha ocupado el palacio presidencial.

Raúl pide ayuda para resolver una crisis de mando en la jefatura de la marina de guerra.

—Huber, tenemos que escoger sin demora un oficial de la marina que se haga cargo de su jefatura porque el capitán Gaspar Brooks, recién nombrado, ha renunciado. ¿Tienes algún candidato para esa función?

—Precisamente llegó ayer a Santiago, junto con Ricardo Lorié y Pedro Luis Díaz Lanz, el capitán Castiñeira, de la marina. Lo conocí en Costa Rica. Él emigró de Cuba a raíz de los hechos de Cienfuegos y se ligó al Movimiento 26 de Julio. Es posible que pueda desempeñarse en ese cargo si no hay otro candidato con mejores credenciales.

—¿Y entre los oficiales que tienes aquí en la columna?

—Son personas excelentes y buenos militares pero no creo que ninguno califique. Entre los que conozco me parece que Castiñeira sería una posible opción.

—Bien, hagámoslo entonces, porque el cargo no puede quedar desierto.

Fulgencio Batista toma el poder por la fuerza, el 10 de marzo de 1952, cuando faltaban solamente ochenta y dos días para las elecciones que garantizarían la continuidad democrática. (Reproducción de la revista *Bohemia,* de la Cuban Heritage Collection, Biblioteca Richter, Universidad de Miami.)

José Figueres, presidente de Costa Rica desde 1953 hasta 1958, y desde 1970 hasta 1974. Facilitó las armas que Matos y varios exilados llevaron a la Sierra Maestra en 1958. (Reproducción de la revista *Bohemia,* de la Cuban Heritage Collection, Biblioteca Richter, Universidad de Miami.)

El comandante Matos, arriba
a la izquierda, con tres de sus
hombres, durante el cerco de
Santiago de Cuba, en
septiembre de 1958.

Fidel y Huber, en los momentos del triunfo revolucionario.
Santiago de Cuba,
1 de enero de 1959.

De izquierda a derecha: Camilo Cienfuegos, Fidel Castro y Huber Matos. Entrada en La Habana, 6 de enero de 1959.

Manuel Urrutia, primer presidente del gobierno revolucionario en 1959.

Huber Matos.

Camilo Cienfuegos, comandante que
desapareció misteriosamente el 28 de
octubre de 1959, una semana después
de la renuncia y el arresto de Huber Matos.

Ernesto Che Guevara.

Raúl Castro.

El 6 de enero por la mañana, Raúl me dice que por la noche debo ir a la base naval de Punta Blanca, en la bahía de Santiago de Cuba. Fidel quiere conversar con nosotros desde Cienfuegos.

En la noche, a la hora convenida, abordamos la fragata *Máximo Gómez;* al establecer la comunicación por radio, lo primero que pregunta Fidel es:

—¿Qué es lo que pasa ahí para que ustedes designen un jefe de la marina sin consultar antes conmigo?

Insólitamente, Raúl se lava las manos al contestarle:

—Habla con Huber, él fue quien me lo recomendó.

Conversan entre ellos de otros temas y cuando me toca el turno le digo:

—Oye, Fidel, hice la recomendación de Castiñeira ante una necesidad que me planteó Raúl. La marina de guerra no podía seguir acéfala, según estuvimos considerando. Eso es todo.

—Bueno, está bien; pero recuerden que conviene tenerme al tanto en situaciones parecidas, ustedes saben cómo localizarme. No puedo ignorar nombramientos a ese nivel o enterarme de modo indirecto como ahora. Yo tenía un candidato; pero bien, si tú dices que este capitán Castiñeira puede servir allí, dejémoslo, veremos cómo se desempeña.

Me siento un poco incómodo por la situación en la que me ha puesto Raúl. Fidel hoy está afectuoso y expresa su extrañeza en buena forma. En este caso creo que tiene razón, ya que él es el responsable de la dirección general de la Revolución y no puede estar ajeno a un nombramiento tan significativo como el que hemos acordado.

Suceden demasiados acontecimientos como para detenerse mucho en cada asunto. Por eso Fidel me dice:

—Pasemos a otra cosa: Huber, reúnete mañana conmigo en Matanzas. Conviene que salgas en avión hasta Varadero y de allí te vas a Matanzas, donde por la noche habrá un gran acto público. Entraremos el día 8 a La Habana y quiero que vengas conmigo. También me acompañará Camilo.

Más tarde llamo al aeropuerto de Santiago y le digo al jefe de la base aérea que necesito un avión para mañana, porque viajaré con ocho o diez de mis hombres a Varadero. Quiero hacerme acompañar de los capitanes Francisco Cabrera, Raúl Barandela, Napoleón Béquer y de otros oficiales sobresalientes. Me confirma la disposición del transporte.

El jefe de la base aérea me avisa el día 7, casi a la hora de partir, que ahora no tiene aviones de transporte. Únicamente puede ofrecerme uno de combate, con sólo dos plazas: una para el piloto y otra para el artillero.

Me pregunto: ¿qué otra persona, sino Raúl, ha tramado esto? No es la primera vez que su comportamiento me parece incompatible con la ética revolucionaria. El 2 de enero envié a buscar a mi comandancia en Matayegua los archivos de la Columna 9 y habían desaparecido. Los hombres que asigné a investigar el caso no encontraron nada. Creo saber el origen de este misterio y la posible identidad de los ladrones. He tenido en mi tropa a dos hombres procedentes de las fuerzas de Raúl, de los cuales siempre desconfié. Nunca tuve pruebas, pero estaba seguro de que eran espías. Uno de éstos, o los dos, deben ser responsables de la desaparición del archivo. Por supuesto, cumpliendo órdenes de Raúl. Ahora estamos en presencia de otra de sus acciones mezquinas y solapadas. Seguramente está resentido por no poder participar en la entrada triunfal a La Habana. Pero tengo que tragar sin exteriorizar mi conclusión y el natural agravio que conlleva.

Le recuerdo al jefe de la base que en estos momentos en Santiago de Cuba hay dos autoridades máximas: Raúl y yo. Le pregunto cuál puede ser esa tarea prioritaria al uso que nosotros, como jefes máximos, podemos darle a los aviones de transporte. El jefe de la base aérea ensaya algunos pretextos que no son nada convincentes; pasa por una situación embarazosa que él no ha creado.

Llego al aeropuerto y unos minutos antes de partir me encuentro inesperadamente con María Luisa, que acaba de llegar de La Habana en un vuelo comercial. La reunión es emocionante. Ella ha respaldado con valentía mi incorporación a la lucha, su actitud es el resultado de los ideales que compartimos. La pequeña Carmen Luisa quedó en La Habana al cuidado de dos primas; nuestros hijos Huber, Rogelio y Lucy se unen en el abrazo. Todo esto me conmueve mucho. Salto de emoción en emoción, entre los rigores de la vida revolucionaria, los avatares del mando y los sentimientos íntimos, familiares, entrañables.

Subo al avión en compañía de mi escolta, José Martí Ballester, y nos situamos trabajosamente en el puesto del artillero. Después de hora y media de vuelo incómodo llegamos a Varadero al atardecer. Al final encontramos a Fidel empapado en sudor, mordiendo su tabaco y moviéndose entre un enjambre de periodistas. Sus escoltas lo protegen de la avalancha popular pero él estira su mano para saludar a uno, levanta su rostro barbudo para contestar preguntas de la prensa y encuentra tiempo para llamar a sus segundos a fin de darles alguna orden. Apenas me ve, rompe el cerco que lo tiene cordialmente secuestrado y me dice:

—¡Huber! Has llegado a tiempo. Tienes que hablar aquí, en el acto que empieza enseguida.

—Discúlpame Fidel, ya hablé en Santiago de Cuba, no tengo interés en hacerlo aquí.

—¿Por qué no? La gente te conoce.

Consigo disuadirlo. Entonces me dice:

—Bueno, pero en cuanto termine el acto tenemos que conversar y como te adelanté, mañana me acompañarás en la entrada a La Habana. Saldremos temprano para Cárdenas, voy a dormir por aquí. Será una jornada muy intensa y durante el camino habrá tiempo para conversar sobre cómo están las cosas en Camagüey y de otros temas.

Me habla de modo entrecortado, no puede evitar la agitación. Sin embargo se calma para pronunciar su discurso, que escucho junto a otros oficiales rebeldes.

Por la mañana llegamos a Cárdenas, ciudad donde nació José Antonio Echevarría en 1932. Le rendimos homenaje ante su tumba. Echevarría era el presidente de la Federación de Estudiantes Universitarios cuando murió, el 13 de marzo de 1957, en un encuentro vinculado al fallido ataque al palacio presidencial. Ese día, Echevarría en una operación sincronizada, tomó Radio Reloj, y cuando regresaba a la Universidad cruzó fuego con un auto de la policía. Allí murió.

Regresamos a Matanzas, de donde partimos hacia La Habana. Es una columna impresionante de camiones militares y tanques, interrumpida a su paso por las demostraciones de fervor popular. El avance es lento, una verdadera procesión de la victoria.

Cuando nos aproximamos a La Habana se suma a nuestra columna, con su buen humor y su contagiosa vitalidad, el comandante Camilo Cienfuegos. Fidel se encarama en una camioneta descubierta y pide que Camilo se ubique a su derecha y yo a su izquierda. Familiares y amigos íntimos de Fidel le traen a su hijo, al que abraza y luego lleva hacia un tanque diciéndole que viajará en éste. Vuelve a su puesto en la camioneta y la caravana prosigue. Saluda con las manos en alto al gentío, que constantemente reclama una prenda o un objeto de recuerdo. La insistencia de la gente que quiere saludarnos y que escuchemos sus expresiones de admiración nos obliga a detenernos una y otra vez. Estas paradas, sumadas a la dificultad de transitar en medio de tanto público, demoran aún más el paso de la columna. Es la fiesta más espontánea, más tumultuosa y más feliz que he visto en mi vida.

Poco antes de subir a la camioneta, y también mientras vamos en ella, Fidel me confiesa su temor a un atentado. Veo que el problema lo inquieta seriamente. Intenta disimularlo con ademanes afectuosos para con el pueblo, pero no puede disfrutar del todo el momento por esa inseguridad. Trato de calmarlo. Le digo que me ocuparé, mientras andamos, de vigilar a la multitud. Me reitera su estado de ánimo y señala que de producirse algo en contra de él posiblemente tenga lugar a la entrada de La Habana, en donde los edificios son más altos y habrá mayor concurrencia. Me recuerda el asesinato de Sandino, el líder nicaragüense cuyo destino él cree que también correrá. No es la primera vez que me habla de su temor de morir en un atentado.

Ante esa preocupación, llevo mi M-3 con una bala en el directo. Sin descuidar un segundo vigilo los posibles lugares en los que pueda surgir un agresor. Esto me impide participar plenamente de la celebración del triunfo. Camilo está del todo ajeno a ese temor de Fidel, quien, en una muestra de su confianza, me ha transferido su preocupación. No cabe duda de que hacia Camilo tiene los mismos sentimientos, pero trata de esconder ante él cualquier debilidad.

Las horas pasadas aquí, entre la algarabía y la cuidadosa vigilancia, nos van llevando poco a poco al centro de La Habana. Cuando llegamos al malecón es prácticamente imposible continuar. Nos detenemos frente al palacio presidencial, virtualmente rodeados por la muchedumbre, y comprobamos que, en efecto, algunos miembros del Directorio Revolucionario tienen ocupada la sede gubernamental, quizá con la intención de recordar su participación en el asalto al palacio en 1957. Aquí hay todo un pueblo que ha abandonado sus casas, las cafeterías, los estudios profesionales, las aulas, las habituales ocupaciones... Un pueblo que ha esperado tan ansiosamente como nosotros esta oportunidad y que ahora, como un río caudaloso de rostros y de voces, va inundando las calles de La Habana, postergando premuras y necesidades, peticiones y denuncias. Se vive el instante, con la sensación de que una era de positivas transformaciones sobrevendrá para Cuba.

Fidel baja de la camioneta y camina entre la gente agolpada ante las puertas del palacio. Abraza a uno, a otro. Sus escoltas lo protegen hombro con hombro; pero el público supera toda barrera y se abalanza sobre el hombre que, bañado en sudor, se mueve dificultosamente. Por fin, regresa a la camioneta.

Después de muchas dificultades llegamos al Campamento Militar de Columbia, sede del Estado Mayor y nuestro punto de destino.

Frente al polígono del campamento están reunidos el público y la tropa, hay gradas de cemento en las que nos ubicamos. Pero enseguida Fidel cambia de parecer y se sitúa en la tribuna de madera —separada de las gradas— que han preparado para el acto.

Antes de subir a la tribuna, Fidel me dice:

—Huber, ven, aquí sí tienes que hablar.

Me niego otra vez. Llevo horas vigilando todo lo que se mueve cerca y lejos de él y la tensión ha sido agotadora. Parece comprender. Hablan otros y después Fidel toma la palabra y comienza una larga exposición que se prolonga aún más por las continuas interrupciones del público.

Estoy de pie en las gradas; me duele un poco la cabeza, lo que me hace ir apartándome. Me acomodo en el interior de un vehículo para descansar un rato. Cuando el acto finaliza me dirijo al Hotel San Luis en compañía de varios oficiales amigos, quienes me informan en detalle cómo ha quedado integrado el gobierno civil del presidente Urrutia. El doctor José Miró Cardona, destacado profesor universitario, ha sido nombrado primer ministro en cumplimiento de lo acordado en el Pacto de Caracas en julio de 1958.

Durante el recorrido de Matanzas a La Habana, nuestro jefe me explicó su deseo de convertir a Camagüey en un segundo baluarte de nuestra causa. Él sostiene que los camagüeyanos no participaron en el proceso revolucionario del modo que deberían haberlo hecho. Hay que motivarlos, organizarlos. Esa tarea me la encomienda, «porque estoy convencido de que eres la persona indicada». A cargo de esa provincia está el comandante Víctor Mora, que es buen combatiente pero no con la preparación necesaria. Fidel quiere que Camagüey sea un segundo Oriente. «Tendrás que ser líder de los trabajadores, de los campesinos, de los estudiantes. Pero también jefe político y organizador de la administración.»

En horas de la mañana del 9 de enero voy a la Fortaleza de La Cabaña a saludar al Che, que no participó en las celebraciones. Se muestra ajeno a todo ese júbilo y se le ve poco. Cuando llego a La Cabaña, un rebelde de guardia me dice:

—El comandante está descansando; pero pase, no le molestará que lo despierte.

Guevara está ya despierto. Con el uniforme puesto y un brazo en cabestrillo ha dormido en una cama grande, junto a otros oficiales de menor jerarquía. Tiene el pelo y la barba enmarañados. Se levanta y me saluda afectuosamente. Hablamos de varios temas y me despido. Él vuelve a tirarse, como está, sobre la cama que soporta hombres con armas, correajes, botas... La distensión y el agotamiento físico y nervioso son consecuencia del ajetreo vivido en estos últimos días.

Regreso a Santiago. El 10 de enero cumplo con la promesa de visitar Manzanillo, donde me esperan mi familia, amigos y alumnos.

En un avión de transporte del ejército llego con Napoleón Béquer y unos cuantos rebeldes. Béquer es nativo de aquí. En el aeropuerto hay muchísima gente esperándonos. Se adelanta a saludarnos el comandante Crescencio Pérez, que nos recibió en la sierra cuando arribamos desde Costa Rica. Ha sido designado jefe de la guarnición militar de la ciudad.

Después de abrazar a mis familiares y gente amiga, nos dirigimos todos hacia el Ayuntamiento, donde la bienvenida es aún más efusiva y adquiere características de un acto formal con la participación de mucha gente. Viejos conocidos se adelantan a testimoniar su afecto entre vítores revolucionarios que sacuden la tradicional quietud de este pueblo. Voy a la Escuela Normal y paso enseguida a la Escuela Primaria Superior. En ambas di clases hasta mi incorporación plena a la actividad revolucionaria.

Después de varias horas emocionantes en Manzanillo, visito a mis padres en Yara, mi pueblo natal. La gente me espera en las calles, reciben a su representante en la Revolución victoriosa. No había visto a mi madre desde los días previos a mi inmersión en la clandestinidad. A mi padre, desde mi partida para Costa Rica. Pasamos momentos muy cálidos.

Desde Yara tomamos nuevamente la carretera hacia Manzanillo, donde nos espera el avión que nos llevará a Santiago. Cada detalle del paisaje aviva un recuerdo de días lejanos o recientes. El ser humano se identifica hasta en los latidos del corazón con su terruño, con todo aquello que tiene calidez de hogar y enraíza con sentido de pertenencia en nuestra alma. Es imposible no sentirse atado al entorno que es parte de nuestra vida.

Vamos cruzando la ciudad por la calle José Miguel Gómez, la misma que recorrí años atrás abrumado por la falta de una respuesta contra Batista. Manzanillo parece la misma ciudad. Sigue igual en sus calles rectas, su puerto de embarque azucarero adornado por centenares de pequeñas embarcaciones pesqueras, sus molinos arroceros, sus talleres de mecánica, su industria del calzado, su activo comercio, sus escuelas y su vida cultural, así como la bella glorieta del Parque Céspedes. Todo eso permanece más o menos igual que aquel 10 de marzo de 1952, cuando, consolidado el golpe militar de Batista, los soldados sobre sus caballos, machete en mano, dispersaron brutalmente nuestra manifestación de protesta popular. Tarde triste, de humillación para la civilidad y los derechos del pueblo.

Pero más allá de la interpretación eufórica de los acontecimientos en que hemos participado como protagonistas, estamos en presencia de una ciudad distinta, una ciudad en la que la gente puede decir lo que siente y quiere, porque ya la opresión y el miedo quedaron derrotados. No hemos triunfado los rebeldes. El triunfo pertenece al pueblo cubano, a la libertad, a la esperanza.

28

Camagüey. Los fusilamientos

> Hay en la población una manifiesta tenden-
> cia a que se aplique justicia con rigor y seve-
> ridad; una actitud exigente no ajena a los dis-
> cursos de Fidel en los que ha tratado el tema
> con evidente radicalismo.

El 11 de enero de 1959 comenzamos el traslado a Camagüey en aviones de la fuerza aérea. En total van unos mil hombres incluidos los reclutas. Cuando llego, al día siguiente, en el aeropuerto me reciben varias mujeres armadas vestidas con el uniforme verde olivo del Ejército Rebelde. Se movilizan en vehículos dotados con radios de comunicación. Mientras viajo hacia el campamento militar Ignacio Agramonte veo en las calles demasiada gente exhibiendo armas.

El campamento es un complejo de edificios circundado por un muro. Cuenta con barracas, oficinas, áreas deportivas, anfiteatro, zonas para entrenamiento militar y talleres. Me reúno con el comandante Víctor Mora, un guajiro de sanas intenciones abrumado por la responsabilidad que se le ha confiado, los papeles y el gentío. Hay personas que le plantean necesidades verdaderas, además de los oportunistas que nunca faltan. Mora actúa dispuesto a resolver los problemas. Él va trasladado con personal de su tropa para la provincia de La Habana.

Pasa hora y media pero no formaliza la entrega del mando. «No me dejan, Huber, no me dejan», se queja. Ante la situación, él sugiere la tranquilidad de la casa del jefe del distrito, en la que reside ahora. Recorrer los cien metros entre las oficinas y su casa es un verdadero espectáculo. Mora da la mano a uno, dice al otro lo suyo, se detiene a dar respuesta a la gente que lo presiona. Por fin, a solas, tratamos algunos asuntos y me entrega formalmente el mando.

Por no ser oriundo de esta provincia comienzo a organizar las cosas con suma prudencia. Prevengo a mis oficiales:

—Ustedes saben tanto como yo de los localismos provincianos tan propios del país: «que los camagüeyanos aquí..., que los orientales allá»... Hay posibilidad de recelos y resentimientos. Para ganarnos a la gente en Camagüey, en vez de disgustarla, debemos actuar con inteligencia. Sólo algunos de ustedes tendrán mandos efectivos en una primera etapa; el cambio será paulatino. Si empezamos a desplazar gente que quiere permanecer en sus actuales funciones, procederemos como una tropa de ocupación y no estamos en eso.

Algunos de mis oficiales parecen descontentos con los cargos asignados. Esperaban más en reconocimiento a sus méritos como combatientes. Sin embargo, pronto se adaptan al estilo respetuoso y conciliador que establecemos en Camagüey.

Antes de mi llegada a la ciudad, una falsa alarma degeneró en lo que se conoce como «el combate del hospital». Alguien alertó sobre un supuesto movimiento de personas que se ocultaban en el recién construido y aún no estrenado Hospital Provincial. La alarma provocó una movilización de muchos efectivos del Ejército Rebelde y de otros tantos voluntarios civiles armados, hacia el hospital. Durante toda la noche se atacó a los «batistianos». A la mañana siguiente, cuando registran para capturarlos, sólo encuentran al pobre hombre que cuidaba el edificio, muy asustado y metido en un tanque de cal vacío.

Las armas proliferan desordenadamente entre la población. Se producen tiroteos aislados que civiles y rebeldes achacan a la presencia de batistianos. Publicamos una prohibición sobre la portación de armas: sólo podrán llevarlas personas autorizadas. Recibimos revólveres, pistolas, fusiles y pertrechos bélicos perdidos que pertenecen al Estado.

Desde que llegamos, rebeldes y efectivos regulares del ejército se han integrado en una misma tropa. Además de los guerrilleros de la Columna 9 tenemos un grupo de la de Víctor Mora que quedó aquí, y otro de la columna de Jaime Vega. Los rebeldes demuestran, con hechos, que este regreso a la democracia y a la convivencia civilizada debe basarse en un marco de orden y de disciplina, y no en los caprichos de la individualidad.

Nos dedicamos a la tarea de convertir a los rebeldes en militares. El capitán Gutiérrez, oficial de infantería del antiguo Ejército Nacional, nos ayuda en este trabajo. Se organiza un programa de reuniones informativas y formativas para la oficialidad revolucionaria, la que a su vez instruye a la tropa. Estos esfuerzos van dando resultados aceptables.

Llega María Luisa con nuestros hijos y nos albergamos en la casa del jefe del Distrito Militar. Es una casa de dos plantas, amplia y bonita, pero no tiene el sabor de intimidad y refugio amoroso que tenía nuestro hogar en Yara. Es difícil adaptarse a vivir dentro de un campamento militar.

La dictadura de Batista se caracterizó por la crueldad de sus fuerzas represivas. Jóvenes sospechosos de estar vinculados al movimiento revolucionario fueron torturados brutalmente y asesinados. Muchas familias fueron víctimas de esa cacería humana. En cuanto triunfa la Revolución la población comienza a exigir una justicia severa para los responsables de estos delitos.

Hay bastante gente presa en las cárceles: civiles y militares acusados de colaboración criminal o de participación directa en asesinatos u otra clase de violaciones. Los principales presos son militares, entre ellos algunos de alto rango con un historial negro en materia de represión, tortura y desaparición de enemigos o de simples ciudadanos considerados como peligrosos para el régimen de Batista.

Mientras reflexiono sobre todo esto e investigo los pasos que está dando el tribunal en algunas causas, no puedo menos de recordar lo que me dijo durante su visita a Santiago de Cuba, en la primera semana de enero, el comisionado provincial (gobernador) de Camagüey, Agustín Tomé:

—Fidel anunció al pueblo de Camagüey, durante un acto público, que serían ajusticiados muchos culpables y mencionó algunos nombres. Varios de ellos han sido arrestados.

En Santiago ya ha habido fusilamientos. Me han llegado informes de que se han cometido excesos e injusticias. En un día, más de 70 acusados de hechos criminales fueron ejecutados. No presencié juicios ni ejecuciones allí porque el mismo Raúl se arrogó esa atribución, bien por orden de Fidel o con su consentimiento. Desde los primeros días de enero, al comenzar mi trabajo como jefe del Primer Distrito Militar, Raúl me dijo:

—Mira, Huber, esto de los juicios es una cuestión que quiero manejar personalmente y tu intervención no es necesaria. Se procederá con justicia.

La casi inmediata orden de Fidel de hacerme cargo de la provincia de Camagüey deja a Raúl con el total control de Oriente.

La noticia de los fusilamientos en Santiago de Cuba —todos posteriores a mi traslado— corre por el país y se conoce en el exterior. Según información llegada a nosotros, en tres o cuatro días de enero han sido fusilados en Santiago más de doscientos militares y civiles implicados en hechos criminales. También en la Fortaleza de La Cabaña, donde tiene su mando el Che, el paredón está funcionando con suma frecuencia y ya es alto el número de los fusilados. La reacción internacional a estos hechos no es nada favorable a la imagen de la Revolución.

En Camagüey, desde antes de mi llegada funciona un tribunal revolucionario que no ha dictado ninguna sentencia. Por eso hasta mi despacho llegan constantemente señales de la molestia del pueblo. La gente cree que se está esquivando la cuestión. Hacemos indagaciones con la entidad que controla los tribunales revolucionarios, la Auditoría General de las fuerzas armadas, que funciona en el Estado Mayor, en La Habana, y recibimos las instrucciones pertinentes. Nombramos auditor de nuestro Distrito Militar al abogado camagüeyano Emilio Cosío. Hablo con los miembros del tribunal y demás oficiales a quienes conciernen las responsabilidades de administrar justicia, para que se proceda a dar curso a los casos. Y les aclaro:

—Aquí no se trata de vengarse de nadie sino de ser justos. Los criminales deben ser castigados de acuerdo con su culpa y ajustándonos a las normas y directivas de la Auditoría General. Los esbirros de Batista cometieron crímenes en toda la isla. Hay en la población una tendencia manifiesta a que se aplique justicia con severidad; una actitud exigente no ajena a los discursos de Fidel, en los que ha tratado el tema con evidente radicalismo. Pero no debemos confundir lo que es un criterio político, con la necesidad y la obligación de ser justos.

En el primer grupo de acusados se encuentra un individuo popularmente conocido como «Pata de Ganso»,[1] a quien se le acusa de haber cometido torturas, asesinatos y otras aberraciones. Está el sargento Gerardo Trujillo, tristemente célebre por su crueldad; y con ellos un número indeterminado de matones y criminales señalados de manera precisa como autores de asesinatos, torturas y otros hechos de extrema gravedad. También están los implicados en el asesinato múltiple de los sobrevivientes del combate de Pino Tres. En este hecho participó como ejecutor el sargento Leopoldo Otaño; pero no fue el único ni el principal culpable del crimen. Es el teniente coronel Armando Suárez Suquet, segundo en el mando militar de Camagüey en aquel entonces (octubre de 1958), el principal responsable del asesinato de los once heridos que ya estaban hospitalizados en Macareño, al sur de la provincia, no lejos del lugar donde se había producido el combate. El teniente coronel ordenó que los prisioneros heridos fue-

---

1. Alejandro Cabrera Navarro. Sentenciado a muerte y fusilado el 17 de enero de 1959. *(N. del A.)*

ran sacados del hospital, montados en un camión y ejecutados en un lugar despoblado. Los detalles del crimen eran bien conocidos, pero el caso no pudo resolverse sin tener que superar dificultades, porque Suárez Suquet esquivó el arresto escondido en La Habana al producirse el triunfo revolucionario, y luego de su detención fingió estar loco, no respondiendo a interrogatorio alguno. Trasladado a Camagüey fue sometido a examen por una comisión médica, que pudo comprobar que el trastorno mental era un ardid evasivo para no ser juzgado. Se le llevó a juicio y fue condenado a la pena de muerte, y fusilado.

Pese a las críticas y presiones internacionales en contra de los fusilamientos, el 21 de enero, Fidel, en un acto masivo en La Habana, exhorta a la multitud abogando por la pena de muerte para los culpables de crímenes políticos. Cientos de miles de cubanos allí concentrados respaldan su planteamiento de justicia radical, simbolizada en el paredón de fusilamiento. El fervor revolucionario y las esperanzas de un futuro promisorio para Cuba entusiasman a la multitud en una medida que le imposibilita percibir la trascendencia de esta política tan severa.

Un día después, el jueves 22 de enero, fue juzgado en La Habana uno de los más connotados criminales de la dictadura batistiana, el comandante Jesús Sosa Blanco. El juicio se lleva a cabo en el palacio de los Deportes. El tribunal está formado por los comandantes Raúl Chibás, Sorí Marín y Universo Sánchez.[1] El juicio se transmite por la televisión. Asiste bastante público además de periodistas nacionales y extranjeros. El público se exalta y grita contra los acusados. El caso, lejos de servir para demostrar los crímenes contra personas inocentes, se convierte en un espectáculo poco propicio para la administración de la justicia.

En toda la isla hay algo parecido a una psicosis de radicalismo y persecución. Desde Manzanillo, donde el tribunal revolucionario orientado por Raúl Castro ha llevado al paredón a muchas personas, me hace llegar su preocupación Abelardo Guerra, un militar que lleva años en el ejército, desde donde pudo salvar algunas vidas al darle aviso a la gente que iba a ser asesinada. Ahora me dice que le han amenazado con involucrarlo injustamente en los crímenes que se cometieron en el área durante la guerra. Lo reclamo, como hice con Pedro allá en el Campamento La Plata, y aquí está ya, en el personal del Distrito Militar de Camagüey.

1. Humberto Sorí Marín fue acusado de traición y fusilado dos años después. Raúl Chibás tomó el camino del exilio. *(N. del A.)*

Aunque los juicios están a cargo de los tribunales revolucionarios, que se guían por instrucciones de la Auditoría General de La Habana, pedí que en casos de pena de muerte el tribunal me informe quién es la persona y cuáles son las circunstancias del caso.

En ciertas situaciones me veo forzado a intervenir directamente. Una de éstas surge de la acusación que en el área de Ciego de Ávila le hacen a unos oficiales de Batista por el asesinato de revolucionarios. El tribunal militar de Camagüey viaja a esa localidad y regresa con una preocupación que me traslada de inmediato:

—Comandante Matos, la gente de Ciego de Ávila quiere que se fusile a varios militares por su participación en una emboscada que dejó como saldo algunos rebeldes muertos y heridos. Creemos que no hay razones válidas para fusilarlos porque actuaron dentro de las convenciones de la guerra. Los que cayeron allí no fueron asesinados, murieron en un combate. Hay protestas porque no los hemos fusilado y amenazas de una paralización total de la ciudad si no se aplica la justicia según ellos entienden.

En efecto, la protesta se hace con cesación de labores y tumultuosas manifestaciones callejeras. Acudo a Ciego de Ávila y mantengo reuniones con las autoridades revolucionarias locales, y también con gente relevante dentro de la vida pública de la zona. Hablo por una emisora local y pongo énfasis en el absurdo intento de fusilar a esos militares que no son culpables de ningún crimen. Procedieron dentro de las reglas de la guerra. Tomo una actitud firme y el problema se resuelve.

Un caso que atrae mucho la atención en nuestra provincia es el del capitán Lázaro Castellón, del Ejército Nacional, un oficial que había estado en conversaciones con gente de la Revolución durante la lucha. Quienes conocen sus antecedentes afirman que Castellón colaboró en diversas formas con el Ejército Rebelde. Pero su situación se ha complicado de forma inesperada, pues ha salido a relucir su presunta participación en la muerte de Alfredo Álvarez Mola, dirigente bancario y del Movimiento 26 de Julio en Camagüey. De acuerdo con los informes provenientes de la investigación, Álvarez Mola era contacto o guía de la tropa de Camilo en la zona. Estando escondido en la casa de una finca al sur de la provincia, echó a correr cuando los soldados se acercaban; le dispararon y lo hirieron. Herido, pero con probabilidades de sobrevivir, fue rematado y enterrado a escondidas en un lugar apartado dentro de la finca.

Entre los oficiales del Ejército Rebelde hay una corriente favorable hacia Castellón debido a sus contactos con los revolucionarios durante la lucha, y porque no creen que tenga responsabilidad en la muerte de Álvarez Mola. Pero el movimiento sindical y algunos miembros del 26 de Julio reclaman castigo severo. Muchos dicen: «Si no fue el autor directo o indirecto del asesinato, ¿por qué fungió como cómplice o encubridor al enterrarlo a escondidas?». No hizo bien al esconderse con ayuda de rebeldes de Camagüey, que bien podían haberlo ayudado a que se fuera del país.

Las investigaciones logran sacar a la luz que fue el soldado Francisco (Pancho) Sosa quien tuvo a su cargo la acción de ultimar a Álvarez Mola. Y Sosa afirma que le preguntó a su jefe: «Capitán, ¿qué hacemos con el herido?», y recibió la orden precisa de rematarlo y enterrarlo donde nadie pudiera encontrar el cadáver.

Durante un tiempo, Castellón pudo escapar de la posibilidad de un juicio manteniéndose oculto, hasta que fue detenido. En el juicio, las declaraciones de Sosa lo comprometen muy seriamente. Los dos son declarados culpables y sentenciados a muerte.

El caso del capitán Castellón ha sido difícil para mí. Estoy convencido de que, a pesar de su responsabilidad en la muerte de Álvarez Mola, este hombre no es un asesino. Lo he visitado en su celda y creo que es uno de los tantos que fue arrastrado por la vorágine de la guerra civil. Quisiera que su suerte hubiera sido otra.

Otro caso de intervención directa, no obstante tratarse de un hecho considerado irreversible, es el de una apelación informal presentada por dos mujeres que acuden a mi despacho:

—Comandante, un hermano nuestro está en la prisión de Isla de Pinos cumpliendo una condena de diez años impuesta por el tribunal revolucionario de Camagüey. No es culpable, es una tremenda equivocación.

Les contesto que ordenaré una investigación oficial. Designo al capitán Francisco Cabrera, inspector territorial del Segundo Distrito Militar, para que haga una amplia investigación del caso. El informe final confirma que, efectivamente, hay una equivocación. El hombre sentenciado y que ha empezado a cumplir condena en Isla de Pinos, no es culpable de lo que se le imputa. Envío un informe a la Auditoría General en La Habana, con todos los detalles; solicito que, luego de estudiar los antecedentes, se adopte una justa determinación. La Auditoría resuelve y el prisionero recobra su libertad.

Matanzas y Camagüey son las dos provincias donde menos fusilamientos ha habido, a pesar de que aquí también los revolucionarios y la mayor parte de la población reclaman una justicia más radical, como si la credibilidad de la Revolución dependiera del número de fusilados.

Desde Manzanillo, me avisa mi padre que al teniente Pino, que había estado al frente del cuartel de Yara, nuestro pueblo, van a fusilarlo en Santiago de Cuba. Mi padre tiene la convicción de que este señor no es responsable de los delitos que se le atribuyen, la mayoría de los cuales son obra de los masferreristas del área. Además, en los días más difíciles de la lucha en la sierra, tras mi incorporación al Ejército Rebelde, el teniente Pino le aseguró más de una vez: «Viejo, no tema por su vida. Aunque su hijo esté peleando contra nosotros, mientras yo esté aquí en Yara a usted no le pasará nada».

Mi padre me informa que irá a Santiago a defender al teniente Pino en un juicio de apelación que está solicitando; me pide que también yo realice alguna gestión para salvarle la vida a este oficial.

Bien, a pesar de que este militar me vigiló persistentemente y me ocasionó algunas molestias, no es un asesino y estamos en la obligación de evitar su fusilamiento.

Mi padre por su lado y yo por el mío intercedemos. Al teniente Pino le conmutan la pena de muerte por la de prisión.

La aplicación de la justicia revolucionaria en la provincia ha sido un trabajo escabroso, con factores adversos, como la inexperiencia de los rebeldes en función de jueces, así como la radicalización del clima político basado en el esquema de que todo lo que hace la Revolución es correcto; también por la pretensión de que con castigos ejemplarizantes erradicaremos para siempre en nuestro país el crimen y la barbarie desde el poder. Estos factores conllevan el enorme riesgo de los excesos, que pueden trocar la justicia en injusticia, en muchos casos sin posibilidad de reversión.

Durante los días siguientes al traslado de nuestra tropa procedente de Santiago de Cuba, la población civil de Camagüey, a causa de rivalidades históricas desde el tiempo de la guerra de independencia, en el pasado siglo, nos miraba con cierto recelo. Aunque algunos de nuestros oficiales son camagüeyanos, la Columna 9 se había identificado como una tropa de la provincia oriental, algo difícil de asimilar para la gente de Camagüey, celosa siempre de su orgullo provinciano.

Un mes después y tan sólo con la actitud modesta de nuestros oficiales y soldados, se nos mira de una manera muy distinta. Después de un mes sin sueldo, el primer pago que reciben los rebeldes se cubre con dinero recogido en el pueblo por iniciativa de la dirección del Movimiento 26 de Julio de esta provincia.

Y es que el gobierno revolucionario, transcurridas ocho semanas de su instauración, no ha logrado poner en orden su economía y atender las obligaciones de pago a los servidores del Estado. También hay retraso en la tramitación de los expedientes del personal. No es fácil hacer de una tropa rebelde el ejército oficial de la República con sólo haber tomado los cuarteles.

El traslado a esta provincia me facilita una relación directa con oficiales, sargentos y soldados del disuelto Ejército Nacional que han continuado trabajando con nosotros. Esto me permite afirmar, sumado a otras experiencias, que la gran mayoría de lo que nosotros llamábamos «el ejército de Batista», está integrado por militares decentes y respetuosos que no se involucraron en los crímenes de la dictadura.

Camagüey es una provincia extensa con abundantes recursos. Su riqueza proviene de la ganadería y de las industrias vinculadas a ella: la carne y la leche. La industria azucarera tiene también un peso enorme en la economía de la provincia. Camagüey produce y embarca al exterior un substancial porcentaje del azúcar que Cuba obtiene en cada zafra. Ahora que el año comienza, nos encontramos precisamente en lo más intenso de esas labores, renglón básico de la economía nacional. Nuestro trabajo debe contribuir al proceso productivo, pese a los temores que los dueños de ingenios y de grandes plantaciones de caña manifiestan ante el poder revolucionario; vale decir, ante la reforma agraria, aún en etapa de estudio.

Ésta es una provincia de apellidos que la honran y que su gente guarda como venerado patrimonio. Constatar que sus pobladores nos aceptaron de buen grado, confirma el hecho de haber mantenido nuestra línea de conducta en un marco de civilidad y justicia, con los inevitables errores que van con la condición humana.

29
La Revolución en marcha

> –No se puede, Huber. Si posibilitamos que
> los trabajadores tengan independencia eco-
> nómica, eso conducirá en los hechos a la in-
> dependencia política.

A fines de enero, Fidel llega al aeropuerto de Camagüey en el avión presidencial, bautizado ahora con el nombre de *Sierra Maestra*. Estoy esperándolo. Nos saludamos en la escalerilla del aparato. Quiere reunirse a solas conmigo, así que ordena a todos sus acompañantes, incluido su jefe de escolta, desalojar la nave. Fidel inicia la conversación:

–Huber, lo que te diré probablemente te sorprenderá. Tenemos algunos problemas serios en la jerarquía revolucionaria. Pienso que no hemos tenido mucho acierto en la designación de los mandos. Creía que teníamos hombres capaces para asumir las más altas responsabilidades, pero no es así.

Hace una pausa, imagino que con disimulo observa mi reacción.

–Sí –prosigue–, estamos un poco escasos en este campo. Te voy a poner un ejemplo: es el caso de Camilo, jefe del ejército. Tú lo conoces, es un hombre extraordinariamente bueno, exuberante, simpático, con un imán muy especial para ganarse a la gente. Al pueblo le cae de maravilla; pero Camilo no es el hombre para esa función. Es muy desordenado y bohemio, con él nunca vamos a tener lo que se dice un verdadero Estado Mayor. Sin embargo, no lo podemos cambiar, sus méritos revolucionarios y su ascendencia sobre la tropa y los civiles son un impedimento serio como para moverlo de ese cargo. Pienso que en lugar de Camilo hubiera funcionado mejor el Che; pero es argentino. Es más inteligente, tiene más aplomo, es más organizado. El Che le pone la cabeza a las cosas aunque a veces descuida aspectos que deberían tomarse en cuenta. En los primeros días del triunfo, cuando se hizo cargo de la Fortaleza de La Cabaña, se rodeó de comunistas. Prácticamente tenía allí un politburó. Iban los periodistas y observaban cosas extrañas. ¿Qué hacían los comunistas en un ir y venir por la oficina del Che? Tú sabes el daño que esto nos hace y lo negativo que puede ser para la imagen de la Revolución, tanto interna como externamente. Tampoco el Che serviría para el cargo, cojea del lado izquierdo.

Continúo escuchando con mucha atención y observo el rostro de Fidel para tratar de adivinar hacia dónde va.

—Bien, Raúl y yo creemos que tienes que ir pensando un poco en esto. Tu trabajo aquí en Camagüey es transitorio. Eres hoy, para mí especialmente, el tercer hombre en la dirigencia revolucionaria. Después de mí, está Raúl, pero detrás de Raúl vienes tú. Hay otros comandantes que tienen méritos pero les falta capacidad. Por ejemplo, ahí está Juan Almeida, un luchador valioso... Y como él hay muchos de valor probado en la guerra. Sin embargo no tienen el entrenamiento necesario para dirigir y menos para resolver los constantes problemas que se presentan en un proceso como el nuestro. Por eso es bueno que tengas muy presente lo que te estoy diciendo. Ahora eres el jefe de una provincia que gracias a tu trabajo anda muy bien; pero éste no es tu puesto ni tu lugar definitivo.

Vuelve sobre el tema de la incapacidad de los jefes que han sido buenos combatientes pero que no están preparados para las tareas propias del gobierno y de la conducción militar. Finalmente, me señala:

—Has visto, Huber, la magnitud del problema y cómo estimo tu participación en el proceso revolucionario. De manera que te aconsejo que, cada vez que puedas hacerlo, viajes a La Habana y te pongas al tanto de la marcha de muchos asuntos en los que después tendrás que intervenir.

Le contesto, consciente del compromiso:

—Fidel, he tratado de cumplir mi deber como revolucionario sin pretensiones de hacer carrera política. Pero si puedo ser útil en la forma que tú dices, estoy dispuesto a servir aquí o donde sea necesario. Tú sabes que mi intención es regresar a la enseñanza cuando ya no haga falta en el ejército.

—Olvídate de tu profesión —comenta sonriendo. Y nos despedimos.

Todos los días trabajo desde las primeras horas de la mañana hasta muy tarde en la noche. Nunca faltan problemas: hay que resolver desacuerdos entre sindicalistas y patronos, neutralizar a los comunistas, que dicen apoyar el proceso revolucionario pero aprovechan cuanta oportunidad tienen para crear dificultades; también se realiza un trabajo de prédica y movilización para comprometer al pueblo con la obra de la Revolución. En las mañanas, además, dedico algún tiempo a lo estrictamente militar. Presido la Junta Económica, una entidad comercial-financiera autónoma, de ayuda mutua para los soldados. También recibo a gente del pueblo que trae sus problemas. Atiendo la oficina de la reforma agraria, dependencia que por orden de Fidel funciona aquí sin que todavía se haya aprobado la ley. Organizamos en Camagüey una estructura para atender cultivos y tareas impostergables.

Para darle continuidad al trabajo ideológico iniciado cuando luchábamos en el cerco de Santiago de Cuba, creamos un Departamento de Cultura que orienta a la tropa y difunde entre la población principios de libertad y democracia. Se edita una revista, *Cuba Nueva,* que circula en la provincia de Camagüey y más allá.

Por órdenes directas de Fidel se trasladan los prostíbulos, que hasta ahora funcionaban con cierta discreción en áreas residenciales, a las afueras de la ciudad. La gente bautiza con ironía el área como «La ciudad de los niños». Se eliminan las «playas privadas» que algunos clubes o centros deportivos tenían para su uso particular. Fidel ha declarado que las playas deben estar abiertas para todo el pueblo.

El Ministerio de Recuperación de Bienes Malversados, a cargo del comandante Faustino Pérez, ha confiscado varias fincas pertenecientes a personajes vinculados en negocios con Batista y sus cómplices. Esas propiedades han sido transferidas a la estructura administrativa de la reforma agraria, que funciona en Camagüey bajo mi dirección provisional. Entre estas fincas hay grandes centros de producción arrocera que atendemos de inmediato. Aunque con fondos estatales, imponemos el criterio de una empresa privada. Tengo la competente colaboración del ingeniero agrónomo César Iturriaga, a quien he traído desde Manzanillo. Es un verdadero experto en la materia. Se crea la Cooperativa Ignacio Agramonte en las propiedades que pertenecieron a la familia Aguilera. En esta cooperativa el área sembrada se amplía en un ciento por ciento. Otro tanto sucede con la Cooperativa Manuel Sanguilí, en la zona del Central Stewart, en Ciego de Ávila.

En Camagüey trabajamos arduamente con los campesinos. La iniciativa parte de un líder de la provincia, José Manuel Pou Socarrás, que conoce a fondo los problemas del campo cubano y se propone reorganizar la Confederación Campesina. Persigue, entre otras cosas, comprometer a los hombres del campo con la obra de la Revolución, y muy especialmente con la legislación agraria que tendrá vigencia próximamente.

El Ejército Rebelde viene con sus virtudes desde la Sierra; también con sus problemas de disciplina. Además, se producen las inevitables rivalidades entre el personal militar de distintos cuerpos. Las salidas nocturnas de la tropa constituyen un reiterado riesgo de grescas y desórdenes, por lo que me veo obligado a extremar las medidas restrictivas. Algunos problemas creados por oficiales de la fuerza aérea los controlamos con nuestra policía militar, a pesar de que ellos tienen la propia. Aquí el orden es una prioridad.

A principio de marzo, un grupo de profesores de la Universidad de Oriente, en Santiago de Cuba, me visita para pedirme que tan pronto me separe de las fuerzas armadas vaya a formar parte del claustro de esa universidad en la Facultad de Educación. Luego vuelven y me proponen que les ayude a organizar la Escuela de Ciencias Políticas que habrá de crearse en aquel centro docente. El Colegio Nacional de Pedagogía me invita a un acto en la Universidad de Oriente, donde hablo sobre el tema «Filosofía de la educación cubana», dentro del contexto de nuestra visión latinoamericana y el proceso revolucionario. El contacto con mis colegas me entusiasma. Definitivamente pertenezco a la aulas.

Celia me llama el 11 de marzo. Fidel quiere reunirse con Raúl y conmigo al día siguiente en La Habana para tratar un tema urgente.

Ya en la capital visito a Raúl para tener algún indicio sobre lo que sucede. Desde hace varias semanas se trasladó de Oriente a La Habana, como segundo jefe de las fuerzas armadas. Vive en un apartamento del edificio Blanquita, frente a la desembocadura del río Almendares. Me recibe muy afectuosamente.

—Bueno, aquí me tienes —le digo.

—Fidel y yo hemos estado hablando sobre ti y te adelantaré algo de lo que conversaremos. Dime, Huber, ¿qué tiempo necesitas para dejar todo organizado en Camagüey?

—Un mes, no creo que haga falta más.

—Es mucho; tú estás haciendo falta aquí en La Habana, especialmente en el consejo de ministros. Tenemos que reforzar el Consejo, aunque de esto te hablará Fidel. Ahora bien, ¿quién puede quedar en Camagüey en tu lugar? ¿Tienes el hombre?

—Hay tres oficiales: el capitán Francisco Cabrera, el capitán Pérez Álamo, o el capitán Ruiz Maceira. Pueden elegir el que quieran, ya que cualquiera de ellos puede ser el jefe del Distrito Militar.

—Pero ¿no crees que podrías adelantar tu venida? ¿No podrías acortar el plazo?

—Pienso que no, Raúl. Si me trasladan ahora, mi trabajo quedará inconcluso. Necesito por lo menos treinta días.

—Está bien, hablaremos mañana con Fidel de todo esto. Él te espera temprano.

Ya Fidel se desempeña como de primer ministro del gobierno, pues el doctor Miró Cardona renunció al cargo a mediados del pasado mes de febrero. Se dice que la renuncia fue por discrepancias con el comandante.

La reunión se celebra en Cojímar, su residencia principal. Es el 13 de marzo, aniversario del ataque a palacio. Fidel pernocta muchas veces en otra vivienda, según se dice, propiedad de Celia Sánchez.

Hablamos en la casa y luego en el helicóptero rumbo a Cárdenas, donde Fidel quiere que visitemos la tumba de José Antonio Echevarría. Éste es el segundo homenaje al líder del Directorio Revolucionario al que asisto. En el camino, Fidel me dice:

—Huber, como bien te dijo Raúl, hace falta reforzar el consejo de ministros. Algunos miembros no pueden seguir ahí y nos hace falta que vengas a trabajar con nosotros. En concreto, te diré: necesitamos cubrir dos ministerios. El de Relaciones Exteriores, donde está Roberto Agramonte, intelectual de prestigio pero sin el dinamismo que hace falta en estos momentos. Buscamos un rebelde de primera para esa responsabilidad. Hemos pensado en ti para ministro de Relaciones Exteriores.

No contesto.

—El mismo problema —agrega— tenemos en el Ministerio de Agricultura, que tiene mucho que ver con la redacción de la Ley de la Reforma Agraria. Tendrás que hacerte cargo de una de las dos carteras. ¿Qué piensas?

—Bueno, les agradezco que me crean capaz. No tengo inconveniente en estar al frente de cualquier tarea o misión. En el caso de tener que decidir por una de las dos, sería mucho más útil en Agricultura, donde podría desenvolverme mejor porque tengo alguna experiencia en ese campo. En la diplomacia hay formalismos que desconozco y no sé si mi sinceridad me permitiría desempeñarme con éxito.

—¿Y sobre la Ley de Reforma Agraria?

—Me interesa. Me interesa mucho el tema y creo que puedo hacer aportaciones más o menos útiles en ese campo. Pero no tengo preferencias. Si las circunstancias lo demandan, acepto responsabilidades hasta donde mi capacidad me permita llegar. Por lo demás, sabes bien que mi interés manifiesto antes del triunfo era regresar a la escuela.

En el helicóptero sobrevolamos la costa norte de Cuba hasta llegar a Cárdenas. El aparato aterriza en las afueras del cementerio, donde se improvisa el acto en honor a la memoria de Echevarría. Hablan varios oradores y cuando le pasan el micrófono a Fidel, éste dice, sorprendiéndome:

—El comandante Huber Matos hará uso de la palabra en nombre del Ejército Rebelde.

Mi discurso es breve. Dictado por la admiración a un genuino héroe caído en plena juventud aferrado a sus ideales.

Fidel cierra el acto, que alcanza honda emotividad. Nuestras palabras conmueven a la gente, que vive los momentos más fervorosos del proceso revolucionario, cuando todo está en camino de alcanzar las metas soñadas en los duros e inolvidables días de la lucha insurreccional.

Regresamos a La Habana. Una manifestación parte de la Universidad por la calle de San Lázaro. Después se celebra un acto en el palacio presidencial para conmemorar el asalto llevado a cabo hace dos años y como homenaje a los caídos en la acción. Fidel es el orador principal. Me sorprende que el inicio del discurso sea en un tono carente de solemnidad. Dice algunos párrafos casi a modo de broma. Como estoy de pie al lado de él, con discreción le recuerdo la fecha que se conmemora. Unos minutos más tarde, Fidel cambia el tono de su exposición.

A instancias suyas me comprometo a volver a la capital cada dos o tres semanas, para ponerme al tanto de los asuntos que él estima que deben ser de mi conocimiento y así prepararme para futuras funciones.

En uno de estos viajes lo acompaño en un recorrido por las instalaciones del puerto de La Habana. Primero atravesamos la bahía para la inauguración de un molino de trigo en el municipio de Regla; después venimos a Cayo Cruz y de regreso a la Avenida del Puerto. Aprovechando que en confianza Fidel me habla de los problemas de la sociedad cubana y de los muchos conflictos laborales que se irán presentando, le pregunto:

—¿Tú has descartado la idea de que los trabajadores perciban una participación de las utilidades de la empresa, tal como expones en tu discurso «La Historia me absolverá»?

—No se puede, Huber. Si posibilitamos que los trabajadores tengan independencia económica, eso conducirá en los hechos a la independencia política.

Me quedo sin habla, no puedo hacer comentario alguno. Precisamente, uno de los propósitos principales de nuestra Revolución es hacer de Cuba una nación de ciudadanos libres y mejorar las condiciones de vida de los cubanos. ¿Hacia dónde, realmente, quiere ir este hombre?

—Debes estar informado sobre las finanzas de este país y quiero que asistas los jueves por la mañana a las reuniones que se celebran en el Banco Nacional. Acuden regularmente representantes de la banca privada, se debaten asuntos importantes. No dejes de venir.

El Banco Nacional está presidido por un economista muy capacitado, el doctor Felipe Pazos, al que secundan directivos con gran experiencia en la materia. Una de esas reuniones se va a celebrar en el yate presidencial *Marta II,* y participará Fidel.

Nos embarcamos en la bahía de La Habana, en la base naval de Casablanca, y salimos rumbo al oeste. Vamos al puerto de Mariel. El propósito de este viaje es poder conversar con libertad a bordo. El yate es lujoso y cómodo para un número no muy grande de personas.

Al salir de la bahía, Fidel manifiesta ante estos hombres, escogidos dentro del mundo de las finanzas del país, su convicción de que el Banco Nacional debe facilitar los recursos para la reforma agraria. Recuerda que el Banco Nacional es, en realidad, el banco central de Cuba. Mientras él habla, veo cómo una fragata de la marina de guerra escolta al yate a corta distancia. Es un día muy agradable y escuchamos al jefe de la Revolución mientras tomamos algunos refrescos.

Fidel, en forma directa y sorpresiva, le pregunta a Felipe Pazos de qué modo podría instrumentarse un préstamo fuerte al gobierno por parte del Banco Nacional, para facilitar grandes inversiones dentro del plan general de la reforma agraria.

Pazos responde que, precisamente, uno de los objetivos básicos del banco y una de las razones mismas de su existencia es servir de banca al gobierno. Abunda en ejemplos sobre lo actuado en ese sentido en el historial de la institución y cree con ello dar una respuesta definitiva a Fidel. Pero es a partir de sus palabras que comienza el problema. Fidel pide que se le conceda al gobierno amortizar los préstamos a un porcentaje de interés anual muy bajo. El doctor Pazos argumenta que eso es imposible, porque un interés tan bajo estaría fuera de los patrones del sistema bancario y que además no respondería a las realidades financieras del país.

La situación se pone tensa porque Fidel, sin deseos de honrar las formalidades corrientes en ese tipo de negociaciones, expresa abruptamente que los revolucionarios nada tenemos que ver con los patrones usuales en la banca. Además, da a entender que el dinero tendrá que ser facilitado al gobierno al por ciento de interés indicado por él, pues de lo que se trata es de sacar adelante la Revolución en favor de todo el pueblo de Cuba y no de sectores interesados.

Como conozco algo sobre intereses y rentabilidad, mi opinión coincide con la de Pazos. Es mi criterio que son los economistas los que deben orientar en ese orden de cosas.

—Me temo —digo— que si nosotros dictamos pautas a la banca nacional sobre cómo debe actuar, hasta el extremo de fijar las tasas de interés, podemos introducir un caos muy serio en la economía, dañar la moneda y dejar insolvente al Estado.

No hay duda de que mis palabras desilusionan a Fidel. Ahora que me ha pedido que ocupe una de las carteras ministeriales más importantes del poder ejecutivo, tomo partido por una opinión ajena a la suya. Pero no puedo convalidar este criterio desatinado en un tema tan importante. Si guardara silencio, pensando en mi futuro político, estaría poniéndole precio a mi honestidad.

En el puerto de Mariel, Fidel se reúne con obreros del área, que le manifiestan su preocupación por la caída en la producción. Ésta se origina en la inquietud de los productores por el rumbo económico que puede tomar la Revolución en el poder. Como los obreros son en gran parte de una fábrica de cemento, Fidel les dice que «el cemento hará mucha falta porque se desarrollará un gran programa de obras públicas en toda Cuba».

En este mismo mes de marzo empiezan a tomar cuerpo ciertos hechos sobre los cuales teníamos indicios algunos revolucionarios. Encuentro en *Verde Olivo*, periódico publicado por las fuerzas armadas, un artículo de tendencia promarxista, escrito sin disimulo alguno. Reviso otros números y veo que, efectivamente, están penetrados por la misma ideología.

En mi siguiente viaje a La Habana busco a Camilo para conversar sobre el asunto. Sin preámbulos le digo:

—Mira, esto no es sólo incomprensible, también es inadmisible. Tú que eres el jefe del Estado Mayor del ejército estás siendo sorprendido por elementos comunistas. Fíjate en lo que dice este número de *Verde Olivo* y en este otro...

Mientras Camilo lee las páginas que le señalo, aprovecho para continuar:

—Tú sabes que la Revolución se ha comprometido a orientar democráticamente al personal de nuestras fuerzas armadas, porque dentro de éstas hay muchos hombres que tienen la mente en blanco en materia política. Son campesinos de buena fe que hoy llevan uniforme. Esto es propaganda comunista. ¿Cómo entiendes esto?

—¿Qué quieres que te diga? No sé, Huber... tendré que investigarlo, pueden ser cosas de mi hermano Osmani, o de Raúl y el Che. Prometo ocuparme del problema...

Osmani Cienfuegos, ayudante de Camilo, es considerado como un comunista en los medios políticos y militares de La Habana. En muchos sentidos es una personalidad totalmente opuesta a la de Camilo. Éste es explícito, abierto, franco. Osmani es sinuoso, introvertido, no acaba uno de entenderlo.

Planteo el problema a Fidel y me dice que hable con Camilo, a lo que respondo:

—Pero si yo ya conversé con Camilo...

Fidel replica:

—Bueno, quizás este asunto sea cosa de Raúl, o del Che, o de Osmani...

—Pero tú eres el jefe y el que tiene que ponerle remedio a esto.

—Está bien, me encargaré del asunto.

Raúl siente una profunda aversión por Camilo, que en realidad es mutua. Pero en Raúl nace de irrefrenables celos ante un ídolo indiscutible del pueblo. Camilo corresponde con desprecio a la envidia de Raúl. Esto es conocido por muchos rebeldes desde los tiempos de la sierra.

En abril se movilizan miles de camagüeyanos en apoyo de la Ley de Reforma Agraria y del poder revolucionario. A este acto —convocado por la Coordinación Provincial del Movimiento 26 de Julio en Camagüey— se ha invitado, entre otros, al presidente de la República, doctor Manuel Urrutia.

El presidente Urrutia habla sobre la marcha de la Revolución y el público lo aplaude con entusiasmo. Fidel, que también está presente, me llama a la esquina de la tribuna —una plataforma bastante amplia— y me sorprende con una pregunta casi al oído:

—¿Quién invitó a Urrutia a este acto?

—La Coordinación del Movimiento —le respondo.

Inexplicablemente, a Fidel le han molestado los aplausos con que el pueblo aprueba el discurso del presidente Urrutia.

Tiempo más tarde aparecen otros artículos promarxistas en el mismo periódico de las fuerzas armadas.

El primero de mayo, en el Gran Hotel de Camagüey, estando a solas Camilo y yo, compartimos la preocupación. En nuestra opinión, el Che y Raúl están tratando de desviar el curso del proceso hacia el marxismo. Nos ponemos de acuerdo en un esfuerzo común: alertar a cierta gente para que no caiga bajo el influjo insidioso de la quinta columna marxista que ellos controlan. Alertarlos para que eviten cualquier complicidad en las maniobras comunistas, pero sin crear alarma.

En La Habana se ha convocado a una reunión de toda la cúpula revolucionaria. Participan unas cien personas, entre militares, ministros, miembros de la banca estatal y representantes provinciales del Movimiento 26 de Julio. La reunión es en el Tribunal de Cuentas y nadie parece conocer el orden del día. Me han informado que tendrá como temario básico la organización del trabajo de la Revolución.

Fidel es el único orador. Los temas más disímiles se introducen en el supuesto orden del día, por lo que no me extraña que en determinado momento dedique gran parte de su exposición al problema de los pilotos de la fuerza aérea de Batista, que han sido absueltos por un tribunal revolucionario en Santiago de Cuba. Algunos de estos pilotos hicieron caso omiso de las convenciones internacionales, bombardearon y ametrallaron poblaciones civiles en la sierra, asesinando a innumerables campesinos. Pero el libro de operaciones desapareció y no hubo forma de sentar responsabilidades. Fidel quiere que se les haga un nuevo juicio.

Pese a estar consciente de la culpabilidad de varios de estos pilotos, considero que abrirles un nuevo juicio iría contra la ley, ya que sería introducir una arbitrariedad absurda en nombre de la justicia: un precedente peligroso. En la reunión ninguno de los presentes se atreve a cuestionar a Fidel, pues esto significaría una ruptura total. Él está decidido a otro juicio y así lo ha ordenado.[1] Mi posición es bien difícil. Si expreso mi opinión en este lugar, voy a provocar una crisis dentro del liderazgo, sin conseguir que el comandante cambie de parecer. He decidido concentrar todas mis posibilidades persuasivas en el problema de la infiltración comunista.

Fidel plantea la necesidad de que cada uno de los jefes militares provinciales sea a la vez jefe revolucionario; es decir, encargado al

1. En un segundo juicio los pilotos fueron sentenciados a largas condenas. El presidente del tribunal que los absolvió en el primer juicio, el comandante rebelde Félix Pena, apareció misteriosamente muerto pocos meses después. Nunca se supo si fue suicidio o asesinato. *(N. del A.)*

máximo nivel del trabajo de acción política. «El pueblo simpatiza mucho con la Revolución, pero de lo que ahora se trata es de comprometerlo militantemente con nuestro programa.»

En el curso de la reunión, ante la sorpresa general, se suscita un espectáculo muy desagradable entre los hermanos Castro. Se habla del tema militar. Fidel propone sacar los cuarteles principales de la ciudad y trasladarlos a zonas estratégicas del área rural. Hace este comentario e inesperadamente le censura a Raúl cierta negligencia en su desempeño como jefe militar. Sus términos son duros, directos, humillantes. Raúl trata de defenderse pero Fidel no sólo no se lo permite sino que alza aún más la voz e intercala algunos insultos. En determinado momento los asistentes a la reunión, asombrados, escuchan cómo el jefe de la Revolución increpa a su hermano usando términos groseros. Raúl hace un fallido intento por defenderse de la andanada irrespetuosa.

Ante el silencio general, intervengo para frenar este penoso suceso. Me pongo de pie y mientras veo a Fidel tenso por la excitación y a Raúl pálido y descompuesto, les recuerdo a los presentes que en las horas de lucha en la sierra éramos una fraternidad, un conjunto de hombres conformando una sola voluntad de victoria. Propongo, ahora que estamos en el poder y con grandes responsabilidades, proceder con el mayor cuidado para salvar la imagen de la Revolución y continuar adelante, unidos. Somos nosotros, añado, los hombres a cargo del proceso, los dirigentes de la nación. No debemos permitir que nuestras discrepancias se conozcan públicamente y desconcierten a una población tan solidaria como entusiasta con el proceso revolucionario.

Hablo de forma breve y concreta. Ni Fidel ni Raúl contestan mis palabras. El primero, después de observarme fijamente mientras hablo, reanuda la reunión con normalidad. Raúl, que me ha escuchado con la cabeza baja, sólo atina a retirarse del salón envuelto en una patética vergüenza.

Durante el encuentro se discute y habla de darle al Movimiento 26 de Julio un rol importante y probablemente una integración distinta como instrumento político. Fidel, como siempre, ronda por los temas aunque no define nada; en este aspecto hay desorientación.

En un receso, Camilo, el Che y yo hablamos con Fidel para interceder por el comandante Jaime Vega, que ha sido degradado por considerársele responsable por la emboscada de Pino Tres en la provincia de Camagüey, en la que murieron muchos rebeldes y otros fueron asesinados. Fidel no nos dice ni que sí, ni que no. Esquiva la petición diciendo que estudiará el asunto.

En un aparte de la reunión, el Che me dice que los comunistas de Camagüey se quejan de que no los atiendo. Carlos Rafael Rodríguez tiene planeado ir a la provincia para servir de puente entre nuestro mando y sus correligionarios. Me plantea la devolución del archivo del Partido Comunista en la provincia, incautado por el aparato represivo de Batista. También me dice que el mencionado líder comunista desea reunirse con el Movimiento 26 de Julio en Camagüey.

—Bien —le contesto al Che—, cuando Carlos Rafael Rodríguez vaya a Camagüey lo atenderemos en sus planteamientos con la usual cortesía que dispensamos a los que vienen a hablar con nosotros. Lo que tenga que hablar con la comandancia sé conversará allí. Y el asunto de sus relaciones con el Movimiento 26 de Julio lo tratará con la dirección del Movimiento.

Lo cierto es que tengo en la provincia a más de un agente comunista provocador que trata de crear problemas con el fin de distraernos o de obligarnos a asumir posiciones radicales.

Fidel anuncia que prepara un viaje a Estados Unidos y a Latinoamérica. Su propósito es explicar a los gobernantes del continente los objetivos del gobierno revolucionario en Cuba y estrechar vínculos.

Luego, en un aparte, me dice:

—Huber, cuando fui a Caracas en enero, a la toma de posesión de Rómulo Betancourt, mi idea era llevarte. No pude hacerlo y tampoco ahora.

Me dedica algunas palabras de halago y reconocimiento para terminar diciéndome que ayude a Raúl en todo lo necesario, pero que lo vigile. Me extraña esta precaución y lo mismo el tono de la confidencia.

Es la segunda vez que escucho una prevención similar de Fidel. En la sierra, en casa de Ramón Corría, sobre un mapa extendido, cuando terminó de darme las instrucciones relativas a los objetivos de la Columna 9, de manera muy precisa me advirtió: «Vas a estar en relación de vecindad con Raúl y probablemente coordinarás acciones con él; pero recuerda en todo momento que tú dependes de la Comandancia General».

Veo con pesar que hablar con Fidel sobre el problema comunista es pérdida de tiempo. Le da largas al asunto. De pronto se muestra interesado y por momentos pareciera que el tema le es ajeno. Converso sobre esto a solas con él y también lo hago acompañado por personas del Movimiento 26 de Julio. Sin embargo no pasa nada. Me parece que está ganando tiempo, lo que resulta aún más lamentable. ¿Protege a Raúl? ¿Al Che? ¿Tiene su mismo esquema ideológico?

A pesar de la proyección social de la Revolución, las crisis laborales representan gran parte de los problemas, debido a las perturbaciones provocadas por los agitadores comunistas. Sin ser mayoría, los marxistas tienen fuerza en los sindicatos y se valen de su astucia para interferir en la producción y en los servicios públicos.

La toma de las fábricas por los trabajadores, entre otros incidentes, demuestra una tenaz actividad desestabilizadora causante de serios problemas para el gobierno. El puerto de Nuevitas, el más importante de la provincia y uno de los principales del país para el embarque de azúcar, está paralizado por una huelga. Varios oficiales —todos hábiles negociadores— han tratado infructuosamente de buscar una solución. Tengo que ir a persuadir a los dirigentes del paro de que esta acción está perjudicando al país en los momentos en que más necesitamos fortalecer nuestra imagen internacional. Que están confrontando a un gobierno que quiere resolver los problemas de los desposeídos y que acaba de tomar el poder después de una guerra. Insisto en que trabajen mientras seguimos buscando soluciones. Finalmente aceptan volver a trabajar. Igualmente tengo que intervenir en un conflicto parecido en dos fábricas de conservas de carne en Camagüey; están ocupadas y paralizadas por los obreros. Entramos en un proceso de conciliación y los invito a un debate por radio para demostrar que el gobierno no tiene nada que ocultar, y que si la razón está de parte de ellos, nosotros la respetaremos. Lo aceptan y después del debate se reintegran a sus labores.

En Camagüey se presenta una situación difícil creada por los grandes comerciantes de ganado, que ya no están comprando animales para cebarlos. Probablemente su finalidad es que La Habana se quede sin carne. Llamo a estos negociantes para persuadirlos de cambiar su estrategia y así evitar un serio conflicto.

—Ustedes, con su actitud, están forzando al gobierno a tomar medidas que no están en los planes de la Revolución. Si no tenemos otra opción, compraremos el ganado para engordarlo y luego despacharlo a los mercados que lo requieran.

En efecto, tenemos que establecer una organización para ese fin;

con todo tipo de supervisión para evitar los problemas de corrupción tan comunes en estas operaciones.

Fidel, en un acto público nos entrega un cheque por cuatro millones de pesos para la adquisición y ceba de ganado. En este momento, el peso cubano está al par del dólar.

Los negociantes no compran ganado pero sus fincas tienen pasto suficiente para engordar tantos animales como la demanda requiera. Fidel termina por intervenir algunas de ellas. Me ordena que movilice el ejército y actúe con rapidez de acuerdo con sus instrucciones. Lo hacemos, pero me pregunto adónde iremos a parar, porque es obvio que estamos atentando contra el ordenamiento jurídico de la nación.

Ocurren injusticias y contradicciones. Veo, por ejemplo, cómo gente del Ministerio de Recuperación de Bienes Malversados le quita automóviles a los ricos o comete atropellos que, desde el punto de vista legal, son delitos. En una revolución se producen con facilidad ciertas anomalías durante un periodo transitorio, pero me cuesta aceptarlas. Es más, lucho contra ellas aun en el caso de que entre los implicados en algún asunto sucio se encuentren rebeldes con excelente hoja de servicios durante la guerra.

Un día me llaman de la capitanía de Nuevitas. Se encuentra allí el administrador de una empresa ganadera norteamericana denunciando que varios militares, procedentes de La Habana, se presentaron en la finca a su cargo con camiones grandes, y están llevándose toda la maquinaria. Ante su protesta, los militares se dicen portadores de una orden para llevarse los equipos, sin haber mostrado documento alguno que respalde su afirmación. Apela a mi autoridad pues se trata de un despojo.

Ordeno al capitán de Nuevitas ir con el administrador hasta la finca, bajar el equipo de los camiones y devolverlo a sus propietarios. Además, que les diga de parte mía a los militares que regresen a la capital, porque en la provincia de Camagüey no se toleran estos hechos.

Nadie me reclama desde La Habana. Sabemos que la orden vino del ministro de Agricultura.

Fidel dispone que la Ley de Reforma Agraria se firme en la antigua comandancia de La Plata, en la Sierra Maestra. Esta ley es la medida más audaz que el gobierno toma desde su acceso al poder. La redacción de su texto se dilató mucho debido a diferencias de criterio en su aprobación y aplicación: que si conviene que sea más radical, más moderada en partes. ¿Cuántas caballerías[1] se les deja a los propietarios? Unos dicen más, otros menos. En esto interviene el doctor Osvaldo Dorticós, ministro encargado de la redacción de leyes revolucionarias. Dorticós es un hombre con poco conocimiento del problema agrario, en el que inciden, entre otros, factores sociales, económicos, políticos y legales. Su participación en este asunto es más bien de carácter técnico, siempre subordinando su criterio al de Fidel.

A ciertos jefes revolucionarios se les pide opinión sobre el particular. Mi contribución es muy limitada, por lo que puedo decir que la Ley de Reforma Agraria no contiene uno solo de mis puntos de vista o de mis opiniones. Ni siquiera llego a conocerla antes de su aprobación. Le brindo mi apoyo en sus aspectos de justicia social y de respaldo y progreso para el campesino cubano, pero tengo mis reservas en cuanto a los resultados; no sé si estaremos aplicando principios de verdadera justicia. Una de las personas que más ha influido en la redacción de esta Ley es Antonio Núñez Jiménez, asesor del primer ministro.

La ley se firma el 17 de mayo, día del Campesino, como un tributo al hombre de nuestros campos. Aunque se ha dicho que la ceremonia tendrá lugar en el antiguo campamento de La Plata, en la Sierra Maestra, hay confusión sobre el lugar porque también se dice que el acto será en Las Vegas. No saben los invitados a dónde tendrá lugar la firma de la ley. Los que conocemos bien a Fidel sabemos que le gusta crear este tipo de situaciones.

Unos salen con un destino cierto y otros, equivocado. Tal informalidad ocasiona que los campesinos y las demás personas interesadas en asistir al evento, viajen muchas horas hacia el lugar errado, atravesando zonas de difícil tránsito.

El grupo con el que viajo encuentra los caminos en mal estado por la lluvia. Varios miembros del gobierno han venido conmigo, entre éstos el ministro de la Construcción, Manolo Ray, la ministra de Bienestar Social, doctora Elena Mederos, y el jefe de la marina, comandante Castiñeira. Pedro Díaz Lanz, jefe de la fuerza aérea, se entera de nuestras dificultades para arribar a la vieja comandancia de La Plata y se ofrece a llevarnos en helicóptero. Llegamos el día 18, cuando la ley se ha firmado.

Nos encontramos con un Fidel extraordinariamente locuaz, que habla durante horas y horas hasta fatigar a quienes le escuchamos. Toda la noche estuvo hablando. Señala a viva voz que la Revolución

---

1. Medida de origen español equivalente a 13,43 hectáreas. *(N. del A.)*

está cumpliendo sus promesas al pueblo, pero luego de su perorata, de modo confidencial, me suelta esta desconcertante frase:

—¿Sabes cuál es mi inquietud fundamental, Huber? Ver cómo se las arreglará la Revolución en el poder para salir adelante. Tenemos que cumplirle al pueblo todo lo que le hemos prometido; absolutamente todo cuanto le hemos prometido.

A pesar de que el gobierno ha motivado a la población para que apoye la Ley de la Reforma Agraria, su anuncio produce una conmoción general. Se ha estado preparando por largos meses y podría seguir discutiéndose interminablemente; siempre surgirían aspectos controversiales. Su propósito parece muy bueno: efectuar una redistribución de la propiedad rural que beneficie al campesino, otorgándole tierras ociosas, desaprovechadas o en las cuales los guajiros trabajan como precaristas. En la práctica no sabemos qué resultará de todo esto. Tal como está redactada es posible que esa ley sea una cosa justa y conveniente al interés social de la nación, un gran disparate, o una imperdonable injusticia motivada por buenas intenciones.

Una vez promulgada la ley, Fidel juega también con sus habilidades. Para no hacer tan demoledor el efecto, para aplacarlo, ordena en varios casos que les compren ganado e instalaciones a los afectados, además de tractores y maquinaria, sin proceder directamente a expropiar. Aunque para muchos de los terratenientes la ley es arbitraria e injusta, otros se muestran receptivos cuando ven la posibilidad de salvar algo.

Tengo en este aspecto un problema de conciencia. Me he involucrado en las medidas y en los procedimientos de la Revolución, a sabiendas de que nos estamos apartando del marco de la legalidad. Esta ley cuenta con la aprobación entusiasta del pueblo pero debería tenerla mediante la formalidad de un referéndum que daría oportunidad a la libre discusión y al funcionamiento de los mecanismos del sistema democrático; no lo estamos haciendo así.

Podríamos manejarlo contando con el apoyo explícito del pueblo a través de consultas formales, para evitar enajenar el principio de la soberanía popular. Si la Revolución es fuente de derecho, no podemos arrogarnos la potestad de que, habiendo llegado al poder por la acción de las armas y como expresión revolucionaria del pueblo, ese poder nos sea dado como un cheque en blanco, sin fecha de vencimiento.

Es más, ni siquiera hemos logrado crear un Consejo Revolucionario, una superestructura política que discuta y apruebe las cosas fundamentales del proyecto revolucionario. He luchado con insistencia por que se establezca este organismo, y Fidel presta oídos sordos cada vez que se le plantea el tema. He conversado el asunto con otros compañeros de liderazgo del ejército y del Movimiento 26 de Julio. Casi todos apoyan la idea. A la postre nada puede hacerse en ese sentido por la actitud esquiva de nuestro jefe y por su evidente inclinación al autoritarismo.

Hay una preocupación más. Algunos de mis amigos en el consejo de ministros me han dicho, en confianza, que allí se puede discutir muy poco. Que Fidel habla mucho y, en algunos casos, las leyes se dan por aprobadas sin la discusión formal de su contenido.

30

La conjura comunista

> De repente, Raúl toma una actitud grave y
> dice:
> —Para que la Revolución triunfe hace falta
> una «noche de cuchillos largos» que corte
> muchas cabezas de nuestros enemigos… una
> noche de San Bartolomé.

El 8 de junio de 1959, el Movimiento 26 de Julio de Camagüey trae como invitado al presidente de la República, doctor Manuel Urrutia. En esta fecha se celebra el día del Abogado. La invitación supone un homenaje al presidente en su condición de profesional. Entre los revolucionarios es considerado un hombre de bien, aunque opacado por el carismático liderazgo de Fidel.

Mantengo con Urrutia una estrecha amistad. Como se me ha invitado a hablar, aprovecho la oportunidad para referirme a la cuestión ideológica revolucionaria, tal como yo la veo. En un discurso de cuarenta minutos expreso, entre otras cosas, que la Revolución se ha hecho con mucho sacrificio del pueblo y de la rebeldía en armas, convirtiéndose en un compromiso de realización democrática. Por ninguna causa, afirmo enfáticamente, puede desviarse de la meta propuesta por nosotros. Al contrario, creo que los revolucionarios estamos obligados a ratificar cada vez más estos principios y a actuar en consecuencia. Me refiero a los comunistas, sin mencionarlos, recriminándoles su actitud oportunista y especulativa dentro del proceso. Es una exposición de alerta.

Después del acto, el presidente y yo vamos a comer. En el auto en que viajamos, Urrutia me dice, en voz baja, de modo casi imperceptible para los demás:

—Comandante, me ha gustado mucho su discurso. Si usted fuera el jefe del Estado Mayor del ejército en Cuba, yo me sentiría tranquilo; pero usted está aquí, en la provincia. Comprendo que hace todo lo que puede para que la Revolución no se desvíe. Le confieso que me siento algo así como un prisionero. Llevo algún tiempo tratando de renunciar pero no me dejan ni dimitir ni ejercer plenamente la presidencia. Temen que me vaya porque se produciría un escándalo. Y si no renuncio, estaré a merced de medidas y actitudes que van en contra de mi criterio y hasta de mi conciencia.

—¿Y qué le dijeron cuando usted planteó eso?

—En realidad nada. He hablado con Fidel y Raúl, solicitándoles una licencia por enfermedad. Son treinta días que facilitarán mi salida del gobierno sin que se agite la opinión pública; pero no hay forma de que lo entiendan. Soy un prisionero, Matos, un prisionero.

Reflexivo y fastidiado, el presidente Urrutia finaliza diciéndome:

—Más que un prisionero; quizás un rehén...

Esta confesión me causa un tremendo disgusto. Aun aceptando que estén produciéndose situaciones complicadas en palacio, ésta es grave: un presidente humillado, sin un ápice de poder y sin la posibilidad de retirarse de su cargo.

Mi discurso del día del Abogado sale publicado —tomándome de sorpresa— en el periódico *Revolución*, órgano del gobierno que se edita en La Habana pero que tiene difusión nacional. Su director, Carlos Franqui, ha conversado más de una vez conmigo y está de acuerdo en que debemos dar la batalla contra la conspiración comunista. Hay otras figuras de la Revolución que participan de este criterio y quieren evitar que los comunistas tomen control del proceso. El comandante Faustino Pérez, ministro de Recuperación de Bienes Malversados,[1] cree que hay que dar la batalla. Coinciden el ministro de Trabajo, Manuel Fernández; el ministro de Hacienda, Rufo López Fresquet; el ministro de la Construcción, Manuel Ray; David Salvador, máximo dirigente del sindicalismo cubano y otros más que mantienen en reserva su inquietud ante la dirección revolucionaria, pero que han confiado sus temores a los que reconocen como demócratas sobre toda sospecha.

Los que pertenecemos a esta vertiente estamos convencidos de que para impedir el avance marxista hay que crear una estructura de dirección revolucionaria lo antes posible. Tenemos el dilema que representa Fidel: un día aparece en la televisión y descarga una formidable andanada contra los comunistas. Poco después, en otra comparecencia, dice que no se puede perseguir a los comunistas porque «también ellos son parte de la nación cubana». El reino de la ambigüedad.

Mi discurso me convierte, sin buscarlo, en vocero de los que pretenden que la Revolución se mantenga con sus ideales y postulados iniciales. No he medido las proyecciones que mis palabras puedan alcanzar, porque no es protagonismo lo que busco.

---

1. Entidad responsable de confiscar los activos de socios y cómplices de Batista. (*N. del A.*)

A los cuatro o cinco días del acto en Camagüey, viajo a La Habana a la ceremonia de juramentación de nuevos ministros. He evitado volver a conversar sobre los ministerios que me ofrecieron porque la situación política es confusa. Me reúno aquí con Fidel, Raúl y el Che. Estamos los cuatro y otras personas en un cuarto que Fidel tiene en el tercer piso del palacio presidencial, cuando Raúl me dice, tratando de dar un tono simpático a sus palabras:

—Mira, Huber, tú sí que tienes suerte... Yo hablo mucho por aquí y por allá y nunca me han publicado un discurso completo. Y a ti, que nunca quieres hablar, cuando lo haces te publican desde la primera a la última palabra.

Hasta el momento, mi relación con los Castro no ha entrado en crisis, pero la posibilidad está latente. Los dos saben que me opongo totalmente a que la Revolución tome un giro hacia el comunismo. Por otro lado, las muestras de estimación de Fidel hacia mí son evidentes. Muchas veces —casi todas debería decir— llego sin avisar a sus oficinas, y él posterga reuniones con comandantes y ministros que aguardan por horas una entrevista con él, para reunirse conmigo. Esa atención especial ni la he buscado ni la he pedido.

Raúl sigue manifestándose con mucha locuacidad. El Che se mantiene callado, indescifrable, observando. Mientras tanto, Fidel dice algunas cosas que en apariencia no tienen nada que ver con los temas de que habla Raúl.

De repente, Raúl toma una actitud grave y dice:

—Para que la Revolución triunfe hace falta una «noche de cuchillos largos» que corte muchas cabezas de nuestros enemigos.

Le respondo:

—Imagino que no estarás hablando en serio porque eso no encaja en los planes de la Revolución.

—Pues sí. Sin una noche de San Bartolomé,[1] las dificultades que vamos a encontrar de aquí en adelante van a ser muchas.

Fidel guarda silencio. Los otros asistentes a la reunión callan y un poco después ésta se disuelve.

Me despido de nuestro jefe después de insistirle en la necesidad de que definamos los fundamentos ideológicos de la Revolución, para clarificar su rumbo y su programa.

1. Noche de San Bartolomé: es decir, la matanza de protestantes en Francia, durante el reinado de Carlos IX, el 24 de agosto de 1572. (N. del A.)

—Antes de que finalice el mes de junio —me dice— nos vamos a reunir en tu casa en Camagüey, Raúl, el Che, tú y yo. No nos separaremos hasta dejar todo esto definido.

—¿Y Camilo?, ¿por qué no lo invitamos a participar también?

—No, Camilo no cuenta en un asunto como éste —me responde.

Llegado el día, recibo un aviso de Celia en el que me comunica que Fidel está en Las Villas y va hacia Camagüey para la reunión convenida. Unos minutos más tarde recibo una llamada de Raúl —ya en el aeropuerto de Camagüey— pidiéndome que vaya a reunirme con él para esperar a Fidel.

Nos encontramos en el aeropuerto y los tres vamos juntos hasta mi casa.

Fidel, como es su costumbre, habla y habla de todos los temas sin referirse el asunto que nos reúne.

La ausencia del Che parece decir que esta reunión es una comedia.

Transcurrido un rato, los dos Castro se miran y comentan la ausencia de Guevara, culpándose uno al otro por la falla. Observo y medito. Me doy cuenta que el Che no está aquí porque a ninguno de los dos le interesa que quede definido lo que he venido planteando.

Celia me llama a un lado para decirme:

—Huber, estamos reuniendo documentos para escribir la historia de la Revolución. Necesitamos que nos prestes todas las notas que te hizo Fidel durante la lucha en la sierra. Una vez que hagamos uso de ellas, te las devolveremos.

—Tengo muy pocas. No sé si sabes que me robaron el archivo de la Columna 9, de mi comandancia, el día siguiente al triunfo.

Me quedo pensando en lo que puede haber detrás de esta petición; si será despojarme de papeles que me pertenecen, por imaginar mi alejamiento de Fidel, o si realmente hay un interés en reunir documentos para una historia del proceso revolucionario.

Vienen a la casa algunas gentes que solicitan hablar con Fidel. Acuden entre ellas algunos sindicalistas del sector ferroviario y el comandante encuentra tema para tres o cuatro horas de monólogo.

No insisto en el orden del día de la reunión, es obvio que esto es una comedia. La Revolución se está convirtiendo en retórica populista para engañar al pueblo. Pero no puedo dar por perdido el proceso. Pienso en Cuba, en mis compañeros muertos.

Estoy convencido de que la proposición de llevarme al consejo de ministros fue un intento de comprarme. Fidel y Raúl le pusieron precio a mi incondicionalidad y se equivocaron.

Con Raúl he tenido una amistad circunstancial desde los días de la guerra. Él venía mucho con Vilma a mi comandancia durante el cerco de Santiago de Cuba. Cuando se casaron, en enero, me pidieron que fuera testigo de su boda. Pero Vilma, antes que Raúl o simultáneamente, se ha puesto muy hosca conmigo, a raíz de mi notoria posición anti-marxista y de mis intentos por defender el programa original de la Revolución. Ella sigue fielmente a Raúl en sus meandros ideológicos.

Durante este mes de junio una acción contra el comandante Díaz Lanz, jefe de la fuerza aérea y valiente revolucionario es indicio de que una «purga» ha comenzado. Han saboteado e interferido constantemente a este hombre valioso. Ahora Fidel nombra a Juan Almeida como interventor de la fuerza aérea sin antes solicitar la renuncia ni despedir a Díaz Lanz. Se dice que el aviador tiene tifus y por esa razón debe mantenerse recluido en su domicilio.

Enterado de la «enfermedad», voy a visitarlo y me encuentro allí a Ricardo Lorié, hombre de contactos de Fidel en la guerra. Como lo sospechaba, Díaz Lanz no está enfermo. Me cuenta sobre la infiltración comunista en nuestras filas, apoyada por Raúl y el Che. Sus revelaciones corroboran lo que yo he venido observando.

Su relato me indigna.

—Anda con cuidado, Huber, ellos saben que has venido aquí y están muy al tanto de tu disgusto y de tus esfuerzos.

Unos días después, Pedro Luis Díaz Lanz toma el camino del exilio en una avioneta. Sigo tratando de unir a la gente de probada lealtad a los fundamentos revolucionarios, para proteger, dentro de nuestras filas, a la nueva Cuba que tratamos de crear.

La situación del presidente Urrutia se agrava. En este caso particular soy testigo involuntario de un hecho revelador y dramático. Un día en el que estoy con Fidel en la Comisión de Fomento, en La Habana, alguien le llama por teléfono. Al escuchar la voz de su interlocutor, Fidel se pone tenso; entra en uno de sus frecuentes lapsos de irritabilidad. Por el giro de la conversación me doy cuenta de que habla con Esperanza, la esposa de Urrutia. Las respuestas entrecortadas de Castro indican que Esperanza ruega por su esposo; que lo dejen renunciar e irse en paz... No sé si Manolo Ray, ministro de la Construcción que está a mi lado, logra escuchar e interpretar también ese coloquio. No obstante, está claro: la situación de Urrutia sigue siendo la misma que me comentó en Camagüey el 8 de junio. Es un rehén. El pueblo ignora que el presidente ha sido sometido a la posición de un maniquí. No se le ha permitido ejercer su cargo ni tampoco renunciar. La población se burla de él por considerarlo un oportunista sumiso.

A mediados de julio, Urrutia decide afrontar los riesgos e irse. Entonces Fidel escenifica una de sus obras maestras de simulación y farsa. Desde la mañana del 17 de julio los medios de comunicación repiten y repiten la noticia de que Fidel ha renunciado a su cargo de primer ministro. Circula el rumor de que «Urrutia ha defraudado a la Revolución». La reacción popular no se hace esperar. ¿Cómo va a renunciar el Máximo Líder? Se trata de algo inadmisible para más del noventa por ciento de la población. La gente, airada y conmovida, se lanza a la calle. Para dar mayor dramatismo a su desplante, Fidel habla por televisión en horas de la noche y sus dotes de comediante le ayudan a exagerar su congoja por la «actitud contrarrevolucionaria de Urrutia». Insiste en su dimisión tan histriónicamente que sólo el momento en que se vive y el magnetismo que ejerce en el pueblo le permiten salir adelante con su propósito, a pesar del grotesco espectáculo.

Fidel sabe bien, antes de lanzarse a dar un paso tan audaz, que el pueblo le va a responder unánime y fervorosamente. Cuando habla por televisión, insinúa, entre otras cosas, que el presidente Urrutia ha «andado bordeando la traición» y que cubre su deslealtad apelando a «infamias», tales como acusar de comunista a la Revolución. Y él quiere demostrar con su renuncia que no le interesa el poder por sí mismo, sino dar al pueblo la justicia social, la independencia económica y la soberanía política, tan regateadas por anteriores gobiernos.

El estado de ánimo de las masas es tal que si les entregan a Urrutia lo despedazan. El presidente, por supuesto, no se puede defender. Es un prisionero en su propia casa, hasta que, pasado un tiempo, logra asilarse disfrazado de lechero en la embajada de Venezuela.

Fidel usa la televisión para dar un golpe de Estado. Se adueña totalmente del poder respaldado por el pueblo, al que ha manipulado sin escrúpulos. Las multitudes no lo perciben, mas las sombras de una nueva dictadura oscurecen los horizontes de nuestra patria.

El nuevo presidente de la República, Osvaldo Dorticós, es un incondicional del comandante. Para los cuatro o cinco hombres que estamos alerta, si no se logran los contrapesos necesarios con urgencia, la Revolución caerá en el abismo. La mayoría de los miembros del Movimiento 26 de Julio da señales de inquietud pero se mantiene a la expectativa.

Camilo me dice, muy preocupado, una de las veces que visito el Estado Mayor:

330

—Esto no va por donde debe ir.

—¿Por qué no vamos los dos a hablar con Fidel?... Le he planteado en más de una ocasión el problema. Podemos intentarlo tú y yo.

Camilo argumenta:

—No creo que mi participación en una gestión así sirva absolutamente para nada. Fidel me elogia en público pero en privado me subestima y algunas veces me tira a mierda. Me trata como si yo fuera un muchacho. No me reconoce capacidad política, en cambio a ti te tiene muy en cuenta. La opinión tuya la respeta. Si alguien puede hacerlo entrar en razón, eres tú.

Hace siete meses llegamos al poder y días antes del 26 de julio decido escribir una carta a Fidel. Es una renuncia, planteándole la conveniencia de mi separación del ejército y de mi responsabilidad como participante en la dirigencia del proceso revolucionario. Estoy en desacuerdo con la forma en que se conducen las cosas. Creo que se han dado pasos hacia un gobierno dictatorial, probablemente de signo marxista, con el que no puedo comprometerme por cuanto significa volverme contra mis principios.

Llega el día 26, aniversario del asalto al Cuartel Moncada y la fecha más importante de la Revolución. La celebración se lleva a cabo en La Habana y el gobierno procede a darle a la fiesta el mayor esplendor posible, tratando de consolidar al máximo el respaldo interno y de ampliar su proyección internacional.

Se ha procurado reunir a más de un millón de campesinos en la capital. Contingentes enormes de trabajadores rurales, con machetes colgados a la cintura, pasan por varias provincias, camino a La Habana. Las familias pudientes dan albergue a los campesinos; de esa forma quieren mostrar apoyo a la reforma agraria y a la Revolución.

No tenía pensado ir al acto en La Habana. El envío de mi renuncia me sitúa en una posición incómoda. Además me encuentro afectado por una fuerte gripe, pero decido ir. El jefe de la base aérea, capitán Roberto de Cárdenas, al que llamo para consultarle, me sorprende gratamente cuando le digo:

—Oye, ¿qué posibilidad hay de que nos vayamos tú y yo para La Habana ahora mismo?

—Todas —me contesta—. Venga para acá y en un B-Veintiséis, en hora y media estamos en La Habana.

Cuando llegamos al lugar de la celebración habla el ex presidente mexicano Lázaro Cárdenas. Se refiere a que la Revolución en su país debió soportar en un principio «leyendas negras» y que ahora es la Revolución cubana la que enfrenta injustas acusaciones de sus enemigos. Hace hincapié en que no debe confundirse lo radical de un proceso con su ingreso en la esfera comunista. Se muestra convincente y es aplaudido con insistencia por la multitud. Al término de su alocución se abraza con Fidel y esto lleva al paroxismo a la gente.

Cuando Fidel me ve se muestra muy contento y me dice:

—Hombre, la verdad es que te echaba de menos.

Luego toma el micrófono. Su discurso es largo como de costumbre. Abarca el proceso revolucionario desde sus comienzos y exalta los valores de la lucha y la actual gestión en lo económico y lo social; lanza recriminaciones para los que, desde las sombras, quieren volver atrás el reloj de la historia y retornar a una sociedad de privilegiados y entreguistas.

Al terminar me dice:

—Mañana tenemos que conversar. Nos vemos en mi apartamento en el Hotel Hilton.

Cuando llego al hotel, Fidel está rodeado por un grupo de personas de su confianza. Conversan sobre la captura de Rafael del Pino, en los momentos en que aterrizaba en una carretera cerca de La Habana, para recoger una gente que quería huir del país. Del Pino había participado en México en la preparación de la expedición del *Granma* y después se desligó de la Revolución. Por la conversación me doy cuenta de que ha sido víctima de una trampa tendida por los Castro. Alguna cuenta vieja le están cobrando. El ex compañero de Fidel tiene heridas de bala en el vientre, no se dice nada del piloto de la avioneta.

En un aparte, Fidel, mostrándose muy afectuoso, me expresa:

—Esa renuncia que tú has presentado no procede a estas alturas. Tenemos mucho que hacer todavía, sobre todo en las fuerzas armadas, donde debes seguir adelante con tu trabajo organizativo. Lo que tú temes, que caigamos en manos de los comunistas, tienes que desecharlo. Debes tener en cuenta que la mayoría de los nuestros son ajenos al marxismo. Hay algunos comunistas que son inevitables en todo proceso revolucionario, pero eso lo tengo controlado. Con nosotros no van muy lejos los comunistas. Admito que Raúl y el Che están coqueteando con el marxismo y hay otros por ahí, como Osmani Cienfuegos, haciéndoles su jueguito a los del Partido Comunista; pero eso no significa que se vayan a adueñar del proceso. Tengo todo bajo control. Olvídate de renunciar.

Le insisto:

—Fidel, hay una gran preocupación entre los revolucionarios, yo la comparto y tú lo sabes. En conversaciones anteriores te he presentado el problema y esto sigue agravándose. Gente que ha estado con nosotros puede sublevarse en cualquier momento y entonces vendrán fusilamientos y represiones contra los mismos compañeros de causa, que tienen derecho a rechazar las contradicciones en que vamos incurriendo. Por este camino llegará el momento en que se alce gente con la misma consigna que nosotros: «Libertad o Muerte». No iré yo a perseguirlos.

—Bien, Huber, entonces, ¿no confías en mí?

—Eso no es lo que estamos discutiendo. Lo que sí pienso es que mientras tú desarrollas una gran actividad y atiendes todos o casi todos los asuntos del Estado, los elementos infiltrados pueden ir envolviéndote y minando lo que tanto ha costado alcanzar.

—Recuerda que yo defiendo lo mismo de siempre. Es decir, la libertad por sobre todas las cosas. Pero debes admitir que una revolución popular como la nuestra y como tantas otras que se han producido en el mundo, siempre tiene su poco de izquierda para ser una verdadera revolución, debe introducir reformas y cambios. Por ejemplo: la reforma agraria. ¿Es esto comunismo? Por sobre todas las cosas nosotros vamos a defender la Revolución cubana, que es la nuestra. Acuérdate de lo que dije al regresar de mi viaje al extranjero y de lo que ya había dicho afuera ante un respetable auditorio internacional: «No estamos a la izquierda ni a la derecha; estamos un paso delante de la izquierda y de la derecha y contra todos los totalitarismos, porque éstos cercenan la libertad, que es tan cara a los pueblos».

Sigue durante un buen rato argumentando en favor de su posición y tratando de demostrarme que estoy en un error, que prejuzgo. Trata de estimularme ratificando su confianza en mí. Vuelvo a insistir:

—Si siguen así las cosas, tarde o temprano tendré que marcharme definitivamente.

—Bien, supongamos que te marchas. ¿Qué debo pensar? ¿Que no estás dispuesto a compartir responsabilidades o no estás de acuerdo con el rumbo que crees que tomará la Revolución?

—Ya lo sabes. Me preocupa el futuro y me preocupa el presente.

—Lamento que pienses así, pero no hay crisis entre tú y yo. Quédate como hasta ahora en el mando revolucionario. Si dentro de un tiempo ves que conforme a tu criterio las cosas no han cambiado, entonces estás en tu derecho de renunciar. Lo planteas y no pasará nada. Nos sentaremos a conversar y nos despediremos como amigos, como compañeros, como hermanos. Pero tú no tendrás motivos para llegar a eso.

No se lo digo, pero decido dar un poco más de tiempo. Esta decisión coincide con el criterio de mi círculo de amigos del Movimiento 26 de Julio y del consejo de ministros, en el sentido de no romper con la Revolución sino de mantenernos dentro para tratar de influir en su curso.

En agosto todos los jefes revolucionarios en las fuerzas armadas recibimos instrucciones precisas de no hacer declaraciones públicas. ¡Una curiosa coincidencia! Esto sucede en vísperas de mi entrevista en CMQ Televisión, para atender una invitación del escritor y periodista Jorge Mañach, quien tiene un programa de mucha audiencia. El interés de Mañach es que conversemos sobre «la educación en la Revolución», por mi doble condición de comandante y profesor. No me sorprende que el día antes de la entrevista, Raúl me llame por teléfono y me advierta que no concurra al programa por la prohibición que ha hecho circular.

En los primeros días de agosto recibo en Camagüey a uno de los ayudantes de Camilo, el capitán Lázaro Soltura, a quien conozco desde la lucha clandestina.

Su rostro denota preocupación.

—Te traigo un recado del Estado Mayor —me dice—: se está en conocimiento de que en los próximos días se producirán graves hechos de carácter contrarrevolucionario. Si esto sucede, habrá que proceder a detener gente. Además, tendrás que hacer una buena limpieza de los enemigos agazapados en Camagüey y fusilar a los que están condenados y a los que convenga eliminar aunque no estén condenados.

Mientras Lázaro habla me cuesta trabajo imaginar a Camilo dando semejante orden. Él sabe que no tengo aquí a nadie condenado al fusilamiento y sabe además que a mí no se me puede hablar así. Como he percibido algo equívoco le digo a Lázaro:

—Si esa orden la dio Camilo, no tendrás inconveniente en que, con la discreción del caso, le pida por teléfono que me confirme de algún modo sus instrucciones.

Soltura se altera al escuchar esto; me dice que no conviene averiguar ni hacer movimientos inútiles... Luego se marcha. Me deja con la convicción de que ésta es, sin duda alguna, la más peligrosa y estúpida jugarreta que se le ha ocurrido a Raúl Castro para comprometerme. Para él y para Fidel estoy demasiado limpio en este proceso y es necesario tratar de enlodarme con unos fusilamientos arbitrarios que me harían perder autoridad moral.

Se hace pública la conspiración de Trujillo, el dictador dominicano. Los hechos se desarrollaron en la siguiente secuencia: un grupo de batistianos refugiados en República Dominicana organizó una expedición patrocinada por el dictador Rafael L. Trujillo, que debía aterrizar en Trinidad, al sur de Las Villas y unirse a un levantamiento que estaba produciéndose en las montañas del Escambray. Lo cierto es que el levantamiento era en realidad una trampa maquinada por Fidel y montada por Eloy Gutiérrez Menoyo, quien hacía como jefe de los conspiradores en Cuba. En este complot están involucrados elementos del Partido Auténtico en Cuba, también infiltrados por Gutiérrez Menoyo. Cuando el avión aterrizó en Trinidad los efectivos de Fidel abrieron fuego contra los expedicionarios causando muertos y heridos.

A raíz de este suceso, el gobierno declara en estado de emergencia la zona de Las Villas y explota a lo largo y ancho del país el sentimiento de genuina adhesión y solidaridad popular. El repudio contra los complotados es general; se da la sensación de que sostuvieron una batalla para frenar y rendir a los conspiradores. De esta manera, Fidel va fomentando en el pueblo una especie de histeria contra toda actitud de oposición. Quien no esté con el gobierno será estigmatizado como su enemigo, como contrarrevolucionario y «gusano».

En La Habana estarán esperando que, de acuerdo con las instrucciones recibidas, yo proceda a fusilar o a tomar acciones punitivas extremas. Pero en Camagüey las penas han sido dictadas por los actuales tribunales revolucionarios y no voy a disponer nada en contra de esas medidas.

Estamos en septiembre y en apariencia mis relaciones con Fidel no han sufrido más deterioro, pero intuyo la inminencia de una crisis. Reflexiono largamente sobre la conducta de este hombre y llego a creer que se está dejando llevar por la influencia de Raúl y el Che y que los culpará a ellos si las cosas le salen mal.

Tengo nuevas conversaciones con Carlos Franqui y también con Faustino Pérez. Franqui está convencido de que las cosas siguen un mal rumbo. Dirige el periódico *Revolución* con cierta independencia y quiere que la influencia de los comunistas sea reducida al mínimo. Pero no se decide a dar ningún paso. Faustino Pérez parece estar más resuelto; sin embargo, también vacila. Hay otro hombre que coincide con nosotros, el ministro de Trabajo, Manuel Fernández, revolucionario muy capacitado y leal que, por problemas con Fidel, ha tenido que renunciar. Hablo con Manolo Ray y coincidimos en el enfoque del problema. La opinión generalizada es ésta: ¿por qué vamos a entregar la Revolución a los comunistas si ellos apenas tuvieron participación en la lucha y ni siquiera aprobaron lo que hacíamos nosotros? «Alguien tiene que ir a decirle todo esto a Fidel... No hay que perder más tiempo...» Sí, es cierto; pero quien se lo viene planteando repetidamente soy yo. No es que no haya medido los riesgos. Todos nosotros, aunque dudamos de Fidel, aún tenemos alguna esperanza de que pueda recapacitar.

Para mí la única vía posible es separarnos del gobierno como último recurso para salvar la Revolución. Tenemos que denunciar la penetración comunista y crear conciencia popular de que hay un grupo de hombres de primera fila en la esfera oficial que ha hecho un llamado de alerta al país, renunciando a sus cargos. Aunque varios de los que me escuchan me dan la razón en cuanto a esta necesidad, advierto una peligrosa inercia, un temor que prolonga el actual estado de cosas.

¿Qué hacer? Presionar desde el gobierno ha sido hasta ahora inefectivo. Se me hace muy difícil pensar en una maniobra para derrocar a Fidel. Sería enfrentarnos al pueblo, que está fanatizado con este hombre. Se interpretaría como un complot ambicioso. ¿Matarlo? A la vista de la gran mayoría de los cubanos sería un crimen imperdonable. Lo único que lograríamos sería entregarle el poder a Raúl y al Che, quienes con esa acción radicalizarían el proceso hacia el comunismo. Y el pueblo, en su fanatismo, los apoyaría sin saber las consecuencias.

Finaliza septiembre y la influencia comunista aumenta. Tengo que irme del poder cuanto antes. Mi permanencia en el gobierno respalda acciones con las que no estoy de acuerdo. Quiero ser responsable de mis errores y no cargar con la tremenda culpa que la historia volcará sobre quienes, por ambición, por acomodamiento o por inercia, traicionan la Revolución cubana; esto es, al pueblo y sus esperanzas. Aunque sea yo el único que denuncie lo que está pasando, tengo que dar el alerta a los cubanos. No sé si me escucharán o si lo entenderán.

Todavía no me he dormido, amigo.

Octubre de 1959. Han transcurrido menos de diez meses desde que los revolucionarios llegamos al poder. Las perspectivas de que el líder de la Revolución se convierta en un tirano como no ha conocido nunca nuestro país se perfilan en el paisaje cubano.

La gran mayoría de la población no percibe la traición. La popularidad de Fidel es inmensa; la gente del pueblo cree en él con ciego fervor. Los que manifiestan su preocupación por el destino de la nación o cuestionan el último capricho del Máximo Líder se convierten de la noche a la mañana en «enemigos del pueblo». La seductora retórica populista de Castro encubre hábilmente la increíble realidad, que los verdaderos enemigos están en el seno mismo del poder.

Las circunstancias históricas han sido propicias. Desde la Guerra de Independencia, frustrada por la intervención estadounidense, los cubanos han luchado y esperado la redención. En esa guerra murieron los líderes más calificados, Martí y Maceo entre ellos. El pueblo ha tratado de llenar ese vacío generación tras generación, viendo de nuevo sus aspiraciones frustradas por la mediocridad del liderazgo político y por otras trágicas muertes como las de Antonio Guiteras, Eduardo Chibás y José Antonio Echevarría. Por último, después que el país alcanzó la democracia en los años cuarenta, el golpe de Estado de Fulgencio Batista malogró el avance político. El hecho de que la economía cubana, cuando llegamos al poder, hubiese alcanzado la tercera producción per cápita en Latinoamérica no ha sido suficiente atenuante. La población aspira a la Cuba visualizada por José Martí, una nación genuinamente independiente, «con todos y para el bien de todos». Fidel Castro, envuelto en la mística de la lucha guerrillera, ha capitalizado más de sesenta años de aspiraciones truncadas.

Comprendo que la situación es compleja pero tengo que seguir adelante. Carlos Franqui se ha marchado para Alemania y otros países europeos a comprar equipo de imprenta para el periódico *Revolución*.

Antes de irse conversó otra vez conmigo. Sigue en la misma posición, aunque duda sobre lo que se debe hacer. No creo que pueda contar con él para una acción concertada, traducida en varias renuncias significativas. La misma dubitación advierto en Faustino Pérez;[1] y en el ministro de Hacienda, Rufo López Fresquet, que también quiere irse pero sin cuestionar el proceso revolucionario ni mostrar ante la opinión pública que existen discrepancias profundas. Los ministros que ya se han ido, como Manuel Fernández, están preocupados por lo que sucede, pero prefieren mantenerse al margen. Sé que no estoy solo, pero es igual, porque nadie se atreve a acompañarme en el paso que debo dar. Ni siquiera la tremenda angustia que percibo en los dirigentes del Movimiento 26 de Julio, angustia sin rebeldía ni exteriorizaciones, me sirve para encontrar una alianza efectiva en estos momentos tan decisivos.

Es una partida que tendré que jugar solo, poniendo las cosas en claro. Escribo el borrador de una carta-renuncia para elevársela a Fidel. De ella doy cuenta a cinco de los principales oficiales bajo mi mando:

—Escuchen, me voy. Mi presencia en las fuerzas armadas y en este proceso es incompatible con la desviación ideológica que se está produciendo. Ustedes han sido mis compañeros leales, les adelanto esta información porque no debo irme sin informarlos previamente. Esta determinación es de carácter irrevocable y quiero pedirles que se mantengan en sus cargos.

Mis compañeros se muestran extraordinariamente solidarios y me responden:

—Si tú te vas, nosotros haremos lo mismo.

—No —les respondo—, yo les ruego que no hagan eso. Podría pensarse que se han confabulado conmigo, que se trata de una conspiración, y no podemos perder de vista que somos militares. Nos haríamos daño si ustedes también renuncian. Me he esforzado ante Fidel para que revise la marcha del proceso revolucionario, que se mantenga fiel a sus propias promesas, pero me encuentro ante una pared. Ustedes pueden aguantar un poco más; y luego, si ven que no hay cambios conforme nosotros los queremos, actúen como les dicte su conciencia.

Ellos comprenden. El 19 finalizo la redacción de la carta-renuncia y el 20 en la mañana la envío con mi ayudante, el teniente Carlos Álvarez.

Es la ruptura, con las razones que la sustentan, pero expuestas en

---

1. Faustino Pérez, miembro del consejo de ministros. *(N. del A.)*

un plano privado. Un acto de conciencia instado por la necesidad de ser leal a mi país y a mis propias convicciones.*

Envío por la vía reglamentaria un mensaje al jefe del Estado Mayor del ejército, comandante Camilo Cienfuegos, solicitándole que acepte mi separación de las fuerzas armadas. El teniente Carlos Álvarez lleva la carta a Fidel, quien luego de leerla con mucho detenimiento, escribe su respuesta. Álvarez regresa a Camagüey por vía aérea y me la entrega aproximadamente a las seis de la tarde. Todo sucede en un día.

Fidel me dice, en términos generales, que está bien, que me vaya, que no pasará nada, que él enviará a quien me releve en el mando. Pero el tono y algunos términos son insultantes, propios de su estilo siempre teñido de amenazas veladas y de subterfugios.

He dejado a mi esposa una copia de la renuncia.

—María Luisa —le digo—, yo no sé lo que está pasando por la mente de Fidel; después de lo de Urrutia podemos esperar cualquier cosa. Guarda esta copia, tú sabrás usarla llegado el momento.

Fidel sabe que no reaccionaré como Urrutia. El ex presidente, a pesar de su cargo, era más vulnerable porque su posición la debía al propio Fidel. Él conoce del respeto que hay en el Ejército Rebelde a la Columna 9 por su desempeño en la guerra, respeto que se extiende a mí, como su jefe. También está al tanto de que, por ser profesor y comandante, muchos maestros de Cuba me consideran su representante en las filas revolucionarias. Por muy seguro que se sienta del apoyo popular, y lo tiene casi ciegamente, Fidel no ignora que los que luchamos con él somos también objeto de parte de ese fervor del pueblo. A mí me conoce desde los días de la sierra y ha tenido que soportar mi cuestionamiento a las contradicciones ideológicas en los últimos meses. Sabe que conmigo no podrá usar sus trucos y es probable que decida eliminarme traicioneramente. Estoy preparado para todo.

Releo la respuesta de Fidel y percibo detrás de sus líneas un propósito avieso; no define ninguna posición clara. Ya no me preocupo; he procedido como lo exige mi conciencia.

Existe la remota esperanza de que este hombre recapacite y nos demuestre, pese a sus ambigüedades y zigzagueos, que él es capaz de mantenerse fiel al pueblo cubano y al programa de la Revolución. Pero tal posibilidad no tiene asidero, es sólo eso... una última esperanza pensando en el bien de Cuba.

Me encuentro sumido en estas reflexiones cuando recibo una llamada telefónica del comandante Calixto García, jefe del Primer Distri-

---

* Ver carta de renuncia en apéndice. (N. del E.)

to Militar. Es un hombre que nunca me ha mirado con simpatía. Calixto llega a comandante después del triunfo del uno de enero; más porque Fidel lo ve como un compañero que vino en la expedición desde México que por sus méritos como guerrillero.

Cuando escucho su voz por teléfono percibo una mala señal. No se da por enterado de lo que está sucediendo; es un sondeador. No le comento nada y lo dejo tan vacío como al iniciar la conversación. Éste es un indicio más de que Fidel está tramando un golpe sucio.

Al anochecer, me entero de que Fidel ha llamado a Napoleón Béquer para ofrecerle la jefatura del distrito. Béquer fue mi segundo cuando yo era jefe de guarnición en La Plata. Actualmente es uno de los capitanes del servicio administrativo y nos une una entrañable amistad. Béquer le contesta negativamente, recordándole su solicitud anterior, de ser transferido a Oriente a fin de cumplir tareas en la reforma agraria.

A la una de la mañana, encontrándome ya acostado, recibo una llamada telefónica de Camilo. Indudablemente Fidel lo ha presionado, y es probable que se encuentre a su lado mientras me habla.

—Oye, Huber, ¿podrías venir a La Habana ahora mismo?

—Camilo, tú sabes que me retiraron la avioneta que tenía. Me dieron otra que no puede volar de noche porque no cuenta con los instrumentos necesarios.

—Bueno, entonces ¿cuándo puedes viajar?

—En horas de la mañana, en el primer vuelo de Cubana.[1]

Camilo habla conmigo entrecortadamente, con silencios que supongo son utilizados para recibir instrucciones de quien está a su lado, que no puede ser otro sino Fidel. Mi grado de amistad con él presupone cierta llaneza pero lo noto distinto, repitiendo el recado. Señala de pronto lo inoportuno de mi renuncia. Este comentario me extraña porque él y yo hemos hablado varias veces sobre el tema, y compartimos la preocupación por la entrega de la Revolución a los comunistas. Ahora me llama por orden de Fidel para tantearme, para distraerme... No sé... Puedo esperar cualquier cosa. Acordamos entonces que viajaré por la mañana.

A las cuatro y media, en plena madrugada, me llama por teléfono el capitán Francisco Cabrera González, mi segundo al mando del Distrito Militar.

—Huber, acabo de hablar con Fidel. Me despertó con su llamada y me ordenó que me haga cargo de la jefatura del distrito inmediata-

---

1. Compañía Cubana de Aviación, empresa privada. *(N. del A.)*

mente. Cuando se refirió a ti acompañó sus palabras con un mundo de insultos. Lo escuché con paciencia y le respondí que estaba bien, que iba a cumplir sus instrucciones. Pero sabes bien que nosotros somos hermanos. Así es que tú me dirás ahora lo que hacemos.

—Bien, él ya te lo ha dicho: tú eres ahora el jefe del distrito. En mi carta le dije que esperaba que designara un sucesor para mi cargo y ya lo ha hecho.

Pero Cabrera tiene algo más que decirme:

—Huber, lo de la sucesión de funciones es sólo una parte. Las estaciones de radio locales están vociferando contra nosotros. Nos llaman traidores; nos amenazan con toda clase de insultos. Lo menos que nos dicen es que somos unos «hijos de perra». Están arengando a la gente, al pueblo, para que se reúnan y vengan contra nosotros. Estoy sumamente preocupado por esto. Hasta dijeron que hay que sacar a la alimaña del cuartel y que merecemos el peor de los finales. También me informaron que la policía se ha sublevado con la compañía del ejército que está en el aeropuerto, que está directamente bajo las órdenes de Fidel. Todo esto es una provocación.

Escucho con calma a Cabrera. Le recomiendo que siga las indicaciones de Fidel y que se mantenga sereno. Oigo la radio y compruebo que es real lo de la ofensiva verbal, en particular por parte de Jorge Enrique Mendoza, cuya actuación en la sierra dejó mucho que desear, pero que ahora se ha encaramado en cierta posición por su manifiesto servilismo. También participa en esta arenga insultante Orestes Valera, quien junto con Mendoza ha hecho méritos como incondicional de Fidel. Es evidente que nos quieren obligar a responder con la fuerza: un choque armado con unos cuantos muertos en el que apareceríamos como culpables. Así tendrá el pretexto para caernos encima y acusarnos de contrarrevolucionarios y de ambiciosos de poder. La treta va tomando forma.

Entre los que se encuentran en el Campamento Agramonte y en el resto de la provincia, hay aproximadamente mil ochocientos hombres. Con ellos puedo contar si los necesito. Pero no voy a caer en la trampa.

Cuando amanece, me dirijo al Departamento de Cultura, que está como a cincuenta pasos de mi casa. Pido que activen una grabadora, en la que quiero dejar testimonio de lo que sucede. Tengo copia de la renuncia y tanto el texto de ésta como observaciones y aclaraciones que improviso, quedan registradas en una alocución al pueblo. Es un llamado de atención sobre la conjura comunista. Esta grabación es también una previsión por si hoy se acaba mi vida. Quiero dejar constancia de mi actitud y de los motivos de mi renuncia.

Al leer la carta enviada a Fidel como parte de ese mensaje, expreso al pueblo el imperativo moral que no puedo ni quiero desoír. Al separarme del gobierno deslindo campos de responsabilidad: de un lado queda el rumbo torcido de la Revolución y las frustraciones que vislumbro; en el otro me sitúo yo. Reitero que si existe todavía una posibilidad de salvar la Revolución, se halla en la voluntad de Fidel Castro. Si éste se da cuenta de que los hombres más próximos a él se desligan del gobierno revolucionario, todavía tendría la oportunidad de rectificar. Mi última apelación es un llamado: ¡Salvemos la Revolución, Fidel!

Al regresar a mi casa en el campamento, llega el capitán médico Miguelino Socarrás, que se ha licenciado hace cinco días, después de renunciar a la dirección de nuestra clínica militar, disgustado por el rumbo que está tomando el proceso. En forma apremiante, me dice:

—Comandante, tengo un avión con el piloto esperando, en una pista a un cuarto de hora de aquí. Vámonos del país, yo lo acompaño. Un hombre en su situación tiene que emigrar rápidamente. Lárguese, usted ha oído la cantidad de insultos y provocaciones que le están dedicando desde temprano por varias emisoras. Yo sé que lo hacen para justificar lo que preparan. Arengan a la multitud con el propósito de eliminarlo físicamente en la forma más degradante. No espere un minuto más, el avión está aguardando por nosotros.

—Socarrás, te doy las gracias y reconozco tu gesto en todo lo que vale. Pero no puedo hacer lo que me pides porque me convertiría en un desertor. He renunciado; he pedido mi separación de las fuerzas armadas porque no estoy de acuerdo con el rumbo que va tomando la Revolución. Ésta es una posición de principios y debo defenderla aun a costa de mi vida.

—¡Pero, comandante!... Mire que dentro de unas horas las turbas fanatizadas vendrán y lo arrastrarán por las calles. Por la radio están azuzando a la gente, temo por usted.

—No, Socarrás. Te repito que no, mi posición está decidida.

Socarrás insiste:

—Lo menos que le puede suceder es que lo fusilen. Es más, yo creo que será así, pero corre el riesgo de caer en manos de esa jauría y usted puede evitar semejante desastre.

—Me arrastrarán ahora pero tal vez esto salve al país.

Como no logra convencerme, finalmente dice:

—Está bien, comandante, me marcho, pero comete un error tremendo quedándose aquí.

Le vuelvo a agradecer su gesto y nos damos un efusivo apretón de manos.

Arrecian de todas partes las ofensas, particularmente en la radio. Todos estos insultos tienen el propósito de acabar con nuestra paciencia y de que salgamos a silenciarlos por la fuerza. Como también lo ha intentado Fidel al ordenar desde La Habana a la policía de Camagüey, y a la compañía de fuerzas tácticas que está en el aeropuerto que se subleven contra nuestro mando. Insisten en llevarnos a un enfrentamiento para entramparnos en un cuadro de rebelión.

A las seis de la mañana recibimos un aviso de Camilo, que llegará al aeropuerto de Camagüey y debemos mandar a recogerlo. Envío al jefe de mi escolta, el teniente José Martí Ballester. No necesito pensar mucho para darme cuenta de la razón por la cual Fidel ha ordenado que sea Camilo el que venga a arrestarme. Tras largas horas de insultos por la radio, mis tropas están con la sangre caliente. Cuando Camilo intente entrar al cuartel, con el propósito de arrestarme, los soldados no lo permitirán y si alguien saca un arma, la respuesta será una verdadera balacera. Camilo y su gente tienen toda la desventaja.

De esta manera Fidel y Raúl eliminarían a Camilo y quedaría yo ante la historia como un despreciable cobarde que asesinó al más popular de los comandantes de la Revolución. Y si no se da el escenario violento, al involucrar a Camilo en mi arresto obligan al carismático jefe del ejército a romper su estrecha amistad conmigo. Fidel subestima lo suficiente a Camilo como para estar seguro de que no se atreverá a desobedecerlo.

Cuando circuló entre dos compañías del regimiento la noticia o el rumor de que Camilo había llegado al aeropuerto con unos veinte hombres armados, con bazukas y fusiles automáticos, para arrestar a Huber Matos y controlar la situación en el campamento, la gente se enardeció en las barracas. Desde la madrugada hay una actitud agresiva entre los soldados.

Mi hijo Rogelio, de trece años, andaba por su cuenta montando bicicleta cerca de las barracas y ha regresado diciéndome:

—Papi, los soldados están furiosos y si vienen a llevarte preso les van a tirar.

El cuadro luce tan amenazante que María Luisa y yo decidimos mandar a los hijos a la casa de unos familiares, en la propia ciudad de Camagüey. El mayor, Huber, de catorce años, está cursando estudios en Santiago de Cuba.

Llamo a los oficiales y sargentos de guardia de cada compañía y les advierto que tiene que mantenerse el orden por encima de todo, que no pueden usar las armas bajo ninguna circunstancia y que si vienen a arrestarme no traten de impedirlo.

Camilo entra al campamento con un grupo de hombres bien armados, sin saber lo que pudo haber ocurrido. Al llegar a mi casa, deja a sus hombres afuera y nos vamos a hablar a solas en el segundo piso. Lo primero que hace es pedirme disculpas porque tiene la orden de arrestarme, para eso lo han enviado. Su rostro refleja preocupación y confusión:

—Huber, comprende que esto no es para mí nada agradable. Sabes que nosotros mantenemos la misma posición respecto al comunismo. Creo que Fidel está actuando equivocadamente, pero quiero que tú me comprendas.

Luego agrega:

—Que a mí me haya tocado esta misión... Me siento abochornado en este momento, pero tengo que cumplir la orden.

Vuelve a hacerse el silencio. Camilo está tenso, desconcertado. De pronto exclama:

—Oye, ¿no se puede tomar un poco de café?

Pido que lo preparen y seguimos la conversación, mostrándose él cada vez más confundido por la contradicción a la que se ve enfrentado. Sorbe su café y me dice:

—Bueno, tienes que acompañarme, Fidel quiere que te arreste y que me entregues el mando, yo no veo muy claro esto.

—Tampoco lo entiendo yo, porque en horas de la madrugada Fidel llamó por teléfono al capitán Francisco Cabrera y lo designó jefe del distrito. No sé cómo puedo entregar un mando que ya no está en mis manos. Además, un jefe arrestado está automáticamente desposeído de mando.

—Comprendo, pero mira, vamos a la comandancia porque debo dejar esto terminado. Si me ves serio contigo, quizás hasta hosco, es porque estoy desempeñando un papel que jamás hubiera deseado. Además, en público tengo que hacer el papel que Fidel me ordenó.

—¿Sabes que te mandaron para que cuando intentaras arrestarme mis hombres se opusieran? Desde la madrugada los están provocando con improperios lanzados por radio. Mendoza y Valera están en eso por instrucciones de Fidel. Cuídate, Camilo, tu popularidad es motivo de preocupación para Fidel y más aún para Raúl.

—Tienes razón, Huber, no lo había pensado, pero ahora no tengo otra opción.

—Cumple las órdenes que has recibido. Procedamos como si no hubiéramos hablado sobre el problema de la infiltración comunista. No pienso mal de ti, sé que estás viviendo una seria lucha interior.

344

Salimos de la casa hacia la comandancia. Camilo va delante, presuroso; yo atrás, resignado pero entero. Cuando arribamos a mi despacho me pide que me siente y toma el teléfono. Llama a los oficiales, les pide que entreguen las armas. Los capitanes, que no están de acuerdo con el arresto, al ver mi actitud pacífica entregan las armas. El comandante Ramiro Valdés, quien ha venido con Camilo de La Habana, se pone a mi lado en función de vigilante. Tiene fama de represivo desde los tiempos de la sierra. Conmigo fue siempre atento hasta que supo de mis discrepancias por la desviación ideológica de la Revolución.

En esta espera me entero de que Fidel ha llegado al aeropuerto de Camagüey y se ha dedicado a movilizar y agitar a la gente contra lo que él llama «la conspiración de Huber Matos», haciéndole creer al pueblo que en el Campamento Agramonte hay una sedición.

Mientras permanezco arrestado en la comandancia y vigilado por Valdés, el capitán Cabrera se me acerca y del modo más discreto posible, me dice:

—Están llamando al pueblo, lo están enardeciendo para que venga hasta aquí. Estoy seguro de que preparan las condiciones para lincharte pero la tropa no lo va a permitir.

—Mira, Cabrera, si la gente intenta hacerme daño, ustedes no intervengan. Si moralmente soy todavía el jefe de ustedes, los oficiales deben atender mis instrucciones permaneciendo calmados, dejando que los acontecimientos sigan su curso.

Cabrera no responde. La tensión continúa en aumento.

Otro oficial, el teniente Llauradó, me advierte que los guardias que están de posta en el perímetro del campamento y en las azoteas tienen conocimiento de que Fidel avanza con una multitud hacia el regimiento; los guardias dispararán contra el que sea.

—No, ve al jefe de guardia y dile que vaya, posta por posta, con una orden terminante de no usar las armas para nada. Les insisto que no abran fuego aunque me arranquen la cabeza. Una balacera nos hará culpables ante la historia.

Instantes después entra una llamada de La Habana. Es el presidente Dorticós que quiere hablar conmigo. Camilo me entrega el teléfono:

—Huber, ¿qué es lo que está pasando?

—Presidente, he renunciado a mi cargo, por un asunto que he discutido desde hace tiempo con Fidel y su respuesta ha sido este escándalo mayúsculo y mi arresto.

—Hay que buscar una solución, esto no se puede manejar así. ¿Dónde está Fidel? Necesito hablar con él.

—Camilo es quien se lo puede decir. presidente, le agradezco su disposición, aquí le paso a Camilo.

Momentos después desde el edificio del Instituto Nacional de Reforma Agraria (INRA) en Camagüey, Fidel llama por teléfono a Camilo, quien está sentado en la silla de mi despacho, a poco más de un metro de donde estoy. Al parecer, Fidel le pregunta cómo están las cosas y Camilo le responde:

—En el cuartel todo está en orden, pero los oficiales están muy disgustados. Nosotros hemos creado el malestar, empezando por la campaña radial insultante de Mendoza y Valera. Aquí no hay traición ni sedición, ni nada de lo que se dice. Deberíamos haberlo manejado de otra manera. Los capitanes estaban molestos pero tranquilos; ahora están indignados y quieren renunciar. Lo que se ha hecho es una metedura de pata.

Fidel seguramente lo interrumpe con algún reproche insolente, por la cara que pone Camilo, quien de nuevo se refiere al disgusto de los capitanes, y agrega:

—Acabo de hablar con el presidente Dorticós y él piensa que a este problema hay que encontrarle una salida decorosa con la mayor urgencia.

Por lo visto y después de los insultos, Fidel le ordena seguir adelante cumpliendo estrictamente sus instrucciones y negándole el derecho a opinar, pues Camilo desconcertado y molesto, agrega:

—Se hará como tú dices, pero lo que hemos hecho es una metedura de pata.

Camilo queda con el teléfono en la mano. Me parece que se ha arriesgado mucho al cuestionar la disposición de Fidel.

Dorticós peca de gran ingenuidad al pensar que él es, de verdad, el presidente de la República. No se ha enterado todavía que su cargo tiene más apariencia que atribuciones.

Fidel llega al cuartel acompañado de una turba vociferante de tres mil a cuatro mil personas. Reúne a los siete u ocho capitanes de la plana mayor que hasta el momento han estado a mis órdenes. El encuentro se produce en el primer piso del edificio; yo estoy bajo arresto en el segundo piso.

En tono airado, Fidel les dice que soy un traidor, que estoy de acuerdo con una conspiración en la que están involucrados el dictador Trujillo y también los batistianos exiliados en Miami.

En nombre de los demás, uno de los oficiales le dice:

—Muéstrenos las pruebas.

—Yo las tengo —afirma Fidel.

—¿Por qué no las presenta entonces? —insisten mis compañeros.

Pero él no responde al requerimiento y sigue con una incontenible y feroz avalancha de epítetos e injurias. Esto aumenta la indignación de los capitanes.

La escena es dura y tensa; quizá la más grave que afronta Fidel desde el triunfo de la Revolución, especialmente desde los comienzos de su complicidad con los comunistas. Califica de absurdas mis advertencias sobre la penetración marxista en el gobierno y sostiene que son un pretexto mío y de quienes me siguen para provocar un proceso contrarrevolucionario.

En su febril ataque, llega al extremo de acudir a recursos insólitos.

—Ustedes... todos, ¡váyanse con La Rosa Blanca![1] ¡Váyanse con La Rosa Blanca que yo me voy con el pueblo!

—Pero, comandante, nos extraña mucho —dice uno de los oficiales— que usted llame pueblo a esa turba que lo acompaña hoy. ¿Usted cree en serio que a eso se le puede llamar pueblo?

Fidel tampoco tiene respuestas válidas para preguntas así, y luego de vociferar un poco más trata de retirarse de la reunión, muy molesto y desairado.

Los capitanes, sin evidenciar ningún intento de violencia, pero con firmeza, lo detienen un momento para decirle:

—Espere, ¿por qué no traemos a Huber acá para que usted sostenga delante de él todo lo que nos ha dicho a nosotros?

—¡No, no... yo no quiero nada con Huber! ¡Huber es muy impulsivo!

Cuando me entero de esas palabras, tengo que encuadrarlas en un marco de cobardía. Si Fidel sabe que estoy arrestado, imposibilitado para cualquier acción... ¿por qué teme encararse conmigo?

Fidel trae una turba, que en su mayoría no tuvo participación alguna en la etapa revolucionaria. Pero el pueblo, el verdadero pueblo de Camagüey, no es el que me acusa de traición.

A Fidel le fracasó su primer plan: provocarnos para que se produjera un enfrentamiento violento con Camilo. Así tendría pretexto para movilizar la nación contra nosotros.

Como no caímos en su treta, llegó al Campamento Agramonte acompañado de una claque multitudinaria, creyendo que lograría el apoyo de la oficialidad y de la tropa, para hacerme un simulacro de consejo de guerra, acusarme de traidor y fusilarme.

1. La Rosa Blanca: nombre con que se conoció la conspiración organizada por un grupo de batistianos en 1959. *(N. del A.)*

Desde las primeras horas de la mañana la reacción del pueblo camagüeyano es de rechazo a la campaña de acusaciones. La gente intuye que algo extraño se esconde detrás de estos acontecimientos, sobre todo porque ya se han producido el caso de Díaz Lanz y el de Urrutia. Sé que la «traición» que se me imputa no convence a la gran mayoría de la población en la provincia, ni creo que tampoco convencerá a otros muchos compatriotas en el resto del país.

Media hora después del encuentro con los oficiales, Fidel sube al segundo piso. Pasa como un bólido por donde estoy, como si temiera que yo pudiera hacer o decirle algo, mientras Ramiro Valdés permanece a mi lado como un mastín.

Fidel va al amplio balcón donde le han colocado un micrófono. En medio de la gritería de la turba pide castigo para nosotros, «los traidores».

Me señala como a un traidor, un oportunista, un ingrato, un alto jefe que ha estado hablando en distintos actos públicos para sabotear la Revolución, y además me acusa de haber impedido que los tractores, donados para la reforma agraria, lleguen a las cooperativas. También de estar confabulado con Trujillo y los batistianos.

Dice que no me atrevo a mostrar mi caso al público; que no me atrevo a ir allí y decir una sola palabra para defenderme. Cuando escucho esto, le digo a Camilo que se le acerque y le comunique a Fidel mi deseo de contestarle ahí mismo, ante el público, lo que está afirmando. Camilo no se atreve pero insisto y hago un gesto que denota mi determinación.

—Dile a Fidel que sí, que tengo muchas cosas que decir; iré ahí hasta el micrófono y hablaré delante de él.

Ramiro Valdés ha empuñado su pistola y me vigila. Fidel, sin interrumpir su discurso, se da cuenta de que estoy hablando con Camilo y se pone en guardia. Desde mi lugar veo su espalda, el agitar de sus brazos y la sobreactuación demagógica en su mímica, en la que es un maestro. Camilo está tenso, se le acerca, le toca el hombro. Fidel no se da por enterado. Camilo insiste y lo toca por la manga. Fidel, por fin, inclina la cabeza y escucha a Camilo, que le habla al oído. Fidel le da instrucciones. Inmediatamente un grupo de sus hombres dirigido por Valdés me saca del edificio y me montan en un *jeep*. Veo que varios capitanes y tenientes suben al *jeep*.

—Nosotros también estamos arrestados —me dicen.

—No, no hay por qué. Vaya cada uno a su unidad. Todo tiene que seguir normalmente para ustedes.

—La decisión nuestra es quedar detenidos como tú.

Unos minutos antes habían solicitado su baja del ejército.[1]

No hay forma de disuadirlos. Llevan presos a más oficiales en otros vehículos. Con el apoyo de una escolta armada bastante nutrida, a cargo de Ramiro Valdés, nos conducen al aeropuerto e ingresamos enseguida a la base aérea. Su jefe, el capitán Roberto de Cárdenas, al verme llegar muestra una expresión de disgusto por mi situación. Somos amigos y hemos conversado bastante de todo lo positivo que puede hacer la Revolución.

Nos conducen a un avión de transporte de la fuerza aérea y partimos, según nos dicen, hacia La Habana. Confío en que mi esposa venga también hacia la capital con la copia de la renuncia. Tengo la certeza de que se desenvolverá con la eficiencia de siempre.

Llegamos después del mediodía a Ciudad Libertad, como se llama ahora el antiguo Campamento Columbia, y nos trasladan al edificio del Estado Mayor. El desconcierto es grande, no saben ni dónde encerrarnos. Para mí está claro, no le salió bien la jugada a Fidel y se ha quedado sin otra carta por el momento. Ahora debe afrontar inconvenientes y temores políticos dentro y fuera del gobierno.

Hemos permanecido en la antesala del Estado Mayor y al oscurecer me llevan a un cuarto ubicado en la Dirección General de Operaciones, cerca del despacho de Camilo.

—Mira —me dice un oficial al que conozco desde la sierra—, te traemos acá porque estás muy fatigado y necesitas descansar.

Esta amabilidad me luce extraña. ¿Para que descanse? Me meten en un cuarto donde hay una cama en buenas condiciones, un escaparate y otras cosas más. No está mal para un preso sobre el que caen las condenas de la turba y los pedidos de «paredón».

Acabo de acostarme y observo que dejan un guardia dentro del cuarto, portando una pistola 45 en la cintura. Me llama la atención. Las postas se hacen aquí con fusil, no con pistola, y en lugar de colocar a este hombre vigilando afuera lo sitúan en la propia habitación, con un arma que da en qué pensar.

Al rato llega el inspector general del ejército, comandante William

---

1. En este grupo están los capitanes Miguel Ruiz Maceira, Rosendo Lugo, Napoleón Béquer, Roberto Cruz Zamora, José López Legón y Emilio Cosío, los tenientes Vicente Rodríguez Camejo, Edgardo Bonet Rosell, José Martí Ballester, Alberto Covas Álvarez, Miguel Crespo García, Rodobaldo Llauradó Ramos, Elvio Rivera Limonta, Jesús Torres Calunga, José Pérez Álamo, William Lobaina Galdós, Manuel Esquivel Ramos y Manuel Nieto y Nieto. *(N. del A.)*

Gálvez. Es un sujeto que estuvo en la sierra pero no en los combates. Individuo astuto y sin escrúpulos, se ha colocado bajo la sombra protectora de Camilo, que lo ha ido ascendiendo hasta llevarlo a comandante. Conocido como fanfarrón habilidoso, ha tenido una actuación deslucida como jefe militar en Matanzas y cae muy mal a casi todo el mundo; no a Camilo, que tiene una personalidad muy especial y trata generosamente a este tipo de sujetos. El insólito personaje, al que tengo ahora frente a la cama en la que simulo reposar, ha tenido siempre hacia mí una aversión muy especial.

—Mira —me dice mientras yo lo observo con cierta conmiseración—, lo que tú has hecho está muy mal. Fíjate, has estimulado a un loco como Díaz Lanz a bombardear La Habana. ¡Semejante traidor! Si algo faltaba para que enseñara las uñas, esto le dio una buena oportunidad. Es una lástima que ustedes no entiendan que ya tenemos bastantes enemigos fuera como para venir a soportar a los de adentro.

Continúa por un rato con esta monserga y pasa de un tema a otro, poniéndose siempre como hombre del lado de la verdad y del honor, hasta que al fin se va frustrado por mi intencionado laconismo. Regresa y cambia de tono; de manera paternal me recomienda que descanse, que duerma, que aquí nadie me va a molestar. Me extraña, aún más, esta amabilidad después de la mala voluntad que ha manifestado. Mantengo el hermetismo.

Apagan la luz. El guardia sigue dentro del cuarto. Creo que por un momento sale y vuelve. Hace silencio escuchándome respirar y tratando de comprobar si estoy dormido. Al parecer, el hombre se ha convencido de que estoy en el mejor de los sueños. Con mis ojos semicerrados lo observo segundo a segundo. El guardia permanece silencioso pero tenso. No hay ruido afuera ni adentro. Empiezo a respirar más fuerte, como si roncara. Creo que son alrededor de las diez de la noche cuando veo que el posta se acerca a mí y mientras se agacha como para quedar a la altura de mi cabeza, desenfunda su pistola.

—Todavía no me he dormido, amigo —le digo súbitamente.

El hombre se echa hacia atrás, descubierto y confuso. Tiene el arma en la mano.

—¡Ah!... Es que... Es que yo creía que...

Sale del cuarto muy asustado y luego retorna nervioso.

Reclamo la presencia del oficial de guardia y cuando éste aparece, le digo en tono de reproche:

—Sácame a este hombre de aquí. No hay justificación alguna para que lo tengan dentro del cuarto. Sácalo y no andes averiguando por qué.

350

Traen un relevo y lo mantienen afuera, en el pasillo. Me quedo pensando en el estilo burdo del plan: me separaron de mis compañeros; el empeño en que descanse y duerma. Dejan un posta en el cuarto, portando una pistola, que cuando cree que estoy dormido se acerca para matarme. Luego anunciarían que me suicidé.

Como a la una o dos de la mañana llega mi esposa a verme. Ha realizado el viaje por carretera desde Camagüey, y ha tenido, como era de esperarse, algunos problemas. Efectivos de seguridad han tratado de importunarla, de fastidiarla y hasta de retenerla. Pero ella ha seguido adelante. Trae la copia de la renuncia y antes de distribuirla a los periódicos cree conveniente que conversemos.

Para verme en el Estado Mayor le han sido muy útiles mis relaciones con algunos jefes militares de La Habana que, a pesar de lo sucedido, la atienden y le facilitan el acceso hasta donde estoy. Le cuento cómo sorprendí al guardia al lado mío, con su pistola desenfundada cuando creyó que estaba ya dormido. A María Luisa le parece urgente dar a conocer este hecho para proteger mi vida. Así lo hace en una carta pública dirigida a Fidel. En ella denuncia la sucia campaña desplegada para presentarme como un traidor y acompaña mi carta de renuncia, a la cual Fidel se refirió, citando malévolamente sólo un párrafo, en su discurso de Camagüey.

La carta se publica el 23 en el diario *Prensa Libre* y luego en otros periódicos. Los periodistas Humberto Medrano y Pedro Leyva publican artículos donde cuestionan las acusaciones contra mí.

En la tarde del 21 de octubre se suicidó en la ciudad de Florida, en la provincia de Camagüey, uno de mis hombres valiosos, el capitán José Manuel Hernández. Llegó al Campamento Agramonte cuando ya nos habían conducido hacia La Habana. Enterado de los pormenores de mi detención, se dirigió a ver a Camilo, que le dijo:

—José Manuel, lo que está pasando aquí no te concierne. Ve a tu puesto y no te metas en nada.

Pero José Manuel Hernández había estado viviendo la misma preocupación de ver cómo se entregaba la Revolución, paso a paso, a los comunistas.

Regresó a Florida, se fue a la estación de radio e hizo unas declaraciones en protesta por mi detención y la de sus compañeros. Cuando finalizó su alocución volvió a su jefatura, sacó su pistola y se quitó la vida. Dejó escrita una declaración en mi defensa.

También el sargento José García León, jefe del cuartel del Central Vertientes, se suicidó en protesta por la acusación de traición y las calumnias de que fuimos objeto. El sacrificio de estos dos queridos compañeros, al precio de su vida, me entristece profundamente.

Fidel se hace entrevistar en La Habana por la televisión nacional y narra los hechos con una imaginación diabólica. Con increíble cinismo responde a preguntas sobre el suicidio del capitán José Manuel Hernández. Dice que éste no ha podido soportar el cargo de conciencia de estar en una conspiración contra el pueblo. En tal sentido recuerda la tradición de los oficiales prusianos que se suicidan cuando han hecho algo que compromete su honor.

En su declaración ha recurrido a la dialéctica de los farsantes, con sofismas y argucias verbales, para echar más fango sobre nosotros y preparar el camino de mi fusilamiento.

A otra pregunta que le hacen sobre qué castigo se me va a aplicar, responde con demagogia:

—... él se podrá ir para su casa. O quizás según las pruebas, haya que aplicarle un castigo severo...

> Raúl no podía soportar que, eliminado yo,
> Camilo pudiera disputarle el segundo puesto
> en la jerarquía de la Revolución.

Los periódicos publican la carta de María Luisa dirigida a Fidel Castro con la advertencia de que no intenten «suicidarme». Enseguida los comunistas me sacan del confinamiento solitario y me reúnen con varios de los oficiales detenidos en Camagüey.

Nos mortifican de forma constante: ¡que no veremos más a nuestras familias!; ¡que nos mantendrán incomunicados!; ¡que habremos de pagar muy cara nuestra traición!... Inicialmente somos dieciocho, pero luego traen a los tenientes Carlos Álvarez, Dionisio Suárez y Mario Santana. Los arrestaron en el camino de Camagüey a La Habana como presuntos distribuidores de la carta de renuncia.

En la noche del 24 de octubre llega un oficial y me dice:

—Matos, venga conmigo, recoja sus cosas y acompáñeme.

Lo miro tratando de saber en qué terminará todo esto. ¿Que lleve mis cosas? ¡Si sólo tengo lo que llevo puesto y el libro *Entre la libertad y el miedo,* de Germán Arciniegas! Me conduce hacia una oficina pequeña.

—Siéntese aquí.

Es una silla de espaldas a un aparato de aire acondicionado. Quedo solo, la luz apagada. Por espacio de más o menos quince minutos la corriente de aire, cada vez más fría, me molesta, pero a pesar de esto me quedo medio dormido con el libro en la mano. Habrá pasado tal vez una media hora cuando se enciende la luz y entra un capitán de apellido Llibre; un rebelde de la zona de Jiguaní, que actuó en la sierra y con quien tengo alguna amistad. Me saluda y afectuosamente me quita el libro.

—¿Y eso a qué viene? —inquiero disgustado.

—Es que este libro te desorienta...

—Estás en un error. Está escrito con mucha claridad y tal vez podría influir en un pobre analfabeto, pero yo tengo un criterio formado.

—Aquí se falsean las cosas —me responde golpeando levemente el volumen contra el escritorio.

—Mira —le digo fastidiado, quitando el libro de sus manos—, no hablemos más de este asunto. Yo sé lo que debo leer.

—Está bien. Lo que ha pasado contigo es lamentable porque tú eres un elemento valioso que hace falta a la Revolución. Has cometido un error, un gran error.

Continúa por largos minutos recriminándome desde una posición paternalista. Le digo fríamente:

—No pierdas más tiempo, chico. Dile al que te mandó que por esa vía andan fracasados.

Siente mi rechazo, a pesar de que no he sido descortés. Es obvio que lo han mandado en misión de tanteo y de ablandamiento, creyendo que con amonestaciones afectuosas pueden tenderme una trampa.

Me dejan solo otra vez. Enseguida, de la misma forma, llega otro personaje también amigo, o así lo creía. Es el capitán Orlando Pantoja,[1] segundo de Ramiro Valdés, el hombre de Fidel para asuntos represivos. Sin embargo, por esas paradojas inexplicables, Pantoja es un hombre religioso. Una vieja amistad lo une a Valdés, quien lo ha ido involucrando en la jefatura del nuevo aparato de persecución política. Pantoja utiliza una dialéctica casi infantil.

—Huber, sabes cómo te respeto. Eres realmente un hombre de primera en la Revolución y te estás dejando ir por un camino que no es el correcto. También los demás que han actuado en este conflicto —me refiero a la gente del gobierno—, están fuera de la realidad. Creo que tenemos que arreglar esto.

—No, Pantoja, esto no tiene reverso. No se trata de un capricho ni de una ingenuidad, mucho menos de una posición estúpida. He querido separarme del proceso porque su rumbo no está de acuerdo con mis principios; un hecho normal que se repite cada día donde existe libertad. Pero aquí, al parecer, resulta intolerable. Fidel no ha querido respetar mi actitud y ha respondido con infamias, en una forma baja y miserable. Escucha: si quieren fusilarme, deben saber que estoy dispuesto a hacerle frente a todo. Ni le tuve miedo a las balas de Batista ni le tengo miedo a las de Fidel. El mundo sabrá un día que el verdadero traidor a la Revolución es él. Díselo si quieres.

Pantoja abandona la oficina sin argumentos.

Al cabo de media hora me llevan a un salón más amplio.

Llegan dos hombres uniformados y con insignias de oficiales aun-

---

1.   Pantoja murió con el Che Guevara en Bolivia en 1967. *(N. del A.)*

que no son miembros activos del ejército. Uno de ellos es el capitán Emilio Aragonés, que había estado con Fidel durante su exilio en México y ahora es una especie de asesor del presidente Dorticós, aunque responde a Fidel. Tiene fama de ser mesurado y diplomático. El otro es Osmín Fernández, comisionado[1] de la ciudad de Marianao.

El que habla es Aragonés.

—Matos, ¿está dispuesto a irse para la casa y guardar silencio sobre la acusación de traición y todo lo demás que se ha dicho de usted?

—Dile a Fidel que para comprar mi silencio me tiene que fusilar cien veces. Y que aún después de muerto, la verdad va a salir a la luz.

—Pero Matos —Aragonés replica—, si usted acepta lo que le proponemos se puede ir tranquilo para su casa y no pasa nada.

—¿A esto te mandó Fidel? —le contesto—. Si a eso te mandaron, dile a Fidel que conmigo no hay nada que hablar. No soy hombre que se preste a chantajes. Ustedes piensan destruirme moralmente, el silencio que me proponen es un primer paso, después me exigirán una confesión. Es más digno para mí que me lleven al paredón. Díselo a Fidel.

Aragonés asume ahora una actitud profesoral en su argumentación.

—Matos, usted es lo suficientemente sensato como para darse cuenta del paso que ha dado. Estará consciente de que, sin pensarlo quizás, se ha convertido en el líder de una tendencia dentro de la Revolución. Me parece que esta tendencia es conservadora. Le aclaro que no creo que usted lo haya hecho premeditadamente. Todo ha surgido de su participación en la lucha de la Sierra Maestra, de sus discursos y declaraciones a la prensa, de sus relaciones, de su trabajo intenso en el campo revolucionario. Eso lo ha conducido a un rol protagónico en la interpretación del pensamiento de la Revolución. Sin quererlo ha emergido como el líder de un grupo que tiene una determinada identificación ideológica. Usted y los que coinciden con su pensamiento han tomado el ideario del Movimiento 26 de Julio como si todos sus planteamientos fueran rigurosamente válidos. ¿No es cierto?

—Ya te di mi respuesta. No tenemos más que hablar.

Aragonés y Osmín se marchan.

Me quedo pensando en el procedimiento que los hermanos Castro y sus acólitos intentan poner en práctica para convertirme en cómplice de mi propia destrucción. Todo concuerda con las palabras que dijera Fidel ante la televisión nacional el 22 de octubre, día posterior a mi

---

1. Funcionario equivalente a un alcalde en esta etapa de la Revolución. *(N. del A.)*

arresto: «… No hay problema, él se podrá ir para su casa. O quizá, según las pruebas, haya que aplicarle un castigo severo…».

Al decir que puedo regresar a mi casa, lo que intenta demostrar públicamente es que no estoy en actitud de protesta ni rebeldía, que todo está en orden. Ahora están tratando de ablandarme, esperan que para salvarme del fusilamiento, acepte la idea de que si me dejaran ir para la casa, ellos no quieren nada más. Después, cuando me aferre al deseo de vivir, me pondrán la condición de que tengo que disculparme públicamente por mi error. Una buena exhibición de Huber Matos en su *mea culpa* significaría el fin del asunto; lo que Fidel y su gente pretenden es que yo llegue ante las cámaras de televisión y recite mi arrepentimiento. ¡Qué equivocados están estos pillos!

Un grupo de sujetos uniformados llega un poco más tarde y, de mala manera, me montan en un carro jaula. Nos siguen otros vehículos, en los que llevan a mis compañeros. La noche está lluviosa. Los carros van rápidos, silenciosos, hacia un rumbo desconocido para nosotros. Llegamos al Castillo de El Morro en la entrada de la bahía de La Habana, una prisión de la marina de guerra. Fuertemente escoltado me llevan hasta un calabozo de castigo. Comienzo a pagar el precio por negarme a «colaborar».

El Castillo de El Morro, como todas las construcciones españolas de los tiempos coloniales, cuenta con muros de casi cuatro metros de espesor en los que hay ventanas. Uno de esos huecos lo han convertido en celda. Tiene dos rejas: una fija, situada en la parte exterior del muro y la otra es una puerta enrejada que cubre el extremo interior de la ventana. Es tan estrecho que lateralmente casi no puedo estirar los brazos.

—Éste es el lugar en el que usted va a vivir —dice un guardia.

Pasa un rato y ponen un camastro, una armazón metálica, sin colchón. El alambre es duro, hostil al cuerpo. Un capitán lo ha traído con ayuda de dos soldados.

—¿Está bien así? —dice con ironía.

Le respondo con otra pregunta.

—¿Eso es todo?

—Sí, esto es todo.

—Ah, bien.

Se va el hombre con sus ayudantes y me tiro sobre el artefacto.

En la parte exterior del muro, la ventana da a uno de los patios de la fortaleza, mientras que la interior da a un salón. ¿Estarán lejos mis compañeros?

Es la madrugada del 25 de octubre. No hay agua, ni siquiera un hueco donde hacer las necesidades. Frente a la reja que hace de puerta, un carcelero vigila celosamente. Con las primeras luces de la mañana, el guardia me saca a un baño.

Desde antes de la dictadura de Batista, la marina de guerra ha demostrado buena organización en su sistema de prisiones, son buenos profesionales y aquí se advierte. La comida no es mala, pero como mis carceleros no son de la marina, son comunistas u oportunistas, me hacen sentir su odio.

Desde la reja delantera puedo ver, hacia el lado derecho, una galera donde también hay presos. Son miembros de la marina; unos diez o doce, que están juntos. Para poder hablar con ellos tendría que situarme al frente, junto a la reja, pero el guardia me lo impide. Sin embargo los escucho.

Por medio de señas, sin que el guardia pueda verlos, se las arreglan para que yo les vaya entendiendo. Así me explican que uno es teniente de la marina; hay algunos batistianos entre ellos, que son los menos. Más bien se trata de casos de indisciplina severamente castigados. Entre estos marinos no hay criminales; a ésos los tienen en otros lugares.

Cuando me llevan al baño, al mismo que estos presos usan, por medio de señales me informan que mis compañeros están en una galera de este edificio. De igual manera me alertan que en el lugar donde se conceden las visitas, mis carceleros han colocado micrófonos ocultos. Supongo por esto que le permitirán a mi esposa visitarme, pero la visita no se concreta.

En este pequeño calabozo hace frío. Sin saber de nada ni de nadie, salvo la comunicación mímica de los marinos, vivo sumido en mis pensamientos tratando de no perder el control.

En un descuido del guardia los presos vecinos me pasan algunas latas de conserva y un radio muy pequeño. Lo escucho a escondidas y me entero de que la campaña contra mí continúa. Han confundido bastante al pueblo. Pienso que no habrán tenido eco en Camagüey, ni entre las personas que me conocen bien en Santiago de Cuba, en mi pueblo, Yara, y en Manzanillo. Nadie que haya tenido relación conmigo o haya seguido mi actuación puede dar crédito a los disparates lanzados por Fidel contra mí; y mucho menos a las infamias propagadas en los medios de comunicación. Me acusan de tantas y diversas cosas que, para un individuo poco avisado, puedo resultar el más despreciable de los seres humanos.

La constante repetición de esos epítetos y de cargos absurdos crea en ciertos sectores de la población un estado de ánimo febril y contagioso, que al parecer sólo podrá ser saciado con el «paredón».

Estoy al tanto de que el gobierno prepara una concentración extraordinaria, un acto masivo para el 26 de octubre, que se realizará frente al palacio presidencial «en apoyo de la Revolución y contra los traidores». La agitación es mayúscula. Los dardos se centrarán en mí y en Pedro Díaz Lanz, que el día 21 ha volado desde Miami hacia La Habana en un avión militar B-25, sin armamento, arrojando sobre la capital panfletos que denuncian la traición de los Castro.

Lo de Díaz Lanz ha sido algo cinematográfico. No sé cómo consiguió el avión en Estados Unidos. Lo cierto es que su vuelo rasante sobre la ciudad fue repelido con nutrido fuego antiaéreo desde la altura de la Fortaleza de La Cabaña, frente a la bahía. Los disparos no lograron derribarlo, pero las balas rebotaron en los edificios de la ciudad causando dos muertos y dejando a varias personas heridas.

Todo esto dará un buen pretexto a Fidel para montar un acto de repudio, presentándome como el culpable de lo que ha ocurrido. Cuando me llevan al baño, uno de los marinos detenidos me dice:

—Esta noche van a pedir su cabeza en una concentración muy grande frente al palacio.

El guardia que nos cuida interrumpe la comunicación y me devuelve al calabozo. Un poco más tarde veo a dos carceleros arrastrar un televisor que sitúan frente a la reja de mi calabozo.

—¿Y esto qué significa?

—Tenemos órdenes de colocarlo aquí para que pueda ver el acto de esta noche.

Siento repugnancia por el sadismo de Fidel. Indignado ante la provocación, tomo las latas de conserva en mis manos.

—¡Por su madre... no tire! —grita nervioso el guardia encargado de la instalación, un sargento electricista de la marina.

Rápidamente se llevan el aparato.

Dejo caer las latas al suelo, me agarro a los barrotes queriendo arrancarlos mientras grito los peores insultos contra Fidel y Raúl.

Colocan el televisor a buena distancia de mi calabozo, pero lo ponen suficientemente alto para que escuche toda la perorata de Fidel al pueblo, en especial cuando pide que se levante la mano aprobando el fusilamiento de Huber Matos y de Díaz Lanz. La respuesta es unánime, la multitud, medio enloquecida, pide al unísono: «¡Paredón! ¡Paredón! ¡Paredón!». Estoy condenado ya, sin haber podido decir una sola palabra en mi defensa. ¡Pobre pueblo! Hoy soy yo la víctima, pero cuántos sufrimientos te esperan en manos de este sujeto.

Recibo dos recados de Camilo. El portador llega hasta el calabozo sin dar sospechas de que se trata de un emisario. Camilo dice encontrarse en una situación muy difícil y me responsabiliza en cierta forma de la actual situación de ambos. Me exhorta a evitar de cualquier manera el juicio, planteándome que él puede preparar un escape. Me pide que ignore la «mierda» que él hable de mí, pues es pura palabrería impuesta por las circunstancias.

Me siento incómodo porque pretende ver en mi renuncia las circunstancias que lo tienen entrampado. Su crisis la tiene por indeciso. Rechazo su oferta de organizarme una fuga. Si me fusilan que sea defendiendo la verdad y mi honor.

En el segundo recado, el 27 de octubre, Camilo insiste: «No debe haber juicio»; «la solución es la fuga». Conociendo a Camilo, creo que quiere evitar un juicio donde diré la verdad al precio que sea, incluso el de un enfrentamiento con Fidel, quien en estos momentos debe estar ejerciendo una presión muy grande sobre él.

Camilo sabe que, si tengo que hacerlo, no vacilaré en exponer nuestras conversaciones en el Gran Hotel de Camagüey y en el Estado Mayor, además de otras pláticas que sostuvimos sobre la infiltración comunista en el proceso revolucionario.

Cuatro días después del acto de palacio, el 30 de octubre, en una nota con fecha 29, el gobierno da a conocer la noticia de que Camilo Cienfuegos ha desaparecido cuando viajaba en su avión desde Camagüey a La Habana el día 28 en la tarde. Este hecho, junto con mi prisión y la campaña en torno a mi caso, son acontecimientos que crean expectación en la opinión pública.

Camilo es la representación genuina del héroe popular. Un hombre que tiene auténtica fama de valiente y que despierta simpatía por donde pasa. Es, en cierto modo, un contraste de los dos Castro. De Fidel, porque Camilo es sencillo, llano, transparente. Sin usar rodeos va directo a las cosas. De Raúl, porque es su polo opuesto.

Circulan rumores sobre esta misteriosa desaparición. Se sabe que Camilo regresaba de Santiago de Cuba, pero la versión oficial —por supuesto— es que Camilo Cienfuegos viajaba a Camagüey por asuntos relacionados con mi caso. La historia sirve para presentarme, insidiosamente, como el responsable indirecto de su muerte. El avión hizo una escala técnica en Camagüey para reabastecerse de combustible. Es probable que allí Camilo hiciera alguna otra gestión.

El gobierno hace todo un montaje escénico en la búsqueda de Camilo. Fidel y Raúl disponen una movilización en ese sentido. Aparentan estar angustiados y deseosos de encontrar al compañero desaparecido.

La búsqueda personal de Fidel linda en lo tragicómico. Con los padres de Camilo y con Osmani, ha recorrido la zona en la que podría haber caído el aparato. Fidel aparece en todo momento con el rostro acongojado. Raúl se muestra más discreto.

La intensa acción a través de toda la isla no da resultado alguno y el tema comienza a decrecer dentro de una insuperable sensación de fatalidad.

Un día se corre la voz de que Camilo apareció y todo el pueblo se vuelca alegre en las calles dando la noticia por cierta. Pronto Fidel aparece para desmentirla con tal propiedad que sugiere que de ninguna forma Camilo puede aparecer. Osmani calla por conveniencia.

Si fuera cierto que se ha perdido en un avión y que el aparato se accidentó a causa de las malas condiciones del tiempo, su piloto, el teniente Fariñas, un excelente profesional con quien he volado en varias ocasiones, habría transmitido algún mensaje sobre sus dificultades y localización. O se hubieran encontrado los restos de la nave, si es que ha caído en la ruta de Camagüey a La Habana.

Especulaciones de una acción de los Castro contra Camilo van llegando a El Morro. Para mí esto tiene su lógica. Aquella respuesta de él a Fidel en Camagüey: «Esto es una metedura de pata...», y los angustiados mensajes suyos que recibí en prisión, son indicios de una crisis entre ambos. Fidel no acepta que nadie lo contradiga y, en este caso, la posición de Camilo es sumamente peligrosa para los hermanos Castro. No pueden arriesgarse a polemizar públicamente con él después de mi arresto. Ni tampoco pueden tomar ninguna medida disciplinaria en su contra, porque el pueblo la entendería como que Camilo y yo tenemos una preocupación legítima. Sumado a todo esto está el odio visceral que le tiene Raúl, así que no es una simple conjetura que ambos hermanos sean los autores intelectuales de la única opción que les quedaba: su desaparición. De esa manera se cumple un anhelo oculto de Raúl. Para él ahora existen dos obstáculos menos para sus ambiciones: Camilo inencontrable, él lo sabe; Huber Matos preso y camino al paredón.

Seguramente lo que más les preocupaba a Fidel y a Raúl es que no estaban seguros de cuál sería la conducta de Camilo en mi juicio. De

Camilo ellos podían esperar una sorpresa. Ahora ha desaparecido un compañero de liderazgo revolucionario que era un estorbo y un competidor en potencia.

Las dos o tres primeras semanas de mi encierro en estas condiciones son muy duras. Con estas acusaciones una carga abrumadora ha caído sobre mí. Tengo que soportarla recabando fuerzas que ignoraba que existieran. Los primeros días en prisión son los peores de mi vida.

Dentro de este miserable calabozo me digo y me repito como un obseso: «¡Tienes que vivir, tienes que vivir para defender tu verdad! Tú no has sido un hombre que se haya aflojado ante situación alguna. Tienes una ejecutoria honesta a lo largo de tu vida. Eso hay que defenderlo. Tienes que mantener bien tu mente, tu espíritu y tu cuerpo. ¡Ésta es una nueva guerra que recién ha comenzado! ¡Tienes que ser tan fuerte como la adversidad!».

La campaña difamatoria contra mi persona, la falta de sol y de comunicación, son los signos sombríos de la primera y segunda semanas. Quizá también de esta tercera, aunque creo que mi esposa, después de mucha lucha y empeño, conseguirá venir a verme. Quisiera denunciar esta situación a algún periodista pero por aquí no asoma ninguno. ¿Cómo le van a permitir a alguien de la prensa que se acerque, si no dejan ni que María Luisa me visite? ¿Podré defenderme?

Me visitan dos sacerdotes católicos, que además de decirme que la Iglesia tiene muy en cuenta mi situación, tratan de consolarme un poco. Pero no es consuelo lo que necesito. No es preparación para morir lo que me hace falta, es oportunidad para decir la verdad.

Por fin permiten la visita de mi padre. Está dolido pero fuerte, tiene esperanzas pese a que se está preparando un juicio y la proporción es de cien a uno en favor del gobierno. Una semana después puedo ver a María Luisa. Me cuenta que el sindicato de telefonistas inició una campaña en mi defensa, a la que se unieron otros sectores. Comenzó en Camagüey y se extendió a otras zonas. Cuando entraba una llamada de larga distancia a Camagüey, la telefonista afirmaba, antes de establecer la comunicación: «Huber Matos no es traidor».

Rápidamente Fidel destituyó en pleno a la dirigencia del Sindicato Telefónico y de la Federación Provincial de Trabajadores de Camagüey, que también me ha defendido. También remueven líderes campesinos, así como los directivos estudiantiles de la provincia que hicieron intentos de protestar el día de mi detención. Todo es aplastado sin dilación en medio de una propaganda abrumadora.

Por María Luisa me entero de lo que trasciende en torno al proceso y de cómo andan los preparativos. Al parecer, algunos abogados que consultaron para representarme se han acobardado. Todos anteponen los presumibles riesgos que les implicaría asumir la defensa. Durante la visita, María Luisa me cuenta los malos ratos que le han hecho pasar. Fue a Oriente a ver a nuestros hijos y de regreso a La Habana, elementos del G-2 la detuvieron en la provincia de Las Villas.

Un jurista de Camagüey viene a La Habana para buscar información sobre mi caso. Está interesado en hacerse cargo de mi defensa. Los miembros de la seguridad del gobierno lo visitan y le dicen, sin eufemismo alguno, que si se decide a representarme en el juicio le irá muy mal. El buen hombre mide las consecuencias y, advertido de que el régimen se está transformando en una férrea dictadura, hace mutis y se aleja de la familia.

Pero mi padre consigue un reputado criminalista: el doctor Francisco Lorié Bertot. No fue un simpatizante de la Revolución.

—Defenderé a Huber sean cuales sean las consecuencias —le dice a mi padre.

Recuerdo haber visto a este abogado años atrás desempeñándose con brillantez en la Audiencia de Santiago de Cuba. Su capacidad y valor, reconocidos por todos, hicieron siempre que pasara por alto nuestras diferencias ideológicas. Probablemente le interese poner su talento en un caso tan difícil. Acepto gustoso su representación en el juicio.

Algunos de mis compañeros han sido puestos en libertad; otros siguen tras las rejas. Con varios de los liberados sostiene Fidel una conversación; les dice que el juicio será en diciembre, en vísperas de las celebraciones navideñas. Reafirma que no habrá pena de muerte para mí ni para mis compañeros y que probablemente nadie recibirá castigo alguno «porque la Revolución es muy generosa».

—Si hay pena será tan leve que no se advertirá; pero de muerte no. Tampoco una reclusión prolongada; se tratará de algo sencillo, ya lo verán.

Sé bien que no se puede confiar en Fidel; ninguna importancia le concedo a su aparente misericordia, la cual, por otra parte, me inspira desprecio.

Recibo por sorpresa la visita de otro sacerdote. El hombre viene a darme ánimo; ¿es esto una argucia de los hermanos Castro para hacerme creer que necesito apoyo espiritual ante la perspectiva del fusilamiento? Converso con él y le doy a entender que no necesito ninguna preparación para un desenlace trágico. Antes me habían visitado los padres Testé y Boza Masvidal.

Me pregunto: si los Castro han obstaculizado las visitas de mi familia, ¿cómo se explica que faciliten la visita de los sacerdotes? ¿Es que se preparan para reprimir a la Iglesia y me quieren ubicar como agente del catolicismo cubano?

Un día me sacan al sol y aprovecha para hablarme nuevamente el segundo hombre del aparato represivo, el capitán Orlando Pantoja. Sugiere que conversemos en la azotea de El Morro.

—Huber, estás muy pálido, te conviene un poco de sol. El juicio se aproxima.

—¡Pero cómo! —le respondo mientras caminamos—. ¡Si a mí no me han instruido de cargos, ni nadie con autoridad legal ha venido a visitarme para notificarme oficialmente de la situación!...

—Sí, sí —dice Pantoja tratando de buscar una salida—, lo que importa que sepas es que Fidel está en la mejor disposición de no condenar a nadie, y a lo mejor, todos salen absueltos. Esto te lo anticipo para que vayas suave al juicio.

Siento la caricia del sol con la fuerza que tienen las nostalgias. Llevo más de mes y medio en la prisión y mi piel ha adquirido una débil tonalidad. ¡Y ahora este sol bendito!

—Oye, Pantoja, puede ser que tú creas todo lo que te dicen; pero yo no. El trato que me dan y lo que he visto aquí es para otra cosa. Las intenciones de Fidel son las peores. Dime: ¿para qué hizo Fidel levantar la mano a tanta gente en el acto del 26 de octubre, frente al palacio presidencial, pidiendo el paredón para mí, para salir ahora con eso de que me perdona la vida? ¿Tú lo crees? ¡Yo no!

Pantoja esgrime otro argumento y otro. Por último se confunde y provoca que le diga:

—Dile al que te mandó, a Fidel, que Huber Matos se va a defender esgrimiendo toda la fuerza de la verdad; que no habrá actitudes mías suaves ni complacientes porque están en juego mi honor y mi vida. Ve y dile eso como respuesta.

La noche anterior al juicio me llevan a la oficina principal de la prisión donde, según dice el guardia, un sujeto de apellido Ayala debe mostrarme unos papeles. Papeles son lo que sobra encima de un modesto escritorio. Lo que buscan ahora no es enseñarme nada, sino conocer mi estado de ánimo ante la inminencia del juicio. Tienen temor, al parecer, de que aproveche las sesiones para tomarlas de tribuna y decir lo que ha estado pasando.

Ayala me espera con rostro cínico. Le pregunto:

—¿Cuándo podré hablar con el abogado?

—Eso será después —me responde en forma burlona.

—¿Después de qué? ¿Usted es oficial de la auditoría o chantajista?

—Después de que usted tome una actitud más comprensiva, la que al final lo beneficiará. Le aclaro, Matos, que me acompañan varios oficiales que fueron detenidos con usted. Ellos están ahí afuera y son de su causa; me están dando una mano en todo esto de la etapa previa al juicio. ¡Ah!, y lo más importante, en estos papeles están los cargos. Guárdelos.

Ayala me está insinuando que los otros oficiales, o algunos de ellos, que como yo estaban también acusados de conspiración, se encuentran en libertad. En otras palabras, que han sido comprados o doblegados para que testifiquen contra mí. No le creo. Este señor de la Auditoría de las Fuerzas Armadas ha venido a amenazarme. Más bien a chantajearme. ¡Un tonto insolente!

En mi celda leo los papeles. Me acusan de traición y de sedición. A mis compañeros sólo de sedición. Me enteran de los cargos horas antes del juicio, impidiendo una entrevista con mi abogado defensor. Todo esto es arbitrario. Comprendo ahora que el juicio se hará dentro del procedimiento de consejo de guerra y con las reglas que Fidel imponga.

Los días anteriores los he aprovechado para releer dos o tres libros de José Martí que me han podido pasar. Con estas y otras obras me he preparado conceptualmente para el juicio. Un abogado a quien no he podido ver será mi defensor; aprecio todo lo que pueda hacer. Pero lo fundamental será lo que yo exponga. En este sentido me siento fuerte, seguro y decidido.

Hasta hoy, víspera del juicio, el periódico *Revolución*, órgano oficial del Movimiento 26 de Julio, al frente del cual está Carlos Franqui, se hace eco de la campaña de ataques organizados por el régimen. No me ataca editorialmente, tampoco me defiende. La carta que distribuyó mi esposa la publican *Prensa Libre*, el *Diario de la Marina* y otros periódicos de línea independiente. Pero los órganos de prensa que son abiertos voceros del gobierno siguen presentándome como el peor enemigo del pueblo y de la nación. Todavía hay periódicos independientes pero dudo que duren mucho más.

Mañana será el juicio que Camilo quería evitar insistiendo en que me fugara hacia Estados Unidos. Le tenía miedo. Fidel quería obligarlo a enfrentarse conmigo, a que me atacara con mentiras ante el tribunal. ¡Pobre Camilo, atrapado entre Fidel y la lealtad a nuestros principios revolucionarios!

Raúl no iba a soportar que, eliminado yo, Camilo pudiera disputarle el segundo puesto en la jerarquía de la Revolución. Raúl instigó, pero sin la anuencia de Fidel no se habría pasado de la instigación al crimen. Fue una obra maestra: las huellas no aparecen por ninguna parte.

33
El juicio

«Soy revolucionario desde antes de que usted
hubiera nacido y además me alcé para servir
como médico del Ejército Rebelde.»

Aquí, en la soledad de mi calabozo, quisiera demoler a golpes los muros y las rejas, para poder salir a la calle y alertar al pueblo cubano sobre la terrible noche que le acecha. Quisiera decirle la verdad de lo que está pasando y también poder refutar las calumnias que el líder de la Revolución lanza contra mí. Pagaría gustoso con mi vida por esa oportunidad. Pero el pueblo está fanatizado. Las multitudes entusiastas van hundiéndose en la oscuridad y yo no tengo fuerzas para romper los barrotes.

¿Qué puedo hacer en estas condiciones para esclarecer la verdad ante la gente? ¿Cómo desenmascarar tanta impudicia, despertar tanta conciencia adormecida por el asedio publicitario y la pasión? ¿Con qué armas combatir la hipnosis política que enajena a los cubanos?

Pienso en mi familia; especialmente en lo que mi esposa me ha contado sobre nuestro hijo mayor, Huber, de sólo quince años, que al ver ultrajado a su padre, reducido a la condición de reo por traición, y a la familia atacada y perseguida por el poder, se ha apartado de sus inquietudes de adolescente, asumiendo la actitud de un adulto valiente frente a la adversidad. Nuestro abogado ha logrado que él, María Luisa y mi padre puedan asistir al juicio. Mi viejo, con firmeza y serenidad, ayuda a los demás miembros de la familia a soportar este angustioso momento. María Luisa enfrenta la situación con singular aplomo y ha hecho cuantas gestiones están a su alcance para defender mi vida y favorecer mi defensa.

La familia está firme a pesar de saber que me encuentro en la antesala de una condena a muerte. El apoyo de ellos me reconforta.

Me llegan noticias de que dirigentes pensantes y honestos de la Revolución están descontentos con el espectáculo escenificado en Camagüey y la campaña nacional contra mí. Los avances de la Revolución en Camagüey tampoco son ignorados entre esta gente. Conozco, sin saber todos los detalles, de una discusión muy tensa ocurrida en el palacio presidencial entre Fidel y varios ministros a quienes les requirió apoyo en su decisión de fusilarme. El enfrentamiento principal fue con el doctor Faustino Pérez, ministro de Recuperación de Bienes Malversados, y con el ingeniero Manuel Ray, ministro de la Construcción.

Voy a juicio con muchas desventajas: la primera, el haber sido prácticamente condenado a pena de muerte, cinco días después de mi arresto, por una multitud de cientos de miles de personas, arengada y dirigida por el Máximo Líder.

Fidel, que primero ensayó infructuosamente mi ablandamiento, debe estar consumido por su soberbia y también por su temor. Yo lo conozco, es un hombre de teatro y corto de pantalones. Raúl, impulsado por su radicalismo jacobino y por su naturaleza rencorosa, tratará de sacarme físicamente de en medio.

Fidel tiene el monopolio completo del juicio. Me juzgará un tribunal militar seleccionado por él mismo en el que todos sus miembros le son incondicionales. También escogió al fiscal y a los funcionarios a cargo de las tareas auxiliares. Tribunal, testigos, lugar y público. Pero él será el verdadero fiscal y también se reserva el papel de testigo acusador. Él ordenará la sentencia al tribunal para que la comunique públicamente.

Pero llevo mis ventajas: estoy preparado para el peor escenario; no me hago ilusiones, creo que me van a fusilar. Voy a decir la verdad y me van a tener que escuchar. Vivo soy un problema para ellos; muerto también. Así que, me lleven a la cárcel o al paredón, ellos pierden.

Es el día 11 de diciembre de 1959.

En un autobús militar, con una custodia numerosa, nos trasladan desde El Morro hasta el lugar donde se montará el espectáculo. Mis compañeros y yo aprovechamos la oportunidad de estar juntos para intercambiar ideas sobre la mejor manera de encarar esta difícil coyuntura.

La caravana entra al Campamento Columbia, sede del Estado Mayor, y se detiene frente al cine-teatro. Ante el edificio se encuentran reunidos unos trescientos o cuatrocientos oficiales y soldados. Trato de identificar alguna cara conocida pero todo es demasiado rápido, cambiante.

Cuando bajamos del vehículo y recorremos los pasos que separan el estacionamiento y la entrada del edificio, muchos nos reciben con aplausos. Descubrimos algunos rostros de la tropa de Camagüey. Otros pertenecen a la guarnición regular del campamento y aplauden por contagio, o porque no creen que sus compañeros de la Sierra Maestra se han convertido en traidores. La sorpresa es muy grata; nos hace pensar que el juicio se inicia con buen signo.

Callados, entramos en el cine-teatro. Fidel ha dispuesto que el juicio sea presenciado por una gran parte de la oficialidad de las fuerzas armadas, es decir, del ejército, de la marina y de la fuerza aérea. Las lunetas, quizás unas mil quinientas, están ocupadas. Los han traído para que experimenten un escarmiento, es el teatro de los Castro. Quien se les enfrente correrá la misma suerte. Hay en el ambiente un clima de expectativa y temor.

Observo el tribunal, constituido por cinco comandantes. Preside Sergio del Valle, oficial a cargo de la Dirección de Operaciones del Estado Mayor, un hombre que no se destacó en la lucha ni después de ella, sino uno de esos personajes del régimen que Fidel coloca donde más le conviene. Otro es Universo Sánchez, jefe con poca historia y utilizable al máximo por quien todo lo dispone. Veo a Derminio Escalona, actual jefe del Distrito Militar de Pinar del Río, aquel teniente de guerrilla que conocí al arribar a la sierra cuando era agredido verbalmente por Fidel, sin capacidad de reacción ni caudal moral para defenderse. Hay un caso distinto en el tribunal, el de Guillermo García, un comandante competente y valiente, al que respeto mucho desde los días de la guerra pero que también se encuentra bajo la presión de los Castro. Completa este tribunal de incondicionales Orlando Rodríguez Puerta, jefe de la escolta de Fidel. El fiscal es Jorge Serguera, más conocido como Papito, un oportunista sin otros méritos que ser un cortesano en la piñata de Raúl Castro. Actuará como acusador en un juicio contra hombres honrados que han tenido una participación decisiva en las luchas contra la dictadura.

En medio de la expectación general, y luego de algunos preámbulos para cumplir las formalidades, me llaman a prestar declaración. Siento toda la atención sobre mí. Sé que lo que voy a exponer decidirá mi destino en la vida o en la muerte. Me concentro para que la verdad aflore en mi mente.

Antes de que intenten limitarme el derecho a hablar, expongo en una introducción, que vale como declaración de principios, algunas cosas que deben estar claras desde el comienzo del juicio.

Digo que ante la evidencia de que el tribunal está integrado por viejos compañeros de armas, no tengo interés en que éstos me miren con espíritu compasivo. Agrego, en tono firme y claro, que me considero con capacidad de afrontar todas las consecuencias de los hechos que se han de ventilar. Del mismo modo que he sabido enfrentar situaciones riesgosas en los tiempos de la lucha insurreccional, y asumir plenamente mis funciones militares y gubernamentales, aquí me mantendré en la misma posición de responsabilidad, aunque las circunstancias sean desfavorables. Lo que me interesa es que se ventilen todos los cargos que se me imputan, especialmente las acusaciones y difamaciones de Fidel Castro contra mi persona. Quiero responder a todo eso. Si a los miembros del tribunal no les interesa el problema de la calumnia, a mí sí. Voy a demostrar mi trayectoria transparente como ciudadano, como revolucionario y como hombre en función de gobierno o en la actividad militar.

Como sé de antemano que durante las sesiones tanto el presidente del tribunal como el fiscal van a interferirme con sus constantes argumentaciones técnicas —«a usted no se le ha preguntado eso» o «el acusado debe esperar su turno para hablar»—, me adelanto a estas restricciones. Después de todo, en Cuba, como en cualquier país del mundo, al acusado debe considerársele inocente hasta que se demuestre lo contrario.

Cuando me preguntan:

—¿Jura decir la verdad?

Respondo, ante la sorpresa del presidente y demás miembros del tribunal:

—Sí, cómo no. Es a lo que he venido, a decir la verdad. No solamente como acusado sino también como individuo que ha sido difamado por representantes del Estado cubano. Sí, me interesa decir la verdad más de lo que ustedes creen.

Tratan de frenarme:

—Usted va a responder a las preguntas que se le hagan.

—Por supuesto; pero también a expresar todo lo que tengo derecho a decir. He venido aquí después de que se me ha hecho un juicio público, sin mi presencia, ante cientos de miles de compatriotas que han sido compelidos demagógicamente a levantar el brazo condenándome a muerte. No he podido defenderme porque estaba en un calabozo, sin poder hablar con la prensa ni con nadie. Ahora que estoy delante del tribunal voy a ejercer mi derecho a decir la verdad.

El presidente del tribunal intenta callarme diciendo que me atenga a las preguntas. No le hago caso.

Explico a continuación y con detalle lo sucedido en Camagüey, circunstancia que han tratado de utilizar para señalarme como traidor. Desmenuzo mi razonamiento y pregunto de qué traición se habla, porque yo a mi patria le he entregado una lealtad irreversible, constante

369

y notoria. «¿A quién he traicionado entonces, si no ha sido a Cuba? ¿Acaso me he vendido a algún enemigo? No; soy cubano, siento como cubano, defiendo los intereses cubanos y he podido morir mil veces aferrado a mi cubanía. Al decir Cuba, digo también pueblo, civilidad. Entonces, ¿qué es esto de la traición de Huber Matos?»

Sé que debo guardar argumentos para mi defensa final, pero no puedo dejar de aprovechar este momento inicial del juicio para fijar mi posición.

Afirmo ante el tribunal y ante el público que mi posición es diáfana; que en la etapa revolucionaria estuve, desde el comienzo, donde las circunstancias lo exigieron para dar fin a un gobierno como el de Batista. Con el respaldo de todo el pueblo, asumimos la obligación de restablecer la libertad en el país; fue así como los rebeldes logramos liberar a Cuba de aquel poder despótico y corrupto, llevando la Revolución a etapas transformadoras fundamentales para impregnarla de humanismo y democracia. Pero puesta en marcha la que suponíamos nuestra Revolución, ha tomado otro rumbo. Afirmo que hay engaño a las esperanzas populares; cito las páginas leídas en el periódico del ejército, *Verde Olivo*, y señalo las designaciones que el Estado Mayor ha hecho en mi provincia, que evidencian la penetración comunista. ¿Para qué se hizo la Revolución desde la Sierra Maestra y en todas las calles de los pueblos de Cuba? Por el triunfo de la libertad, la independencia y la justicia social; para crear escuelas; para darle tierra a los campesinos; para hacer valer los derechos del cubano... Y ahora resulta que todo eso a lo que contribuí de corazón se va transformando en un proceso diferente: en algo perjudicial y desleal para el pueblo de Cuba. Como no me pareció procedente ponerme a conspirar o sublevarme en los cuarteles con los hombres que me hubieran seguido, consideré lo más honesto enviarle una carta privada a Fidel Castro, en la que le digo que si tengo que plegarme a directrices que van en contra del rumbo original de la Revolución, lo consecuente es que no respalde esa situación con mi presencia y me vaya para mi casa. No quiero responsabilizarme, ni ante mi conciencia ni ante el pueblo cubano, con el rumbo que va tomando la Revolución.

En el cuartel no ha sucedido nada. Las renuncias de los oficiales, presentadas en este juicio, son casi todas posteriores a mi arresto. Además, son producto del escándalo que el gobierno y Fidel Castro han provocado en torno a mi solicitud de licenciamiento. Sólo pedí retirarme formalmente del ejército y de mis responsabilidades como dirigente de la Revolución. Si la respuesta a mi solicitud se hubiera manejado de otra forma, no hubieran tenido que arrestar a nadie, ni se hubiera montado toda esta farsa, todo este sainete grotesco.

¿Qué sedición pudo haber existido en Camagüey? Esperé a Camilo Cienfuegos en mi casa, él me avisó que iba a llegar y mandé a recogerlo al aeropuerto con un oficial de mi mayor confianza. No hubo actitudes de rebeldía, ningún intento de sublevación. No se disparó un tiro, nadie desenfundó un arma, no se acudió a violencia alguna. Quienes crearon el desorden en el cuartel fueron los representantes de Fidel Castro; es el propio Fidel Castro quien discute con los oficiales y, como no puede convencerlos con sus mentiras, éstos terminan presos.

Se dice que he estado frenando la reforma agraria. Es del conocimiento público que la reforma agraria en Camagüey es la más avanzada en todo el país. Mucho antes de que se aprobara la ley existía ya en la provincia una oficina de la reforma agraria y un mecanismo provisional que permitió poner a producir terrenos inactivos, o de antiguos propietarios que huyeron de Cuba por su vinculación con la dictadura de Batista. El Ministerio de Recuperación de Bienes Malversados puso esas propiedades en nuestras manos y las empresas que allí establecimos duplicaron su producción, como es el caso de la cooperativa de arroz Ignacio Agramonte.

Me acusan de haber escondido tractores en el Campamento Agramonte para sabotear las tareas agrícolas del proceso revolucionario. Aclaro ante el tribunal que fueron los organismos que debían distribuir esos equipos los que me pidieron, por razones de seguridad, que les permitiera depositarlos en el área militar antes de ser entregados a las cooperativas que se irían constituyendo, o a campesinos particulares. Tengo testigos y pruebas irrefutables que avalan esta aseveración.

Me interrumpen varias veces para decirme:

—Al acusado no se le han hecho preguntas.

Sigo exponiendo y relato las distintas conversaciones que tuve con Fidel sobre lo que considero el camino equivocado que sigue la Revolución.

He hablado larga y pausadamente. Pero falta aún la conclusión y ésta la expreso en forma precisa y con la mayor serenidad:

—Ésta ha sido mi actuación en la Revolución cubana y esta verdad está avalada por los hechos, a pesar de las inculpaciones que se me hacen. No obstante, si la Revolución o sus representantes entienden que para que se cumpla el programa nuestro, todo lo que prometimos, que la libertad sea un derecho en plena vigencia y que no se persiga a nadie por sus ideas; que los campesinos reciban en propiedad la tierra a través de la reforma agraria; que los niños puedan asistir a escuelas donde se preparen para la vida y se capaciten como ciudadanos libres; que nuestra nación disfrute y ejerza su independencia y su soberanía, sin mengua y sin ataduras con ninguna metrópoli; que los trabajadores gocen de sus derechos como corresponde en un Estado donde las leyes se basan en principios de equidad y justicia social; que nuestro pueblo disfrute de condiciones de vida aceptables, como el verdadero dueño de su destino, si para que todas estas promesas revolucionarias se plasmen en realidades hace falta que yo entregue mi vida, ¡bendita sea mi muerte!

La audiencia, formada en su amplia mayoría por militares que integran lo más selecto de la oficialidad cubana, responde con un aplauso cerrado.

Los miembros del tribunal se sorprenden por la reacción.

Llaman a declarar a otros acusados para contrarrestar la impresión favorable que se genera hacia nosotros entre la oficialidad, pero sólo consiguen reafirmarla. Con el propósito de diluir el efecto, sólo tienen la alternativa de dilatar el juicio.

Fidel y Raúl siguen los acontecimientos desde fuera de la sala del tribunal. Sabemos que Fidel está aquí en el campamento; que ha reunido en una barraca al personal militar que nos aplaudió cuando llegamos, para insultarlos con las peores palabras, y que ha ordenado su licenciamiento.

Uno de los acusados tiene un papel muy relevante en el rechazo de los cargos: es el teniente Dionisio Suárez, que esgrime el argumento de la lealtad a los postulados de la Revolución con objetividad y elocuencia. En general, mis compañeros no sólo rechazan los cargos, sino que demuestran, con los datos que aportan, la inexistencia de hechos concretos de traición o sedición; que la conspiración de Camagüey es una burda patraña. Que éste es un juicio político con el doble propósito de destruir a quienes se niegan a seguir el camino de la traición y de invalidar la denuncia de que la Revolución está virtualmente en manos de los comunistas, ya que en las instancias más altas de su liderazgo se promueve una entrega a la Unión Soviética.

Han pasado doce horas desde que nos trajeron al Campamento Columbia.

A la media noche nos conducen de regreso al Castillo de El Morro y me encierran de nuevo en el calabozo.

Me siento cansado pero, a la vez, como si me hubiera liberado de un peso agobiante, sin sospechar siquiera por lo que habré de pasar en el futuro...

Día 12 de diciembre de 1959.

Con el nuevo día, y otra vez en el banquillo de los acusados, viene el desfile de los testigos de cargo. Mis acusadores procuran que el juicio mantenga el rótulo de «conspiración». Por eso es que acusan a tantos de mis oficiales. Necesitan crear las condiciones que permitan fabricar esta «conspiración». La dilación del juicio les permite inflar su enorme globo, colocar suspicacias, intrigas, mentiras y, sobre todo, ficción.

Uno de los comandantes que me acusa abiertamente es Juan Almeida, peón de Fidel Castro. Habla y dice, entre otras cosas, que yo me había empeñado en los días de la guerra en crear una situación de independencia, en desacuerdo con las normas del Ejército Rebelde. Almeida señala que mi supuesta intención quedó al descubierto cuando se formalizó el Tercer Frente, del cual era él jefe; según él, yo deseaba actuar de forma autónoma.

Lo interrumpo varias veces recordándole, con palabras textuales, cómo le pedí instrucciones antes de comenzar mi campaña en el área, a lo que él había respondido desentendiéndose del asunto y augurándome el fracaso en la ejecución del plan de operaciones que Fidel me había asignado. No quiero decirle que fue su total incompetencia lo que me obligó a salir adelante en mi campaña sin esperar sus directrices o sugerencias, que en definitiva siempre rehuyó. Almeida no se atreve a mirarme a la cara mientras lo fustigo.

Debo soportar, pero a la vez contradecir con entera firmeza, las declaraciones que hace como testigo de cargo el comandante René de los Santos. Lo mismo sucede con el comandante Samuel Rodiles, hombre de Raúl Castro, que relata una historia absurda relacionada con una ametralladora capturada al ejército en los días del cerco a Santiago de Cuba. Algo que, en el contexto de la causa, no pasa de ser una anécdota sin importancia. Mis oficiales lo desmienten con argumentos que lo ponen en ridículo.

Llevan a otras personas a sostener acusaciones inconsistentes. Sé que muchos hombres con jerarquía dentro de la Revolución y el gobierno se han negado a participar en esta farsa. Uno de ellos, el comandante Castiñeira, jefe de la marina, se muestra sorprendido al ser invitado como testigo de cargo. Según conozco los hechos, Castiñeira dice al emisario de Raúl Castro:

—¿Acusar yo a Huber Matos?... ¿De qué?

Está también el caso de un ex jefe de policía de Camagüey, el comandante Carlos Hernández, quien podría tener motivos para sentirse agraviado, porque tuve que actuar en su contra por errores cometidos en el desempeño de su cargo en la provincia. Sé que ha manifestado a los emisarios de los Castro que no le parece correcto ir a señalarme ante el tribunal sin tener un verdadero motivo.

Día 13 de diciembre de 1959.

Finalmente aparece Raúl Castro. Viene decidido a neutralizar el ambiente favorable que tenemos entre la oficialidad presente y el poco significado que han tenido las acusaciones de otros testigos de cargo. Todos esperan de él una acusación por lo menos coherente.

Acudiendo a un recurso pueril, Raúl ataca a mi abogado defensor, el doctor Francisco Lorié Bertot, un profesional experimentado que no muestra temor alguno ante sus ataques. El trasnochado argumento de Raúl se basa en que el abogado fue agregado de la embajada de Cuba en México en los tiempos de Batista. Muestra unos papeles sin trascendencia para probar su afirmación. Dice que el defensor no tiene ninguna autoridad para participar en un proceso que se ventila en el Consejo Superior de las fuerzas armadas.

—Comandante Raúl Castro, el acusado es el comandante Huber Matos, a quien yo vengo a defender. El ataque contra mi persona no es lo que venimos a discutir aquí. Usted desvía la cuestión medular de este juicio porque no tiene argumentos válidos contra el acusado.

Lorié maneja con habilidad y talento las torpezas de Raúl, que, de pronto, se encuentra en medio de un careo con el defensor. Éste lo toma un poco en broma, lo que irrita al comandante que ha pretendido, sin éxito, impactar a la concurrencia.

Raúl se ve en aprietos por la ironía del abogado, que le dice:

—Disculpe, comandante Castro, pero a mí me extraña que usted venga aquí de esta manera y me señale como lo está haciendo, porque aparte de que aprecio la obra de la Revolución, he sido y soy un admirador suyo.

Raúl pretende ser indiferente ante el halago. El defensor insiste:

—Comandante, le reitero que soy un hombre que lo valora y lo respeta.

—¡Eso a mí no me importa! —responde abruptamente Raúl—. Lo que yo digo es que usted ha servido al dictador Batista.

El defensor, por tercera vez, habla positivamente de la personalidad de Raúl y éste responde en la misma forma que antes. Por fin el abogado, con expresión de aparente cansancio, pero con mordaz ironía, dice:

374

—Está bien, comandante Raúl Castro, está bien. La próxima vez dedicaré mi admiración a algo más fecundo.

Una risa general corea la respuesta del abogado.

Otra de las ocurrencias que el público festeja se produce cuando el abogado defensor se dirige al presidente del tribunal, Sergio del Valle, y le dice:

—Señor presidente: éste es un juicio de golpes bajos.

Del Valle no demuestra emoción alguna ante este argumento; pero al ser repetida una y otra vez por el abogado, le contesta:

—Bueno, está bien, éste es un juicio de golpes bajos si a usted le parece así.

Otra vez el público ríe.

Raúl tiene los ojos encendidos de odio, la habilidad de mi abogado es más de lo que puede soportar. En un momento de su poco coherente exposición levanta un saco de nylon transparente con muchos papeles adentro. Lo agita ante el tribunal y ante el público y grita que tiene mucho que decir contra Huber Matos, que lo que le sobra son testigos y pruebas contra mí.

—Aquí traigo unos cheques firmados por Matos, que por su importancia como elementos probatorios de la conducta del acusado presento como pruebas en este juicio...

Como sé bien que si pido la palabra para refutarlo no se me concederá, me pongo súbitamente de pie y trato de imponer mi voz sobre la suya, mientras él termina diciendo en medio de mi protesta:

—... porque, señores del tribunal, aquí hay cosas fuera de orden...

—Lo único fuera de orden —le grito— son las alteraciones que ustedes pueden haber hecho; las falsificaciones que ustedes hayan introducido para hacerme daño. Guardo copias de todos los cheques firmados por mí y otras pruebas de mi limpio proceder. ¡Ustedes harán lo que les dé la gana! ¡Los datos que yo poseo sobre mi actuación son más convincentes que todas esas mentiras suyas!

Mis aclaraciones en voz alta ponen frenético y pálido a Raúl, que, con un rencor incontenible, me ataca diciendo que yo, en una oportunidad en que se celebraba una reunión del Estado Mayor, quise discutir las bases doctrinales de la Revolución, pero que el asunto aquella vez se pospuso. Él considera que éste es el momento para que yo retome el tema y ponga sobre la mesa los puntos críticos que veo en los principios de nuestra causa. Es una trampa para desviar el debate hacia un tema en el que cree que le será fácil lucirse, apelando a su retórica demagógica.

No le doy tiempo para que se adentre más en el asunto, ni oportunidad para obligarme a ir adonde él quiere.

–Comandante Raúl Castro: cuando estábamos más o menos en igualdad de condiciones en las fuerzas armadas, yo planteé la necesidad de discutir esas cosas y usted rehusó hacerlo. Ahora que estoy arrestado, ahora que usan la fuerza contra mí, usted pretende discutir estos asuntos en un lugar y en un momento que no vienen al caso. Esto revela su concepto del valor personal: cuando estuvimos en condiciones de equidad, yo cuestioné algo y usted lo interpretó como un reto al debate y lo esquivó. Ahora que me tienen preso y quieren triturarme, viene a proponer ese debate. Sin duda alguna tiene usted una pobre idea de eso que se llama hombría.

Raúl irrumpe en exabruptos alejados de toda compostura y particularmente de la circunstancia que se está viviendo en este recinto. Aprovecho y le recuerdo que alguna gente de nuestro pueblo lo conoce como el «hombre odio». Raúl demuestra un desconocimiento absoluto de las formalidades que, como alto jefe militar, debe mantener ante sus subordinados; más aún en un juicio. No se da cuenta de que su comportamiento en el juicio lo delata como un sujeto resentido y acomplejado.

A pesar de la intimidación contra los testigos de la defensa que mi abogado llama a declarar —algunos de los cuales han sido amenazados por los emisarios de los Castro—, éstos concurren ante el tribunal.

El doctor Joaquín Agramonte, coordinador provincial del Movimiento 26 de Julio en Camagüey, quien renunció al cargo como protesta por mi arresto, me defiende respondiendo con precisión y firmeza al fiscal, que trata de subestimarlo.

La señora Olga Menéndez, líder sindical y dirigente del Movimiento 26 de Julio en Camagüey, prestó declaración sobre los hechos del 21 de octubre, y sobre mi trabajo en favor de la Revolución durante todo el tiempo en que estuve al frente de aquella provincia.

Dos hermanos de la fraternidad masónica, Manuel Bermúdez Oliver y Rafael Conde, ambos miembros de la Logia Manzanillo, de esa ciudad, declaran también ante el tribunal como testigos que acreditan mi conducta como ciudadano y educador.

El padre Rafael Escala, sacerdote de la catedral de Santiago de Cuba, y ex alumno mío en la Escuela Primaria Superior de Manzanillo, concurrió a declarar y dijo unas palabras de incuestionable elogio y reconocimiento para su antiguo maestro.

El profesor Aníbal Machirán, de Santiago de Cuba, que acreditó mi condición moral puesta en transparencia en las aulas y en el Colegio Nacional de Maestros.

El doctor Mario Casanellas, pastor bautista de gran prestigio y director de los Colegios Internacionales de El Cristo, en Santiago de Cuba, testifica dejando constancia del respeto que a través de los años ha ganado en él mi comportamiento.

Comparece también el doctor Miguelino Socarrás de Guzmán, capitán rebelde y ex director de la Clínica Militar del Segundo Distrito, la persona que me fue a buscar el 21 de octubre en la mañana para convencerme de que me marchara en su compañía fuera del país. El doctor Socarrás se enfrenta con el fiscal Serguera, que se atreve a cuestionar los antecedentes revolucionarios del testigo. Socarrás lo silencia con una concisa respuesta:

—Soy revolucionario desde antes de que usted hubiera nacido y además me alcé para servir como médico del Ejército Rebelde.

¿Qué sucede con Fidel a estas alturas? Se prepara para venir a rescatar lo que queda de un juicio que, tal como va, lo tiene perdido. Seguramente pensó que sería cosa rápida y del todo negativa para mí, pero ahora sabe que la partida anda mal. El comentario es que viene mañana. El tiempo para los testigos de cargo ha quedado atrás, pero a él nada le importa. Es el dueño del juicio, y sus reglas son las únicas que valen.

Día 14 de diciembre de 1959.

Todas las noches, tarde, nos llevan de regreso al Castillo de El Morro, nos separan y me llevan directo al calabozo. Al día siguiente, al mediodía, nos traen al edificio en que se nos juzga.

Estamos ya en el cuarto día del juicio, en medio de su todavía poco definido curso. Los cargos contra mí han sido débiles y mal organizados, formulados por testigos intrascendentes que han venido al juicio presionados por los Castro o haciendo méritos con éstos. Prefiero ignorar los nombres de algunas de estas personas, mas no a Jorge Enrique Mendoza Reboredo y a Orestes Valera, quienes en la madrugada del 21 de octubre nos insultaron por la radio de Camagüey con los adjetivos de «traidores», «hijos de perra» y otras cosas por el estilo, provocándonos persistentemente para crear una situación de violencia en la ciudad, que proporcionara evidencia de subversión. Los dos sujetos canallescos han venido a repetir sus acusaciones.

Avanza la tarde. La sesión lleva varias horas de trabajo. Hay indicios de que Fidel se dispone a arribar a la sala del tribunal de un momento a otro. Instalan un micrófono para la red nacional de emisoras cubanas y se nota la presencia de algunos de sus escoltas. Las cosas han llegado a un punto delicado para el gobierno y es necesario que venga Fidel a impresionar. Entra con sus guardaespaldas, no mira para donde estoy y comienza una extensísima perorata de varias horas.

Con poses olímpicas, y sabiendo que nadie se atreverá a contradecirlo, cuenta la historia de mi actuación en el Ejército Rebelde, refrescando las disputas que tuvimos en la Sierra Maestra y presentándome como un hombre oportunista, irresponsable e ingrato. Luego trae a colación una serie de argumentaciones sobre la Revolución y afirma que «la nuestra no es una revolución comunista. En Rusia habrán hecho una revolución comunista. Nosotros estamos haciendo nuestra revolución y nuestra revolución es una revolución humanista, profunda y radical».

Las mentiras que dice ante la audiencia que colma el salón del tribunal me hacen salirle al paso. Su cinismo deforma los hechos. Cuenta a su manera algunos de los problemas que tuvimos en la sierra y relata el episodio de la ametralladora que Duque tenía que devolverle y que él creyó que yo había tomado para la Columna 9, pero lo describe falseando la verdad, silenciando datos y palabras; va añadiendo o inventando a su conveniencia para suplantar la verdad y exhibirme como un hombre carente de principios e inclinado por mi propia naturaleza a la traición. Me enfrento a él y a sus mentiras. En un momento afirma con el mayor descaro:

—Huber Matos tuvo que retractarse.

A lo que respondo:

—¿Y por qué no prueba eso que acaba de decir presentando mi carta de respuesta? Usted ha venido con unos cuantos papeles.

—No, esa carta no la traje, creo que se ha extraviado; no sé.

—Es de lamentar que no la haya traído para respaldar su afirmación; no la trajo porque evidenciaría mi condición de hombre honesto y de principios, todo lo contrario de lo que usted está diciendo.

Fidel se molesta con mis interrupciones y reclama al presidente del tribunal que se le respete el uso de la palabra. Pero no puede impedir que yo, durante su interminable diatriba, me ponga de pie una y otra vez y lo refute, pues más que la magnitud del castigo que me impongan, me interesa que quede clara la verdad.

En su argumentación, que transmiten al pueblo cubano por radio, insiste en presentarme como un individuo que se sumó a las fuerzas revolucionarias, donde todo le resultó muy fácil. Que soy más un aventurero que un hombre de formación ideológica. Argumenta que es una mentira infamante insinuar que la Revolución va hacia el comunismo. Le resta valor a mi posición mostrándome como un calumniador, como un sujeto que está dándole un rótulo de marxista a la Revolución, «cuando es cubanísima como las palmas».

En el curso de su exposición, Fidel involuntariamente pone al trasluz la farsa que es este juicio. Llama de entre el público al comandante Félix Duque, quien ya ha prestado declaración, para que haga otra diferente.

Félix Duque fue segundo en la tropa mía y conoce bien lo sucedido en Camagüey, por haber estado allí un día antes de mi arresto. Su primer testimonio ante el tribunal corresponde a la verdad de los hechos; no encontró conspiración ni sedición. Fidel lo ha presionado para que lo cambie y lo presenta de nuevo en el juicio en forma totalmente arbitraria. Duque comienza con tantas mentiras que, sin hacer caso de los custodios, me paro y subo al estrado, voy hasta donde está Duque, le quito el micrófono. Quedo a pocos pasos de Fidel, que con un micrófono en la mano se queda sin habla. Afirmo al público que se falsea la verdad con el mayor descaro. Analizo una a una las mentiras de Duque, que me observa asustado. Es fácil poner en evidencia sus contradicciones. Fidel, sorprendido, reacciona con temor.

El tribunal, al alterar las reglas de procedimiento, permitiendo que Fidel haga subir a Félix Duque con esta nueva declaración, pierde por el momento el control del juicio. Apelo a los presentes para que entiendan que ésta es una patraña colosal en la que se quiere destruir a un hombre con el artificio de una acción legal viciada por la inmoralidad y por el abuso de poder. ¿No es Fidel Castro quien ha escogido el tribunal, me acusa como testigo y, además, se da el lujo de llamar a declarar a quien él quiere? ¿Cómo puede un testigo, en el mismo juicio, hacer dos declaraciones tan marcadamente opuestas? Algo inadmisible.

Siguen los testimonios arbitrarios e ilegales. Hasta Armando Hart, quien en los primeros meses de la Revolución en el poder me pidió que le ayudara a resolver su situación con los Castro, que le habían dado la espalda, viene de atrás del auditorio, donde están los tramoyistas. Habla ante el tribunal sin que nadie lo haya autorizado a prestar declaración. Me acusa sin ser testigo del caso. También, sin ser testigo, irrumpe en la sala el capitán Suárez Gayol,[1] a decir necedades ante el tribunal. El juicio se vuelve un espectáculo de circo romano. Es el jefe del gobierno quien ha provocado este desorden.

1. Jesús Suárez Gayol murió con el Che en Bolivia en 1967. *(N. del A.)*

Fidel retoma la palabra y habla hasta muy tarde de la noche. Le interrumpo más de cincuenta veces para poner las cosas en su lugar cada vez que dice una mentira o presenta un asunto de manera tergiversada o capciosa, con su acostumbrado cinismo. Está molesto; no me importa. Me importa la verdad a cualquier precio.

Con su séquito, Fidel abandona el salón. La oficialidad que conforma el público cree que la sesión ha terminado y que continuará al día siguiente. Los miembros del tribunal toman parte en el juego porque se retiran de la sala, dando también la impresión que la vista ha concluido y que continuará al día siguiente. No dicen nada y el público se va. El recinto queda prácticamente vacío. Permanecemos en él los acusados, los hombres de la seguridad militar que nos vigilan y nuestros familiares, que por lo general no se retiran hasta que nos llevan de regreso al Castillo de El Morro.

Después de unas dos horas, como a la una y media de la mañana, vuelve el tribunal. El juicio va a continuar. El ardid les sale bien a los Castro. Indudablemente la oportunidad de hablar antes de que se dicte la sentencia la voy a tener ante un salón desierto. Expondré mi defensa una vez que el fiscal termine con su exposición, que resumirá con la petición de la pena de muerte.

El fiscal habla durante dos horas alargando de forma deliberada su exposición. Una forma más de irnos agotando física y psíquicamente. Estamos sentados desde las doce del mediodía de ayer y hemos pasado más de catorce horas continuas y agobiadoras, que en el banquillo de los acusados son unas cuantas.

Hace uso de la palabra mi abogado. Con precisión de jurista experimentado emplea menos de una hora en reducir a nada la pomposa retórica del fiscal Serguera. Analiza los cargos y deja al descubierto su inconsistencia y la carencia total de fundamentación.

—El tribunal puede pensar lo que quiera. Lo cierto es que no se ha podido demostrar ninguna de las dos acusaciones, ni traición ni sedición. Mucha hojarasca retórica y ninguna prueba concreta, ¡ninguna!

Termina diciendo:

—En el curso de este juicio se ha hecho evidente que mi defendido es inocente. Solicito del tribunal el veredicto absolutorio que en justicia le corresponde.

Hablan a continuación los otros dos abogados que tienen a su cargo la defensa de mis compañeros de causa. Uno de ellos es oficial de las fuerzas armadas y actúa como abogado de oficio. Contrario a lo que pensábamos, hace un papel brillante y corajudo, enfrentándose al fiscal con argumentos irrebatibles y entera valentía.

Nos impresiona su valor, y comentamos: «Inevitablemente lo despiden, y suerte si no lo meten preso».

A las cinco de la mañana, el presidente del tribunal dice que se va a dictar sentencia y pregunta si alguno de los acusados tiene algo que decir.

Tengo mucho que decir. Dirijo una mirada a mis familiares, cuyos rostros expresan claramente su cansancio, aunque en ellos hay una admirable entereza. Reconstruyo los hechos tratando de ser lo más fiel posible a la realidad. Uno a uno desmenuzo los cargos que se me imputan, con autenticidad y respeto a la verdad.

Puntualizo las conclusiones:

—No hay traición. He sido y soy fiel a mi patria. He servido lealmente a la Revolución y es mi lealtad a la Revolución y el amor a mi patria lo que me llevan a reclamar, persuasivamente primero, y por último con mi renuncia, que no se suplante el programa democrático y humanista de la Revolución.

No hay sedición, pues no se ha hecho ningún planteamiento para subvertir el orden, ni existe un propósito ni un hecho para crear violencia. La provocación a la violencia vino de la parte oficial, de manera muy notoria. Además, este juicio es ilegal porque Fidel Castro, en su función de primer ministro y comandante en jefe, tiene de su parte el tribunal y concurre como testigo acusador. ¿Qué tipo de justicia es ésta? Hay algo más que señalar como violación flagrante que invalida este proceso judicial desde su inicio. Cinco días después de mi arresto y encontrándome incomunicado en un miserable calabozo, Fidel Castro, usando su autoridad de gobernante y su enorme influencia, me hizo condenar a muerte en un acto público, en el que cientos de miles de cubanos, a instancias suyas, levantaron el brazo aprobando mi fusilamiento sin tomar en cuenta mi derecho a ser escuchado. Este juicio es una farsa inmoral desde el comienzo y deploro que mis compañeros de armas que integran el tribunal se vean comprometidos en el desempeño de una función que no conlleva ni orgullo ni honra.

Acabo señalando lo que ya había reiterado en mis declaraciones previas: si es necesario entregar mi vida para que se concreten en hechos todas esas cosas hermosas que la Revolución ha prometido, estoy dispuesto a darla en bien de mi patria y de mi pueblo. «Estoy convencido de que en el sacrificio de los hombres está el camino que conduce a los pueblos a la victoria.»

El teniente Dionisio Suárez habla en representación de mis compañeros y lo hace muy bien, con nitidez y elocuencia.

Termina la sesión a las siete de la mañana, sin que se dicte la sentencia. Nos sacan del edificio y cuando vamos a tomar los vehículos que nos llevarán al Castillo de El Morro, una claque de diez o más militares grita: «¡Paredón! ¡Paredón! ¡Paredón!»... Un estribillo trágico que repiten y repiten para romperle los nervios a los acusados. Otra agresión de las tantas que han puesto en función los hermanos Castro.

A estas alturas poco me importan el rencor o las pasiones personales. Soy un hombre en el momento más crucial de su existencia. Paso frente a ese grupo hostil y los miro con total indiferencia. Los que no claudican han de estar siempre preparados para pagar el precio que las circunstancias demanden.

Nos llevan de regreso a El Morro. Llegamos como a las nueve de la mañana. Hemos pasado veinte horas ante el tribunal y necesitamos reponernos un poco para regresar esta tarde y escuchar la sentencia.

Todo lo que tenía que decir está dicho. He analizado previamente la perspectiva del fusilamiento y me siento preparado para esa eventualidad, aun cuando estoy consciente de que hemos ganado el juicio. Aunque sé que esto no significa mucho.

Día 15 de diciembre de 1959.

A las cuatro de la tarde nos regresan al tribunal. En los momentos previos a esta última sesión hablo con mi esposa, que se acerca tan llena de dolor como de secreta esperanza. Ella presenció, en horas de la mañana, aquel insistente: «¡Paredón! ¡Paredón! ¡Paredón!...», que un pequeño grupo profirió ante las puertas del edificio donde nos encontrábamos. Eso la quebró un poco, pero ha tenido la capacidad de reponerse.

—Huber, te van a fusilar porque te has portado como el hombre íntegro que eres.

—Sí, quieren fusilarme, pero Fidel debe de tener sus dudas. Acuérdate de que detrás de toda su pantalla es un cobarde, y las cosas no le han salido como esperaba. Sé lo que está pensando. Sabe que hay mucha gente en el ejército que me apoya y, si me fusila, alguno puede tratar de cobrárselo. Él le tiene horror a un atentado; es su obsesión.

—Pero él no puede perdonar que lo hayas descalificado delante de todo el ejército; Raúl estaba fuera de sí. Tú sabes que si te condenan a muerte ésta será la última vez que nos veremos, de aquí te llevarán directo al paredón.

—Lo sé, tú y yo hemos estado juntos en todo esto, me has respaldado siempre. Lo más importante son nuestros hijos y tú los podrás sacar adelante. Allá, yo te seguiré queriendo y después de esta vida nos volveremos a ver. Te esperaré.

Pendemos de un hilo sobre el abismo. Minutos después abren la sesión en la que se dictará sentencia. Los Castro, poseídos por una pasión enfermiza, quieren verme caer ante el pelotón de fusilamiento y terminar para siempre conmigo.

—Pónganse de pie los acusados, el tribunal va a dictar sentencia.

Escucho estas palabras y me levanto del banquillo. Por mi mente pasa la idea de que cuando enfrente el pelotón de fusilamiento les voy a dar a mis enemigos un último ejemplo de lealtad a mis convicciones.

—Huber Matos: veinte años de cárcel.

En este momento, cuando sé cuál es mi condena, siento la inefable sensación del individuo que cree en su muerte inmediata y se entera de que seguirá viviendo. Esto, indudablemente, es bien recibido por la naturaleza humana, que en todos los casos quiere sobrevivir. Intercambio miradas de comprensión y solidaridad con mis compañeros de causa. Atravieso por un sinfín de estados emocionales, imaginándome a la vez la alegría que cubre interiormente a los míos. Vuelvo mi rostro hacia mi esposa, mi padre y mi hijo. Nos miramos, reconociendo en nuestras pupilas un brillo que señala una inesperada puerta al futuro, aun en la condición de prisionero por largos años en que me encontraré a partir de ahora.

Se leen a continuación las demás sentencias:

—Capitanes Miguel Ruiz Maceira, Rosendo Lugo y Roberto Cruz, siete años; capitanes José López Legón y Napoleón Béquer, tres años; tenientes Edgardo Bonet Rosell, José Martí Ballester, Vicente Rodríguez Camejo, Alberto Covas Álvarez, Miguel Crespo García, Rodosbaldo Llauradó Ramos, Elvio Rivera Limonta, Jesús Torres Calunga, José Pérez Álamo, Willian Lobaina Galdós, Carlos Álvarez Ramírez, Dionisio Suárez Esquivel, Manuel Esquivel Ramos, Manuel Nieto y Nieto, Mario Santana Basulto y capitanes Raúl Barandela y Emilio Cosío, dos años.

Junto con la condena, se ordena que me degraden. Tienen que arrancarme los grados deshonrosamente ahora. Ninguno de los oficiales aquí presentes, ni Fidel ni Raúl, se atreverían a hacerlo. Seguiré siendo exactamente lo que soy. Ningún tribunal del mundo, por mezquino que sea, podrá despojarme del grado que he ganado luchando por la libertad de mi pueblo.

Regresamos al Castillo de El Morro con nuestras familias siguiéndonos en otros vehículos. Muchos nos esperan en la puerta de la prisión. Hay abrazos, besos, efusiones propias del momento. Los míos desbordan de alegría. Caminamos de un lado a otro fuera de la prisión, saludándonos y comentando lo sucedido. Podría intentar escaparme, aprovechando la algarabía y confusión del momento, pero no puedo abandonar a mis compañeros, ni tampoco permitir que el alerta que he dado al pueblo cubano se diluya en una fuga, que el régimen manipularía publicitariamente a su favor. Mi prisión será una condena para la dictadura.

34

Mañana tendrán visita

> Dicen que vamos para Isla de Pinos... Dos
> aviones B-26 despegan para escoltarnos y así
> evitar cualquier posibilidad de escapar...

Cuando me introducen al calabozo-ventana, me preguntan:

—¿Prefiere usted seguir en esta celda solo, o que lo reunamos con sus compañeros?

—Deseo estar con mis compañeros, naturalmente.

—Bueno, entonces vamos para allá —me responde el jefe de los guardias.

Y me incorporan al grupo. Es la noche del 15 de diciembre de 1959. Estamos en una antigua galera[1] de las tantas que hay en El Morro; no es precisamente el mejor lugar del mundo para meter a la gente presa. A través de las fuertes rejas vemos el pasillo que comunica con otras galeras.

Los días que siguen son rutinarios para nosotros; no así para el país, que se apresta a celebrar la primera Navidad después del triunfo revolucionario. Aprovecho para conversar con mis compañeros y leer. Nuestro estado general es anímica y físicamente bueno. El hecho de estar aquí con ellos me hace disfrutar de su régimen de visitas. Como la prisión es de la marina, el sistema carcelario difiere de los del ejército y de los civiles; es decir, de las cárceles de presos comunes. Tenemos derecho a tres visitas por semana y comienzo a recibir a muchas personas, además de mis familiares. María Luisa está siempre en primera fila entre quienes vienen a verme. Estos encuentros se convierten en una especie de protesta pública por la condena. Según el reglamento sólo deben venir a vernos nuestras familias. Pero siempre pasan otras personas, que en su mayoría son gente revolucionaria. Muchas de éstas ganaron méritos en la lucha insurreccional. Las dimensiones del salón no alcanzan para la gente que nos visita.

1. Galera: celda colectiva en prisiones construidas en tiempo de la Colonia. *(N. del A.)*

Es de imaginar el disgusto que esto causa a los Castro. Esa inequívoca expresión de solidaridad y reconocimiento es más de lo que ellos pueden soportar. Incluso personas vinculadas al quehacer oficial ingresan al salón y se abrazan con nosotros. Lo que realmente me emociona es que entre los visitantes hay muchos camagüeyanos. Esto confirma que la denuncia contra la comunización del proceso no es esfuerzo perdido. Quizás el pueblo despierte antes de que sea muy tarde.

Un día de tantos llega un recado del comandante Félix Duque. Al parecer está arrepentido de su deslealtad al habernos acusado con mentiras por presiones de Fidel, y quiere que lo siga considerando mi amigo. Mi respuesta no puede ser otra en este momento:

—Cuando se haga justicia con su pistola, volveremos a ser amigos.

Las provocaciones no se hacen esperar. El capitán Orlando Pantoja, jefe de los carceleros, que era mi amigo desde la sierra, ya no está con nosotros. Ahora designan a un teniente, de apellido Labaud, un hombre de Raúl Castro que se muestra propenso a crearnos problemas de veinte maneras distintas. Buscan que ante las provocaciones reaccionemos amotinándonos. No consiguen su propósito, pero insisten.

Comienzan a darnos reglamentaciones dentro de la galera. Una de ellas es que quieren obligarnos a que nos cuadremos militarmente cada mañana junto a la cama, cuando él o algún sargento vengan a pasar visita de inspección. Son medidas humillantes que nos asemejan a los presos comunes. El teniente Labaud no actúa como jefe de los carceleros, sino como un sargento que quisiera meternos miedo, como si fuéramos para él algo semejante a principiantes en las fuerzas armadas. Sin entrar en ningún tipo de violencia se le responde enérgicamente, y no se da cumplimiento a ninguna de las reglas impuestas por él.

No pierden ninguna oportunidad para provocar: cuando el compañero Mario Santana presenta un cuadro de fiebre debido a úlceras duodenales, el médico de la prisión que llegaba todas las mañanas desaparece. Tres días después regresa pero no atiende a Santana, que sigue con fiebre y muestra un progresivo deterioro. Protestamos.

—Escuche —dice uno de los nuestros al jefe de los guardias—, en nombre de mis compañeros y en el mío propio, o a este hombre lo sacan de aquí y lo atienden como es debido, o empezamos a romperlo todo.

Con la peor intención retardan durante horas la atención a Santana. Cuando vienen con el médico a llevarse al compañero enfermo, permitimos su salida pero ya hemos empezado la protesta. Reclamamos que cesen las provocaciones.

Hemos puesto en fila un montón de mesas enormes y de patas

macizas que se encuentran a un costado de la galera. Probablemente esto fue un taller; son mesas de estructura muy sólida. Usándolas como ariete vamos a romper las rejas. Alrededor de veinte hombres empujando las mesas podrían conseguir lo que se proponen. Llegan los carceleros y nos amenazan. Entrarnos a golpes no les resultaría fácil; somos hombres fogueados en la lucha armada.

Mandan a un oficial del Estado Mayor a parlamentar: Abelardo Colomé Ibarra, conocido por «Furry», con quien tengo alguna amistad desde los tiempos de la lucha insurreccional. Es hombre de Raúl Castro.

—Huber, ¿qué pasa? —me pregunta.

—No nos dejan tranquilos, están buscando cualquier razón para provocarnos y los hombres que estamos aquí no somos palomas, venimos de una guerra donde no estaban luchando ninguno de estos maricones. Estamos respondiendo, eso es todo.

—Bueno, si es así, la provocación cesa. No se preocupen, todo volverá a la normalidad.

Cuando se va el oficial, nuestros empeñosos carceleros siguen utilizando todo tipo de artimañas para sacarnos de quicio.

Nos anuncian que están suspendidas las visitas.

El «tenemos que hacer algo» es nuestra determinación. ¿Pero qué?... Si rompemos las rejas, posiblemente lo que esperan, nos van a disparar. Hay que actuar con más inteligencia; existe el presentimiento de que puedan estar preparando un escenario para obligarnos a un motín y entonces usar las armas. Participo en los planes con una opinión o asesorando, pero no quiero aparecer dirigiendo a los demás. La responsabilidad de lo que hagamos debe ser compartida.

Mis compañeros amontonan todo lo que encuentran, las mesas, las camas de hierro que usamos; maderas, diarios, libros, nuestra ropa. Le damos fuego.

Se produce una gran hoguera y un humo denso y sucio, cuyo flujo devuelven las enormes e incapaces claraboyas de la vieja construcción de El Morro. Casi nos asfixia; buscamos, tirados contra el piso, el poco aire de tres ventanas que están en el fondo de la galera. A treinta centímetros del nivel del suelo la atmósfera se nos hace irrespirable. Cuando por fin llegan los bomberos de La Habana, rompen y abren la parte de arriba donde se hallan las claraboyas y se facilita la salida del aire enrarecido. Todo ha quedado en carbón, hierro derretido y cenizas.

La respuesta no se hace esperar. Nos sacan y distribuyen en distintos lugares. A siete oficiales, que consideran los responsables, los llevan a la galera donde se encontraban los marinos, cerca del calabozo donde estuve antes. A la mayoría de los nuestros los dejan en el sitio donde se ha producido el motín, ya sin camas ni asiento alguno donde descansar.

A mí, media docena de esbirros me levantan en el aire y con golpes y estrujones me regresan al calabozo-ventana mientras respondo a sus insultos con toda vehemencia.

Antes de que nos separen, hemos convenido declararnos en huelga de hambre hasta que nos reúnan y nos traten de otro modo. En esta situación transcurre la noche de los días 6, 7 y 8 de enero.

Llega a El Morro nada menos que el fiscal del juicio, Jorge Serguera. Quiere hablar conmigo. Lo trato con el desprecio que merece.

Pregunta cuándo cesamos la huelga.

—Escucha —le digo—, un compañero nuestro, Mario Santana, ha estado aquí abandonado como un perro, sin asistencia médica a pesar de haber pasado tres días con fiebre alta y fuertes dolores intestinales; quizás a las puertas de algo peor si nosotros no hubiéramos reaccionado como lo hicimos. Estábamos tranquilos, pero las provocaciones y la falta de asistencia médica a nuestro compañero nos llevaron a plantear las cosas de otro modo. Lo que está ocurriendo no es casualidad, ni se puede hacer sin autorización u orden superior.

En la noche del 9 nos reúnen, nos dicen que no nos preocupemos, que todo se va a resolver; que «ahorita estará todo normalizado», que «les vamos a traer camas, después que hagamos un inventario sobre cuántas hay disponibles en El Morro». Mientras tanto nos dan periódicos que usaremos a modo de colchones tirados sobre el piso. «Mañana traeremos las camas. Sería bueno que avisaran a sus familias que la situación se ha normalizado. Que todo anda bien, porque han venido parientes de ustedes hasta aquí y se han ido muy preocupados al enterarse de que iniciaron una huelga de hambre. Díganles a sus familiares que mañana habrá visita.»

Dos compañeros salen a llamar a sus familias y éstas se encargarán de avisar a las otras.

Estamos hambrientos. Comienza, quién sabe por cuánto tiempo, un mejor trato. En la noche nos dan una sabrosa sopa de pollo, muy bien condimentada.

—Mañana tendrán visita y todo volverá a la normalidad —nos repiten.

Con esta promesa nos dormimos en paz.

El sueño dura muy poco, sólo un par de horas. A la una o dos de la mañana, en medio del silencio que suele imperar en el Castillo de El Morro, nos despierta un tropel. ¡Un contingente de unos cien hombres armados con fusiles y en plan de combate que viene a buscarnos! Para tratar de amedrentarnos despliegan cierta espectacularidad con su entrada a la galera y, sin darnos tiempo ni de pensarlo dos veces, la horda salvaje nos acosa. Ante su fuerza y su número sólo podemos defendernos con insultos.

—¡Si se resisten vamos a venir a sacarlos de aquí con los tanques!

Nos sacan de El Morro en un convoy fuertemente armado. El silencio de la madrugada se interrumpe por el ruido de los vehículos en que nos llevan a toda velocidad hacia la base aérea de Marianao. Estamos esposados y así nos suben, con fuerte escolta, a un avión de transporte. Dicen que volaremos hacia Isla de Pinos.

Dos aviones B-26 despegan para escoltarnos y así evitar cualquier posibilidad de escapar al extranjero.

Uno de los nuestros propone que le demos candela al avión. «Yo estoy de acuerdo», digo a mis compañeros, enfurecidos por el maltrato y la burla. Se somete el asunto a votación pero no ganamos y se desestima el plan. Es la madrugada del 10 de enero de 1960.

35
Isla de Pinos

Les damos la aprobación y, sin esperar mucho, acaban de organizar su plan y todos los compañeros de El Morro, menos dos, se fugan y llegan a Estados Unidos.

El 10 de enero de 1960, en la mañana, aterrizamos bajo fuerte custodia en la Isla de Pinos. En el aeropuerto nos aguarda el jefe militar del área, comandante René Rodríguez.

—Bueno, bueno... ¿así que ahora están aquí por traidores?

—Oye —le respondo—, tú no tienes moral para venir a reprocharnos cosa alguna. Por lo menos esta gente combatió en la sierra. Yo he visto papeles por ahí donde se habla de tu cobardía...

Veo que no le gustó el comentario.

Él sabe bien de lo que hablo. Da la casualidad que cuando me encontraba en la comandancia de La Plata como jefe de guarnición, leí un papel que René le había enviado a Fidel. Yo estaba autorizado a abrir y leer mensajes enviados por la tropa, pues podía tratarse de algo urgente y ese día no estaba allí Fidel ni tampoco Celia Sánchez. René se refería en su nota a un papel que Fidel le había enviado, en el que le reprochaba su cobardía. Le señalaba que sabía de gente que había huido del combate con un fusil al hombro. ¡Pero con una ametralladora 50 ya era demasiado! Rodríguez le contestaba que Fidel tenía todo el derecho de llamarlo cobarde cara a cara, pero que dejarlo escrito en un papel era muy grave, porque esas cosas quedarían para la historia. ¡Y eso de decirle «pendejo» y otros calificativos denigrantes!...

Nos meten en una galera que fue la farmacia del hospital, pero ahora está abandonada y sucia. Es parte de un edificio que ocupa una manzana entera, donde funciona el hospital del centro penal. Las ventanas de la galera tienen las telas metálicas agujereadas, las paredes están mugrosas y hacen el ambiente opresivo, más sofocante aún. Las moscas, dueñas del lugar, se mueven en cantidades abrumadoras.

Como para darnos la ilusión de que seremos bien tratados, los primeros días nos sirven una comida aceptable. Quieren que nos comuniquemos con nuestras familias para que sepan que todo está normal. Esta vez no caemos en la trampa como cuando «la sopa del engaño» de El Morro, sino que decidimos no hacer contacto con nadie en el exterior. No escribiremos a nuestras familias hasta dentro de varias semanas.

El director de la prisión es el capitán Cartaya, un comunista al que conozco porque era miembro del Colegio de Maestros, de cuya dirigencia nacional fui parte. Tuvimos algunas discrepancias en esas reuniones, pero siempre observamos una relación de respeto mutuo. Cuando me ve en el grupo que acaba de llegar a la prisión, me llama para hablarme a solas:

—Me extraña mucho que los hayan traído aquí tan pronto. Yo tenía instrucciones de preparar una galera especial para ustedes...

—¿Para cuándo te dieron esas instrucciones? —le pregunto.

—Bueno, creo que para fines del mes de enero.

Ahora comprendo que las provocaciones en El Morro tenían como propósito justificar nuestro traslado a Isla de Pinos, pero la presión con que nos trataron aceleró los acontecimientos. Un día nos ordenan quitarnos las ropas militares y ponernos el uniforme azul del preso común. Esto se ha demorado, pero lo veíamos llegar. Nos negamos en rotundo.

Otro día nos dicen:

—Bien, ahora tienen que afeitarse esas barbas.

Nos dejan un bulto con los uniformes azules, que nosotros prometemos quemar si no se los llevan enseguida, lo que hacen prestamente. Nos rasuramos como medida higiénica conveniente para nosotros, pero dos de los compañeros deciden no hacerlo.

Llevamos una semana aquí. El 17 de enero llega a la prisión el comandante Félix Duque con dos capitanes de nuestra tropa que no habían sido arrestados: Francisco Cabrera González y Dunney Pérez Álamo. Vinieron en una avioneta facilitada por Fidel. Cabrera y Álamo entran en nuestra galera con el comandante René Rodríguez.

Apenas conversamos con los dos capitanes por espacio de breves minutos cuando ingresa a la galera Félix Duque y me tiende la mano. Yo, que estoy de pie, me quedo indiferente, sin hacer movimiento alguno, como si no tuviera a nadie delante. Si me hubiesen fusilado, parte de mi condena hubiera recaído sobre sus hombros por su actitud cobarde y calumniosa ante el tribunal. Duque se queda unos segundos con la mano extendida. Con expresión de desconcierto la retira, tratando de disimular mi rechazo ante los demás.

Uno de los capitanes recién llegados, Francisco Cabrera, nos explica:

—Fidel nos dijo algo que quiero repetir ante ustedes porque creo que les interesa. Dice que saldrán pronto en libertad y que a ti, Huber, no te suelta ahora mismo porque piensa que dejándote preso un corto tiempo te hace un bien. Si sales en libertad, la contrarrevolución te tomará como bandera. Él estima que te hace un favor dejándote aquí... Unos tres o cuatro años, quizá menos.

Todos mis compañeros se alegran por las noticias, pero yo me cuido de no hacer comentario alguno porque conozco la bondad de Fidel. Antes del juicio había dicho que éste se iba a celebrar para Navidad y que no me iba a pasar nada. Sólo era para que bajara la guardia. Después, junto a Raúl, hace en el juicio cuanto puede para justificar mi fusilamiento. ¿Cómo creerle? Además, no me interesa su generosidad.

A las pocas semanas de estar todos en el presidio de Isla de Pinos trasladan a uno de nuestros compañeros de causa, el teniente Manuel Esquivel, para un hospital de La Habana. Presenta indicios de haber perdido la razón. Más tarde nos enteramos de que Esquivel se ha fugado.

Pasa el mes de enero y continuamos sin escribir a nuestras familias. Nos anuncian que permitirán una visita y que la dirección del penal se encargará de avisar a nuestros familiares. Llega el día y muy pocos pueden ver a los suyos, bien porque es difícil llegar hasta aquí o porque no mandaron los telegramas. María Luisa vino pero no nos permitieron sentarnos juntos.

Después de esta frustrada visita, aparece en la galera René Rodríguez con una oferta que pretende atribuirse, pero que tiene sello de los Castro. Solamente Fidel puede disponer medidas en cuanto a prisioneros de nuestro nivel, particularmente en mi caso.

Rodríguez nos dice:

—Creo que será conveniente que ustedes escriban una carta a Fidel pidiéndole que los traslade a sus respectivas provincias. Los de Santiago de Cuba van para allá, los de Camagüey a Camagüey, en fin...

No le contestamos enseguida. Cuando se va, un compañero me pregunta:

—¿Qué opina de esto, Huber?

—Ustedes saben, porque me conocen, que no voy a hacer ninguna carta pidiendo mi traslado ni pidiendo nada. Ellos me trajeron aquí y cuando se cansen de que esté en Isla de Pinos, que hagan lo que quieran. Que me lleven donde se les ocurra. Ustedes están en plena libertad de hacer la petición si así lo desean.

Los capitanes Ruiz Maceira, Roberto Cruz y Rosendo Lugo, que son los que tienen condena mayor, no solicitan nada y se quedan conmigo. El resto de los compañeros decide firmar las cartas.

Pasan los días y se llevan al Castillo de El Morro a los compañeros que hicieron la solicitud. Antes de irse, Béquer me pregunta:

—¿Qué instrucciones nos das si podemos alcanzar la libertad y salir del país? ¡Es nuestro deber tratar de salvar la Revolución!

—Sí, pero no se conviertan en instrumento de ningún poder extraño. Somos cubanos y tenemos que defender los derechos de nuestro pueblo, de nuestra nación, y morir como cubanos.

Varios días después del traslado de los compañeros, nos sitúan en la galera que nos venían preparando, contigua a la que ocupábamos. Aquí contamos con un patio al que nos sacan a tomar el sol durante algunas horas del día. He conversado nuevamente con el capitán Cartaya. Ha querido mantener conmigo una relación respetuosa y se lo agradezco. Trata de que nuestra permanencia en este penal sea lo más llevadera posible, aunque nos advierte que estamos en situación de «rigor»; esto es, de dura cárcel según las instrucciones que tiene. Los Castro se han enterado, por sus espías, de que en más de una ocasión Cartaya viene en actitud conciliadora, a ver cómo andamos. Por estos hechos Cartaya me dice que él está en desgracia.

El teniente Manuel Esquivel, que se fugó cuando estaba en un hospital de La Habana, se persona ante las autoridades y les dice que ha recuperado su salud mental. Dice que negoció con Raúl Castro su reclusión en el Castillo de El Morro, junto a los compañeros que están allí, con la esperanza de ser indultados, de acuerdo con la promesa de Fidel. Pero Raúl se burla de lo convenido, y Esquivel es traído a Isla de Pinos. Ahora somos cinco.

Como esperábamos, Fidel incumple la promesa de enviar a sus provincias a los compañeros del Castillo de El Morro. Un día se les aparece y les dice:

—Pero hombres, ¿qué hacen ustedes aquí?

Ellos sólo atinan a responderle:

—Recuerde que le escribimos porque nos mandó a decir a Isla de Pinos que pronto estaríamos en libertad... Queríamos que se nos trasladara, antes de nuestra salida definitiva de la prisión, a nuestras respectivas provincias...

Sin inmutarse, Fidel les contesta:

—No se preocupen, después que conmemoremos el 26 de julio va a haber sorpresas. ¡Ya verán!...

Pero pasa el 26 de julio sin novedad. Nada ha cambiado, según me informan por vía confidencial. Tienen, en cambio, algo muy interesante en perspectiva; con los marinos de la guarnición elaboran un plan de fuga conjunta. Piensan llegar a Estados Unidos. Están esperando que les demos luz verde, porque si su fuga nos perjudica no la intentarán.

Les damos la aprobación y sin esperar mucho se escapan. Los marinos encargados de la vigilancia se comprometieron a facilitar la fuga de la prisión y los compañeros nuestros a resolver la salida del país en un barco para unos y otros. La fuga del Castillo de El Morro se llevó a cabo como estaba planeada, pero el barco que debía recoger al grupo no estuvo en el lugar y momento convenidos. Los fugados y sus escoltas tuvieron que permanecer varios días escondidos en La Habana. Todos los compañeros recluidos en El Morro, menos dos que no participaron en el plan, logran salir a Estados Unidos.

El escape tiene un efecto espectacular ante el gobierno y la opinión pública. En Isla de Pinos somos objeto de más requisas y mayor rigor.

Como sé que la intención de mis enemigos es desestabilizarme psíquicamente, desde que llegué a este lugar me he propuesto un plan para los primeros años de encierro: leer y estudiar. Confecciono una lista de libros para ver si mi familia puede conseguirlos.

Por el día las moscas son tantas que no sabe uno cómo defenderse de ellas. En las noches, los mosquitos son otro factor de molestia. Conseguimos mosquiteros para poder dormir, pero antes de acostarse hay que batirse con ellos. Las moscas, sin embargo, constituyen un problema mayor que los mosquitos.

Trasladan al capitán Cartaya y lo sustituyen con el capitán Padilla, del Partido Auténtico. Tengo amistad con él desde que estábamos exilados en Costa Rica. Me extraña la designación de Padilla como director del penal de Isla de Pinos. Si perdieron la confianza en el capitán Cartaya, militante del Partido Comunista, ¿cómo pueden los Castro traer aquí a una persona que ideológicamente no es afín a ellos? ¿Qué pretenden? Una cosa es cierta. Cuentan con espías calificados y confiables para vigilar todo en este penal, quienquiera que sea el director.

En la visita, mi esposa me comunica que nuestros hijos, Huber y Rogelio, de quince y trece años, tienen que salir para el extranjero. La vigilancia contra Huber ha sido intensa. Lo arrestan y lo incomunican en Manzanillo. Encaramándose en una ventana alta de la celda, pudo dejarse ver de una amiga del colegio que caminaba por la acera. Ella da el aviso. En la madrugada lo trasladan a Santiago de Cuba. Saben que está conspirando y durante los interrogatorios se negó a implicar a nadie. Lo habían arrestado con propaganda anticastrista, pero dijo que era un asunto de él y que eso sería lo único que aceptaría. Lo sueltan y al regresar a Manzanillo y cuando trata de activar de nuevo al pequeño grupo conspirador, uno de los agentes que lo venía siguiendo lo sube al carro y le dice que en Santiago lo soltaron porque están seguros de que estaba conspirando. Le advierte que quieren agarrarlo con los demás y con las armas que tienen. El agente le aconseja que se vaya rápido.

Cuando Huber le pregunta por qué lo quiere ayudar, le contesta:

—Hoy ustedes están abajo pero mañana pueden estar arriba. No se olviden de mí si las cosas cambian en Cuba.

Huber sale para Costa Rica primero, y luego Rogelio. Los recibe y cuida de ellos, a pedido mío, mi gran amigo don Moisés Herrera. Están estudiando.

Va terminando el año 1960. El capitán Padilla, actual director del presidio, se ha mostrado hostil conmigo, pero aprovecha una visita de María Luisa a la prisión para hablar con ella y plantearme una fuga. Sé que actúa de buena fe pero tomo mis precauciones.

Su proposición es ésta: él dispone de una avioneta de cuatro plazas, en la que viaja cuando le es necesario. Sostiene que junto con el piloto podemos salir del país. No puedo aceptar el plan porque tendrían que permanecer en prisión tres de mis oficiales que cumplen condena por ser solidarios conmigo. ¿Cómo los voy a dejar? Padilla no puede entenderlo.

Un segundo plan de fuga que propone me inquieta. Su idea es que usemos un bote de carrera que se encuentra en el embarcadero de Nueva Gerona, pueblo principal de Isla de Pinos. En este bote iríamos en las primeras horas de la noche hacia un cayo, donde nos recogería una lancha rápida de las que sirvieron durante la segunda guerra mundial.

Como tuve un bote y conozco de navegación costera, sé que es muy difícil encontrarnos en la oscuridad con otra lancha sin un equipo de comunicación y sin luces. ¿Cómo podrán venir a recogernos en otra lancha si ésta no puede guiarse por ninguna señal para encontrarnos? Otro aspecto que dificulta la posibilidad de mi fuga es la vigilancia especial a la que estoy sujeto por parte del personal de espionaje del gobierno.

Aceptaría la fuga para facilitar la salida de mis compañeros, pero no deseo incurrir en un fracaso que permita a los Castro tener el pretexto de eliminarme por un escape fallido. Podríamos lograr la primera etapa del proyecto y vararnos en un cayo. Los Castro lanzarían una búsqueda masiva con barcos, aviones y helicópteros y no tardarían en localizarnos.

A través de mi esposa le digo al director del penal que es necesario combinar la operación por lo menos con un faro o disponer de una embarcación que nos permita navegar mar afuera hasta un punto seguro en el Caribe. Como no disponen de estas cosas tenemos que posponer el proyecto.

Padilla opta entonces por sacar de la prisión a un oficial rebelde, el capitán Jorge Sotús, con el pretexto de llevarlo a La Habana para que asista a los «funerales» de su madre. Las cosas se desarrollan de un modo inesperado y no pueden salir del país. Padilla termina refugiándose en la embajada de Brasil, donde muere de forma misteriosa.[1] La noticia de su muerte me causó mucha pena.

Sotús logra salir para Estados Unidos.[2] Él estaba en las «circulares», es decir, junto a miles de reclusos, y para el jefe del penal era fácil disponer de este tipo de preso. En mi caso, algo así es imposible porque me tienen incomunicado y bajo vigilancia especial.

A pesar del aislamiento en que estamos, comenzamos a trabajar en un plan conspirativo a largo plazo que contempla dos elementos: fundamentación ideológica basada en el programa original de la Revolución, y una estrategia de penetración, paso a paso, hacia el rescate de la soberanía popular y el restablecimiento del sistema democrático.

María Luisa me trae recados de grupos conspirativos que quieren que me vincule a ellos. Se destacan el Movimiento de Recuperación Revolucionaria (MRR) y el Movimiento Revolucionario del Pueblo (MRP). Prefiero mantenerme al margen, porque sin oportunidad de discutir ni intervenir en nada, ¿cómo puedo concretar mi participación en organizaciones cuyas estrategias y líneas de acción debo avalar como quien suscribe un cheque en blanco?

---

1. La muerte de Padilla se reporta como un suicidio en la embajada de Brasil en La Habana. *(N. del A.)*
2. Sotús murió en un accidente en Miami pocos años después. *(N. del A.)*

36

De la Revolución al totalitarismo

> ... seis semanas después de los hechos de
> bahía de Cochinos, la familia nos da detalles
> del desembarco...

Después de pasados los primeros meses en Isla de Pinos, la visita mensual queda al arbitrio de los carceleros. En octubre de 1960 le prohíben a María Luisa visitarme por todo un año. Alegan haber descubierto, dentro de un dulce que ella me traía, una pastoral del arzobispo monseñor Pérez Serantes, alertando al país sobre el avance del comunismo y exhortando a los cristianos a mantenerse firmes en sus creencias. Lo de la pastoral metida en el dulce es un invento más de nuestros enemigos.

Desde la fuga masiva de mis compañeros de El Morro, el aparato represivo se ha puesto especialmente duro. Cambian al personal y traen a Isla de Pinos un elemento muy malo, perteneciente en su totalidad al G-2 y que depende directamente de los Castro.

Nada más me permiten escribir una carta por semana, la que dedico a mi esposa. Me prohíben tocar temas políticos.

He prevenido a María Luisa sobre los intentos que harán para tratar de separarnos; lo de la pastoral es un alerta. Fidel planeará algo para perjudicar nuestra relación. Con toda seguridad no ha olvidado la actuación de María Luisa cuando fui detenido. Debe de estar particularmente molesto por la carta que publicó, en la que denunciaba con lujo de detalles la arbitrariedad de mi arresto y se refería al plan de asesinarme, para luego presentarlo como «suicidio».

En noviembre me dicen que permitirán visita de mi familia, con la advertencia de que no venga mi esposa, porque no la dejarán pasar. Vienen mi padre y una de mis hermanas; pero llegada la hora, no los dejan entrar. En cambio, los carceleros me presionan para que reciba a otra persona. Me resisto sin saber exactamente qué está ocurriendo. Como me niego a recibir visita si no es de mi familia, los carceleros me dicen que quien está esperando verme, antes que mis familiares, es

Marina García, la muchacha que fue mi asistente durante el cerco de Santiago.

Reitero mi negativa. Una hora más tarde dejan pasar a mi padre y a mi hermana Argelia. Mi padre, que había hablado con Marina mientras esperaban, me explica que los de la dirección del penal le escribieron a ella diciéndole que yo le pedía que me trajera algunas cosas que necesito, como ropa interior, medias... En fin, le hacen una lista y le añaden un texto que dice más o menos: «Huber te manda a buscar, te necesita. La esposa no va a seguir visitándolo y quiere que tú lo atiendas».

La trampa pudo haber tenido éxito si yo no hubiera estado en guardia. En esta ocasión fracasaron. Imagino que Marina se habrá dado cuenta de que la quisieron utilizar para crear problemas en mi matrimonio. Al comenzar enero de 1961 se nos dice que las visitas quedan totalmente suspendidas hasta nuevo aviso. Quien no ha estado preso no puede imaginar el significado del encuentro con los familiares. Es como una transfusión de humanidad y de esperanza. Con sus seres queridos, el preso vuelve a ser persona, disfruta el cariño como alimento del espíritu.

Un día nos anuncian que nosotros tendremos que cocinar y nos entregan algunos víveres. Cinco hombres, ocupantes de una misma galera, nos sostenemos en pie con la magra alimentación que preparamos y sin las cosas indispensables. Cocinar aquí, con tantas moscas durante el día y con el inconveniente de que las mercancías vienen en pésimas condiciones, es un castigo suplementario.

Cuando menos lo esperamos, entra en tropel un grupo de esbirros a nuestra galera, con aire amenazante. Nos hacen salir al patio contiguo y escarban todo: ropa, colchonetas que rompen con sus bayonetas; trastos de cocina, libros. Revisan las paredes, las ventanas y las puertas. Destrozan algunos libros y se llevan varias de nuestras pertenencias. No van a encontrar cosas ocultas, pues es prácticamente imposible que alguien, excepto los carceleros escogidos, pueda llegar hasta aquí, y menos posible todavía que se nos provea de cualquier material prohibido. Su propósito es mortificar y humillar.

En la prisión trabajan los carceleros, que están en relación directa con nosotros, y los guardias que hacen posta en la reja. También la jauría de esbirros que pertenecen a la Seguridad del Estado y que hacen las requisas. Los que tratan a diario con nosotros son solamente cuatro hombres. A los guardias de posta no les permiten hablarnos.

A veces los carceleros me llaman desde la reja de nuestra galera.

—Matos, a la reja.

—¿Qué hay? —inquiero cuando estoy cara a cara con el militar.

Me dicen entonces lo que vengo escuchando pacientemente desde que estoy aquí:

—Tú sabes que no te fusilamos porque no nos convenía. Tienes que morirte aquí, te pudrirás en prisión. Ya lo verás.

La escena se repite de tiempo en tiempo.

—Matos, a la reja.

—¿Y bien?

—Tú sabes que la contrarrevolución está preparando algo por ahí. Queremos advertirte que apenas se produzca un intento de dañar la Revolución, la primera cabeza que arrancaremos será la tuya. Lo menos que haremos será abrirte el cráneo con una ráfaga, aquí mismo.

Más de una vez, de la dirección del penal vienen hasta la reja a decirme que me prepare porque tengo visita no prevista; familiares míos se encuentran en las oficinas de la dirección y me conceden la oportunidad de verlos. Me baño, me visto decentemente; espero. Después de dos horas o más compruebo que se trata de una burla. Tras dos experiencias de este tipo, cuando intentan de nuevo, rechazo la supuesta visita a sabiendas de que no pasa de ser una maniobra para desestabilizarme. Procuro por todos los medios evitar daños mayores a mis nervios, un poco maltratados ya.

El 6 de enero, día de Reyes, vienen los guardias con su regalo para nosotros. Con toda seguridad no lo han elegido ellos, sino que viene de un nivel superior. Lo que nos dan es el candado más grande que he visto en mi vida. Para ponerlo en la reja de nuestra galera han tenido que montar una estructura de acero suplementaria adosada a la cerradura original.

Pienso en Raúl Castro cuando veo a los carceleros pasando trabajos para dejarnos este insólito candado. Más que una medida de seguridad adicional, es un mensaje de odio.

Estas acciones son periódicas. En algunos casos son sutiles; en otros, los más corrientes, son frontales y hasta violentas por el caudal de insultos y de rencor que contienen.

Un día ocurre algo completamente distinto. Entra un oficial del ejército hasta la galera. No pertenece al penal. Veo en su rostro y en su actitud un tono respetuoso. Es el capitán Echevarría, de Manzanillo; fue alumno mío. Está destacado en Isla de Pinos y ha querido saludarme. Le estrecho la mano con afecto, agradeciendo su gesto y le pregunto:

—¿Cómo has podido llegar hasta aquí?

—Conseguí permiso de mis superiores y de la dirección del penal.

—Agradezco de corazón tu gesto y te advierto que es casi seguro que te cueste un traslado o algo peor.

Conversamos unos minutos sin que mi ex alumno dé señales de preocuparse por las represalias que puedan aplicarle. Su visita me deja un poco de dicha íntima. Los Castro no han podido estropear la siembra que he hecho en mi vida.

Después me entero de que el capitán Echevarría ha sido amonestado y trasladado a otro sitio.

Desde ahora me preparo para cuando quede solo, porque mi condena es más larga que la de mis compañeros. Elaboro un plan para cuando llegue ese momento. Sé que no podré salir adelante si no desarrollo autocontrol. Empiezo a separar la existencia como rutina diaria, de lo que es la vida interior y su posibilidad de enriquecimiento.

Existir, en mi caso, es mantener una relación cotidiana con todo esto que me rodea y que me ha sido impuesto arbitrariamente. En especial la galera como ámbito sórdido. Pero mi vida íntima la canalizo a través de la lectura, del pensamiento y de la conversación a distancia con mis seres queridos. Todas las noches, al acostarme, dialogo con mi esposa, con mis hijos, con mis padres, con muchos de los míos y establezco un puente de amor con ellos que no interfieren ni el tiempo ni el espacio.

Es para mí otro mundo en el que también cuentan mis buenos amigos. Es un participar lejano pero vivo con todo lo que fluye libremente. Como las escuelas que siguen preparando una generación tras otra; como los talleres en los que el obrero trabaja en esfuerzos útiles; como los campos en los que el agricultor se inclina para cosechar el fruto maduro de la tierra. Un mundo donde están presentes el amor y la esperanza y en el que prevalece la proximidad de los sentimientos, la calidad de la vida, el respeto hacia nuestros semejantes.

Ese mundo afectivo que sueño despierto tal vez no sea más para mí una verdad concreta, una realidad. Pero desde esta galera penetro día a día en él con fe, con calor humano y con la necesidad de no sucumbir entre estos muros, de no caer en las regiones de la demencia. Guardo una pequeña luz de esperanza y sobre esta luz edifico mi ciudadela interior, que pretendo que sea inexpugnable frente a la sorda y degradante hostilidad de los carceleros. Si tengo que dejar mis huesos aquí, espero hacerlo con dignidad. Pero si alguna vez salgo, quiero estar lo más entero posible para luchar contra el enemigo en el campo en que sea necesario. Busco un dinamismo positivo dentro de la sombría inercia de la prisión. Quiero remontarme a ese futuro, comenzar a vivirlo desde la imaginación y desde el diálogo constante con los míos. Éste será mi escudo, mi coraza.

El ejercicio de autocontrol lo inicio enseguida de haberme propuesto el plan. Mis compañeros de galera quizás piensen que me estoy volviendo loco. Seguramente lo creen también los carceleros, porque por momentos me quedo mirando un punto fijo en el muro. Permanezco así a veces hasta quince minutos sin pestañear, en tanto trato de vaciar mi mente de todos los pensamientos negativos o derrotistas que aquí, en la prisión, constituyen la mayor plaga que acosa al soterrado.

Los carceleros se desconciertan, porque cuando tratan de amedrentarnos con insultos o amenazas y estoy leyendo, lo hago con tal concentración que no tengo que hacer el menor esfuerzo para ignorarlos por completo.

He llegado a la conclusión de que no debo llevar en mis espaldas ni en mi cabeza el peso de veinte años de prisión. Trato de disciplinar mi pensamiento dividiendo en segmentos la condena. Primero, cumpliré tres años como parte de un camino largo. Es una etapa. No es que piense que a los tres años me van a dejar en libertad. Necesito fijarme metas para ayudar a la salud de mi espíritu. No sé si por herencia o por filosofía poseo una paciencia bendita, que me va permitiendo encontrar un sistema de supervivencia dentro de la prisión. Dios me ayuda por medio de la fortaleza que tengo en mi espíritu. Desde niño mis padres me enseñaron a ser fuerte por dentro. Es posible que ésa sea la forma de manifestarse en mí la presencia de Dios.

No nos permiten ahora tomar sol en el patio. Tenemos que permanecer todo el tiempo dentro de la galera. No sabemos si se trata de un castigo o hay otro motivo; también nos han ratificado que las visitas están suspendidas de forma indefinida. Una razón más para estar vacunados contra presiones y chantajes.

Con el mismo criterio me he trazado un plan: voy a releer y analizar las obras maestras que podamos conseguir. Leo *Resurrección*, de León Tolstói, una historia en la que el autor muestra una curiosa correspondencia con *El sentimiento trágico de la vida*, de Unamuno. Hay allí grandeza, fe ante la adversidad, esperanza en el hombre. Tolstói es un estímulo, un refuerzo moral invaluable. Volveré a leer las obras de Dostoievski, mi escritor favorito. Me intereso después por las *Vidas paralelas*, de Plutarco, obra que leí en mis tiempos de estudiante y que ahora redescubro con interés. Sigo con otros libros, como la biografía de Abraham Lincoln, de Emil Ludwig. Lincoln y Martí son mis dos personajes primerísimos.

Me preparo para que sea siempre mi mente la que triunfe sobre las miserias del cuerpo. Mi condición espiritual tiene que estar por encima de todo lo que desorienta y crea turbaciones.

En los primeros tres años de prisión, y siempre que las autoridades del penal dejen pasar los libros, releeré los clásicos, comenzando con la mitología helénica. Me dedico a estudiar la Biblia, máxima expresión de la doctrina cristiana; esta incursión en el más sabio pensamiento escrito me ayuda a soportar los avatares de la existencia diaria en una reclusión tan inhumana.

Las horas dedicadas a la lectura me elevan sobre mi condición de preso. Pero aparecen factores que alteran mis días.

Estamos en marzo de 1961. Comienzo a padecer unos dolores profundos y persistentes. He disimulado ante mis compañeros esperando que los dolores pasen, pero no es posible; se trata de cólicos producidos por piedras en el riñón. Como los resisto mejor es tendiéndome en el piso y acercando mi rodilla a la cara con la ayuda del brazo. El malestar es insoportable. Mis compañeros llaman a los carceleros pidiéndoles con urgencia un médico, pero éste no aparece. La respuesta de los guardias es que pronto me será inyectado un calmante, ya que el médico no se encuentra en la prisión. Ni viene el médico, ni viene el calmante. Los cólicos se repiten una y otra vez.

Paso varios días con este dolor que se va y regresa, ahora en los dos riñones. No puedo ingerir alimento alguno. Vomito lo poco que puedo comer y comienzo a orinar sangre. Cuando estoy peor y por la constante presión de mis compañeros, aparece el doctor. Después de examinarme, me explica que no está seguro de que se me pueda dar asistencia adecuada, aludiendo así a la interferencia del personal de seguridad.

Cuando el médico se va, tres de mis compañeros, los capitanes Ruiz Maceira, Cruz y Lugo, tratan de convencerme para que se haga llegar un aviso a mi familia. Me niego; eso sólo serviría para angustiarla y exponerla al riesgo de un seguro chantaje.

Varias horas después de su visita vuelve el médico y me pone un suero. Con él viene un supervisor del penal de apellido Tarrau, que otras veces ha entrado a nuestra galera y no esconde su pésima voluntad hacia mí. Se sienta en una silla y comienza a hablarme. Me siento muy mal y no le contesto, de modo que la conversación es un monólogo. Despliega verbalmente una serie de atenciones que me hacen recordar a las aves de rapiña que ven al animal muriendo y comienzan a sobrevolar su próxima carroña. Este sujeto trata de escarbar, de indagar, mientras es evidente que disfruta la situación. Habla y habla, observando mi estado físico. Pero no le da libertad ni instrucciones al doctor para que pueda visitarme. Parece que se propone extender o postergar una solución a la enfermedad.

Después de aquel suero no me dan ningún tratamiento. Poco a poco voy superando la crisis; los dolores y molestias mayores terminan por desaparecer. Sé que el médico ha ordenado unas placas de mis riñones. No dudo de su intención de ayudarme. Pero no depende de él.

Por fin, días después me llevan a radiología y me hacen esperar largas horas en ayuno. Ahora me dicen que no me pueden hacer las placas porque el aparato está roto. Una burla, una más.

Es el mes de abril, el mes de la primavera en el hemisferio norte, todo se llena de verdor y de flores, mientras que aquí todo es gris. Me consuela saber que por lo menos mis hijos están viviendo esta bella estación del año en libertad.

Reaparece por nuestra galera un sujeto al servicio de los Castro y particularmente de Raúl; todos lo conocen por el nombrete de «Yaguajay». Su verdadero nombre lo mantiene oculto. Es un individuo de mal talante, muy cínico, que antes fue jefe de nuestra vigilancia. Sus palabras son tan amenazantes como desfachatadas; nos tiene sin cuidado. Hace tiempo que estamos preparados para lo que venga.

Yaguajay nos dice:

—Ustedes se habrán dado cuenta de que han sonado algunas alarmas y se han oído explosiones. Lo que sucedió fue que vino un avión hacia acá y comenzó a tirar granadas. Nosotros lo tumbamos. Quiero que sepan, porque a eso me mandó el comandante Raúl Castro, que al menor intento de invasión de la isla por la contrarrevolución, ustedes van abajo. Apenas se inicie un desembarco enemigo en el área, ustedes cinco serán los primeros en morir. Tú, Matos, el primero de todos. Me han mandado aquí con gente a mis órdenes para arrancarles la cabeza, aunque para eso yo no necesito ayudantes. Traigo esto —nos muestra una ametralladora—: Vengo con la noticia de que los vamos a despachar. Ya lo saben.

El hombre permanece frente a la reja sin moverse, junto a los dos guardias de posta.

Quedamos convencidos de que el sujeto no miente y que algo va a pasar en Cuba, porque nos habló de una posible invasión. Las invasiones son operaciones de gran escala y requieren muchos recursos. Imagino que ésta tendrá el respaldo de Estados Unidos.

En las pocas visitas que hemos tenido, nuestros familiares nos han informado que en toda la isla hay grupos clandestinos organizados que luchan contra el gobierno; muchos de sus miembros parecen ser gente que participó en el proceso revolucionario y tiene experiencia. Hacen sabotajes, algunos de ellos espectaculares. La policía política no está entrenada para luchar contra ellos. Ésa fue parte de mi esperanza cuando renuncié, que si Fidel no cambiaba el rumbo, la gente abriera los ojos y los más propensos a la acción pudieran organizarse antes de que la dictadura se consolidara.

Lo cierto es que los sabotajes van en aumento y el gobierno no puede controlar estos grupos a pesar de que fusilan y fusilan. Si viene una invasión, como dice Yaguajay, asumo que estará coordinada con los grupos de la isla. Pero no entiendo por qué se escogería una invasión cuando lo lógico sería apoyar la resistencia interna. Quizá sea una acción coordinada.

Poco después nos enteramos de que se produjo un desembarco en bahía de Cochinos, un lugar de la costa sur de Las Villas, concretamente en Playa Girón; también nos dicen que el intento fue derrotado de modo contundente. Las circunstancias me parecen inexplicables. El desembarco ha sido en un lugar remoto, lejos de cualquier población y con limitadas vías de acceso. ¿Por qué no tomaron una ciudad importante? Allí hubieran armado a miles de cubanos multiplicando inmediatamente el poder de la oposición. Pero aún más extraño es que justo antes de la invasión el gobierno arrestó a cientos de miles de personas en todo el país. Eran tantos los detenidos que los metían en los estadios de pelota y en las escuelas. Seguramente los grupos clandestinos fueron tomados por sorpresa, porque quienes lanzaron la invasión no los alertaron. El arresto masivo de ciudadanos los desarticuló.

¿Una invasión en un lugar apartado? ¿Un solo lugar de desembarco? ¿Tan limitado apoyo aéreo que no pudo destruir los pocos aviones que heredó del régimen de Batista la fuerza aérea revolucionaria? Pienso que los norteamericanos no estaban detrás de este asunto, y que fueron los cubanos exilados, que con escasos recursos se lanzaron en un esfuerzo sin posibilidades.

Ahora entendemos la presencia y advertencia de Yaguajay. Retiran al hombre con su ametralladora, pero las amenazas no cesan. ¡Siempre las amenazas!

En la primera visita de este año, seis semanas después de los hechos de bahía de Cochinos, la familia nos da detalles del desembarco de la Brigada 2506 y de la intensa lucha que se libró hasta culminar con la rendición de los expedicionarios.

Fidel se quitó la máscara al declarar que la Revolución es comunista.[1] El rostro de la traición se exhibe. La historia nos da la razón.

También nos informan que el gobierno norteamericano dirigía y apoyaba el plan de invasión; pero esto, en lugar de aclarar las cosas, nos deja perplejos. ¿Qué puede haber sucedido? ¿Mal planeamiento, o mala ejecución, o ambas cosas? ¿O Estados Unidos se echó atrás después de poner en marcha la operación? Algún día sabremos.

Los carceleros han inventado un acoso nocturno al que le dan apariencias de recuento en plena madrugada. Vienen abriendo rejas, con su inevitable ruido metálico que retumba en la quietud de la noche, dentro de la galera te sacuden la cama, para que te enteres de que estás vigilado a toda hora.

El capitán Rosendo Lugo, uno de los compañeros presos, ha cambiado de actitud en los últimos meses. Lugo sigue en buenas relaciones con Ruiz Maceira, su compañero del Ejército Rebelde desde que andaban alzados en la zona de Siboney; pero rompe prácticamente con Cruz y conmigo.

Gente amiga de Santiago de Cuba nos envía mensajes advirtiéndonos sobre la estrecha relación entre la esposa de Lugo, Ana Céspedes, y Vilma Espín. Ana fue muy valiosa en la lucha, prestando colaboración a las columnas del Segundo Frente y a la Columna 9. Es probable que ella esté negociando con Vilma la libertad de su marido. Esto lo relacionamos con la extraña actitud de Lugo.

El problema culmina el día en que, estando distraído en la lectura de un libro, me golpea fuerte en la cabeza con un palo, sin ninguna justificación. Contesto la agresión enredándome a golpes con Lugo, y me pregunto qué habrá detrás de tal acto. Creo que la conducta que Lugo viene exhibiendo, a raíz de los acontecimientos de bahía de Cochinos, es parte de un plan. Otro ataque suyo podría obligarme a una respuesta drástica y terminaría yo en un nuevo juicio, acusado quién sabe de qué cosa. La provocación y la ruptura conmigo parece ser el precio de su libertad.

La presunción de los comunistas ha sido, sin duda, que tomaré venganza en cualquier momento contra Rosendo Lugo. Por eso lo

---

1. El día 16 de abril de 1961, en una alocución pública, Castro declaró «socialista» a la Revolución cubana. Más tarde, el 2 de diciembre de 1961, Castro proclamaría «la naturaleza marxista-leninista» de su gobierno. *(N. del A.)*

dejan unos meses más con nosotros, lapso durante el cual no nos hablamos y vigilo sus actitudes con atención, tanto como él vigila las mías.

Para Lugo, que siempre fue un magnífico compañero, trastornado ahora por las presiones de su esposa y por su empeño de sacarlo en libertad, ésta debe de haber sido una traumática experiencia; para mí no deja de ser amargo porque me advierte del extremo al que pueden llegar estos regímenes diabólicos en su manipulación de hombres y mujeres que, bajo otras circunstancias, se habrían resistido a un juego de este tipo. Lugo no es un hombre malo; ha sucumbido a las presiones familiares y a la perversa maquinación del régimen.

Deben de haberse dado cuenta de que no me voy a dejar provocar por él. Un día del mes de abril de 1962 se llevan a Lugo junto con Ruiz Maceira. Antes de la separación, Ruiz Maceira nos aclara que ignora por qué se le beneficia con la misma suerte de Lugo. Se llevan también al teniente Esquivel, quien ha sido buen compañero, aun cuando siempre quiso pasar inadvertido, en la actitud propia del individuo que está un poco fuera de su centro. A partir de este momento, quedo solo con el capitán Cruz. A él le quedan por cumplir más de cuatro años; a mí, más de diecisiete.

El país está ya sometido a un control totalitario. Con el pretexto de defender la Revolución, Castro ha hecho desaparecer las libertades públicas y todo vestigio de garantías ciudadanas. La mordaza, la delación, la prisión política y el paredón se imponen como instrumentos del terror revolucionario.

No creo en el marxismo de Fidel Castro. Es un ardid mentiroso para perpetuarse en el poder y manejar a su antojo el país. Con el mismo propósito se habría declarado fascista si el modelo de Mussolini y Hitler estuviera de moda.

37

Las moscas

Durante algunas semanas nos dan una carne
hedionda ligada con un poco de arroz. Un
día reviso un pedazo que resulta ser parte del
hocico de un perro.

Desde que llegamos a Isla de Pinos nos han acostumbrado a con-
vivir con plagas de moscas. La invasión de estos insectos alcanza ahora
proporciones inverosímiles. A doscientos metros de nuestra galera hay
cuatro edificios de varios pisos que lucen como anchas torres redon-
das: «las circulares». Allí se encuentran recluidos miles de presos políticos sujetos a un régimen de maltratos, castigos y pésima alimentación
que los induce a protestar con una huelga de hambre.

Los carceleros tratan de detener la huelga repartiendo golpes contra los indefensos presos. Confiscan las escasas pero queridas pertenencias de los prisioneros, incluyendo las limitadas reservas de comestibles
que reciben de sus familias y los botan cerca de donde estamos recluidos.
Los presos ven cómo sus modestísimas posesiones se acumulan en un
inmundo basurero. Todo se pudre hasta llegar a transformar el aire en
una atmósfera fétida. La mezcla de la comida desparramada entre ropas
usadas y papeles viejos propicia la aparición de millares de criaderos
de moscas. Nubes de moscas convierten nuestra vida en una pesadilla.

A esta molestia se añade la presencia permanente de los mosquitos, que se prolonga durante meses y se convierte en una maldición
constante. Es difícil para alguien imaginar lo que es permanecer entre
esta nube de insectos, portadores del asco y la suciedad, que surgen de
todos lados. Esto es digno de una película de horror.

Se reanudan las visitas; ahora las van a permitir cada tres meses. Les
pedimos a nuestros familiares que busquen lo más eficaz que haya para
aliviarnos de estas plagas. Por fin, nos consiguen un líquido insecticida
que, día a día, desparramamos sobre el piso y en pocos minutos se van
formando montículos de moscas muertas hasta alcanzar volúmenes considerables, que son fuente de futuras infecciones y de un hedor constante. ¿Qué hacer con los desechos a que quedan reducidas las moscas?

Se nos ocurre algo que parece viable. Tenemos acceso a un patio contiguo parcialmente techado, que nos abren durante algunas horas al día. En ese patio los carceleros han roto el piso de concreto, una placa de cinco o seis pulgadas, para destapar la tubería de descarga de la cocina, que pasa por allí. Queda visible un hueco de casi un metro cuadrado donde echamos los montones de moscas muertas y les prendemos fuego. Para sorpresa nuestra es un combustible de primera clase. De esta manera nos vamos librando de la plaga.

Pensamos que en la ceniza de estas moscas, revuelta con la tierra arcillosa, podemos cultivar algo. ¿Qué? De la última visita conservo unas semillas de melón que siembro en el dichoso hueco. Nace una planta que, buscando la luz solar, crece en una proporción de quince a veinte veces el tamaño de una mata normal de melón. El tronco se hace fibroso, recio, algo digno de admirar en la deprimente monotonía de la prisión.

Lo llamativo de esto es que, encerrado y sin posibilidades normales de cultivar nada, cosecho cuatro melones grandes. Mi compañero comparte uno conmigo y le damos otro al carcelero para que se lo entregue a algunos presos. Quedan dos en reserva para más adelante. Pero una requisa acaba con el buen propósito y los esbirros de la seguridad de la prisión, siempre en jauría, se llevan todo. Finalmente deciden que mi labor de agricultor no puede continuar. Les molesta que el preso realice cualquier actividad que lo aproxime a la vida normal.

Mi familia me ha alertado de que oficiales de Seguridad del Estado comentan fuera del penal que a mí se me da un trato muy favorable. Para hacer creer al resto de la prisión esa leyenda negra, un carcelero que viene y va en motocicleta nos trae una cantina que supone una comida mejor que la de los demás presos, aunque en realidad siempre está vacía. Nuestra comida generalmente consiste en macarrones mal cocidos, harina de maíz y algunas otras cosas. Durante algunas semanas nos dan una carne hedionda ligada con un poco de arroz. Un día reviso un pedazo que resulta ser parte del hocico de un perro. Nos han dado también otra carne que nos causa más asco y repulsión, y que no imaginamos de qué animal pueda ser.

Vuelvo a padecer de cólicos en el riñón. Apelo a mi recurso de tirarme en el suelo y levantar la rodilla con ayuda del brazo. Sin que yo lo sepa, mi compañero avisa al guardia pero el médico no llega. Pasados dos días los dolores se atenúan por sí solos. Unas semanas después, el doctor que me había atendido en la crisis del año anterior aprovecha un momento en que los carceleros están entretenidos para acercarse a la reja y entregarme una inyección de calmante. Nos dice que lo van a trasladar y que siente mucho que no le hayan permitido atendernos en el tiempo que ha estado aquí.

Los cubanos tomamos café por la mañana y varias veces durante el día. Aquí con el desayuno acostumbramos a recibir una botellita de café. Por varios días simulan que se les olvida traerla. Preguntándose uno al otro por la famosa botella, los carceleros gozan. Un día entero sin este estimulante y mis nervios se resienten; sin duda el organismo ha creado una adicción. Así se lo comento al compañero. Termino diciéndome: «¿Jueguitos con el café? No tomo más café». No me sorprende que, cuando lo dejo, el café vuelve a no faltar en el desayuno. Esto no altera, sin embargo, mi decisión de no tomarlo más mientras me tengan en prisión.

Se hacen cambios en el personal que nos vigila. Dejan únicamente a un carcelero principal con un asistente. Dice que se llama Marcelino San Juan, no parece mala persona. Apenas intercambia unas palabras con nosotros. De tiempo en tiempo se ausenta por dos días. Va a La Habana a rendir cuentas. Cuando regresa viene fumando tabacos muy finos y dándose aires de importancia, como que se ha relacionado con los niveles más altos del poder.

He intentado establecer una relación humana con él sin poder llegar a nada; el hombre se mantiene mudo.

Sabemos, por los familiares que nos visitan, que tiene una hija pequeña. En mi afán de padre ausente, porque a mis hijos sólo los veo en la imaginación, se me ocurre decirle:

—Ver a los niños me alegra el corazón. Sé que tienes una hija; si algún día quieres tener un gesto noble conmigo, trae por aquí a tu niña.

El carcelero me mira sorprendido y se aleja sin responder.

El director del penal y su segundo también vienen por aquí en función de carceleros, siempre en actitud muy severa, a lo que damos poca atención.

Con cuatro visitas al año que no tienen fecha fija, rodeados e impregnados de una suciedad que combatimos inútilmente, para el capitán Cruz y para mí pasan los días no como tales, sino como sombras de una vida posible. Nuestra galera recibe el polvo del tejar que el viento arrastra por todo el penal. Las paredes y los techos están llenos de telarañas y en el piso se va acumulando una capa de tierra. Somos dos prisioneros políticos que no colaboramos con los represores: no obedecemos órdenes, estamos en virtual rebelión dentro de la cárcel.

La dirección del penal nos amonesta porque no limpiamos el baño ni limpiamos nada. Aburridos y asqueados, dejamos que el fastidio nuestro también sea el de ellos. En una lucha desigual queremos demostrar que si ellos tienen su sistema, nosotros no estamos dispuestos a obedecer sus reglas. Se trata de un problema de conciencia: no convalidamos nuestras sentencias porque nos sabemos inocentes y traicionados por el régimen que oprime a Cuba.

Cuando los carceleros nos dicen: «Limpien esto, que está muy asqueroso», no nos damos por enterados. Nos sorprende que se aparezcan con una escoba muy larga para exigirnos que quitemos de una vez todas la telarañas que cuelgan del techo.

—Déjenlas ahí —les digo—, las arañas son nuestras aliadas, nos daría mucha pena matarlas.

Los carceleros regresan al otro día y nos preguntan:

—¿Cuándo van a limpiar la galera?

De nuevo les respondo:

—Esos animalitos son amigos nuestros.

La escena se repite y nosotros continuamos con la misma respuesta. Por fin se llevan la escoba.

No tengo duda de que empiezan por la limpieza de las telarañas para intentar lo que vienen persiguiendo desde que entramos aquí: someternos primero a la disciplina de la vida carcelaria y después doblegarnos.

Si nos dicen: «tienen visita dentro de una semana»..., ¡ah!, entonces solicitamos una escoba, algún detergente y limpiamos el piso. Pero las paredes y los techos quedan igual, colgando las arañas de sus minuciosas telas, que se ponen más densas acumulando el polvo que entra. Nos dan en la cara cuando caminamos por la galera. Lo cierto es que las telas de araña son una defensa contra moscas y mosquitos, que quedan atrapados en ellas. Así, algo negativo, que puede ser desagradable para las personas que viven en otras condiciones, se ha convertido en un aliado nuestro.

—Cuando tengamos visitas limpiaremos todo —le digo a mi compañero—. Pero no nos meteremos con las arañas.

Parece que han encontrado otra fórmula indirecta de molestarnos. Ahora, al tocar el agua con que nos lavamos o fregamos nuestros cacharros, sentimos fuertes descargas eléctricas. Ni siquiera podemos sentarnos en el inodoro porque nos produce igual efecto. Si nos damos un baño en la ducha nos exponemos a quedar electrocutados.

Cuando protestamos, los carceleros vienen, miran pero se hacen los desentendidos y no dan solución. Su reacción los delata.

Insistimos mucho; a las tres semanas aparecen y nos dicen, con una cínica preocupación, que unos cables que pasan por la azotea han hecho contacto con las instalaciones sanitarias.

No podemos usar la taza ni la ducha. Para servirnos del lavamanos improvisamos una especie de suplemento de madera que adosamos a la llave metálica y de ese modo anulamos o aminoramos la carga que trae el líquido.

Por fin, arreglan lo que deliberadamente habían modificado. Nosotros seguimos en guardia. Sabemos que siempre se estará preparando un ardid para descontrolarnos poco a poco.

En el presidio se ha iniciado un plan de trabajos forzados que obliga a miles de presos a trabajar en labores varias, principalmente en la agricultura. En una de las visitas de nuestros familiares nos enteramos de que dentro de ese plan golpean, hieren con bayoneta y asesinan presos. Nuestra reacción es, al principio, de incredulidad.

—Pero es así y los presos que están en las «circulares» quieren que ustedes lo sepan.

Roberto Cruz y yo leemos mucho, nos consultamos sobre este o aquel texto y discutimos los hechos que nos parecen sobresalientes en la historia, o los párrafos que más nos llaman la atención en las obras literarias. Le doy algunas lecciones a mi compañero sobre las materias que más le interesan y así compartimos largas horas de encierro y soledad. Es una persona inteligente y con un persistente afán de superación.

Tenemos la posibilidad de asomarnos a ver qué es lo que está sucediendo afuera, a pesar de que hay una prohibición terminante. Sabemos que incluso nos pueden disparar. Las ventanas son pequeñas y altas, con gruesos barrotes, pero nosotros nos encaramamos y logramos tener una rápida visión del mundo exterior, aunque sólo sea del inmediato. Mirando y mirando, un día descubrimos que en una zona de árboles semiboscosa que está detrás del presidio, cerca de unos cerros, se están desplegando tropas. ¿Qué estará sucediendo? Advertimos, por el ruido de los aviones, que los vuelos que llegan desde La Habana y los que salen de Isla de Pinos son cada vez más frecuentes. Se trata de aviones militares. Hay intensos preparativos para algo.

El carcelero está raro, camina como si tuviera una preocupación muy grande. Viene a vernos sólo una vez al día, a las tres de la tarde, y nos deja un calderito con alguna cosa para matar el hambre. Normalmente venía tres veces al día. Ahora tampoco nos deja salir a tomar el sol.

Una tarde, cuando vamos a encender la luz de la galera, los guardias de la posta nos gritan malhumorados:

–¡No!... ¡No se puede encender la luz! Si lo hacen dispararemos.

Sin que sepamos la razón, ayer el personal de seguridad del penal nos ha puesto un gran retrato de Lenin en el patio contiguo a la galera, como para mortificarnos. Esto nos hace pensar que algo sucede en relación con la Unión Soviética.

Hoy, nuestro carcelero, que parece más turbado que nunca por los extraños acontecimientos, en su única visita de las tres de la tarde ha olvidado cerrar el candado. Si quisiéramos salir al patio podríamos haberlo hecho.

Pasan los días y nos comunican que podemos encender de nuevo la luz. Vuelven a dejarnos salir al patio, lo que indica que se ha normalizado la situación. Nos queda el interrogante de qué fue lo que sucedió.

Varias semanas después traen un preso a una galera que hace ángulo recto con la nuestra, donde nunca hubo nadie. Nos dice en un tono muy bajo, casi imperceptible:

—No se acerquen mucho para hablarme, estoy tuberculoso. Hay otro preso conmigo que ustedes desde ahí no pueden ver y que tiene la misma enfermedad. No sé por qué nos han traído aquí...

El que nos habla se llama Raúl Jara. Demuestra ser un hombre muy responsable y buena persona.

—Mejor voy a preparar unos papelitos para que evitemos el contagio. Por medio de esos escritos mantendremos el contacto. Ustedes hagan lo mismo.

Es a través de estos dos presos enfermos que nos enteramos, en diciembre de 1962, de que en los meses anteriores la humanidad había asistido a la peor crisis internacional desde la segunda guerra mundial. Estados Unidos y la Unión Soviética habían llegado a un punto de fricción que parecía no tener retorno, y que pudo provocar una contienda nuclear. Todo a causa del envío de misiles por parte de los soviéticos a su ya incondicional satélite, el gobierno cubano.

Me resulta irónico considerar que si la guerra se hubiera desatado nosotros hubiéramos desaparecido sin saber lo que estaba sucediendo.

En once meses de este año 1962, solamente nos han permitido dos visitas. En diciembre volvemos a tener visita y nuestros familiares nos confirman y amplían la información que nos dio el compañero enfermo.

Hoy he recibido un regalo de Navidad que me ha demostrado que la bondad puede prevalecer en el más duro corazón. Nuestro mudo carcelero ha venido a la galera con su hija Ohilda; pequeñita como de cuatro años, con la que hablé por unos breves minutos. Me siento reconfortado por su inocencia y ternura.

Con esta visita, me parece que este hombre quiere que lo separemos de las crueldades del presidio, que vienen de un nivel más alto y no precisamente del cielo.

38
¿Volveremos a encontrarnos?

> Todos acuden rápidamente a ver la ofensa que
> hemos cometido contra el Máximo Líder.

Llevo ya tres años en prisión. He soportado y soporto muchas infamias y privaciones. Se ha cumplido mi primera etapa de supervivencia. Me preparo para dos años más con un plan de estudio.

Gran parte de mi tiempo lo dedico a la lectura. Apasionado por los temas científicos y por la naturaleza, consigo como puedo libros sobre abejas y hormigas, entre otros. Trato de incorporar todo esto a los conocimientos que tengo de ciencias naturales. Me entretengo estudiando el comportamiento de las hormigas. Las moscas y los mosquitos no me interesan. Menos aún las cucarachas que, como a casi todo el mundo, me resultan desagradables.

Dentro de la galera y en el patio hay unos agujeros grandes originados en la misma construcción del edificio. Allí están los hormigueros. En la cárcel existen tres especies bien definidas de hormigas: las que comúnmente se llaman «boticarias», que no pican; por el contrario, son mansas y trabajadoras. Las conocidas como «locas», que lucen muy nerviosas y están siempre en movimiento, como accionadas por un efecto eléctrico; y las «bravas», que tienen bastante mal genio, porque atacan ¡y cómo!... invaden los hormigueros ajenos y cometen otros desmanes que poco a poco registro en la memoria.

Con los datos que extraigo de mis lecturas y las pacientes observaciones de más de dos años, concluyo que la curiosa inteligencia de estas compañeras de prisión sólo necesita ser orientada para que entren en una disciplina digna de admiración.

Lo primero que hago es enseñarlas a caminar por rutas que yo mismo les trazo. Otro experimento que hago va dirigido a delimitar sus correspondientes territorios en el piso, utilizando residuos de petróleo. No sólo impido que se invadan mutuamente, sino que, con la ayuda de una escobita tan diminuta como práctica, las voy barriendo cada vez más hacia su sector. Supongo que por el mecanismo del reflejo condicionado terminan adecuándose al espacio que les asigno.

Pese a la impresión que dan de ser constructoras mediocres, descubro que las hormigas son capaces de levantar maravillosas estructuras con un dominio insólito de la arquitectura. Muchas puertecitas y pasillos, terminados con rara habilidad, comunican con sectores más amplios de su mundo urbano en miniatura. Fabrican viviendas de un día para otro con tierra húmeda que sacan de sus cuevas.

Las hormigas que me dan más trabajo son las «locas». No quieren aprender nada y prefieren comer golosinas. Son rebeldes, inquietas, desordenadas.

No sólo enseño a las hormigas sino que aprendo mucho de ellas. Su sistema de comunicación es uno de los fenómenos más interesantes que he observado. Lamento no contar con una lupa y, en especial, con obras que sustenten mis comprobaciones empíricas. Lo cierto es que si cojo a una hormiga y la saco de su ruta, pone en función algún sistema de señales. Cuando establece contacto con su grupo, volverá a la senda correcta, tan diligente y tenaz como siempre.

Traslado mi afición por estos insectos a un cuento que he escrito al calor de mis observaciones, y que titulo «La guerra de las hormigas». En víspera de una visita de mi padre, doy el manuscrito a los carceleros para que se lo entreguen, pero los comunistas creen que mi cuento alude veladamente al régimen marxista, que se trata de una sátira. Vienen a la galera, registran mis cosas y hallan una copia del cuento, y se la llevan. Encuentran también una serie de relatos de mi infancia y barren con mis escritos.

En esencia, ésta es la historia:

Una mañana veo en nuestra galera un tremendo movimiento en la boca de un hormiguero de las «boticarias». Las «bravas» están atacándolas y haciéndolas emigrar. Una agresión para posesionarse del territorio ajeno. Al principio trato de evitar esta lucha pero se me hace difícil y opto por permanecer neutral, observando para aumentar mi experiencia con los insectos que ahora llenan parte de mi vida enclaustrada. De esa pugna por dominar de un lado y sobrevivir por el otro, extraigo lecciones que puedo perfectamente aplicar al drama humano de la guerra entre los débiles y los poderosos. Mi cuento termina con una ironía y ésta deben de haberla tomado para sí los esbirros del G-2.

Nos cae del cielo, uno de estos días, una venganza inesperada. Recogemos en el patio un papel que no es otra cosa que una página de la revista *Bohemia* con un retrato del comandante en jefe, Fidel

Castro, utilizada por algún preso como papel sanitario. Nos reímos mucho de eso. La casualidad de encontrar la página que el viento trae desde las «circulares», es menor que la de ver retratado allí a Fidel; éste ya ha entrado en una acuciante megalomanía y busca que su figura aparezca reproducida, cuantas veces se pueda, en los medios gráficos de Cuba.

A pesar del estado del papel, tratamos de encontrar en éste alguna noticia del mundo exterior, pero es inútil. Únicamente trae conceptos marxistas y ditirambos sobre el lacayo de los soviéticos en nuestro desdichado país. Dejamos el recorte en una cloaca seca y nos olvidamos del caso.

Un día, al venir la jauría en la clásica operación «requisa» a revisar todo violentamente, a arrinconarnos para hacernos sentir el peso del poder, encuentran la página de *Bohemia* y se muestran muy ofendidos.

—¡Miren, miren! —dice uno de los esbirros que supone haber encontrado una prueba definitiva contra nosotros—. ¡Se han limpiado el culo con Fidel!...

Todos acuden enseguida a ver la ofensa que hemos cometido contra el Máximo Líder. Reaccionan con expresiones y poses como si hubiéramos cometido un crimen. Nos alegra observar que creen que fuimos nosotros aunque sabemos que vendrán las represalias. Ya veremos con qué salen; tienen mucho tiempo disponible para hacer sus planes.

En diciembre de 1963 me dicen que viene a verme mi familia y yo lo asocio con mi mujer y mi pequeña hija Carmela, que ya tiene cuatro años de edad y a la que he visto muy poco. Pero no se trata de ellas sino de mis dos primas, Emilia e Isabel, que llegan acompañadas por mi padre.

Me dicen:

—Huber, tu esposa salió de Cuba a España y ya está en Estados Unidos.

La noticia me apena y me alegra. Le había insistido a María Luisa en que se fuera a Estados Unidos. Recuerdo haberle dicho un día:

—Tienes que irte de Cuba por cualquier vía, en avión, en bote, ¡en una tabla de planchar!...

Así se reuniría con nuestros hijos varones, que se habían marchado a Costa Rica en 1960 y, dos años más tarde a Estados Unidos. También con nuestra hija Lucy, que está en San Antonio, Texas, al cuidado de un matrimonio amigo. Sé que mis hijos viven en un ambiente de gente muy allegada a la familia, pero no deja de preocuparme su situación, todavía niños, en suelo extranjero. Ella se resistía, pues quería quedarse en Cuba mientras yo estuviese preso.

Se lo había pedido también por escrito, en correspondencia censurada por las autoridades, que tal vez concluyeron que era mejor autorizar su salida que arriesgarse a un escándalo si algo le sucedía huyendo de Cuba clandestinamente. Con su partida me siento tranquilo. No obstante, la tristeza embarga mi corazón. La dictadura, la prisión y los años nos van separando, sin certeza de que algún día, en alguna parte, volveremos a encontrarnos.

En la visita, mi padre me plantea un asunto relacionado con un hijo mío, fuera de matrimonio. La madre ha ido a verlo en compañía del pequeño, Nelson, para pedirle que el niño sea inscrito con mi apellido, ya que va a entrar a la escuela.

—Es justo que Nelson lleve mi apellido. Encárgate de ese trámite. Como estoy preso, te pido que cada vez que puedas les des alguna ayuda para contribuir a sus gastos.

A pesar de las rejas y los muros de mi encierro, la imaginación y el afecto se escapan para tratar de adivinar a ese hijo; ¡quién sabe si algún día lo llegaré a ver!...

Un día sentimos unos golpes en la pared de la galera contigua, en la que están los dos compañeros tuberculosos. El capitán Cruz se asoma y le tiran un papelito en el que nuestro amigo, Raúl Jara, nos informa que va a ser trasladado, junto con su compañero, para La Habana.

Durante las contadas visitas, nuestros familiares nos dicen que los presos plantados están viviendo un infierno, en comparación con los tiempos de Batista.

—Hay «plantados» que se han automutilado para evitar los trabajos forzados, porque es allí donde, con cualquier pretexto son objeto de malos tratos que los llevan a la muerte.

Desde aquí hemos escuchado gritos, disparos y una serie de ruidos y ajetreos que vienen de donde están concentrados miles de prisioneros. Incluso una noche observamos tanques moviéndose dentro del recinto penitenciario. La labor de intimidación de los comunistas supera todo lo imaginado; nos preguntamos hasta qué punto podrá llegar todo esto. Con jornadas brutales de trabajo y el constante castigo corporal, pueden destruir a un hombre mal alimentado y enfermo. El célebre plan llamado Camilo Cienfuegos más parece la relación del negrero con sus esclavos.

Una tarde, el capitán Cruz logra comunicarse con uno de los presos, de servicio en el tejar del penal, disparándole papelitos con un tira-flechas. Le hace preguntas escritas en el papel, respondidas con negativas o afirmaciones según el caso. De esta manera sabemos algo de lo que está sucediendo más allá de nuestra galera, gracias a este compañero de nombre Ángel Luis Escandón. La ola de violencia desatada por el gobierno se encuentra en pleno desarrollo en Isla de Pinos. Nos llama la atención el hecho de que a una cosa tan brutal y criminal como el trabajo forzado a base de golpizas, bayonetazos y asesinatos, le hayan puesto por nombre Plan Camilo Cienfuegos. Es una forma de deshonrar a un hombre como Camilo.

Finaliza octubre de 1964. Llevo en prisión cinco años, que dividí en dos etapas. La tercera etapa prefiero extenderla a cinco años, porque no existe la más remota posibilidad de excarcelación a corto o mediano plazo. Trataré de conseguir libros para nuevas lecturas, no importa si les arrancan páginas como han hecho en las últimas ocasiones. Lo fundamental es darle contenido al tiempo y mirar hacia el futuro sin perder la esperanza.

Los carceleros han probado todo lo imaginable para hacernos trabajar. Los dos nos hemos negado. Seguramente no les han dado órdenes de matarme, para evitar que la oposición me use como bandera de la resistencia anticomunista en Cuba.

–¡Usted tiene que limpiar aquí! –me ordenan.

–No, soy un preso político; me niego a colaborar con ustedes en cualquier aspecto.

Discutimos y se ponen agresivos. Siempre se marchan frustrados, como dándose cuenta de que estamos olvidados del mundo y que es mejor que nos vayamos pudriendo lentamente tras las rejas.

Luchamos, mes tras mes y año tras año, dentro de esta inacabable soledad, contra los abusos, contra las moscas y el hambre. Luchamos contra las provocaciones más sutiles y también contra las más descaradas. Sólo la disciplina de vida que nos hemos impuesto ha podido atenuar un poco el efecto de tantas represalias a la permanente rebeldía de nuestra parte.

No podemos hablar con nadie. Incluso cuando vamos al patio

obligan a los presos que están en este mismo edificio, y que salen a tomar el sol, a reingresar prontamente para que no nos vean. Somos como dos leprosos.

Cuando me sacan para algo, cosa bastante excepcional, lo hacen de noche después de haber desalojado los pasillos del edificio, y me retornan a la galera, siempre entre sombras. No permiten que nadie me vea. Huber Matos es, para los castristas, un muerto en vida.

39
La caja de concreto

¡Ausente! ¡Inmerso en la quietud!
Pupilas que ya fueron, del cieno y el diamante
tendrán la misma luz.

Junio de 1965.

En la madrugada del 21 de junio sucede algo que altera nuestras vidas. Como a la una o dos de la mañana el teniente Morejón, segundo al mando dentro del penal, pero que oficia como director, ingresa en nuestra galera con tres hombres y nos grita:

—¡Arriba, arriba, vamos... andando! ¡Recojan la ropa de cama y el mosquitero! ¡Nos vamos de aquí enseguida!...

Hago lo que dicen. A la vez quiero también llevarme algo de mi ropa y algún libro, pero me frenan:

—No, no, la ropa no, nada de eso le hará falta. ¡Arriba!

Me sacan con rapidez de la galera y me conducen por el pasillo central. Parece que se vive alguna situación de emergencia.

—Entre en ese auto. ¡Apúrese!

Uno de los auxiliares de Morejón, un guardia negro con gestos de loco, me hace subir en su carro. Arranca y da vueltas por la carretera interior que va paralela al cordón de seguridad de la prisión; vamos solos. Todo está completamente a oscuras, detiene el vehículo.

Se baja, abre la puerta del lado mío, me agarra por un brazo y me obliga a caminar unos pasos; estamos en el sitio más apartado del penal. Creo que voy a ser víctima de una ejecución y me condiciono espiritualmente para lo peor. Me dice:

—Prepárate, que te llegó la hora.

Saca su pistola y pone el cañón en mi nuca.

Con el frío del acero en la piel, pienso: Sí, me llegó la hora ¿Y qué?, ¿se creerá este tipo que me voy a arrodillar pidiéndole piedad?

Espero unos segundos a que dispare. Después dice molesto:

—Vamos a otro lugar.

Regresamos al vehículo. No sé si me irá a matar o está jugando conmigo pero lo observo con indiferencia y desprecio. Da vueltas dentro del área del penal y me hace descender nuevamente. Caminamos unos pasos hacia un edificio al que subimos por unos escalones exteriores. Enciende la luz y me encuentro en un local cubierto de carteles del Che, de Raúl, de Fidel y de otros. También hay letreros en los que puedo leer consignas comunistas. Es un salón que al parecer es el archivo de la prisión.

—¡Quítate la ropa y ponte esta otra!

Lo hago; estoy en manos de un esbirro loco o que finge serlo.

Me entrega un uniforme amarillo con una letra pe en la camisa y dos en el pantalón. La letra está groseramente dibujada con algo pegajoso, como si fuese brea o asfalto líquido. Traspasa la tela y es molesto para el cuerpo.

Comienzan a hacerme preguntas sobre mi edad, mi estatura, mi nombre y otros datos personales, que conocen de sobra. Hasta hoy he usado ropa de civil. Ahora debo llevar esta ropa amarilla de los presos políticos «plantados».

Llaman a un barbero, que me pela a rape en menos de cinco minutos. Salimos y, en medio de la oscuridad me llevan en el auto hasta un edificio que está cerca del hospital. Entramos por una puerta enrejada y caminamos por un estrecho pasillo hasta un calabozo muy pequeño, sucio y hediondo, donde me encierran. Es una caja de concreto, una rígida gaveta de unos tres metros por tres y cuya altura alcanza, apenas, para un hombre puesto de pie. El piso está húmedo y hay un agujero de cloaca.

El calabozo no tiene ninguna ventana hacia el exterior. La puerta que da al pasillo es una plancha de hierro que la cubre casi completamente. Sólo hay una abertura en la parte superior, que tiene reja. Nadie podría saber que hay un hombre metido aquí. Hay un potente bombillo encendido, y veo, pegado en una de las paredes, un recorte de revista. Alguien estuvo antes que yo. ¿Quién habrá sido?... ¿Cuál sería su destino luego de pasar por este hueco?

Fijas, parcialmente incrustadas en la pared, una encima de otra, hay dos camas metálicas desvencijadas, con los alambres bastante destruidos.

Pues bien, me digo; si otro sobrevivió aquí, vamos a ver si yo también lo consigo.

Transcurre aproximadamente una hora. Se abre la plancha de hierro y traen a otro prisionero al cubículo. Viene con la cabeza brillante, como si fuera calvo. Es mi compañero Roberto Cruz, al que han rasurado hasta la exageración. Trae puesto el uniforme con las letras pes. Nos alegramos al vernos; ambos creíamos, cuando nos sacaron de la galera, que estábamos a pocos pasos de un infinito cautiverio solitario o quizá del «paredón».

Tenemos que mantenernos vivos lo más dignamente posible. Comenzamos por sacar un sapo de la cloaca, que está tremendamente apestosa. También sacamos un zapato atascado en la cañería.

Estamos en verano, el calor llega a extremos insoportables y los carceleros colocaron sobre el camastro de arriba un bombillo muy fuerte, que caldea aún más el ambiente. Como no hay ninguna entrada de luz natural, pasamos todo el día con la lámpara encendida. Media hora antes de dormir, apagamos el bombillo para que la cama de arriba, que es la de Cruz, se vaya enfriando y pueda acostarse.

Nos han traído sábanas y fundas embarradas de brea que intencionalmente marcaron con varias pes de gran tamaño. Es muy molesto tener que dormir en un camastro que, además de desvencijado, está pegajoso por la brea.

Estamos en el Pabellón 2, frente al 1, donde está el hospital.

Comemos bien o mal, según el ánimo de los que disponen de nuestra suerte. Cuando digo bien, quiero decir algo mejor que la carne apestosa, el arroz con bichos y otras porquerías que nos han dado por varios años en Isla de Pinos. Nos pasan la comida por arriba de la plancha que sirve de puerta. Con esta pésima alimentación el cuerpo puede aguantar un tiempo, hasta que se sumen todas las cosas: la falta de aire y de luz solar, la carencia de proteínas, la condición muchas veces repugnante de los platos que nos traen, la ausencia total de cuidados médicos y el calor desesperante. Nos han traído algunos libros de los que teníamos entre nuestras pertenencias.

Es el invierno de 1965; vivimos con el cuerpo entumecido, débiles y hambrientos. Las temperaturas bajan, se funde el bombillo y lo sustituyen por uno pequeño que no nos ayuda con el frío. No es casualidad, están pendientes de todo, viven para la maldad. Se trata del arte de acosar y mortificar con refinamiento.

Sufro otro ataque de cólicos nefríticos. Me siento muy mal; ha pasado lo peor del dolor cuando el médico llega, se asoma por la parte alta de la plancha, donde sólo hay reja, y se va sin decir nada, dando a entender que no es necesaria su intervención.

Padecemos un frío intenso que se prolonga por más de diez días. ¿Cómo se explica esto? En Cuba nunca hay olas de frío que duren más de tres o cuatro días. Aquí seguimos congelados porque la caja de concreto en la que habitamos no recibe jamás la luz solar ni la menor ventilación. Empezamos a quemar libros viejos para calentarnos, pero el humo nos hace daño.

Hay un oficial o sargento, al que nunca le hemos visto la cara, que nos hace una discreta revisión diaria. Se comunica golpeando la reja de entrada al pasillo, que da acceso al calabozo, con algo duro o con una cabilla, diciéndonos en alta voz:

—Recuento.

Contesto:

—Aquí.

Mi compañero hace lo propio:

—Aquí.

Después el hombre se marcha.

Esta operación la hacen en la madrugada y la repiten en la tarde, todos los días, inalterablemente.

En algún momento, quizás por nostalgia, quizás por esa acumulación de sentimientos afectivos que se desarrolla en quien está alejado de la vida y del calor de los suyos, escribo un poema que dedico a mi hija Lucy. Ella es trigueña y asocio el color de su piel con el sol que abrasa a los macheteros en los cañaverales durante la zafra azucarera de cada año. Lo guardo en la memoria para que los guardias no me lo quiten.

SOL DE CAÑAVERAL

Solito sol antillano,
burén del cañaveral.
Guardarraya, mocha y trago,
torso desnudo y combado.
¡Canto de tierra y metal!

Espumita de guarapo,
rica espuma de cristal.
Sin moneda, ¡ni un tabaco!
Café y sudor, sudor largo...
¡qué muelas tiene un central!

En la noche sale el sol,
bronce curtido en la piel.
La hamaca opone al rigor
sus caricias de henequén.

Solito sol antillano,
burén del cañaveral.

Aguardiente, gallo fino,
barracón y... ¡roto el guiro!
¡Tu premio es premio de sal!

¿Y la caña?
Está a tres trozos. Pero huele a mayoral.
¿Y la jama?
¡Dura! ¡Dura! Con hilitos de metal.
¿Y el cariño?
¡Ni se acuerda! ¡Queriéndome, me quiere mal!

El total aislamiento de los días... las largas noches sólo perturbadas
por los gritos de compañeros en otros confinamientos... gritos de desesperación, de locura, o de ambas cosas. La incertidumbre de nuestro
destino. Todo esto junto, trae a mi mente el escepticismo de «Lo
Fatal», aquel angustioso poema de Rubén Darío:

Dichoso el árbol que es apenas sensitivo
y más la piedra dura porque ésa ya ni siente
pues no hay dolor más grande que el dolor de ser vivo
ni mayor pesadumbre que la vida consciente...

Motivado en su inspiración, se me ocurre escribir algo que reseñe
mi paso por este mundo sin libertad en que vivo:

AUSENTE

Después que tú pases, jinete de una noche
¿qué habrá tras de ti?
Ladridos ya distantes de canes rezagados,
rumiando en el vacío su oficio de mastín;
decires inocentes de voces que no ahuyentan
y algún arpegio triste
perdido entre la arena que el prisma de tus sueños
tornara en un jardín.
Mas al rodar los lustros, mortajas de silencio
tejidas bajo el tedio con hilos del ocaso,
caerán sobre tus huellas...
Y el eco del galope, como una falsa imagen,
será menos que menos en cifras del gran cosmos.
No dolerá a tu ser lo gris de la ecuación.

Los átomos reunidos, en brazos de las leyes
mil rumbos seguirán. ¡Ausente! ¡Inmerso en la quietud!
Pupilas que ya fueron, del cieno y el diamante
tendrán la misma luz.
Verdad sólo es la ausencia. Dormir es despertar.

Escribo, en esta asfixiante gaveta, sin ninguna pretensión literaria, sino como quien entona una canción a instancia del recuerdo o de la necesidad de no dejarse abrumar por la tristeza. Confío en mi memoria para salvar algunos de estos intentos poéticos. No tengo otra manera.

El 28 de mayo de 1966, cuando ya tenemos casi un año lento y largo de padecer en este inmundo pudridero, aparece, atisbando desde la parte alta de la puerta de la caja de concreto, el oficial Morejón. Nos mira con expresión adusta y dice:
—¿Qué pasa?
—Aquí… —respondo, pero de un modo tan evasivo que el hombre se va.

¿Creerán estos señores que nos han ablandado al encerrarnos en esta cueva?

Al rato se abre la plancha metálica y aparecen varios carceleros, que nos ordenan:
—Bueno, a ver... recojan la ropa de cama, que van trasladados.

No nos dan mucho tiempo. Ha pasado casi un año sin ver otra cosa que este asfixiante calabozo. El confinamiento ha sido total. Como topos de una cueva, salimos de la caja tratando de acostumbrar los ojos al mundo de los vivos. Nos conducen a un vehículo para ser llevados, ¡vaya a saber dónde!... Nos ponen las esposas y quedamos Roberto y yo unidos por la muñeca.

Las sensaciones son extrañas. El cuerpo acostumbrado a un espacio limitado, sin contacto con otras dimensiones, tiene que reincorporarse a profundidades de visión ajenas y hasta un poco alucinantes. Se ve el cielo azul, las nubes, la naturaleza. Es como salir de una tumba donde hemos estado enterrados.

Nos incorporamos a una caravana de vehículos oficiales que van hacia Nueva Gerona. Llegamos a un embarcadero y, siempre esposados, nos meten en un transbordador junto a cien o más presos que vienen en camiones. En el transbordador, como era de esperarse, a nosotros dos nos llevan a un lugar apartado, lejos del resto de los prisioneros.

Pero el aire puro compensa un poco el año de pesadilla, aprisionados entre hierro y concreto. El mar me trae recuerdos del azul golfo de Guacanayabo, donde solía pescar con mi familia.

El viaje es muy lento. Vamos hacia el puerto de Batabanó, en la provincia de La Habana; un trecho que desde Isla de Pinos puede cubrirse en pocas horas. Salimos en la tarde, navegamos toda la noche y es de mañana cuando arribamos a Batabanó. Nos reúnen a todos momentáneamente y nos obligan a formar una doble fila, lo que se conoce como «cordillera». Sufro una terrible decepción. ¡Casi no puedo oír! Cuando bajamos del transbordador, les digo a mis compañeros:

—Y bien, ¿qué hay?...

Me contestan afectuosamente pero no les entiendo y tengo que preguntarle a Roberto qué es lo que me dice esta gente tan bien dispuesta. En él tengo un improvisado intérprete en el mismo idioma, aunque se impacienta un poco porque le parece imposible que deba recurrir a él. Supongo que he sufrido un deterioro auditivo a consecuencia de las tensiones y penurias, sumado al hecho de que en todos estos años he hablado sólo con la misma persona. Espero que sea una condición pasajera.

A los que estamos esposados nos hacen subir a un carro jaula en el que no podemos movernos porque vamos completamente apiñados. Como a las nueve de la mañana salimos de Batabanó hacia la Fortaleza de La Cabaña, en La Habana.

Pronto comienzo a habituarme a la nueva situación y creo que poco a poco iré recuperando mi capacidad auditiva.

Seis años y medio me tuvieron en el presidio de Isla de Pinos. Si pensaron que me ablandarían, deben de haberse convencido de su error.

> Fusilan a oficiales de la marina, del ejército. Fusilan a jóvenes cristianos que en el paredón antes de la descarga de los fusiles, gritan: ¡Viva Cristo Rey!

Llegamos a la Fortaleza de La Cabaña a eso de las diez de la mañana del 29 de mayo de 1966. A los que hemos venido en el carro jaula nos dejan con las esposas puestas. Luego nos alinean para requisarnos, nos quitan las esposas y nos obligan a desnudarnos. Somos unos ciento sesenta presos plantados, los que la dictadura cataloga como los más conflictivos de Isla de Pinos. Nos hacen la requisa con mucha violencia, nos despojan de las fotos familiares que conservamos, las rompen, las tiran al suelo, las pisotean. Las dejan allí como si fueran basura, junto a ropas y otras pertenencias que nos han quitado. De las fotografías de mi familia que tenía conmigo pude recoger una foto de mis hijos.

Que te priven de la ropa o los libros no indigna tanto como perder estos recuerdos familiares. Duele más que los golpes físicos y es que la intención es precisamente ésa: vejar, ofender, dañar, para que uno se convenza de que es una víctima sujeta a un proceso de degradación que no terminará hasta el sometimiento total.

Después de todo esto nos ponemos la ropa y nos hacen caminar hasta la galera.

Cuando nos bajaron del transbordador en Batabanó, alguien comentó que había ocurrido un serio incidente en la base de Guantánamo. Soldados americanos dispararon y resultó muerto un soldado cubano de las fuerzas fronterizas. El gobierno se aprovecha de esto para declarar un estado de alerta en todo el país y para trasladarnos de Isla de Pinos. Allá, en aquel penal donde hay miles de hombres, el régimen está enfrentando una recia rebeldía contra el plan de trabajos forzados. Escogieron a los prisioneros más rebeldes para llevárselos y luego someter a los que se quedan a un proceso de ablandamiento. En estos cambios los carceleros pueden cometer toda clase de abusos.

Nos meten en la galera 7, una de las que están en el Patio 1 comúnmente llamado el Patio de La Cabaña, que comprende de la 7 a la 17. El Patio presenta cierto declive. La galera 7 queda al final, en un nivel más bajo que las demás.

Al entrar percibo un olor sumamente desagradable: a establo, a granja de pollos, a lugar sucio. Es un sitio húmedo. Hay cantidad de presos metidos aquí o por lo menos muchas literas de hasta cuatro niveles. En algunos puntos se encuentran tan juntas que cuesta trabajo meterse en ellas.

Alguien me cede una cama al fondo, cerca de la ventana, en un primer nivel. Tengo como vecino a un oficial del ejército de Batista que estuvo en la provincia de Camagüey, el coronel Víctor Dueñas.

—Nosotros éramos enemigos —me dice—, pero en mí tiene un compañero. Estamos en lo mismo y no le guardo ningún rencor. Así que, en lo que pueda ayudarle, aquí me tiene.

—Gracias, compatriota. Estoy en igual disposición hacia usted.

Dueñas pertenece a un grupo de seis u ocho presos que se encontraban en La Cabaña y trasladaron a nuestra galera, seguramente con la intención de provocar conflicto por su procedencia batistiana.

Encuentro gente de Camagüey, a la que conocí cuando fui jefe en aquella provincia. Me saludan antiguos compañeros de lucha y hasta amigos personales que hace años no veo. Son revolucionarios que después de mi arresto se opusieron, de una u otra forma, a la sovietización del país y terminaron en la cárcel.

También traen a una persona acusada y condenada como criminal de guerra. Se trata de Elizardo Necolarde, un político de Manzanillo que se convirtió en furibundo masferrerista. Hace años hubo una relación de amistad entre nosotros, pero ahora nos separa un abismo. Está condenado a muerte y lleva tiempo en esa situación sin que se conozca por qué no ha sido ejecutado.[1] Se comenta que Blas Roca, el viejo líder comunista, también manzanillero, ha intercedido por él. Lo situaron aquí para ver si chocamos.

Estropeado por una travesía de veinticuatro horas, que pasamos sentados incómodamente, esposados y sin poder dormir, me tiro en mi camastro a descansar.

Al momento nos llaman para ir a almorzar y vamos escoltados hasta el comedor. Cuando los presos de las demás galeras nos ven pasar, nos saludan con gritos afectuosos formando un verdadero alboroto. Se supone que los que vinimos de Isla de Pinos somos, en conjunto, la gente más recia o rebelde entre los presos políticos cubanos.

1. Elizardo Necolarde fue fusilado dos años después. *(N. del A.)*

Estas manifestaciones de afecto y admiración son estimulantes. Además, dice mucho de la moral de los presos aquí.

Nos sirven una comida pésima. Apenas pruebo algo y espero que nos regresen a la galera. Recostado en la cama, entablo conversación con seis o siete amigos míos de Camagüey, para ponerme al día con lo que ha pasado mientras me tuvieron incomunicado en Isla de Pinos.

Ante la urgencia por informarme sobre lo sucedido, mis compañeros me dicen:

—No tengas apuro. Tendremos tiempo de sobra, tal vez años, para conversar.

Sigo insistiendo en conocer sobre lo más importante acontecido en Cuba después de mi condena. Pregunto también a mis compañeros:

—¿Cuál es el peor lugar de esta prisión? Porque estoy seguro de que es allí adonde me llevarán muy pronto.

—¡Coño, estás impresionado!... Le has cogido miedo a esto —me responden.

—¡No, qué va! Estoy acostumbrado a los peores lugares que esta gente tiene. Vengo de un terrible lugar en Isla de Pinos y seguramente me tendrán aquí por corto tiempo antes de que me trasladen. Así que díganme cuál es el sitio más malo para ver si tomamos alguna precaución y no quedo completamente incomunicado de nuevo.

Por fin, ante la insistencia, contestan:

—Son las «capillas», en las que meten a los que van a fusilar; unos calabozos pésimos donde hay que dormir en el suelo. Siempre están sucios y abundan los ratones y las cucarachas.

—Pues con seguridad iré a parar ahí; ya lo verán.

—Oye, quítate eso de la cabeza.

—No. Se los digo porque ustedes creen que no hay apuro en ponerme al día sobre lo que ha pasado en Cuba. Necesito informarme cuanto antes, no sé cuándo vendrán a buscarme.

Estamos conversando cuando alguien se acerca a la galera y vocea:

—Huber Matos, a la reja.

Es un militar, dicen que es el sargento Paula. Me lanza una serie de amenazas:

—Aquí te vamos a llevar recio. Ya nos pagarás las que nos has hecho. Vas a ver cómo tratamos aquí a los que se nos atraviesan...

Lo miro fijamente y le digo:

—Yo nací hombre.

Y le doy la espalda.

Reanudamos la conversación y me cuentan las atrocidades y crímenes que se cometen en Isla de Pinos en el plan de trabajo forzado.

Los carceleros asesinan impunemente a los presos políticos durante las jornadas de trabajo. La resistencia en Isla de Pinos crece frente al terror impuesto. Hay allí miles de cubanos que han sido juzgados por los tribunales revolucionarios que se encargan de castigar severamente la resistencia al comunismo. La mayoría de estos presos, lejos de tener procedencia batistiana, eran más bien simpatizantes de la Revolución.

Me explican que los alzamientos de campesinos contra el comunismo, en los primeros años de la década, particularmente en el área montañosa de El Escambray, fueron persistentes y numerosos. El régimen los dominó de manera implacable, a base de operaciones en las que participaban miles de soldados, peinando metro a metro, montañas y bosques. Llevaban a cabo fusilamientos masivos. Aplicaron altas condenas de cárcel a los sospechosos y desalojaron a poblaciones enteras. Jóvenes líderes como Plinio Prieto, Porfirio Ramírez, Sinesio Walsh, Osvaldo Ramírez y otros, murieron en combate o fueron asesinados por la dictadura comunista para crear el terror en la población. Muy pocos guerrilleros pudieron escapar con vida de la persecución masiva en las montañas de El Escambray.

Miles de familias campesinas de la provincia central de Las Villas fueron desarraigadas y hasta disueltas, siguiendo los patrones de barbarie del estalinismo. En el extremo occidental de la isla surgió un pueblo llamado Sandino, con gentes obligadas por la fuerza a abandonar hogar, tierra y pertenencias, en una radical operación de desalojo.

En Pinar del Río también hubo guerrillas, conspiraciones, asalto a cuarteles y, por supuesto, muchos fusilamientos en los primeros años del castrismo. Uno de los héroes de esta oleada de rebeldía popular contra el comunismo es Bernardo Corrales, capturado y fusilado después de realizar acciones de verdadero reto a la dictadura castrista. A principios de los años sesenta, un grupo del Directorio Revolucionario Estudiantil, lidereado por Alberto Muller, se alzó en la Sierra Maestra y fueron apresados. En los llanos de Camagüey, en Matanzas y en el sur de La Habana hubo grupos de alzados que dieron mucho que hacer a las fuerzas del régimen. En Matanzas, un jefe guerrillero llamado Margarito Lanza, y conocido como «Tondike» protagonizó una campaña rebelde de leyenda, hasta que fue hecho prisionero y fusilado en 1962. Otro caso de heroísmo en la provincia de Pinar del Río es el del capitán Clodomiro Miranda, veterano de la lucha contra Batista, asimismo capturado y fusilado.

Todos estos valientes guerrilleros se enfrentaron a un ejército fanatizado, con recursos y entrenamiento muy superiores a los del ejército de Batista.

Ahora me entero de que durante mis primeros años de prisión fusilaron a mi buen amigo de tertulias en Costa Rica, Eufemio Fernández; así como a los comandantes de la Revolución Humberto Sorí Marín, William Morgan y Jesús Carreras, estos dos últimos pertenecientes al grupo de Eloy Gutiérrez Menoyo.

Mis compañeros me cuentan también del fusilamiento de Ricardo Olmedo, quien, tras ser arrestado por sus actividades contra el régimen, fue amenazado de ser llevado al paredón a menos que compareciera ante las cámaras de televisión incitando a los cubanos a abandonar la resistencia contra el régimen. Él contestó: «No soy artista». Prefirió la muerte a prestarse a un *show* televisivo. Olmedo era veterano del asalto al palacio presidencial durante la lucha contra Batista. Es uno de los muchos héroes en la trágica historia de la resistencia popular cubana.

Me relatan historias, igualmente heroicas, de compatriotas que desde Estados Unidos se infiltraron en Cuba para luchar contra el régimen comunista. Hubo varios intentos de atentados contra Fidel Castro, por lo general demasiado audaces para tener éxito, o simplemente mal planeados. Entre otros, el que preparaban los comandantes de la Revolución, Rolando Cubelas y Ramón Guin –pertenecientes al Directorio Revolucionario que lucharon en El Escambray contra la dictadura de Batista–, en unión de otras personas. Fueron descubiertos y condenados.

Desde los primeros años de esta década –me explican– toda la actividad económica está férreamente controlada por el Estado: la industria, el comercio y la mayoría de las tierras útiles del país han sido expropiadas. Castro dispone de todos estos bienes como hacienda propia.

También me dan detalles de la persecución desatada por los Castro contra la Iglesia católica y las instituciones religiosas en general. La embestida va más allá del propósito de imponer el modelo totalitario; tal parece que se pretende eliminar la idea de Dios en el pensamiento del pueblo cubano. En los campamentos de la UMAP (Unidades Militares de Ayuda a la Producción) se cometen atrocidades contra los Testigos de Jehová y creyentes de otras confesiones.

Llevo casi siete años preso, durante los cuales Fidel se ha sostenido en el poder porque su aparato represivo es implacable contra la oposición democrática. Además, ha tenido todo el respaldo económico y militar de la Unión Soviética. Sin el apoyo masivo de Moscú y sin la complicidad de las democracias occidentales, el comunismo en Cuba hubiera sido derrocado en los primeros años, por los propios cubanos.

Por la tarde viene el recuento. Hay que salir corriendo para que lo reporten a uno; echar un trotecito delante de los militares, quienes golpean a los presos con las bayonetas al salir y al regresar de la galera. Esto es nuevo para mí. Los que me lo cuentan, me dicen:

—Vamos a ver qué hacemos para que no te golpeen.

Me advierten que hay que correr, porque al que camina le dan más pronto. Es humillante. Me parece muy difícil poder adaptarme a este vejamen.

Empieza el recuento, vamos en doble fila. Mis compañeros me sitúan del lado en que no se encuentra el guardia y me halan para acá y para allá con el fin de que no quede expuesto a los golpes.

No nos golpean el primer día. Probablemente están estudiando a los que hemos venido de Isla de Pinos.

La comida resulta igual que el almuerzo, un montoncito de algo poco digerible en el centro del plato. Mi salud, que se ha deteriorado bastante en Isla de Pinos, continuará minándose con este tipo de alimentación.

Me acuesto y sigo conversando; trato de informarme más y más. Suena el cañonazo de las nueve de la noche, disparado desde la propia fortaleza de La Cabaña que domina la ciudad de La Habana. Esta costumbre pervive desde los tiempos de la Colonia, cuando cerraban las murallas de la ciudad a la vez que disparaban un cañonazo. La tradición se ha mantenido para que los habaneros sepan cuándo son las nueve. En el penal, el cañonazo marca la hora del silencio. La colmena humana se calma poco a poco. Encaramados en el tope de una torre de cuatro camas, seguimos conversando. Por fin, alguien dice:

—Estamos molestando, tenemos que acostarnos.

Creo que habré dormido media hora cuando alguien llama:

—Huber Matos, a la reja con sus pertenencias.

Sé que es la orden de traslado.

Llaman a otros y me sacan junto con cuatro presos, uno de ellos es el compañero Roberto Cruz. Cuando vamos saliendo de la galera, les digo a los amigos que quedan:

—Ya verán que voy para la «capilla».

Como respuesta recibo una mirada de compasión. Al salir, uno de los amigos dice:

—Van bien acompañados, porque esos otros son buenos elementos.

Esto quiere decir que se trata de gente en la que se puede confiar. Nos llevan fuera del patio hasta un lugar que llaman el Cuerpo de Orden Interior. Me despojan de las poquísimas cosas que había salvado de la requisa: tres calzoncillos, una camiseta enguatada y la foto de mis hijos. Quedo con la ropa que llevo puesta. Ni el cepillo ni la pasta de dientes me dejan encima. Luego me dicen:

—Pase por aquí.

Estoy frente a unos calabozos. Me ordenan que entre en el segundo a mano derecha.

Trato de distinguir lo que hay adentro pero no veo más que el hueco del calabozo. No hay cama, no hay nada. Únicamente el piso sucio, con mucho polvo y una gran grieta. Percibo, a pesar de la oscuridad, algunos agujeros por donde deben circular los ratones. En resumen, el peor lugar de La Cabaña.

A los otros compañeros los meten en los demás calabozos. Somos cinco, más un hombre alto y flaco que ya estaba aquí. Tarde en la noche traen otro preso. Dice que viene del Castillo de El Príncipe; habla demasiado. De los que recién ingresamos, al único que conozco bien es a Cruz. Nos dieron buenas recomendaciones de los otros tres, pero ignoro quiénes son el flaco y el que trajeron por la noche; en estos casos uno tiende a ser muy cauteloso.

Necesito dormir pero no encuentro un lugar. Casi todo el piso del calabozo es de cemento, pero a partir de la grieta, hay tierra; la superficie de cemento está cubierta por una gruesa capa de polvo. No me queda otro recurso que tenderme de costado en el cemento, sobre el polvo. Me quito los zapatos para utilizarlos de almohada. Por fin, me duermo trabajosamente.

Cuando despierto me doy cuenta de que donde he apoyado la cara, el piso está menos sucio, a fuerza de aspirar y tragarme el polvo. Me siento mal, con las vías respiratorios muy afectadas. «Lo único que me faltaba», me digo.

Los cinco que hemos venido de la galera nos vamos identificando. Uno es Alfredo Izaguirre Rivas. Fue director del periódico *El Crisol*, de La Habana. Otro es Emilio Rivero Caro, abogado. Está el Mexicano, Carlos Pedro Osorio. También mi compañero de Isla de Pinos, Roberto Cruz.

Conversamos un poco. El preso que se encuentra frente a mí me hace una extraña historia. Dice que está esperando que lo fusilen, que lo han acusado de estar involucrado en una conspiración, que le han quitado una planta de radio con la que trasmitía clandestinamente...

Aunque no nos podemos ver, uno de los presos que está en los calabozos de enfrente me hace señas de que tenga cuidado, que desconfíe.

Igual que ayer, el almuerzo es un sancocho malísimo pero esta vez abundante, y aunque la comida sea mala la abundancia es una ventaja.

Casi todos estamos resfriados, pero siento que he atrapado algo más que un catarro común. También traigo encima una tremenda suciedad y no nos llevan a la ducha; aquí no la hay. Lo que sí intentan es obligarnos a limpiar el pasillo y la celda. Me niego a trabajar. Es una actitud que mantengo desde Isla de Pinos: no trabajo ni limpio mi celda. ¡Que la limpien los comunistas!

Para evitarme una paliza, otros compañeros hacen la limpieza que me corresponde.

Nos hemos dado cuenta de que el tipo alto y flaco y el que trajeron después, que habla mucho, son infiltrados. El que está frente a mí vuelve a hacerme unas largas historias, dice que conoce mi pueblo, mi casa, que es de La Habana y había ido a Oriente. Coincidencias demasiado raras; lo escucho en silencio.

Han pasado seis días y me siento muy enfermo. Tengo una fuerte gripe. Me pica la cabeza y la tengo llena de granos.

—¡Busquen un médico para este hombre! —pide alguien.

Aparece el doctor dos días más tarde, un tipo viejo, que camina con una gran pereza. Lo que menos tiene es apariencia de médico. Alguien que lo conoce, dice:

—Este médico es del G-Dos, es un «chivato»; viene a buscar confidencias y no a curar.

El doctor me manda medicina para el estómago cuando lo que tengo es una infección gripal y granos en el cuero cabelludo.

Si uno desea hacer sus necesidades tiene que esperar que lo saquen porque en el calabozo no hay hueco para este propósito. A menudo, cuando los guardias no nos llevan, tenemos que orinar en la celda. Los guardias que nos atienden son esbirros de los malos. Lo único que nos dejan es el plato de aluminio y la cuchara de comer. Uno de los compañeros presos, cuando no lo sacan a hacer sus necesidades, las hace en el plato. Nos dice:

—Bueno, después yo lo boto. Después lo boto... y lo lavo... y como...

Este preso, a quien llaman «el Mexicano», es un tipo muy especial, valiente y raro en sus cosas, pero buen compañero.

Los ratones nos visitan por la noche. Hay uno de esos que llaman «guayabito», chiquitico, que está muy aconfianzado, viene y me salta encima desde los huecos del piso. En cambio hay otro que no quiere entrar en confianza conmigo. Es grande, entra y sale, me rehúye. Sólo con el guayabito he establecido una relación amistosa.

Las cucarachas nos pastorean, algunas veces más, otras menos. Uno se acostumbra y las soporta pese a ser sucias y repulsivas.

Pasados unos días, aparece ante mi calabozo un hombre alto a quien había visto el día de nuestro arribo. Anda con ropa de civil. Es el jefe de Cárceles y Prisiones, de apellido Martínez. Me dice:

—Y qué, Matos, ¿cómo le va?

Desde el suelo, en donde estoy sentado con las piernas cruzadas, le respondo:

—Aquí...

Espera un minuto más. Busca algún tipo de protesta.

—Pero ¿se siente bien o se siente mal?

Le repito:

—Aquí...

Prefiero ignorarlo mostrándome indiferente.

Ensaya lo mismo con los otros y Alfredo Izaguirre le arma tremendo escándalo; al final, concreta:

—Bueno, ¿estamos castigados?

—No, no están castigados.

—Pues si no estamos castigados, lo parece y si estamos castigados, lo parece.

A unos cien pasos de nuestro calabozo, en el foso, se encuentra el paredón de fusilamiento, donde está el palo al que amarran al preso que van a ejecutar. Casi todas la noches, entre las nueve y las diez, nos toca vivir una experiencia difícil; es la hora de los fusilamientos.

Los fusilados son personas a las que arrestaron conspirando contra la dictadura en las ciudades, o campesinos que capturaron luchando en las montañas. Es la mejor gente de nuestro país, idealistas que creyeron en la democracia y se arriesgaron valientemente a luchar por ella. En la lucha contra Batista nunca tuvimos tanta gente así.

La acusación siempre es la misma: delitos contra la seguridad del Estado. Los tribunales no necesitan muchas pruebas para sentenciarlos.

No podemos ver los fusilamientos desde nuestros calabozos, pero seguimos momento a momento el macabro ritual, a partir de los sonidos que lo acompañan. La cercanía nos obliga a escuchar las órdenes, los intentos que hacen los presos por decir algo, la descarga de los fusiles, el ruido de los cuerpos cuando los tiran sobre una gran bandeja de lata. Los envuelven en una bolsa plástica «para que la sangre no se riegue en el camino» y los meten en un carro, como si fueran mercancía.

Nunca imaginé que tendría que pasar por esta prueba. Una recurrente pesadilla. La noche de San Bartolomé con que Raúl quería liquidar a los enemigos de la Revolución.

A la mañana siguiente, algún preso le pregunta al guardia:

—¿A quién fusilaron anoche?

—A unos agentes de la CIA —responden.

O dicen que a unos bandidos.

Mentira, en La Cabaña no ejecutan presos comunes.

Fusilan a oficiales de la marina, del ejército. Fusilan a jóvenes cristianos que en el paredón antes de la descarga de los fusiles, gritan: ¡Viva Cristo Rey!

Algunos guardias se encargan de soltar historias cerca de nuestro calabozo, porque saben que oímos sus conversaciones. Entre otras cosas, nos enteramos de que los platos y las cucharas que nos dan pertenecieron a compatriotas que han sido fusilados.

No sé cuántos días llevo sin bañarme. Por fin aparece el barbero. Resulta ser de Oriente, de mi provincia. Fue combatiente en la sierra. Es de apellido Castillo; me revisa la cabeza y dice:

—Está muy mal, tiene una infección y una gran suciedad encima.

Me pasa la máquina de rasurar y comenta:

—Mire, la piel sale con el pelo, todo junto en una costra. Es por la infección y la suciedad. Debe de tener piojos. Busque la manera de que le traigan nuevamente al médico para que le dé algo apropiado.

—Si al menos me permitieran bañarme —le comento, a la vez que le doy las gracias por su interés en mi salud.

Reclamo la presencia del médico, pero no me receta nada. Es uno de los métodos que emplean los carceleros comunistas para que el preso se vaya deteriorando poco a poco.

Cuando he perdido la cuenta de los días que llevo sin bañarme, me sacan junto a los otros para que me limpie en tres minutos. El baño consiste en coger un jarrito, llenarlo en una pila de agua que está a la altura del suelo y echárselo encima. Nos dan un pedacito de jabón para todos los que estamos aquí... y quedamos bañados.

Uno de los carceleros de la «capilla» es un desquiciado que en ningún momento oculta su odio hacia los presos políticos. Cuando le toca hacer turno nos mira con ojos enrojecidos, verdaderamente de loco. A este sujeto lo hemos bautizado con un apodo que él mismo ha escogido, repitiéndolo constantemente para presionarnos. Cuando nos tiene que sacar de la celda para que nos bañemos agachados junto a la pila que hay en el pasillo, nos dice una y otra vez con tono imperativo: «¡A millón! ¡A millón!». Con ello nos exige no demorarnos más de dos o tres minutos en nuestro aseo personal. Desde que uno abre la llave o intenta usar el jabón, hasta que lo encierran de nuevo en el calabozo sin haber podido lavarse bien, el maniático carcelero sigue repitiendo: «¡A millón! ¡A millón!». Lo mismo hace cuando uno pide que lo saquen para ir al hueco en donde hacemos nuestras necesidades. Usa su estribillo de tal modo que es difícil escapar a la presión de su exigente acoso: «¡A millón! ¡A millón!».

Un día nos traen una colchoneta pequeña. ¡Ya no hay que dormir en el piso! Pero cuando menos lo esperaba... vienen a sacarme de aquí.

—Arregle sus pertenencias, que se va.

—¿Qué pertenencias? Si aquí no tengo nada.

—Bueno, pues lo vendremos a buscar en unos minutos.

Cuando regresan me aclaran:

—Nos equivocamos con eso de las pertenencias. Usted no necesita llevarse nada.

Hoy es primero de julio. He pasado treinta y tres días en la «capilla».

El oficial pregunta:

—¿Qué cosas traía usted cuando llegó aquí?

—Bueno, eso lo saben ustedes mejor que yo.

—Necesito que me lo diga para hacer el inventario.

Por fin me sacan solo, es de noche. Hay dos hombres afuera tratando de dar la impresión de que me llevan para fusilarme. Con independencia de las inevitables reflexiones de una persona, ante la posibilidad de la muerte, tomo la situación con ecuanimidad.

Aun en el supuesto de que no se trate de una farsa intimidatoria, ¿qué puedo hacer sino mantenerme firme, sin regalarle a los verdugos una duda o un asomo de debilidad? ¿No me tienen cumpliendo una condena de veinte años y de abusos ultrajantes, sin ser culpable, sin haber cometido ningún delito? Resignado y rebelde he soportado el atropello; un crimen perpetrado impunemente ante el mundo. ¿Cuál es mi culpa? ¿Una carta? ¿Una carta en la que decliné hacerme cómplice del mal que veía venir para mi país? Los hechos me han dado la razón. Alerté al pueblo cubano de que el comunismo se apoderaba de la Revolución y que esto implicaba la pérdida de todos los derechos y el eventual desastre económico. Pues bien, ya no tengo que defenderme de las calumnias y de la infamia lanzadas contra mi nombre. Es Fidel Castro quien me ha dado la razón con su estúpida traición y con su declaración afirmando que había sido comunista desde los tiempos universitarios.

Parece que no vamos al paredón. Damos una serie de vueltas y termino bajando por los escalones de uno de los edificios interiores de la Fortaleza. Entro a un túnel pequeño, y después de algunos pasos llegamos hasta una especie de puerta formada por una chapa de hierro. La chapa se abre con gran ruido.

—Entre aquí.

La impresión que recibo es la de estar entrando en un antiguo horno de panadería. Al adaptarse mi vista, noto que en el interior hay varias personas. Pienso: si aquí existe vida humana, también yo podré sobrevivir.

> Mientras me alejo buscando mi rincón, él
> queda allí, estático, mirando fijamente el
> hueco de una pulgada por el que piensa fu-
> garse.

La chapa de hierro se cierra detrás de mí.

De inmediato se percibe la humedad y es que la galera está bajo el nivel del suelo. Evidentemente es un sitio de castigo e incomunicación construido en los tiempos coloniales, hace siglos. Me reciben ocho rostros expectantes. No conozco a nadie, ni veo a ninguno de los compañeros que vinieron conmigo de Isla de Pinos. Un preso se me acerca, luego otro y otro. Uno de ellos me dice, después de observarme:

—Usted trae hambre.

Es verdad, traigo hambre. La transitoria abundancia de los primeros días en la «capilla» dio paso a una reducción en la comida que nos hizo pasar tremendas privaciones. El compañero que me ha hablado, el doctor Juan Tur, saca de alguna parte un pancito más pequeño que la palma de la mano y me lo da mientras me mira con cierta tristeza. Acepto, diciendo para mis adentros que a pesar de lo húmedo y cerrado del lugar, esto parece una mejoría.

Hay cuatro camas desocupadas en torres de a dos y me acerco a una. Apenas voy a sentarme cuando comienzan el interrogatorio:

—¿Quién es usted?, ¿de dónde viene? Estamos intrigados porque nos han sacado de una de las galeras del Patio para meternos aquí. No sabemos qué significa este traslado. Nos interesa averiguar quién es usted para buscarle sentido a esto.

Les digo quién soy y mi interlocutor responde:

—Ahora comprendemos por qué nos han traído con tanto misterio. Seguramente se trata de que usted no esté solo. ¿Qué le hicieron? ¿Será que temen un suicidio? ¡Dios o el diablo sabrán el plan que tienen con usted!

Un rato después me traen algunas de mis cosas: dos calzoncillos y una camiseta enguatada; y otros artículos que me parecen extraños.

—Esto no es mío...

—Es de gente que han fusilado —me dicen—, todo lo tienen almacenado por ahí.

Me quedo sólo con lo que es mío.

Al poco rato se abre la chapa de hierro y traen a Roberto Cruz. Más tarde traen también a los dos infiltrados, con lo que ya somos doce las personas aquí recluidas.

Casi todos los compañeros son gente decente, de clase media. Hay algunas personas a las que despojaron de sus capitales al principio de la Revolución.

Uno de los infiltrados intenta ser muy importante, unas veces tratando de atraerse la amistad de los compañeros, otras intrigando. A menudo profiere amenazas veladas y va ganándose un cartel de guapetón. El tipo duerme de día y siempre se pasa la noche conversando, leyendo, hablando y fastidiando. Como en la noche suelo descansar, tenemos pocas relaciones.

En las galeras los presos designan a un representante, un «mayor», que es el que se entiende con los carceleros. En la nuestra es Benito Hernández, un habanero muy tratable. Benito fue condenado por intento de salida ilegal. Los otros son el doctor Tur, el ingeniero Salvador Menéndez, Manuel Sánchez Echemendía, Atilano Guzmán, Evelio Hernández, Roberto Cruz, los dos infiltrados, un preso de apellido Gísper, otro de apellido Hurtado.

La galera 23 es bastante hermética. Tiene una ventana, pero está bloqueada por planchas de zinc. El techo abovedado es el mismo de la cocina de los presos militares. El humo que viene de la cocina, producto de la mala combustión de los quemadores de petróleo, invade nuestro espacio de modo asfixiante; seguramente dañará nuestros pulmones. Los carceleros tienen instalado un extractor de aire, pero sólo lo encienden durante unos cuantos minutos, tres veces al día.

Ocurre un episodio divertido en medio del tedio y el abandono de la prisión. Por la galera, tanto de día como de noche, discurren ocasionalmente ratones. Sucede que en una de esas veces, un ratón de buen tamaño, al que andamos persiguiendo, se sube a la cama del infiltrado que quiere acreditarse fama de perdonavidas y que se encuentra durmiendo. Con el ruido de la cacería, el personaje despierta y se incorpora en su cama. Cuando el ratón que huye escoge como refugio su cama, el hombre, que mide unos seis pies, empieza a dar saltitos, al tiempo que exclama:

—¡Un ratón! ¡Un ratón!

Así transcurren los días en nuestra cueva de La Cabaña.

El otro infiltrado es un pobre hombre, un preso que se acobardó, Dios sabe en qué circunstancia, y evidentemente ha sido chantajeado. El guapetón también debe ser otro chantajeado por la Seguridad del Estado. La mejor táctica contra los bravucones infiltrados por el aparato represivo es decirles cosas como: «Aquí la valentía se demuestra contra los comunistas, no con los demás compañeros».

Me llevo bien con todos y trato de mediar en los líos que se presentan. También aprendo que hay situaciones donde no vale la diplomacia.

Desde hace algunos días uno de los presos está nervioso y pretende imponer sus reglas en nuestro reducido espacio. Hoy amanece molesto y empieza a tirar sus pertenencias por todas partes. A mí casi me pega en la cabeza con un rollo de papel sanitario. Reacciono con violencia y el individuo abandona su hostilidad.

Es ya el 21 de octubre de 1966, fecha en que cumple su condena Roberto Cruz. Llevamos siete años presos. No lo han puesto en libertad y ha iniciado una huelga de hambre como protesta.

Lo apoyo haciendo algunos comentarios delante de los infiltrados. Anuncio, por ejemplo, que si dejan morir a este compañero iniciaré una huelga de hambre que se conocerá en el mundo entero, porque estoy dispuesto a dejarme morir para denunciar los abusos del régimen.

Se llevan a Cruz. Sabemos que continúa su huelga y poco tiempo después lo ponen en libertad.

Los infiltrados informan sobre todo lo que sucede en nuestra galera. Salen cada cierto tiempo, dicen que para revisión médica; y el médico, el doctor Blanco, como ya lo sabemos, es del G-2. Puede o no ser su apellido, pues en este cuerpo represivo acostumbran esconder su verdadera identidad. Es el que me ha atendido y que acostumbra dar pastillas de carbón para cualquier problema de salud que tengamos: problemas en los pies, problemas en la cabeza, en el estómago o la garganta. Todo lo pretende curar con pastillas para la digestión.

Al llegar enero de 1967, los infiltrados comienzan a lucir recelosos. Uno de ellos incluso insinúa que «ya él tendría que haber salido de aquí». Parece que la misión se les ha prolongado, con el agravante de que la galera 23 no es el campo de operaciones más deseable.

Estos individuos a menudo ocultan las cartas que reciben. Un día que los dos salen a la supuesta revisión médica llega la correspondencia. Como las cartas son sujetas a censura, nuestros carceleros las reparten abiertas. Es fácil comprobar que los dos reciben la misma cantidad de dinero en giro postal enviado por la misma persona y desde la misma oficina de Correos. Extraño, sobre todo entre personas que dicen no haberse conocido con anterioridad. No nos queda la menor duda. El G-2 les manda dinero para que se manejen dentro de la prisión.

Un buen día se llevan a uno, pero nos dejan al que le gusta que lo tomen por guapo. Por lo visto, no ha cumplido a cabalidad su misión.

En cierta ocasión, mi prima Emilia llega hasta La Cabaña con el propósito de que los carceleros me dejen pasar unas medicinas; conversa en la entrada de la cárcel con una mujer, que le dice:

—Vengo a hablar con el jefe de la prisión porque mi esposo está en un lugar de castigo y le habían prometido que luego de que estuviera algunos meses ahí, lo pondrían en libertad. No han cumplido y está muy molesto.

Mi prima le hace algunas preguntas disimuladas y resulta que el esposo de la mujer es el mismo hombre que está con nosotros.

Poco después de que se llevan al primer infiltrado, sacan al otro.

Manuel Sánchez Echemendía es una excelente persona. Tiene poca familia y es muy católico. Es un hombre conversador. Sin embargo, empiezo a notar que ha comenzado a hablar demasiado. Habla y habla aún a la hora de acostarnos; su extraña conducta es evidencia de un desajuste.

Cuatro o cinco días después, alguien en la galera me dice:

—Sánchez se ha vuelto loco. ¿No te das cuenta?, lo he oído decir: «Aquí lo que quieren es envenenarme». Un individuo que desarrolla este delirio de persecución es capaz de hacer cualquier disparate.

Siento pena por Sánchez. Trato de ayudarle a desentrañar su situación. Conversamos largo rato y por fin me dice:

—Mire, Matos, el único individuo que me inspira confianza en esta prisión es usted. Desde que llegó lo he tratado con respeto.

—Lo sé, Sánchez, pero trate de alimentarse.

Responde con mirada huidiza:

—Tengo confianza en usted precisamente porque no ha insistido en que coma. Usted no es de los que quieren envenenarme.

Seguimos conversando pero no hablo más de su alimentación.

Una noche me dice unas palabras reveladoras.

—Matos, es probable que me esté volviendo loco. Aquí me miran de un modo muy extraño. Me vigilan siempre, me quieren hacer daño. Tengo mis dudas, pero si compruebo que estoy desquiciado, me voy a suicidar porque no vale la pena vivir después de volverse loco. Siento una inseguridad tremenda respecto al futuro. Fui estudiante de medicina hasta quinto año y sé cómo se quita la vida un hombre.

—Sánchez, acuéstese, cálmese —le digo, ya muy preocupado.

Comento la situación con el «mayor» de la galera y con otros dos presos.

Tres días después, nos despierta un compañero que al ir al baño descubrió que Sánchez se ha cortado las venas. Lo encuentra agachado, con el cuello inclinado hacia delante y volcado al lado izquierdo, en un charco de sangre que corre revuelta con el agua de la pila. Para no hacer ruido abrió la llave. Al recostarse y darse un tajo para cortarse las venas, el cuello se recargó en un solo lado reduciendo la hemorragia. Tiene, sobre el pecho y el abdomen, un chaleco de sangre coagulada de al menos una pulgada de espesor. Debe de haber perdido unos tres litros de sangre.

Con un palo de limpiar pisos doy golpes a la plancha de hierro que tenemos por puerta hasta que los carceleros vienen.

—¿Qué hay? —me preguntan.

—¡Apúrense!... ¡Hay un hombre agonizando, hay que salvarlo!...

Lo sacan tal como está y se lo llevan. Está vivo, aún respira.

Pasan varios días y nos enteramos de que lo llevaron a un hospital fuera de la prisión en donde consiguieron salvarlo.

Estamos a mediados de julio de 1967. Este año ha sido tan malo como los anteriores. Esperamos que los próximos sean por lo menos como éste, porque tememos —y con razón— que lleguen otros peores.

Ya no tenemos a Sánchez, ni a los infiltrados. Dos presos más se fueron para el Plan de Rehabilitación, un esquema en el cual se le da instrucción comunista y trabajo a los presos políticos que, al someterse, esperan ver pronto la libertad o por lo menos una reducción de su condena. Es una forma de dividir al presidio y además de demostrar que muchos presos se rinden ante el sistema.

Traen nuevos compañeros de las galeras del Patio.

Los catorce hombres que ahora convivimos en esta galera semisoterrada recibimos noticias de que, desde marzo o abril, se ha puesto en práctica un cambio de uniformes; debemos abandonar el color amarillo, característico de los condenados políticos, por el azul que usan los presos comunes.

Comentamos entre compañeros que aceptar la prebenda oficial, en muchos casos, no significa una defección ideológica, sino más bien una respuesta a la familia, que insiste en que su preso acepte la posición de la autoridad carcelaria. O una comprensible desesperación del prisionero, al pensar que terminará sus días oscura y miserablemente lejos de los hijos, de los seres queridos, de la vida que fluye lejana y libre y que nos han arrebatado.

También están aquellos a los que la amenaza de una paliza amedrenta un poco. Como los carceleros conocen la psicología del hombre en prisión, aprietan más y más, para que el uso del detestado uniforme se convierta en un supuesto acto voluntario. Todo esto significa una fuerte ofensiva contra el presidio político. Estamos preparados para cuando lleguen a nosotros con la orden de usar el uniforme azul.

Después de hacer muchas gestiones ante las autoridades de La Cabaña, algunos de mis familiares me visitan. Les digo con franqueza, no exenta de pesar:

—Se prepara una ofensiva más contra los presos de conciencia. Quieren obligarnos a que nos confundamos con los presos comunes y ustedes conocen mi actitud, no la voy a variar. No aceptaré esa imposición. Creo que estaremos un largo tiempo sin vernos, sin noticias; no se preocupen por mí. Me propongo sobrellevar la situación y lo que pueda ocurrirme afectará todo menos mi espíritu.

Se van cabizbajos y tristes, y yo, a pesar de mi situación, me apeno por ellos.

Está aquí frente a nosotros, acompañado de sus asistentes, el director de la prisión, el capitán «Justo Vaselina», cuyo verdadero nombre es Justo Hernández. El apodo se lo ha ganado por la extremada dedicación a su persona, brillante desde el pelo alisado hasta el destello de sus bien lustradas botas. Es un sujeto de poca inteligencia, que a pesar de eso ha llegado al cargo de director de la prisión. Sin dilaciones se instala ante una mesa rústica que tenemos a la entrada de la galera 23.

—Escuchen bien —dice—. Por órdenes superiores deben cambiar sus uniformes por los que les traemos. Es una medida inapelable del gobierno.

Le respondo:

—Por mi parte rechazo vestirme con el uniforme azul de los presos comunes —intenta hacerme callar pero continúo—. Lo que quieren es humillarnos, que aceptemos confundirnos con los comunes. Usted sería el principal acusado de este atropello, si no fuera porque los verdaderos culpables son los hermanos Castro. Usted es sólo un peón de ellos.

—Se trata de una medida oficial —atina a decirme—. Para ustedes no representa más que un cambio. Para el gobierno una solución porque ya no tenemos más tela para los uniformes amarillos.

—No me pondré ese uniforme de preso común —le digo—, y lo hago responsable de lo que pueda ocurrirme.

Varios de mis compañeros expresan igualmente su rechazo.

Vaselina se muerde los labios y se encoge de hombros. Sabe que cada acto en contra de la «ley de la prisión» lo pagamos caro.

—No hay más que discutir —dice por último y se marcha con sus hombres.

Deja una caja de gran tamaño en la que están los famosos uniformes: una rústica vestimenta de mezclilla azul. Nadie se acerca a tocarlos.

Un día después, uno de los compañeros más disgustados, Benito Hernández, prende fuego a una de las nuevas prendas en medio de la algazara general. El humo que provoca se mezcla con el que baja de la parte abovedada de la galera, procedente de la cocina militar. Se incinera el uniforme como en una ceremonia de desagravio.

Cada día Benito repite su incendiaria y meticulosa labor. Algunos presos deciden ponerse los nuevos uniformes, evitando el conflicto que se avecina entre los carceleros y los reclusos más reacios a la medida.

Ante la insistencia de que nos pongamos el azul, nos despojamos del uniforme de preso político para quedarnos en calzoncillos.

Así, prácticamente desnudos, asumimos una posición de rebeldía. De modo casi absurdo, un calzoncillo se convierte en una bandera. Desvestidos, somos una protesta viva y permanente. Los representantes de la dictadura, en las prisiones, no aceptan el disentir en las ideas. ¡O cumples sus órdenes o te muelen! Si te colocas en una dimensión distinta a la que se concibe en su estrecho universo, lo entienden como un acontecimiento que puede escaparse de sus manos y sobrepasarlos. Se sienten burlados. Las reglas del juego se resquebrajan y la resultante es una mayor concentración de su odio. Cualquier acto de rebeldía que un preso realice sin violencia es para ellos peor que un desborde de furia. ¡Furia!... Esto sí lo entienden, corresponde con su código de violencia.

El mísero hábitat de la mazmorra recibe más presos en paños menores. Tanto Lauro Blanco como Pedro Luis Boitel, que llegan con otros presos de las galeras del Patio, están en calzoncillos. Todos ellos son ciudadanos de primera que han luchado por Cuba.

Los que llegan a la galera 23 han estado en diferentes prisiones y tienen mucho que contar. Hablan de abusos y de imposiciones, de asco y desesperación. La deshumanización alcanza estadios inverosímiles en los penales del castrismo.

Traen a unos y se llevan a otros. En la eterna rotación de este universo carcelario nadie sabe cuándo se va, o al ver marcharse a algunos compañeros, si habrá alguna vez un reencuentro.

Hoy llegaron quince hombres de la prisión del Castillo de El Príncipe, donde los habían mezclado con delincuentes comunes. Nos relatan sus enfrentamientos con los carceleros: hicieron una huelga de hambre que ganaron un poco a lo Pirro, porque los separaron de los presos comunes y los trajeron a la galera 23. Fue muy difícil. Uno de los huelguistas murió durante la protesta. Estos compañeros llegan en calzoncillos igual que nosotros. Éramos quince, ahora somos treinta y tres y el espacio no ha crecido. El cuadro ha cambiado. Somos como un mosaico diseñado con trazos diversos, sin unidad alguna y por el contrario, en una azarosa unión de piezas dispersas y disímiles.

Presiden en esta mazmorra el recelo y el conflicto.

Con perversidad, los comunistas encierran juntos a representantes de varios grupos políticos, en su mayoría hombres de la resistencia que guardan entre sí rescoldos vivos de viejas enemistades o antagonismos. En estas circunstancias, sus rivalidades son agresivas y deteriorantes.

Éstas se manifiestan hasta en las cosas más elementales, como escoger un «mayor» de la galera acatado por todos. Cuando creemos superada esta dificultad con la designación de un viejo revolucionario del Partido Auténtico, Raúl Hernández, conocido afectuosamente por «el Patato», éste encuentra tantas dificultades para desenvolverse en su cargo que protesta:

—Ésta es la galera más difícil que uno pueda imaginar. Ser mayor aquí es como dirigir un equipo de pelota donde todos creen ser «cuarto bate».[1] Ésta es una constelación de líderes y supuestos líderes. Hay que ser mago para lidiar con tanta luminaria.

En otro momento se crea una discusión en la que chocan diferentes criterios sobre si se acepta o se rechaza la comida que han traído, que es un caldo de chícharos. Raúl pierde la paciencia y exclama:

—¡Coño, consigan un densímetro para medir la calidad del potaje y busquen otro «mayor», porque yo me voy al carajo! ¡Renuncio irrevocablemente!

Tengo aquí buenos amigos. Entre ellos el padre Miguel Ángel Loredo, Cesar Páez, José Antonio Villarnovo, Alfredo Izaguirre, Emilio Rivero Caro, Alberto Muller, el doctor José Misrahi. También Nerín Sánchez, quien viene del Castillo de El Príncipe, en La Habana —una

---

1. En referencia al bateador más recio y acreditado de un equipo de béisbol. *(N. del A.)*

fortaleza construida en tiempos de la colonia y convertida luego en prisión–, un poco demacrado por una reciente huelga de hambre de dos semanas de duración. Me mantengo al margen de los choques entre los grupos que prevalecen en esta galera. No voy a ser parte de estas pugnas que la dictadura trata de atizar.

Leo lo que puedo, lo que se logra conseguir aquí: algún libro de economía, un ensayo histórico, una obra de Victor Hugo, con el que me siento identificado aunque no es mi escritor favorito. Hablamos también entre nosotros del pasado de Cuba, una forma de mantener vivos nuestros vínculos con la patria.

A veces me encuentro en la inevitable labor de matar chinches. Las camas, de a tres en torre, son tan incómodas como destartaladas y los insectos interrumpen nuestro descanso, armándose verdaderas cacerías de día y de noche. Esto es un decir, porque para nosotros se han fundido las etapas en una sola, interminable y oscura.

Descubro, sin embargo, que los seres humanos son más difíciles de manejar que los insectos. Escucho forcejeos y veo cómo se produce un estado general de agitación. Voces airadas y quejas atruenan nuestra galera.

Pregunto al compañero que está a mi lado qué es lo que sucede.

—Nelson Castellanos golpeó sorpresivamente a Nerín Sánchez y éste sangra por el cuello. Al caer al suelo se cortó con el filo de una lata.

No puedo reprimir mi disgusto.

—Pero ¿es que estamos todos locos aquí?

Esto me desagrada enormemente, vamos de mal en peor. Todos los días hay una bronca, las más de las veces de palabra. Pero también las hay como ésta, con agresiones físicas. El que da primero se queda con su ventaja, porque después casi todos intervienen para detener la gresca, aunque el antagonismo siga.

Súbitamente salgo de mi aparente pasividad. Me dirijo al comandante Cesar Páez, «mayor» de la galera, que también está disgustado por el ambiente de tirantez y rivalidades que se producen a diario, y le digo:

—Páez, hay que arreglar esto. Con parar los pleitos en la forma en que se hace aquí no llegamos a nada. Apartemos las camas y que se den golpes hasta que resuelvan su asunto. Tú mismo serás árbitro.

Algunos de los partidarios de Castellanos me reclaman por creer que mi determinación es parcial. No les hago caso; el momento no es para pretextos.

Empieza la pelea, son dos hombres corpulentos, aunque Nerín Sánchez está en desventaja por su reciente huelga de hambre. Se dan unos cuantos golpes contundentes durante varios minutos. Es una pelea tablas. Yo mismo la mando a parar.

—Está bueno ya.

La galera queda en calma completa. Es probable que los compañeros hayan entendido que de aquí en adelante, el que agreda o el que insulte no se va a quedar con su ventaja. Tiene que arreglar cuentas.

A partir de este incidente y de su conclusión, la serenidad reina en la galera. Nos libramos de la estéril guapería aunque subsisten ciertas intrigas. Es increíble que adultos con experiencia en las lides cívicas o armadas se comporten por momentos como colegiales. Hay algo explicable en todo esto: la vida en prisión exacerba los aspectos negativos de la convivencia obligada. Todo lo que en la calle, en libertad, se resuelve con una simple cortesía, aquí se transforma en gruñidos o en lenguaje soez, ya que de otro modo podría confundirse la caballerosidad con escasa hombría. Esto ha de ser corriente en las prisiones donde los reclusos deben soportarse durante largos años de cautiverio. Siempre hay personas que, a pesar de esto, mantienen un nivel decoroso de relación porque se niegan a regresiones intelectuales y de urbanidad. Son los que más sufren la cárcel, donde es difícil para el hombre mantenerse en su medida.

La lectura y la imaginación, junto al recuerdo, son el consuelo contra el infortunio en las prisiones que los Castro han habilitado para los presos de conciencia. Para la dictadura el mejor enemigo es el enemigo desmoralizado o muerto.

Estoy más convencido que nunca de que la alternativa válida para los prisioneros en calzoncillos es la de reclamar nuestro uniforme de modo terminante y, si viene al caso, definitivo. Es decir, a través de una huelga de hambre. Mis compañeros opinan que el momento es difícil; el presidio político atraviesa por uno de sus periodos más duros. El régimen, atemorizado por su falta de solidez y con el pretexto de una probable agresión externa, da más vueltas al torniquete y no admite problemas en las cárceles. Esto es lo que trasciende aquí hoy. Pero creo que es la misma noticia de todos los días, a veces corregida y aumentada por el microclima de la mazmorra.

Mientras la idea viene y va en oleadas por mi mente, empiezo a preocuparme por un pequeño orificio que ha aparecido en mi rostro, bajo el ojo derecho y casi pegado a la nariz.

—Oye ¿y qué es eso que tienes ahí? —me pregunta uno de mis compañeros.

No sé qué contestarle. Sólo puedo decirle que cuando estaba en Isla de Pinos, en una visita en el año 1962, mi esposa se dio cuenta de la presencia de una espinilla de color oscuro en la cara. Con el pasar del tiempo he notado que la espinilla ha crecido tomando un aspecto raro. Como llevo tiempo sin visitas y aquí el espejo se usa poco, no había advertido que la espinilla se ha convertido en una verruga con un orificio en el centro. Si fuera pus lo que se desprende sería más sencillo, pues se trataría de una infección. Pero no, evidentemente, es algo más serio.

Consulto con uno de los presos políticos, que es médico. Me responde con cierta indiferencia, producto de la distancia que hay entre los dos, por razones políticas.

—No es nada, eso no tiene importancia, despreocúpese —me dice y se aleja.

No quedo convencido, no parece sincero. Considero sus palabras como contrarias a su misión profesional. Hasta yo me doy cuenta de que esto no significa nada bueno. Otro preso, también médico, el doctor Misrahi, me examina cuidadosamente. Alarmado, dice:

—Esto merece una atención especial. Lamento decirte, Huber, que tienes ahí algo que debe ser tratado con urgencia, de otro modo puede tener serias consecuencias.

Inquiero algo más.

—Hace falta extirparlo con urgencia y de paso hacer una biopsia —añade el médico—. Esto no se puede dejar al abandono. Voy a preparar una carta para la dirección del penal y escribe tú una también.

Cuando el sargento que hace el recuento viene a la galera, se le entregan las dos cartas. En la mía solicito una entrevista con el capitán Justo Hernández, «Vaselina».

Por fin, me llama un oficial y me conduce por el túnel y por una calle interior de la prisión.

Cuando cruzo este patio palpo la condición casi irreal a la que me han llevado mis carceleros. En paños menores, en los espacios abiertos de La Cabaña, un hombre que siempre respetó y se hizo respetar, paseándose así, semidesnudo, humillado. De alguna forma he tratado de darle con la aguja, el hilo y algún botón, una forma de pantaloncito corto al calzoncillo para no ofrecer un aspecto indecoroso. Mas el sentimiento de rebeldía me domina.

Me encuentro ante el gran hombre, sentado en su escritorio. A su lado, Valdés, oficial de la Seguridad del Estado destacado aquí en la prisión de La Cabaña. Los dos tienen el rostro serio.

—¿Qué le pasa? —La voz del director trata de ser amable, aunque no sabe disimular.

—Mire, lo que pasa ustedes lo saben muy bien.

—Lo veo muy molesto.

—Tengo mis razones. Pero bien, lo que me interesa es saber si me van a dar asistencia médica o no.

—Bueno, cálmese, primero vamos a conversar...

Antes de que pueda interrumpirle, prosigue:

—... sí, vamos a conversar un poco. Quiero que conozca una noticia que seguramente lo hará muy feliz. Nos han matado al Che. Sí, como le digo: nos han matado al Che.

No contesto, lo miro fijamente.

—Fue en Bolivia, en la selva. El comandante Guevara estaba combatiendo al gobierno proimperialista con su grupo guerrillero. Le hicieron una emboscada, lo apresaron y después lo mataron hace dos días, el 8 de octubre, sin más ni más. Me imagino que esta novedad lo pondrá muy contento.

—Vine a tratar mi asunto, no me interesa que nos desviemos hacia otra cosa.

—¿Es que no me cree?

Me muestra un gran titular de primera página que dice: CONFIRMADA LA MUERTE DEL CHE.

Sí, es cierto, pero ¿por qué me lo enseña a mí? Pienso que tal vez observa mis reacciones, en particular sobre el estado de angustia que mi salud me está creando, o se entretiene en esto o qué se yo...

Quiero terminar con esta comedia, aunque no dudo que la información sea real. ¿Qué sentido tendría imprimir un periódico para mí solo?

—Bueno, quiero saberlo. ¿Por fin me van a dar asistencia médica? ¿Sí o no?

—Sí.

—Entonces mejor que sea pronto, o no me servirá de nada.

El director está cada vez más molesto con mi reacción.

—Sargento, lleve a este hombre de vuelta a su celda.

Vamos de regreso a la galera 23. Recuerdo aquella mañana en la sierra, cuando el Che entró corriendo a la casa donde desayunaba y como a unos veinte metros de allí, pegados al suelo, soportamos el ataque de los aviones.

Doy la noticia de la muerte del Che. Hay revuelo en la mazmorra; la mayoría no lo cree. Los convenzo y añado que, según el director, Fidel va a hablar en un gran acto popular organizado en homenaje a Guevara.

Huber Matos (izquierda) y Camilo Cienfuegos caminan hacia las oficinas de la comandancia del Regimiento Agramonte. Camilo había sido enviado por Fidel para arrestar a Matos.

Matos y sus oficiales son conducidos desde el Castillo de El Morro al Campamento de Columbia, minutos antes de comenzar el juicio. En la foto aparecen, de derecha a izquierda, el capitán Julio Fernández, el comandante Huber Matos y los capitanes Roberto Cruz y Napoleón Béquer. La Habana, 11 de diciembre de 1959.

José Manuel del Pino, 19 años de prisión.

Gregorio Ariosa, 9 años de prisión.

Heriberto Bacallao, 20 años de prisión.

Georgina Cid, 16 años de prisión.

Aracelis Rodríguez San Román, 22 años de prisión.

Roberto Azcuy, 21 años de prisión.

Olga Morgan (viuda del comandante rebelde William Morgan, fusilado en 1961), 11 años de prisión.

Servando Infante, 19 años de prisión.

Tony Lamas, 22 años de
prisión.

Nerín Sánchez, 18 años
de prisión

Ofelia Rodríguez
Roche, 14 años de
prisión

Mario Chanes de Armas
(compañero de Fidel
Castro en el ataque al
cuartel Moncada y el
desembarco del
Granma), 30 años de
prisión.

Ángel D'Fana, 20 años
de prisión.

Silvino Rodríguez, 21
años de prisión.

Luisa Pérez, 11 años de
prisión.

Recibimiento en Costa Rica, 21 de octubre de 1979.

En Miami, en 1985, con María Luisa y sus cuatro hijos. De izquierda a derecha: Rogelio, Lucy, Huber y Carmela.

—Es lástima que el muerto no sea Fidel —dice uno de los compañeros.

—O Raúl —dice otro.

Por el momento, mi pensamiento se detiene en reflexiones sobre Guevara. Ese acto convocado por Fidel es una comedia. La aventura de Bolivia fue la manera de deshacerse del Che, que estaba en desacuerdo con los soviéticos. Ahora que ha muerto el guerrillero argentino, Fidel lo utilizará como pasquín de propaganda de la Revolución cubana.

Después de algunos días un oficial me lleva donde está el doctor Llopis, jefe médico del Ministerio del Interior. Me examina la cara en compañía de otro médico. Promete que pronto se me atenderá. Llopis dice que el otro es cirujano y será el encargado de operarme.

—Esto hay que extirparlo pronto; aprovecharemos para hacer la biopsia —comenta mientras examina el pequeño tumor—. Vendré la próxima semana a operarlo.

—Doctor Llopis, espero que ésta no sea otra broma contra los presos.

Y me voy, mejor dicho, me llevan a la galera.

Se produce un pequeño milagro: cumplen. Me traen al mismo local donde me atendió Llopis. El cirujano me dice que me acueste sobre un escritorio no muy limpio, con algunas moscas como las hay en todo el penal. En este medio me opera. Al terminar envuelve en unas gasas el tejido que se lleva para la biopsia.

Le pregunto:

—¿Cuándo sabré el resultado?

—Estará enseguida —me contesta—, pero no sé cuándo se lo notificarán a usted. Primero vendré a quitarle los puntos.

Aprovecha un momento en el que Llopis se aleja para decirme que es médico del Hospital Militar, no del Ministerio del Interior.

La herida se infecta, los puntos se van. No me atienden ni me informan el resultado de la biopsia. Reclamo al médico pero al parecer no lo dejan venir. ¿Será que por algún micrófono oculto escucharon cuando me decía que no era médico del Ministerio del Interior?

Decido pasar de inmediato a una huelga de hambre que sólo cesará si me dan el tratamiento que necesito. El 19 de diciembre, comienzo el ayuno.

No toco la comida. Los carceleros preguntan qué me está pasando. Mis compañeros se lo dicen.

Al segundo día llega Llopis.

—¿Qué pasa?

—Usted, el director, el oficial médico que me operó y todos saben bien lo que pasa. Les dije que prefería que no me atendieran a que hicieran una pantomima. Donde operaron, lo que tengo es una infección. Y no es sólo mi caso; aquí está Gutiérrez Menoyo, que tiene un desprendimiento de retina debido a la paliza que le dieron en Isla de Pinos. ¿Qué quieren ustedes? Si no lo atienden pronto, perderá la vista.

Llopis no responde y se va. Más que mi problema, le molesta que un preso le hable con tanta crudeza delante de los demás presos.

Al siguiente día a Menoyo y a mí nos meten en un carro jaula en pésimas condiciones. La puerta no cierra bien y el guardia va parado frente a ella. Sentados sobre el piso metálico, salimos de La Cabaña y cruzamos el malecón. Viajamos por La Habana en calzoncillos.

El maltratado vehículo ingresa al hospital de la prisión en el Castillo de El Príncipe.

Nos espera la Seguridad del Estado.

—¡Vamos, apúrense, apúrense!

Los guardias están siempre como molestos por algo que no hemos hecho. Ésa es la técnica, un permanente amedrentamiento. Gutiérrez Menoyo y yo sufrimos las consecuencias de un encierro difícil. Él, además de los problemas con su vista, padece otras dolencias. Caminamos como autómatas hasta una sala donde quedamos enclaustrados.

Maderas anchas y planchas de zinc cruzadas o dispuestas como tapas de ventana, son el freno a nuestra ansiedad de ver más allá de los muros carcelarios. Como en otros lugares, encontramos que han puesto vallas a la entrada del lugar donde nos ubican, para que no nos podamos comunicar con nadie en el hospital. Me acuerdo de Dostoievsky en su relato «El sepulcro de los vivos».

Ignoro el motivo, pero han decidido tratarnos mejor. Llegan los médicos y me hacen un reconocimiento superficial; limpian mi herida infectada y dicen que mañana me harán un tratamiento cuidadoso. Cumplen la promesa y ceso la huelga.

El resultado de la biopsia dice: «Epitelioma basal sólido». Me explican que no debo esperar metástasis. Se trata de un documento del Ministerio del Interior. Qué ironía, tienen nuestra historia clínica, no para proteger nuestra salud, sino para registrar nuestros males. Al fin y al cabo, la biopsia me indica que ha desaparecido el peligro.

Se presenta aquí el jefe de Cárceles y Prisiones, el coronel Medardo Lemus Otaño. Para los presos es una versión humana con algo de hiena. No obstante, se preocupa por aparentar ser un caballero. Me doy cuenta de que viene a provocarme.

Dice cosas sin trascendencia en tono burlón. Lo interrumpo.

—Escuche, si ustedes piensan tenerme toda la vida en calzoncillos, sepan que no lo van a lograr. O me sitúan en las condiciones que me corresponden como persona o me van a tener que matar.

—Lo podríamos haber fusilado y está vivo todavía —responde Lemus. Luego sonríe, como disfrutando un placer interior, y agrega:

—Usted no va a salir con vida de la prisión. No tenemos apuro por su muerte, pero si usted la quiere adelantar, no nos opondremos.

—¡Les voy a hacer una protesta y veremos si se atreven a matarme!

Lemus le da otro giro a la conversación.

—Bueno, ahora lo que nos interesa es atender su salud. En este hospital no tenemos los recursos para hacerle un chequeo general. Mañana lo trasladaremos a un centro médico superior, donde le haremos una amplia investigación.

Por su expresión, entre el odio y la ironía, dudo del ofrecimiento.

Al día siguiente vienen a buscarme. Menoyo queda aquí.

—Vamos, muévase, lo llevaremos a otro lugar.

El otro lugar es, nuevamente, La Cabaña.

¡Y qué curioso!, a pesar de la civilización y de la acumulación de siglos de cultura, cuando el hombre privado de su libertad y transitoriamente fuera de su celda habitual es reintegrado a ésta, a su hábitat, siente cierta complacencia. Es como una reafirmación del hábito, porque ¿qué hay de gratificante en esta húmeda y hedionda mazmorra, en esta cueva? ¡Nada, nada en absoluto! No es que lo acepte interiormente en forma racional; es que se ha constituido en una parte de mi existencia casi vegetal. Un acostumbramiento biológico, común en los presos. Jamás creí que pudiera ser tan fuerte el nexo creado entre un hombre y su medio ambiente.

De nuevo en la galera 23, siempre igual, en calzoncillos.

A pesar de que las pugnas no han degenerado más en violencia física, no estamos en una convivencia armoniosa.

¿Cuáles son las fuerzas hostiles en la galera? Una de ellas, el Movimiento Revolucionario del Pueblo (MRP)[1]. Otro grupo es el Movimiento de Recuperación Revolucionaria (MRR), que posee dos ramas muy antagónicas. Está presente también el Directorio Revolucionario (DR).

---

1.   MRP: fundado por el ingeniero Manuel Ray. El grupo realizó en Cuba un trabajo clandestino importante bajo la dirección de Rogelio Cisneros. Está representado en prisión por Reynol González. MRR: dividido en dos ramas, una de las cuales tiene su máximo dirigente con nosotros, el médico psiquiatra Lino Fernández. La

El Partido Auténtico, cuya cabeza nacional es Grau San Martín, está representado aquí por Lauro Blanco, hombre con una trascendente historia en la gesta contra tres dictaduras: la de Machado, la de Batista y la de Castro. Es también un líder agrario y sindical y un luchador corajudo.

Están los oficiales del Ejército Rebelde Juramentado, dirigidos por Nerín Sánchez. Nerín ha mantenido una posición muy firme en Isla de Pinos, negándose al trabajo forzado y a otras imposiciones del régimen castrista.

El psiquiatra Vladimir Ramírez se halla al frente de un minúsculo núcleo izquierdista, muy controversial.

Eloy Gutiérrez Menoyo es el titular del Frente Nacional del Escambray; este grupo es de la vertiente revolucionaria y tiene seguidores en la prisión.

Cesar Páez, combatiente de la Sierra del Escambray, representa aquí al Movimiento 30 de Noviembre y es un preso político con mucho prestigio.

En la galera hay también otras personalidades que no pertenecen a ninguna organización, como el caso del periodista Alfredo Izaguirre Rivas y del doctor Emilio Rivero Caro, que estuvieron conmigo en los calabozos del Orden Interior y, según me explicaron, fueron los primeros en rechazar el trabajo forzado del llamado Plan Camilo Cienfuegos, por lo que recibieron crueles castigos.

Desde mi prisión en Isla de Pinos, algunos de estos grupos me han propuesto suscribir documentos conjuntos. Esto se ha repetido aquí. He preferido no parcializarme en tanto prevalezcan las circunstancias actuales de incomunicación; creo que vale la pena basar cualquier acuerdo en un mejor conocimiento de cada grupo y de la situación del país. Ocho años de encierro e incomunicación no proporcionan la mejor base informativa para este tipo de decisiones.

Viene a verme un preso del grupo de Boitel. Me demuestra simpatía; hemos conversado varias veces.

Me dice:

—Tengo que hablar con usted, pero le ruego que nos apartemos un poco de la gente.

---

otra rama la encabeza Pedro Luis Boitel, antiguo líder estudiantil, prestigioso y combativo DR: formado en un principio por estudiantes universitarios. La cabeza del Directorio en la galera es Alberto Muller. (N. del A.)

Con expresión extraña, como si arrastrara una idea fija, me habla casi al oído:

—Mire, Huber, usted es la única persona en la que puedo confiar, créame. Tengo elaborado un plan de fuga y quiero que usted me acompañe.

Intento detenerlo.

—Escúchame, no estoy enterado de lo que te propones y no te voy a acompañar aunque agradezco tu atención. Además no me comprometas así, porque si haces el intento y te capturan, tendrías todo el derecho de pensar que yo hablé. Por favor, olvídate de que hemos conversado.

El hombre insiste en mostrarme el lugar por el que proyecta fugarse. Me lleva al fregadero en el que los presos nos lavamos la cara y limpiamos los platos y me muestra una rejilla por la que escapa el agua. El hueco no tiene más de una pulgada de diámetro.

—Por aquí saldremos —y señala el hueco—, por aquí.

Me explica que luego de introducirse por allí, él tiene previsto llegar hasta una alcantarilla y luego a un túnel que da a la bahía.

Con pesar le digo:

—Hmm... Veo que has inventado algo muy especial.

—Sí —explica entusiasmado—, no nos podrán atrapar, por aquí saldremos de esta prisión para siempre...

Me da pena este hombre a quien el encierro, la lejanía de los suyos y la pesada promiscuidad, más el hostigamiento de los carceleros y la sensación de impotencia, han enloquecido hasta este extremo. Sé que, más que estados demenciales definitivos, son crisis transitorias, aunque hay casos graves e incurables. Una situación negativa y penosa, de las que se viven dentro de estos muros húmedos, donde los hombres caen en abismos interiores, en verdaderos pozos de soledad. Anhelo que el de mi compañero no sea uno de éstos.

Por fin lo convenzo de que no lo acompañaré y le deseo suerte.

—Gracias —me responde—. Quería contárselo a usted porque sé que no me delatará. De verdad quisiera que me acompañara.

Mientras me alejo buscando mi rincón, él queda allí, estático, mirando fijamente el hueco de una pulgada por el que piensa fugarse.

42
Huelga de hambre

Pasan más y más días. No hay noción del tiempo, no hay esperanza. La muerte sería una solución. Pero no llega.

Estoy decidido a hacer una huelga de hambre en protesta por tanto abuso. ¿Cuál será el precio? ¡Qué más da!

No estoy dispuesto a que me sigan tratando peor que a un animal. ¿Desde cuándo? ¡Qué sé yo... muchas semanas, meses, años!... Aquí el tiempo nunca es instante, siempre eternidad. Eternidad del infierno.

La huelga es el último recurso contra el abuso. La muerte del prisionero político como consecuencia de una huelga de hambre es un acto de rebeldía. Las tiranías temen a la rebeldía porque se contagia y los tiranos necesitan el miedo para gobernar. Cuando alguien los enfrenta, aunque sea un preso, otros pueden imitarlo dentro o fuera de la prisión.

En mi caso, aunque esté sepultado en esta galera y separado de la mayoría de los presos, mi muerte, pero más que mi muerte, la decisión de protestar al precio que sea, tendrá consecuencias. Un preso político está relativamente neutralizado, pero a un hombre que ha muerto por sus ideales no pueden encarcelarlo. Un mártir puede convertirse en bandera de la oposición. Por estas razones la huelga de hambre debe ser prolongada, hay que estirarla para que la muerte no sea rápida y cuando llegue tenga el mayor impacto entre los presos, la población y la opinión pública internacional.

Les he propuesto a mis compañeros una huelga colectiva. Están de acuerdo en que hay que hacer algo. Todos seguimos en calzoncillos, pero no creen que una huelga de hambre podría ser eficaz. «Nos dejarán morir, Huber, y les ahorraremos el trabajo de matarnos.» Me siento algo decepcionado, pero los comprendo y dejo de insistir. Cuando dan por un hecho que iniciaré la huelga, Nerín Sánchez me aconseja que la posponga hasta después del invierno. Me dice que enero y febrero son poco recomendables para iniciarla; las bajas temperaturas y un estómago vacío pueden frustrar el objetivo del ayuno, que es el de prolongarlo durante el mayor tiempo posible. Le doy la razón.

He decidido ir a la huelga aunque sea solo. No voy a aceptar más la vida en una mazmorra de castigo como si la injusta falta de libertad no fuera suficiente. Vivimos envueltos en un humo obstinado, que es presencia permanente en esta cueva inmunda, bañados por una humedad que baja desde los malditos muros medio iluminados por una luz artificial desganada, penumbrosa y que extiende la noche al infinito. Voy a la huelga de hambre sin límites y quizá sin retorno. ¿Qué importa? He combatido las dictaduras y conozco el precio que se paga por desafiarlas. La guerra en la prisión es una guerra solitaria, más simple, más personal. Antes luché por mi país, ahora por mi dignidad. Aquí no hay tropas ni campos de batalla. Aquí estoy yo y aquí están ellos, los enemigos de siempre que sólo cambian de rostro o de uniforme. Ellos quieren igualarme a los presos comunes y a los que aceptan la rehabilitación. Iré a la huelga; ayunaré hasta morir o hasta que los obligue a ceder.

Mi estado físico deja mucho que desear y arrastro años de amarguras y privaciones. No tengo la vitalidad del hombre joven que era cuando entré a la prisión. Veo en algunos compañeros los mismos estragos, y en muchos, los ojos marchitos. En otros, algunos raptos de demencia. Hay en todos agobio, indignación e impotencia. Presentamos un cuadro patético. No acepto seguir viviendo así. Voy a retar a la dictadura hasta mi muerte, si es necesario.

El primero de marzo de 1968, comienzo la huelga de hambre. Temprano en la mañana le entrego al carcelero una carta para las autoridades del penal, con esta decisión. En la galera, mi amigo Emilio Rivero Caro lee una copia. Los términos son definitivos. La situación en la que deliberadamente me han colocado es indigna de un preso de conciencia y el propósito de confundirme con los presos rehabilitados y los delincuentes comunes es el último atropello a mis derechos:

«Prisión de La Cabaña, marzo, primero de 1968
»Señor director de la Prisión
»Señor director de Establecimientos Penitenciarios
»Señores:
»Me niego a vivir entre rejas en condiciones infrahumanas. Me niego a continuar cumpliendo mi condena desnudo, incomunicado y en régimen de castigo permanente.

»Ustedes tienen la fuerza, lo sé. Pues bien, pueden ir preparando lo poco que hace falta para mi viaje al cementerio.
»O me respetan o me echan a la fosa.

»A partir de hoy no ingeriré alimento alguno. Si lo que desean es aniquilarme de una vez, ésta es la oportunidad. Si lo que les interesa es magullarme un poco más, destruirme un poco más para que después el tiempo haga el resto, ésta también es la oportunidad.

»No tenemos nada que hablar. Demando que se me respete como hombre y como preso político o me dejen pudriéndome en el cementerio. Y no pierdan el tiempo mandando que me presente en la dirección del penal, porque no lo haré mientras me tengan en esta situación. Me niego también a ir por mis pasos adonde ustedes ordenen.

»Huber Matos B».

El día que comienzo la huelga escribo esta breve leyenda en la pared, cerca de mi camastro: LA MUERTE ES VICTORIA CUANDO LOS RÍGIDOS DESPOJOS SON AFIRMACIÓN DEL IDEAL Y EL HONOR.

Es mi declaratoria de principios.

No ingiero alimentos, sólo bebo agua en contadas ocasiones, menos de un tercio de litro al día. Vuelve el carcelero y con él la comida para todos. Mis compañeros me dicen: «Ahí te trajeron una comida buenísima». Mi único comentario es que ya no me interesa.

Me conmueven Lauro Blanco y Nerín Sánchez. Se acercan y me dicen:

—Huber, vamos a la huelga contigo.

Los observo y medito. Sus ojos cansados y el maltrato a que han sido sometidos sus cuerpos hacen aún más meritoria su decisión.

—Escuchen —les respondo—, debemos evitar una huelga solidaria conmigo y con mi planteamiento a la dictadura. Actuaremos individualmente. Creo que en mi caso, el final será la muerte. No será de extrañar que estemos en plena huelga y uno de ustedes sea separado y asesinado con el propósito de cargar sobre mis espaldas esa responsabilidad. Ustedes saben que ellos actúan así.

Nerín y Lauro están de acuerdo en hacer la huelga individualmente, pero están tan seguros como yo de que esperar una respuesta favorable de los comunistas es una ilusión cuyo precio conocemos. Me apena la situación de los demás. Creo que su papel de espectadores es un poco incómodo.

Los tres o cuatro primeros días del ayuno total son muy difíciles; el cuerpo lucha por recibir su alimento de costumbre. Exige, primero con ansiedad, la cantidad de calorías que necesita para sobrevivir, y como no la recibe, reacciona con dolores de cabeza y mareos, en particular cuando uno se incorpora. Después de estos primeros días el organismo comienza a vivir de sus reservas gracias a la ración de agua que le sirve para metabolizarlas. El mecanismo biológico consiste en ir extrayendo del propio cuerpo los nutrientes necesarios para evitar la muerte.

Al principio el organismo se va debilitando y la mente tiene mayor lucidez. Después desaparece el deseo de comer y la razón huye involuntariamente de la realidad; se confunde con las nieblas del sopor y participa con el cuerpo en esa fuga lenta y sostenida de la vida. Durante el día tomo tragos de agua, pero cuido de no sobrepasarme, pues podría vomitar y debilitarme más.

Serio, arrogante, contrariado por tener que mantenernos vivos, el doctor Llopis, médico del G-2, me visita el día 8 de marzo. Nada de preámbulos. Como si no lo supiera me dice:

—Y bueno ¿por qué es la huelga?

No respondo.

—¿Me está escuchando? ¡Dígame por qué es la huelga!

Deseando que se vaya cuanto antes, le digo que mi carta a las autoridades es sumamente clara y terminante. Todo está dicho, no tengo nada que agregar.

Ni siquiera pregunta por Nerín y Lauro. El médico sabe que él es uno más en una diabólica farsa. Mi actitud, que le parecerá soberbia, confunde los esquemas mentales de la burocracia carcelaria. Me mira con fastidio y con paso rápido abandona esta cueva donde la mala iluminación proyecta sobre los muros las sombras de esos fantasmas que somos nosotros.

Mis compañeros creen que me van a dar asistencia médica.

—No, no lo creo —les aclaro.

Hay inquietud en la galera. Minutos después de la visita de Llopis, la Seguridad del Estado se lleva a varios presos hacia otra cárcel. Alguien me dice que el traslado es para Guanajay, a unos cincuenta kilómetros de La Cabaña. Ellos llevarán allí la noticia de que estoy en huelga de hambre y que Lauro y Nerín me acompañan. Es importante este traslado porque al conocerse la huelga en otras cárceles, es posible que incite a más presos a asumir la misma actitud.

Pasan los días del 8 al 10 sin novedad. El 11 de marzo, entran a la galera varios oficiales del G-2. Intolerantes, impacientes, como hastiados de lidiar en un submundo para el cual, sin embargo, nacieron:

—Venimos por usted —dice uno de ellos—. Así que vamos.

Se repite lo del médico. Hago silencio.

—¿Ha oído? Párese y venga con nosotros.

No puedo impedir una mirada de desprecio.

—De aquí no me muevo, hagan lo que quieran.

El oficial que viene al frente del grupo ordena fríamente:

—¡Levántenlo! ¡Rápido! ¡Así! ¡Así!

La debilidad y las libras que he perdido facilitan el trabajo de los carceleros. Me suspenden en el aire usando la vieja y delgada colchoneta como un saco y me sacan rápidamente a la galera inmediata, la 23-B. Me tiran en el piso sobre la colchoneta. Quedo más como un animal enfermo o herido que como una persona. Solo y sin fuerzas. Llevo once días sin probar bocado y por momentos siento que mi cuerpo ya no está conmigo, que se ha volatilizado. Pero no, de pronto me vienen molestias viscerales agudas y persistentes; imagino que cuando abandone el mundo, todas mis partes —sensoriales, orgánicas y anímicas— se irán juntas.

Traen a mis compañeros en huelga. Llegan caminando y se tiran sobre el piso sucio, están en calzoncillos como yo. El frío nos molesta.

Nos observamos decaer, sin deseos de hablar y dedicados a eliminar los insectos que nos molestan en el piso y en la miserable colchoneta.

El silencio de mausoleo que reina en esta prisión se ve interrumpido algunas veces por extraños sonidos que mis dos compañeros tratan de identificar. Hay otros ruidos conocidos y habituales, como los que hacen los carceleros con sus cacharros cuando distribuyen la comida. Por los formidables muros es imposible que pueda filtrarse alguna voz. Estos muros no tienen vida ni luz, son húmedos y fríos.

Vienen a buscarme una noche, prefieren la oscuridad. Los cuerpos bien alimentados de nuestros carceleros, miembros de la Seguridad del Estado, con sus rostros trabados en el hábito del odio, son como la imagen repetida de una película de horror que de tanto verla ya no impresiona.

—Acompáñenos.

Me niego, una y otra vez. Pero me sacan como antes, utilizando la manta o colchoneta —por lo delgada es lo mismo— como un saco de papas suspendido a unos cincuenta centímetros del suelo. Digo adiós a mis compañeros.

En esta posición horizontal me llevan por el túnel hacia una pequeña escalera que da a un patio. Cuando estamos afuera me dejan caer pesadamente sobre el piso. Por reflejo evito el golpe de la cabeza contra el suelo, pero quedó adolorido. Los esbirros me levantan y musitan una especie de pretexto más que de disculpa.

Me colocan en la parte de atrás de un auto del G-2, completamente cerrado. Junto al chofer se sienta el oficial que provocó la caída. Conmigo viene uno de ellos, atento a mis movimientos, como si tuviera vitalidad suficiente para tratar de escaparme.

Salimos de la Fortaleza de La Cabaña y cruzamos el túnel que atraviesa la bahía de La Habana, tomando después la Avenida del Puerto. El vehículo se detiene, percibo la brisa marina. Mis pulmones se sienten bendecidos con esta inesperada gracia.

—Vamos a tirar a este hijo de puta a los tiburones —dice el oficial desde el asiento delantero.

Me encojo de hombros. Repite su amenaza y lo miro en silencio. Está furioso porque con la mirada le he dicho que no me asusta.

—Sigamos, no nos ensuciemos las manos con este miserable traidor. No vale la pena responsabilizarse por él, vámonos.

La brisa fresca que viene del mar me recuerda que lejos de la reclusión subterránea está el aire como una bendición exclusiva para los seres libres.

Llegamos a Villa Marista, cuartel general del G-2. El vehículo se detiene en el patio desierto.

—Vamos, salga.

No esperan mucho porque saben que no acato órdenes. Me bajan entre los cuatro, con prontitud y brutalidad. Me cubren con una manta y me llevan como a un saco, con descuido. Están molestos y me tiran sobre una cama en el interior de una celda. Ya no son cuatro, son diez o doce; vienen a verme otros; me miran con odio. El mismo oficial de la amenaza de tirarme al mar, me dice:

—Aquí te vas a comer las paredes cuando te aumente el hambre.

Todos se ríen. Miro al techo como ausente. Ellos se van y vuelven; cambian las caras pero la curiosidad es la misma. Debo resultarles algo así como un raro trofeo de caza. El desfile es continuo, molesto hasta el cansancio, aunque el objeto de ese esmero equívoco sea un cuerpo castigado por años de presidio, indefenso, más sombra que persona. Estos individuos toman su trabajo como tal, es decir, como una actividad pagada que se cumple dentro de un horario y conforme a reglamentos. La tarea cotidiana es quebrar huesos, patear órganos genitales, aplicar la picana eléctrica o utilizar ardides psicológicos en la mente traumatizada de sus víctimas. Finalizada su labor, llegan a sus domicilios y reciben el afecto de los suyos sin problemas de conciencia y sin memoria. Están haciendo carrera. Ya llegará el día en que se jubilarán, satisfechos del deber cumplido.

Por un momento quedo solo; entra casi subrepticiamente un oficial, al que la oscuridad me impide ver bien. Sus palabras me sorprenden.

465

—¿Quiere que le quite los zapatos y así descansa?

No contesto, dudo que haya aquí un gesto de bondad que no oculte un deleznable propósito. No sé si el oficial sigue en la celda o se ha ido. Poco después, al salir de un leve sopor, advierto que me han quitado los zapatos. Desconozco la intención de ese hombre, pero siento algún alivio.

Pasa un día y otro día; sólo escucho una voz humana tan puntual como lacerante. Cada media hora o a lo mejor cada hora o dos, no sé bien, se abre la mirilla de mi celda y alguien, un carcelero anónimo, pregunta seca y enfáticamente:

—¿Número?

Mis oídos y esa voz. La constancia cronométrica del ruido metálico. La palabra latigante: cierto, soy un número. No lo doy ni lo recuerdo; es más, no me lo han dado, y si lo supiera no lo daría.

Dormido o despierto, el maligno juego continúa. La huelga de hambre avanza sobre mi organismo erosionándolo gradualmente. Sin embargo, siento la presencia magnífica del espíritu que enciende en mí la llama de la vida y mantiene el estado de rebelión al que el cuerpo hubiera renunciado ciegamente en su afán de sobrevivir. Es el espíritu contra las debilidades del organismo y el espíritu contra el atropello de la fuerza.

—¿Número?

No sé en qué día estoy, a veces despierto confundido, ¿estoy vivo? Entonces comprendo que estoy aquí en el santuario de la ignominia. Me consumo despaciosa e inexorablemente. ¿Por qué no me dejarán en paz? Es mucho pedir aquí.

El insistente «número, número...» ha cesado.

Creo que tengo un visitante, lo busco con la mirada y veo que me observa fijamente. Es un uniformado de porte atlético y mediana estatura. Se mantiene en esa posición estática. Me acomodo para dormir y, de momento, comienza una pesadilla... siento mis piernas, por encima de los tobillos, presionadas por dos garras que incrementan, segundo a segundo, su desesperante intensidad. Mi cuerpo se retuerce y hago un enorme esfuerzo para no gritar, ni protestar ni insultar. Las garras se retiran. No sé si estoy dormido o despierto, pero el dolor me invade ambas piernas.

La función recién ha comenzado. El buitre llega silencioso por lo menos dos veces al día. Me observa fijamente, se acerca y vuelve a clavar sus garras con tal fuerza que tengo que hacer uso de toda mi voluntad para no gritar. No puedo defenderme.

Tengo que guardar la energía que me va quedando en el cuerpo para llegar dificultosamente al baño una vez al día y tomar agua.

A veces estoy dormitando cuando siento el dolor en la piernas y en todo el cuerpo; a veces, como delirando, veo al enorme buitre arrancándome la carne sin esperar mi muerte. Siento que cumplo una condena infernal.

Es la tortura de una voluntad diabólica que se repite hasta el infinito, como si el mal fuera el dueño absoluto del tiempo. El buitre a veces no viene por horas y horas, para ilusionarme de que su faena está concluida, pero esa dilación en regresar es parte de su propósito de volverme loco, de impedirme el reposo, que es lo único que anhelo.

Vivo con una paupérrima luz artificial que jamás se apaga y no puedo distinguir el crepúsculo, ni el resplandor del amanecer, nada. No sé qué tiempo llevo sin ingerir alimento alguno. Cuando puedo reunir algunas fuerzas, más impulsado por el espíritu que por los músculos enflaquecidos y debilitados, voy dando pasos hasta el baño, a dos metros de distancia. El agua sobre la piel me da un frío insoportable. Por dentro siento un calor abrasante. Mis mucosas gástricas parecen arder en un fuego que sube hasta la boca.

Puede que esté ya próximo el final. Cuando me trajeron a este lugar tenía once días de no probar bocado. Y eso está ya lejos.

Intento caminar envuelto en la frazada. Creo que podré llegar hasta el baño pero me caigo, golpeándome la cabeza contra algo; todo queda oscuro… ¿Habré estado en el suelo cinco minutos, una hora? No lo sé… Fugazmente recupero el conocimiento y veo que me suben a la cama. Sé que no tengo fuerzas para llegar hasta el baño y que sin agua estoy en el preludio inmediato al fin.

¿Pasan horas, días? No puedo saberlo. Tengo una sed que me devora, ardo por dentro. ¿Pediría «agua»? Alguien me trae un jarro de aluminio que temblorosamente llevo a la boca, bebo mientras mis dientes castañetean.

Pasan más y más días. No hay noción del tiempo, no hay esperanza. La muerte sería una solución. Pero no llega.

En este silencio y aislamiento escucho un piar que me alegra. Sé que son gorriones aunque no los veo. Están libres, cantan, a veces más, a veces menos. Advierto que por momentos pían de un modo muy peculiar y que el instante en que agrupan sus trinos con mayor fuerza debe ser cuando se inicia el día. Es probable que antiguos presos que ocuparon esta celda dejaran caer migas de pan a los animalitos, que han tomado la costumbre, frustrada ahora, de buscar alimento. No tengo nada para darles. Ellos, curiosamente, me dan una forma de precisar nuevamente el paso del tiempo. Cuando comienzan a piar ha pasado un día y está comenzando otro. Me emocionan estos pequeños alados, tan puntuales y melódicos. ¡Cuánto amaba la música cuando era un hombre libre! ¡Aquellas serenatas al compás de las guitarras con que despertábamos a alguna bella joven de nuestro barrio!

¿Quién hubiera imaginado que aquel que un día cantó, rió y amó, con ese sentimiento casi infantil y apasionado de la juventud, ahora esté en un viaje confuso entre el día y la noche, que ni siquiera puede penetrar al dormir en el mundo de los sueños? Estoy acorralado en una nebulosa, en una caverna de luces y sombras.

Sólo el buitre aparece, obsesivo, como si hubiera desarrollado aún más su pérfida energía y tritura mis piernas. Este conjunto de horrores consigue desvanecerme. Salgo de mi sopor alertado por la diana de los gorriones. No puedo ni vivir ni morir.

Me siento tendido sobre una mesa, atado con gasas blancas; no puedo moverme. ¿Habré muerto?

Parece una clínica, ahí están mis carceleros. Estoy en una cama. Estoy vivo.

En la bruma percibo una especie de sol amarillo.

Como en un ir y venir de lo consciente a lo inconsciente, mi cerebro registra todo en espejismos. Pasa el tiempo, no puedo saber cuánto; el sol amarillo se me perfila como un suero fisiológico. Me están alimentando, están evitando mi muerte. ¿Para qué?

Veo de pronto ante mí un hombre: ¡el buitre! Entonces no era una pesadilla. Me dice:

—¿Cómo estás?

Su sonrisa me parece una mueca.

Sólo atino a armar una frase:

—Tú eres el Buitre, tú eres el Buitre.

Intrigado, me inquiere:

—¿Qué quieres decir con eso?

—Tú eres el Buitre, tú eres el Buitre.

Sigo así, en una monocorde imprecación. Este hombre es el ave de rapiña de mis pesadillas y yo su carroña. Pienso que se abalanzará de nuevo sobre mis extremidades para seguir con su ritual, pero no, se va.

Regresa y yo insisto:

—Tú eres el Buitre.

Cuando ríe, creo ver en él una hiena.

Su respuesta es desconcertante.

—Sí, soy el Buitre si tú lo deseas. Pero tengo órdenes de no dejarte morir. Tu muerte no nos conviene, al menos por ahora. Te vamos a dar un último chance. Después, es asunto tuyo. ¿Me escuchaste bien?

Callo, trato de entender, pero quedo confundido.

Poco a poco me voy calmando. ¿Sigo viviendo o estaré muerto y ésta es la vida en el más allá, con la repetición de la última pesadilla, como una condena no elegida?

Los dolores son tan reales, que me dan la certeza de que sí, de que todavía estoy vivo.

De pronto los malestares se acentúan, entreabro los ojos y veo que donde estaba el suero hay un líquido espeso y negro, una cosa cremosa y oscura que me introducen por una sonda inyectada a mis venas. Tengo la boca sumida, los labios resecos, los pocos dientes que me quedan los siento flojos y una sensación muy desagradable en el paladar.

Comienzo a sentir espasmos entre el corazón y la garganta. ¡Me ahogo! No creo que pueda resistir mucho más. La angustia me embarga. Me están matando. En una de estas contracciones se me va la vida. Trato de que no, que no se escape. Ese líquido negro tiene que ser veneno.

Los espasmos continúan. Siento dolor y náuseas. Trato de zafarme de mis ataduras, pero es inútil. Mejor así, qué todo acabe pronto.

Estoy en esta lucha cuando entra el Buitre.

—Estás… estás acabando tu obra —balbuceo con dificultad.

Sus ojos van velozmente de la sonda al líquido oscuro, luego a mis manos, mi rostro, a todo mi cuerpo. Está tenso, alarmado. Sin vacilar aprieta algo aquí y algo allí. Me toma el pulso; está sumamente asustado. Sale casi corriendo, regresa en pocos segundos. Se mueve rápido. Voy sintiendo un paulatino alivio.

Sin abandonar la idea de que esto es una farsa, me vence el sueño. Ignoro cuánto tiempo pasa pero cuando despierto, él sigue aquí.

—Por poco te vas —me dice en tono de burla—. El suero te estaba entrando a un ritmo que tu organismo no acepta. Si me demoro en regresar te encuentro muerto.

—Ustedes me querían matar con borra de café…

Responde con una carcajada.

—¡Qué va! Esto es suero de proteínas. ¿De dónde sacas que es borra de café?

Hace una pausa y agrega mofándose:

—No puedo dejarte morir. Sería una pifia muy seria de mi parte. Ahora te estaba alimentando; antes, cuando apretaba tus piernas como un buitre, según tú dices, trataba de indagar qué tiempo te quedaba de vida, ¿lo recuerdas?

Se va, pero no me dejan solo mucho tiempo. Mientras dudo si le puedo creer y si realmente es un suero con proteínas, se para a mi lado un oficial regordete, desagradable, de ojos claros, canoso.

—Vengo a hablar con usted —se expresa como un hombre acostumbrado al mando, al que no se le discute—. Soy el capitán Roldán y tengo a mi cargo, entre otras cosas, intervenir en casos delicados. Por ejemplo, interrogar a los infiltrados de la CIA. He alcanzado una gran experiencia en la lucha contra nuestros enemigos y necesitamos su colaboración para salvarlo.

Habla mucho, casi sin interrupciones. Sus palabras forman una disertación sobre las bondades del sistema, las calidades de los líderes comunistas del gobierno cubano y su propia trayectoria en beneficio de sus amos. Creo que sólo se escucha a sí mismo y que el monólogo lo hace sentirse muy bien. Piensa que debo seguir, palabra por palabra, su tedioso discurso. Me sumerjo en mis propias cavilaciones, como tantas veces, ¿qué habrá pasado con Nerín y Lauro? No le sorprende que guarde silencio; ya debe de saber de sobra cuál es mi actitud. El oficial regordete se va.

Regresa enseguida, haciendo alarde de su rango y de que por ser el jefe debe darme las noticias más importantes. Me informa que me ha salvado la vida, pero que, o termino la protesta o moriré pronto. Recalca la grandeza del régimen y la nobleza de sus jerarcas, quienes se supone tomaron la determinación de mantenerme vivo.

—Aquí está su padre. Aguarda afuera —me comunica Roldán. ¿Mi padre? Durante toda la huelga no he tenido noticia alguna de mi familia.

Me emociona el hecho de que pueda estar aquí, a pocos pasos.

—Quiere verlo —sigue Roldán—. Pero no podemos mostrarlo así. Si desiste de su protesta haremos lo necesario para presentarlo decentemente.

Mi padre vive en el otro extremo de la isla. Llegar a La Habana debe haberle resultado fatigoso para sus ochenta y tres años. El suero me ha fortalecido lo suficiente para poder articular unas frases. Le digo a Roldán:

—Dígale que estoy en una huelga de hambre que no tiene otra solución que la muerte o el respeto a mi dignidad.

—Bien, le comunicaré sus palabras y le diré que se marche.

—Sí, sí, pero como ha repetido que son tan «generosos» conmigo, le voy a pedir un único favor: entréguenme a mi familia cuando muera. No me entierren ustedes. Quiero reposar en Yara.

Roldán no contesta pero se nota su decepción ante mi resignación. Esta vez me parece verlo salir con menos ímpetu de la sala.

—Vamos, tiene que bañarse, usted apesta —me dice uno de los ayudantes de Roldán.

Desde que comencé la huelga de hambre no me he bañado. Hiedo, yo mismo me siento muy mal. Lo que sería intolerable para mí en la vida normal, o en la prisión misma, ahora lo soporto. Reconozco que esta dejadez y sus consecuencias constituyen una agresión contra mis carceleros, lo que me produce cierta satisfacción.

La causa principal de este desagradable olor es la acumulación del jabón barato que usábamos en La Cabaña, como precario reemplazo de un desodorante. Al irse resecando cada vez más en mis axilas, y al mezclarse con la sudoración fría del ayuno, el resultado es este tufo insoportable.

—Cuando cumpliste treinta días de huelga y creímos que te quedaba poco, te trajimos para acá —me dice uno de los tenientes, para darme una idea del tiempo que he pasado sin bañarme.

¡Treinta días! Con razón la confusión entre si estaba vivo o no. Me fortalece saber que he podido aguantar la ausencia de todo alimento, más las presiones.

Del tuteo, el oficial pasa rápido a un tratamiento reglamentario. Pronuncia un «usted» más admonitorio que ese «tú», personal e igualitario, con el que nivelan por lo bajo a todos los prisioneros.

—¿Entendió bien? Tiene que bañarse.

—Ustedes se preocupan por el olor que despido. Más les va a molestar el que tendrán que aguantar cuando esté muerto. Son carceleros, hacen lo peor, tienen que aguantar lo peor y me alegro de que sea así.

—Es probable que no lo dejemos morir. O se va a bañar o le va a costar muy caro.

¿Amenazas conmigo a estas horas? ¿Qué más da? Sonrío. ¿Qué puede importarme un castigo más? Pero el cuerpo me pide imperiosamente aseo. Entre los oficiales que entran, salen y me observan como el científico a un conejillo de Indias, hay uno de apellido Dávila que dice ser de la provincia de Las Villas. Parece el menos malo.

Me habla con tono cordial.

—Cuando se quiera bañar voy a estar aquí para ayudarlo.

Pienso que a éste no le han podido corroer el alma o lo han puesto a hacer el papel de bueno. Sin ayuda no podría bañarme porque estoy sin fuerzas. Acepto para cuando me sienta con más ánimo.

Primero orino con dificultad dentro de un recipiente que llamamos «pato». Sufro mucho cada vez que lo hago porque el líquido que expelo viene con un asiento arenoso espeso, de un color entre gris y marrón. Las deposiciones no existen.

Finalmente voy a la ducha con la ayuda de dos guardianes que me sientan en una pequeña silla metálica y dejan que vaya cayendo el agua, felizmente tibia, sobre mi cuerpo. Al principio me siento muy extraño, luego me voy reconfortando. Con asombro veo que mi pelo cae sobre el piso.

Como lo prometió, Dávila me ayuda. Me quedo un largo rato bajo la ducha.

Dávila me sujeta por el brazo para salir del baño. Paso frente a un espejo grande y veo mi imagen en calzoncillos. Mi piel está rugosa, como cubierta de escamas; las piernas son dos palos secos, los brazos descarnados como los de un raquítico. Parezco uno de aquellos pobres judíos de los campos de concentración nazi. Esa triste y casi irreconocible figura soy yo. Un muerto de pie, un fantasma. No puedo reprimir decirme, casi en voz alta y con una mezcla de espanto e ironía:

—¡Bicho!

Me amarran otra vez a la mesa que me sirve de camilla. Pregunto por Lauro y Nerín.

—Están muertos —me dicen.

—No les creo, a ustedes no les creo nada.

—Sí, es cierto, uno de ellos murió cuando tratábamos de salvarlo y el otro, unos días antes.

Creo que mienten porque Lauro es más fuerte que yo y Nerín tiene mi contextura física.

Los malestares provocados por el ayuno aumentan. Cuando voy a orinar me sorprende que la orina arrastra algo más molesto que en ocasiones anteriores; advierto que las tres cuartas partes del «pato» son de una arena o pasta oscura, de un color morado como los riñones. Estoy seguro de que es tejido renal.

El guardia que me ayuda con el «pato» se asusta.

—¿Y eso qué es?

—Mis riñones, amigo.

Gana aceleradamente el pasillo y se pierde entre los pocos ruidos que de allí llegan. Me imagino que volverá pronto con algún médico.

No regresa con el médico sino con el Buitre, que me mira fijamente, buscando la solución a un problema inesperado. Entre las conversaciones que los carceleros sostienen cerca de mi cama, me entero de que el Buitre se llama Antonio o Domingo Olivé. Pienso en eso mientras lo miro con dureza.

Luego de un instante de reflexión, Olivé se dirige al pasillo para hablar por teléfono; vuelve con el rostro aliviado. Está satisfecho con lo que me dice:

—No hay peligro. La huelga te destruyó los epitelios y el suero de proteínas que te pusimos ayudó a sustituirlos, por eso expulsas esa arena oscura.

Me parece una mentira piadosa, pero pasan los días y sigo vivo. Una lucha muy desigual que elegí y tengo que llevarla hasta el fin.

Los días corren, a veces como ríos calmos, a veces como flechas. Aparece Dávila, siempre en el papel de bueno y me trae un rompecabezas de colores en el que puedo ver, en piezas sueltas, las figuras de Fidel y Raúl Castro, el Che, Camilo Cienfuegos y otros jerarcas de la Revolución. El oficial pretende que mate el tiempo de un modo tan estúpido. A Dávila lo están utilizando para ver mis reacciones.

—Va a tener visita, aféitese.

La orden la da alguien, no importa quién.

Pienso que viene mi padre.

—La visita llegará en dos horas. Apúrese, le ayudaremos a afeitarse.

Ni me levanto ni camino como me ordenan. Esa intransigencia es incomprensible para ellos, acostumbrados a la obediencia ciega. Se enfurecen y me sacan de la cama, en una camilla me llevan a afeitar. Me están preparando psicológicamente para un momento importante. Dudo que sea mi padre, pero ¿quién podrá ser?

Con un aspecto más humano, espero desconfiado. Tenía razón en no hacerme ilusiones. Se trata solamente de Roldán, el oficial de los sofocantes monólogos sobre el paraíso comunista, del cual es eficaz servidor dentro de su mediocridad.

—¿Cómo se siente?

Miro al techo

—¿Cómo se siente? ¡Conteste!

Creo que va a estallar.

—¡Qué arrogante, qué arrogante es usted! Vamos a dejar que se muera y que se pudra. Si nos hubieran dado la orden el primer día ya estaría eliminado y nos hubiéramos ahorrado muchos problemas.

Roldán parece un león herido. No deja de producirme una leve sonrisa su marcialidad y apostura al marcharse.

Me sacan al día siguiente de esta sala y me llevan al G-2, a una nueva celda, cerca de la que ocupé antes. Viene Olivé a verme con un bulto de ropas en la mano. Me entrega el calzoncillo viejo, planchado. Me da un piyama y me ordena que me lo ponga, todo queda allí. Él no se inmuta y deja caer en el suelo algunas prendas mientras me pregunta:

—¿Las identificas?

Claro que las identifico, son las deshilachadas ropas de Nerín y Lauro. Me las enseña para darme a entender que están vivos. Esto me reconforta a la vez que intento comprender el porqué de esta actitud bondadosa.

Es de mañana y, sin una palabra, Olivé y su ayudante me amarran a la cama. Veo que han traído un cacharro metálico como de cinco litros, que contiene un líquido raro, una jeringa metálica de tamaño grande y una manguera fina, de goma o plástico. Sin preámbulo me hacen penetrar la sonda por la nariz hasta el estómago; cuando pasa a la altura de la garganta me provoca deseos de vomitar. Llenan la jeringa con el líquido —que parece agua sucia—, la introducen en el extremo exterior de la sonda, accionan el émbolo de la jeringa y el líquido ha pasado a mi estómago. Repiten la maniobra cuatro o cinco veces, me retiran la sonda, recogen su equipo y se marchan. No me hago ilusiones; en casi diez años de presidio he aprendido que todo en esta gente tiene un trasfondo diabólico.

El líquido me revuelve completamente los intestinos, algo tiene ese caldo que es insoportable para mis vísceras. Me arrastro hacia el baño una y otra vez. Quedo exhausto. Esto tiene que ser jalapa, un purgante extraído de la raíz de una planta.

Aparece otro personaje en este teatro; se sienta en una silla a los pies de mi camastro. Provisto de una libreta de gran tamaño me observa constantemente y toma notas. Cuando termina su turno, otro lo reemplaza. Y así de día y de noche. ¿Qué escriben esos hombres, mientras yo me retuerzo o me arrastro hasta el hueco que hace las veces de inodoro?

Al tercer día, cuando entra Olivé, le recrimino con ironía:

—Dile a Roldán que le doy las gracias por la jalapa que me manda.

Se marcha sin comentarios. Pero noto que el agua sucia ya no actúa como obligado purgante.

Soy como un objeto; el guardia de turno me observa como a una máquina, tomando notas sin parar. Olivé aparece de vez en cuando, como el encargado de un trabajo en una empresa. Ocasionalmente, la visita especial y algo gerencial de Roldán, que me hace sentir como un producto, si no fuera porque para ellos debo de ser un desecho.

Desde un sótano o desde celdas a otro nivel, llegan gritos humanos desgarradores. A veces son lamentos prolongados y dolorosos, a veces alaridos breves, muy pronto sofocados. Vienen colándose por los mismos pasillos del edificio del G-2.

Los que anotan mis movimientos los oyen también. Lo conversan en susurros pero los escucho. Se preocupan de que los presos en esta sección del edificio conozcan estas evidencias de tortura. Uno de ellos se va raudo hacia el pasillo. Cuando vuelve, la intensidad de los gritos ha mermado, hasta que finalmente todo retorna al silencio de siempre. Sin embargo, seguirán escuchándose, por encima de toda precaución. No pasan muchas noches sin que los gritos se eleven hasta nuestra área y estremezcan de compasión y de odio a quienes estamos aquí encerrados.

Por los carceleros me doy cuenta de que estamos a mediados de abril. Hace mes y medio que estoy en huelga de hambre. Me mantienen vivo con el caldo que me pasan por la sonda.

—Sus compañeros quieren conversar con usted —me dice un oficial—. Ellos desean dejar la huelga pero no quieren hacerlo sin hablarle antes.

El hombre vacila antes de seguir. Espera mis reacciones pero escucho solamente.

—Quieren verlo porque temen que usted piense que lo han traicionado. Ellos han aceptado poner fin a la huelga.

Hago un leve movimiento afirmativo de cabeza. Pasa un buen rato y reaparece con Nerín y Lauro. No nos habíamos visto desde los primeros días de la huelga. Los dos están en muy mal estado, pero tenemos ánimo para sonreír. Me dicen que hoy es 2 de mayo de 1968. La fecha me hace recordar el relato de Benito Pérez Galdós y la reacción patriótica del pueblo de Madrid contra la entrada de las tropas napoleónicas.

El guardia permanece en la celda como siempre. Los carceleros buscan que de cualquier manera le demos fin a la huelga de hambre, que acatemos sus decisiones y que todo quede como antes.

—Oye, Huber —dice Lauro—, ellos sostienen que tú aceptarías cesar la huelga si te entregan ropas de civil. Nosotros queremos encontrar contigo una forma de negociar pero sin ceder en lo fundamental de nuestra reclamación.

—Probablemente quieren jugar con los tres por separado —les digo—, el problema no es tan sólo de ropa, sino que nos respeten como presos políticos y como seres humanos.

Decidimos continuar la huelga de modo individual y pedir los tres, cada uno por su lado, las ropas de civil si insisten en buscar una solución. En realidad no nos interesa la ropa de civil, que nos distanciaría de los demás prisioneros. Queremos recibir de nuevo los uniformes amarillos. Tiene que quedar bien claro que lo más importante es el respeto a nuestra condición de presos políticos. Que cesen de una vez por todas los maltratos y la incomunicación.

Nos despedimos, deseándonos suerte.

No le creemos una sola palabra a la gente del G-2, porque sabemos que esto de la ropa de civil es una patraña más. Tratan de confundirnos para enfrentarnos.

Para mí, e imagino que para Nerín y Lauro, sigue la asquerosa alimentación con sonda. Los carceleros encuentran dos recursos nuevos para su paradójica terapia: uno consiste en introducir una sonda más gruesa, que va desde la nariz hasta el estómago y va dañando los tejidos poco a poco, al extremo de que al ser retirada del cuerpo sale cubierta de sangre. A veces agregan sulfamida para impresionarme con un rasgo de supuesta benevolencia.

El otro recurso es el de introducir el líquido extremadamente caliente en mi estómago. Traen el caldo hediondo en un recipiente térmico. Lo sacan con la jeringa metálica grande que conectan al extremo superior de la sonda y, al presionar la jeringa, el líquido cae al estómago por la sonda. Es tan caliente que Olivé usa una toalla para agarrar y operar la jeringa. Cuando llega al estómago, uno se retuerce por lo violento de su temperatura. Se baña en sudor y se siente desfallecer.

Hasta ahora no había sentido el sufrimiento físico a tal extremo. Una de las más depuradas maneras de vengarse por mi intransigencia.

No tengo ánimos para insultar, ni para nada.

Siempre arrastrándome, adolorido por las gasas que usan para amarrarme y por el efecto de las sondas, voy al hueco que me sirve como letrina. Curiosamente, colgando de un tubo han dejado una soga no muy larga pero apropiada. ¡Que estúpidos!, me están invitando a un ahorcamiento. La soga la combinan con la ausencia de los guardias que, inexplicablemente, abandonan de rato en rato su vigilancia.

Al ver esta soga comprendo por qué me maltratan. Creen que la idea de la muerte me puede resultar atractiva y que, en un momento de desesperación, me quite la vida. Tomarían fotografías de mi cadáver colgando y las reproducirían en su periódico, el *Granma*, diciendo que yo decidí mi final porque la conciencia no me dejaba vivir.

«No me conocen», me digo. Yo no voy por ese camino.

Me entero de que es 25 de junio. Llevo cuatro meses de huelga en esta condición miserable de existencia.

Llega Olivé. Lo miro fijamente y le digo:

—Óyeme, escucha bien lo que te voy a decir: si te queda algún rescoldo de hombría no me tortures más con ese caldo apestoso, déjame morir. Me están sometiendo a un trato inhumano. No me alimenten contra mi voluntad. Déjame morir.

Me mira largamente; no demuestra reacción alguna, pero no me amarra ni me aplica la sonda.

Regresa con el doctor Llopis. Olivé me dice:

—El médico viene a escuchar lo que tú me has dicho.

Le repito mis palabras.

Se van. Como si se tratara de una representación teatral en la que los actores siguen al pie de la letra una obra del género absurdo. Tienen que consultar a niveles superiores.

En este juego vienen más visitas y es así como se presenta frente a mi camastro un oficial que, por su voz, estoy seguro fue el que me quitó los zapatos la noche en que ingresé al cuartel general del G-2.

—¿Qué le sucede?

—¿Usted también me lo pregunta? Por lo visto voy a tener que pasarme todo el día repitiendo lo mismo.

—Dígame.

Como una monserga suenan mis términos en este antro. El oficial ya conoce perfectamente cada palabra de lo que le he dicho a los anteriores y sigue con la parodia. De repente me ordena:

—Vamos, vamos, lo voy a llevar para que lo pelen.

—Está equivocado, no pienso moverme de aquí ni tiene sentido cortarme el pelo.

El hombre me levanta en el aire y me sostiene con facilidad. Para este oficial no soy más que un montón de adoloridos huesos. Así, cargado, me deja en una diminuta barbería ubicada entre dos celdas. El barbero procede rápido con mi pelo, me afeita y me da unos masajes en la cara huesuda. El oficial, apenas finaliza esta tarea, vuelve a cargarme y me devuelve al camastro.

—¿Dónde están sus cosas? —dice mientras mira en torno.

—¿Qué cosas?, no tengo nada.

—Algo tiene, aquí sobre la mesa hay un cepillo y un tubo de pasta dental. ¿No es suyo, acaso?

—Ustedes lo dejaron ahí. No lo uso, en mi situación nada de eso me hace falta.

Sin contestarme, me carga otra vez y como si fuera una cosa me lleva por un pasillo hasta una puerta. Veo que estamos en una pequeña enfermería donde hay cinco camas. Acostados, de muy mal semblante, casi amarillos, Lauro Blanco y Nerín Sánchez levantan sus manos en saludo. El oficial me deposita sobre una de las camas vacías y se va.

Lauro y Nerín me miran como si vieran un espectro.

—¿Desde cuándo están aquí? —les pregunto.

—Desde poco antes de tu llegada.

—¿Qué hacemos en este lugar?

—No lo sabemos. Quizá usen esto como enfermería.

Estamos muy débiles, pero hablamos porque tenemos la oportunidad de sentirnos personas a través del diálogo. Necesitamos cambiar opiniones, hablar y escucharnos, esa forma insuperable de compartir, de sentirse que uno está vivo.

Les cuento a mis compañeros que varios hombres que se relevan han estado permanentemente al pie de mi camastro, escribiendo sin parar en una gran libreta. Me sentía intrigado por su laboriosidad y la forma insistente con que me vigilaban. Hasta el día en que dejaron como al descuido una soga y el guardia salió para dejarme a solas con ella, pude leer lo que escribían. ¡Cuál no sería mi sorpresa cuando vi allí esta curiosa descripción, tan minuciosa como inesperada!:

«Hora 20:21 El recluso se ha recostado del lado izquierdo.

»Hora 20:27 El recluso se quedó dormido.

»Hora 21:15 El recluso parece estar con pesadillas porque se ha quejado».

Nerín y Lauro se sorprenden. Les recuerdo que en el lenguaje militar, a la hora 12 sigue la trece, a ésta la catorce, y así sucesivamente hasta las veinticuatro. Además, al lado de ese acto continuo y consignado a cada movimiento de mi cuerpo, anotaron una cifra ilegible para identificarme, de manera que no quede constancia de ningún nombre propio. Si alguien encuentra esa libreta, aparecerá la observación clínica de un enfermero que ha seguido las reacciones de un paciente.

—Cosas del G-Dos —dicen mis compañeros.

También ellos relatan sus experiencias, tan dolorosas y mortificantes como las mías. No obstante, creo que se han ensañado más en mi persona, ya que saben que soy el iniciador de la huelga.

Nos enteramos de que la jalapa fue administrada a los tres a partir del mismo día. En este lugar queda suspendida la sonda con el caldo que nos venían pasando por la nariz; ahora nos alimentan con suero.

Estamos en julio pero lo mismo podría ser diciembre. ¿Qué es lo que uno más extraña además de la familia? Sencillamente, la naturaleza tan pródiga y colorida de nuestra isla. A veces, en este cuarto, evoco la dicha que sentía en las alturas de la Sierra Maestra, cuando estaba luchando contra la dictadura de Batista rodeado de una naturaleza bellísima. Aquello fue la plenitud; a la voluntad de vencer en una causa sagrada para mí, se unía esa libertad que siempre supone el encuentro del hombre con los grandes espacios abiertos.

El nuevo médico, un señor trigueño con cara de buen muchacho, nos dice que va a poner un reconstituyente en el suero. No sabemos si lo hace porque pasan dos días y nos sentimos tan mal como antes. Tengo las rodillas y los tobillos muy hinchados, esto es una avitaminosis. Me hallo en la primera etapa de lo que puede ser una irreversible parálisis.

Le digo a Olivé:

—Llama al médico, tengo que decirle algo.

—¿Qué pasa?

—Llámalo, pero ven tú con él.

—Mira, tú dices que eres médico y tú que eres enfermero. Pues bien: estoy camino de quedarme paralítico. Cuando ocurra, se lo deberé a ustedes y a sus grandes jefes.

—¿Parálisis? —el médico se queda intrigado.

—Sí, como han oído. Conozco bien el organismo como para decirles que clínicamente esto tiene un nombre: avitaminosis en grado avanzado. Se me están atrofiando las articulaciones y hay otros síntomas muy serios. Están haciendo esto a propósito, o son unos ignorantes. No sé qué plan tienen conmigo, pero si salgo vivo de aquí, los denunciaré.

Mis palabras parecen afectarles. El médico me reconoce y, aunque no dice nada, después de esto empiezan a introducir vitaminas en el suero, y, pasados unos días la inflamación comienza a ceder.

Un guardia deja las páginas de un periódico fechado el 26 de julio en nuestra enfermería. Nerín las recoge y con sorpresa lee que el ministro del Interior, Ramiro Valdés, ha sido sustituido por Sergio del Valle, médico que prestó servicios en la sierra con el Ejército Rebelde. Del Valle fue el presidente del tribunal que me juzgó en 1959, cuando con mi renuncia traté de alertar a la opinión pública sobre la forma solapada en que el gobierno estaba entregando la Revolución a los comunistas. Los hechos me dieron la razón, aunque los veinte años de cárcel y las demás cosas que les han agregado, los estoy pagando. Este nuevo ministro es una evidencia de que la represión brutal en los establecimientos penitenciarios, particularmente la aplicada a los presos de conciencia ha tenido un costo político que, según parece, no quieren seguir pagando. Es de suponer que en diferentes prisiones del país se hayan dado protestas y huelgas de hambre. No creo que seamos los únicos que hemos desafiado al gobierno. El cambio de un ministro de línea dura por uno que no se conoce como represivo pretende ser un mensaje. No debemos olvidar que los Castro actúan alevosamente. Es posible que hayan cedido al nombrar a otro ministro del Interior, haciendo menos rígida la política carcelaria, para apretar de nuevo más adelante. Estamos a la expectativa para conocer qué significa este cambio.

Se está acabando el mes de julio y las cosas siguen igual. Aparentan darnos ventajas; el personal actúa ahora como si tuvieran alguna preocupación por nosotros, pero no creemos que esto cambie.

Sin embargo, cansado ya de esperar a que atiendan nuestras demandas, le digo a Olivé, sin que me escuchen mis compañeros:

—Tú sabes que tienes una cuenta grande y muy grave conmigo. Si llego a salir con vida de todo esto, arreglaremos las cosas a mi modo. Tú me entiendes.

Me escucha atentamente, aunque se va haciendo un gesto de despreocupación. En otra oportunidad en que le recuerdo mi velada amenaza, me dice:

—No soy el malo que tú te imaginas, yo cumplo órdenes. A mí me mandan y debo hacerlo porque si no, seré yo el castigado. En la Seguridad del Estado cualquier castigo puede ser muy severo, pero yo no soy lo que tú crees y te lo voy a demostrar. Mi interés está en que haciendo mi trabajo, tú salgas con vida.

Bajando la voz, se acerca y me dice:

—Uno de estos días te voy a dejar una señal.

—¿Qué señal?

—Te voy a dejar alguna de las cosas que traigo siempre aquí, la voy a olvidar intencionalmente. Será mi aviso de que el caso tuyo está al resolverse.

Un día lo hace. Antes de irse, golpea con algo la mesa metálica. Veo que ha dejado la cuchara con la que le echan el reconstituyente al suero. ¿Será la señal de que algo se va a resolver? Trato de no darle importancia al asunto; sin embargo quedo intrigado.

Es un hecho que algo está cambiando. Aparece en la enfermería el nuevo ministro del Interior, comandante Sergio del Valle, con un pequeño séquito. El hombre que presidió el juicio en que me condenaron, hace diez años, se detiene ante mi cama. Abarca con la mirada los tres presos, macilentos y enflaquecidos.

—Están mal, muy mal —dice del Valle a uno de sus colaboradores, pero todos lo escuchamos.

Me mira con fijeza y dice:

—¿Qué hay?

Sostengo la mirada. Respondo lenta y fríamente:

—Sí, estamos muy mal. Pero es sólo el aspecto físico.

Sabe muy bien lo que quiero decir. El ministro me conoce desde la Sierra Maestra y debe haberse enterado, antes de venir aquí, que mis compañeros son también recios a toda prueba. Nos mira en silencio, con la cabeza un poco baja, como si su conciencia participara también de la culpa. Es probable que se esté diciendo también: «Nosotros recibimos órdenes».

Después que se va el ministro, el oficial «bueno» regresa a nuestra galera y con semblante de complacencia, nos dice:

—El gobierno ha cambiado su política. Queremos buscarle soluciones a usted y a sus dos compañeros. Aquí tienen ya disponible la ropa que vestían y que reclamaron en su protesta.

Y deja colgados tres uniformes amarillos de los que usábamos antes, pero nuevos.

—No tienen que buscar mucho —le respondo—, ya saben cuáles son las soluciones.

Hoy es 12 de agosto. Por comentarios de los guardias sabemos que existe cierto revuelo en las prisiones; se habla de un descongelamiento en la política penitenciaria. Pasadas las doce de la noche, nos comunican: «Lo que ustedes solicitaron está concedido». Podremos recibir a nuestros familiares y seremos respetados como lo hemos planteado.

No habrá más incomunicación, ni maltrato, ni ofensas verbales ni de ningún tipo; es demasiado bueno para ser cierto. Pero es así: hemos ganado una importante batalla luego de ciento sesenta y cinco días de huelga de hambre, aunque la guerra continúa. Considero esto una tregua, ya veremos lo que viene después y actuaremos según las circunstancias.

En la madrugada del 13 nos traen jugos de frutas y leche. Nada más podemos ingerir por ahora. Intentamos comer galleta pero nos sangra la encía, está sensible y blanda. Imposible masticar, con pena dejamos la galleta a un lado.

Nos traen los formularios de telegrama, para informar a nuestras familias que la situación se ha normalizado y que podrán visitarnos en pocos días.

—Bueno —digo a Nerín y a Lauro—, parece que hemos ganado la pelea, pero no confiemos. Así como nosotros nos mantenemos firmes y no cambiamos, ellos tampoco cambiarán nunca.

Nos sacan al sol; íntimamente lo agradezco, siento necesidad física de esta tibieza que me invade como una estela de vida. Nos pesan. No podemos dejar de reírnos: Lauro, que es el más robusto, pesa 121 libras; Sánchez, a pesar de su estatura de más de seis pies, 114 libras; y yo 105.* Llevamos tres días alimentándonos y estamos contentos aunque seamos tres esqueletos, pero algo oscurece un poco esa alegría.

—Es lamentable comentar esto —dice el teniente que oficia de bueno y que dice llamarse Abilio González— en un proceso de recuperación, después de una huelga de hambre como la que acaban de terminar, de tres personas, una muere. Ojalá no pase con ustedes. Es la experiencia de los campos de concentración de la segunda guerra mundial.

Nos recuperamos sin problemas. Olivé, advertido de que nos van a trasladar del G-2 a La Cabaña en cualquier momento, trata de ganar puntos conmigo. Todos los días nos saca al sol. Los tres tenemos que agarrarnos de las manos porque nuestras rodillas flaquean.

Recibimos la visita de nuestras familias. Estamos un poco repuestos porque llevamos diez días de recuperación. Mis primas se alarman por el estado en que me encuentro; tenemos apariencia de cadáveres. Isabel y María Elena traen noticias alentadoras sobre mi familia en el extran-

---

* Es decir, 54,45 kg, 1,80 m de estatura, 51,30 kg y 47,25 kg respectivamente. *(N. del E.)*

jero. Uno de mis hijos, Rogelio, se ha graduado de ingeniero eléctrico especializado en electrónica. Sé que tanto ellos como mi esposa estuvieron muy angustiados por la falta de noticias mías. A veces pensaban que la dictadura había acabado conmigo, luego, me dicen, les volvía la esperanza.

43
Las aberraciones de Fidel

De pronto, la prensa no toca más el tema y el gobierno pasa a dar prioridad a otros asuntos. Nadie quiere ni nadie puede pedir cuentas...

En la mañana del 28 de agosto de 1968 nos trasladan a la enfermería de la prisión de La Cabaña. Sabemos que el proceso de recuperación física se prolongará por lo menos dos o tres meses.

Los compañeros nos miran asombrados, nos saludan y no se cansan de hacernos preguntas. Unos creían que habíamos muerto en la huelga, otros suponían que la Seguridad del Estado nos había asesinado.

Nos comentan que muchos presos también iniciaron protestas y huelgas. Pedro Luis Boitel, un conocido líder estudiantil que se ha destacado por su firme posición como preso político, está en huelga de hambre desde hace unas semanas. Unos cuantos siguen en calzoncillos como forma de continuar la protesta por el maltrato.

Los castigos y los abusos para dominar estos simbólicos actos de rebeldía, alcanzaron niveles de barbarie. Entre otras prácticas, a los huelguistas los metían en unas celdas herméticas, muy pequeñas, asfixiantes, conocidas como «gavetas». De la provincia de Oriente regresaron a varios reclusos tan deteriorados que algunos no pueden caminar.

Al final, esta política de terror fracasó. Los presos están satisfechos. Pero más allá del orgullo que experimentamos por haber hecho retroceder a la dictadura, prevalece el desgaste y el daño físico que nos ocasionó la huelga. Lo más preocupante es que el ambiente presagia nuevos problemas. De galera en galera, hay reclamos porque la comida es mala.

El día que nos trajeron del G-2 a la prisión de La Cabaña, los esbirros comentaban con torpe orgullo lo que consideran una obra maestra de Fidel, el Plan del café Caturra, una variedad de café mexicano que no necesita sombra. Ahora se le ha ocurrido sembrar millones de plantas de este café en toda la provincia de La Habana, incluyendo los parques, jardines y patios, destruyendo frutales y cultivos varios, de los que vivían humildes productores. En el patio del G-2, donde nos sacaban a tomar el sol, una vez terminada la huelga, vimos algunas matas raquíticas del famoso café Caturra. Lo califican como un proyecto genial del Máximo Líder, que dará café para el consumo nacional y para exportación. Encaprichado en alcanzar este despropósito colosal, el comandante en jefe movilizó a miles de trabajadores llevados de las fábricas, de las escuelas y de otros centros de actividades.

—¡Era como una fiebre del café! —comenta un compañero—, algo sin organización y muy al estilo carnavalesco de Castro, quien lo dirigió con patética euforia.

En La Cabaña se sabe ya que el proyecto ha resultado un fracaso total. De pronto, la prensa no toca más el tema y el gobierno pasa a dar prioridad a otros asuntos. Nadie quiere ni nadie puede pedir cuentas sobre este costoso arrebato. Cosas así son repetitivas en la mente y la acción de Fidel: el proyecto de desecar cientos de miles de hectáreas en la Ciénaga de Zapata para luego abandonarlo todo; cruzar razas de ganado ignorando el criterio de especialistas en genética; producir frutas que exigen un clima distinto al de Cuba; fomentar un enorme criadero de cocodrilos, etcétera; todos costosos fracasos que nadie en Cuba se atreve a cuestionar. Sin temor a exagerar en lo más mínimo se le podría aplicar aquella divisa fascista: «¡Mussolini nunca se equivoca!».

No obstante, el aparato propagandístico y la represión crean una aparente sumisión y una solidaridad que, dadas las condiciones de vida y la forzosa alineación política, esconde secretamente un creciente malestar en la población.

En la sección conocida como el Patio, en La Cabaña, tienen a los presos plantados, y en el Patio Militar hay muchos reclusos provenientes del Servicio Militar y del Plan de Rehabilitación.

La huelga de hambre me provocó artritis en la columna vertebral y en las manos; también tengo hepatitis. Mi dentadura está afectada por la vida en la prisión y por los ayunos. Mis parientes me tratan de conseguir una prótesis porque aquí la escasez de atención médica extiende los males y los agudiza.

Nos visitan en la enfermería algunos compañeros que salen a secar su ropa al sol o que van al comedor. A muchos no los conozco pero me demuestran simpatía y amistad. Desde el 21 de octubre de 1959 hasta ahora, a finales de agosto de 1968, no había tenido contacto directo con la población penal, a excepción del tiempo en que estuvimos juntos el día en que nos trajeron de Isla de Pinos. En la galera 23 estábamos también aislados del resto de los presos.

Los compañeros en las galeras están dispuestos a declararse en huelga de hambre, principalmente por la pésima calidad de la comida y otras razones. Nosotros alcanzamos el propósito de nuestra huelga y logramos, «por el momento», que nos devolvieran el uniforme de preso político y que se nos permitiera la visita de nuestros familiares. Quisiéramos sumarnos a esta protesta, aunque después de ciento sesenta y cinco días de ayuno y penurias, no creemos poder soportar otra prueba igual.

La huelga ha comenzado; Lauro, Nerín y yo deliberamos. Decidimos ser solidarios y acordamos acompañarlos cueste lo que cueste. Hace sólo veinte días terminó nuestra huelga de hambre.

La organización de esta huelga es muy buena. Se establecen sistemas de comunicación entre las galeras mediante huecos abiertos en los sólidos muros. En horas de la tarde, durante los días que dura el ayuno, se transmite un resumen noticioso a través de estos huecos. Se envían mensajes de galera a galera y hay correos entre los distintos sectores de la prisión. Apenas mis compañeros y yo nos unimos al movimiento, nos llevan cargados como sacos a las galeras 16 y 17.

Dos semanas después, agentes del gobierno acceden al planteamiento de los presos y la huelga finaliza. Lamentablemente termina con una división entre los mismos reclusos: los que temían las represalias y no se sumaron a la huelga, los que se arrepintieron dentro de la huelga y los que llegaron al final. Los que no participaron comienzan a recibir un mejor trato y los trasladan a Guanajay. A los que se arrepintieron en la huelga y presentan un estado serio de debilidad los llevan a la enfermería.

Después del triunfo de esta huelga nos devuelven a la enfermería. A los pocos días renuncio al tratamiento y vuelvo a la galera 16. El preso que pasa mucho tiempo en hospitales y enfermerías se va poniendo flojo; en estos lugares hay jabón, toallas y comida aceptable. También está el personal entrenado, que juega de atento y sirve como confidente del gobierno. Se expone uno mucho a caer en ablandamientos y jueguitos. Desde el primer día, cuando fui detenido en Camagüey, me propuse rechazarlos porque debilitan la moral.

En la galera 16 me encuentro con buenos amigos; algunos que conocía desde mucho antes de entrar a prisión y otros que conocí en la galera 23. Hago nuevas amistades entre los del Patio.[1] Varios de estos compañeros representan tanto para mí que poco a poco se convierten en verdaderos hermanos, lo que le da una nueva dimensión a mi vida en prisión.

Ellos me explican sobre los vuelos de los astronautas y los planes de enviar hombres a la Luna. Desde este mundo de muros y rejas, el relato de un viaje espacial es algo que raya en la fantasía. Me dicen cosas que de momento pongo en duda, como que durante la noche pueden verse los satélites en su recorrido. Para disipar mis dudas, me enseñan en una noche oscura, por la ventana de la galera, el tránsito de un punto luminoso en su crucero regular sobre el cielo habanero.

Me levanto en la madrugada a leer o estudiar. Para poder asearme debo caminar por un pasillo bastante oscuro que comunica con la galera 17; como lo conozco bien, me desenvuelvo a tientas en el fregadero que utilizamos como lavamanos. En esa galera dos acompañantes cuidan a Rafael Domínguez Socorro, quien ha perdido la razón.

En la madrugada del 14 de febrero de 1969 me llevo una sorpresa muy desagradable. Mientras me lavo la boca veo en la oscuridad, a pocos pasos de donde estoy, un cuerpo colgando. Me acerco y compruebo que es el compañero Domínguez. Está todavía caliente; podría estar vivo. Corro a mi galera en busca de ayuda para ver si lo podemos salvar con respiración artificial, pero todo es inútil.

El enfermo aprovechó que los acompañantes –también presos– que se turnaban para su vigilancia, se habían dormido. Era un hombre joven, muy buena persona. Nos llama la atención que haya puesto fin a su vida hoy, el día de los Enamorados.

Si estuviera libre le hubiera llevado unas flores a María Luisa y habríamos conversado de los tiempos en que nos conocimos y cómo comenzó nuestro romance. Pero estoy aquí y ella en el exilio, donde seguramente pensará en las mismas cosas.

Por esta época comienzan a llegarme notas de presas políticas. Entre ellas, Noelia Ramírez y Olga Rodríguez. Noelia es una manzanillera que luchó en el Movimiento 26 de Julio y después se

---

1. Entre el grupo de presos «del Patio» de La Cabaña están: Tony Lamas, Roberto Azcuy, Mario Prats, Silvino Rodríguez, Óscar Ezquerra, Gregorio Ariosa, Servando Infante, Ángel De Fana, Heriberto Bacallao, Pablo Palmieri, Reinaldo Aquit, Javier Denis, Danilo Paneque, Carlos Sotolongo, José Manuel del Pino, Jesús Silva, José Gutiérrez Solana, el doctor Luis Gómez Domínguez, Mario Chanes, Óscar Rodríguez, Pedro Ortiz, y muchos más. (N. del A.)

opuso al actual régimen; Olga es la viuda del comandante William Morgan.

Recibo cartas de otras presas y me entero de que las desdichadas mujeres en Guanajay y otras cárceles son sometidas a muy malos tratos, incluyendo incomunicación y golpes. Les contesto con afecto y compartidas esperanzas y les agradezco su interés por mi situación.

Las breves cartas llegan a mis manos a través de familiares que visitan a compañeros aquí en La Cabaña, los que a su vez reciben esos papeles de allegados a las presas. Es un correo clandestino. Las cartas vienen escritas con letras muy pequeñas, en papelitos doblados y forrados con un pedacito de plástico. Las sellan de un modo especial para que no se deterioren ni con el manoseo ni con el agua. Con este método le escribo a María Luisa, que vive en Elizabeth, Nueva Jersey, con nuestros hijos; también a mis familiares en Cuba.

En el patio, cuando me reúno con los demás, algunos miembros de grupos políticos que se hallan en prisión vienen a hablarme. Buscan nuevas perspectivas para su lucha y quieren cambiar impresiones, definir algunos puntos en que creen encontrar coincidencias. Son, en general, bien intencionados. Hablamos sobre temas ideológicos, sobre la situación de Cuba.

Uno de esos grupos utiliza mi nombre dentro de la prisión para darle apoyo a cierto manifiesto político, en el cual se me atribuye una posición ideológica que ni remotamente he discutido. Lo cierto es que pido una rectificación por escrito que debe circular en el penal. Lo prometen pero no lo hacen, obligándome a enviar un mensaje aclaratorio de puño y letra. Mi declaración es ecuánime, nada ofensiva y se lee en las galeras; así se frena la idea de que me he parcializado con uno de los sectores. No he renunciado al orden del día subversivo que programamos en Isla de Pinos, pero tengo que estar mejor informado de la situación.

Sí le brindo apoyo a Óscar Ezquerra, Pablo Palmieri y Manuel «Chichi» del Valle, unos presos que no están organizados políticamente y que editan una revista escrita a mano, que circula de galera en galera bajo el título de *Fragua*.

En 1969 hay más de un motivo para que se produzca una huelga grande, ya que las provocaciones no cesan; en mi caso particular, la insidia y las mezquindades son insultantes. Algunas veces, cuando me permiten una visita de mis familiares, alguno de los carceleros actúa irrespetuosamente para provocarme y así dar por terminada la visita.

Se valen de sucias artimañas para crear molestias. En una ocasión ponen un pretexto cualquiera para impedir, hasta el último momento, un encuentro con los míos. En otra, se empeñan en ponerle dificultades a mi hermana Tina, diciéndole que no tiene el carnet que le permite verme (mi hermana había llevado las fotos y los datos necesarios y nunca le entregaron el carnet).

Escribo una protesta pormenorizada al director del establecimiento penitenciario. Le hago saber todas las acciones provocativas de que he sido objeto, acentuando la más reciente: que en la última visita de mi familia solamente se me permitió verlos cuando expiraba el tiempo asignado a cada preso para estar con los suyos.

Un día me llevan al despacho del director, un capitán de apellido Alemán, un hombre de más de seis pies de estatura, que entre la camarilla castrista a cargo de la misión carcelaria es de los menos malos. Alemán está acompañado de algunos funcionarios del Ministerio del Interior. Atrás, observándome con su habitual desprecio, hay agentes del G-2 y otros sujetos que supongo son de la misma calaña.

«No falta nadie», me digo.

Alemán es el encargado de hablar.

—Vea, Matos, aquí tenemos una carta suya que está llena de términos ofensivos e irrespetuosos que no podemos tolerar. Lo hemos mandado a buscar para que usted tenga la oportunidad de retractarse o de retirar su carta. Tiene esas dos opciones.

Se cruza mi mirada con el teniente Valdés, oficial permanente del G-2 en la prisión. Recorro los rostros ceñudos de los funcionarios del Ministerio, y finalmente miro de frente al director. Todos, muy serios, esperan mi respuesta.

—Lo dicho ahí —contesto y señalo con la mano la carta sobre el escritorio— es verdad y lo sostengo. Podemos, si quiere, discutir lo que han leído y les molesta.

—Está en un error, Matos. Nosotros somos las autoridades y usted el preso, no hay nada que discutir. Sus términos son inaceptables, nos califica como cobardes, estúpidos, rencorosos y no se qué más.

—Pero sepan que la carta la escribí para ustedes. Deben conservarla.

—¡De ningún modo, de ningún modo! —me dice uno de los interlocutores.

—Si ustedes la quieren retirar del expediente, háganlo. Es asunto de ustedes, no mío, pero lo que digo en la carta lo sostengo, no inventé nada. Si mis términos son duros, son el resultado de arbitrariedades e injusticias de las que ustedes son los responsables.

—Entonces tendrá que atenerse a las consecuencias —me responde el director—. ¡Llévenselo!...

La Cabaña es una prisión en la que se advierte un mayor espíritu de rebeldía. Fermentos de nuevas huelgas están en el aire. Los presos somos maltratados y vejados continuamente. Vivimos hacinados, con escasos alimentos y pésimo tratamiento médico. Los agentes del régimen nos provocan y los presos estamos prestos a morder el anzuelo. A los cuatro días de mi discusión con el director, estalla una huelga de hambre en el penal.

Creo que éste no es el momento para una huelga. Mucho menos tan masiva. El número de huelguistas es un problema porque tan sólo una minoría tendrá la determinación de ir hasta las últimas consecuencias, que es en lo que reside la posibilidad del éxito. Además, las huelgas se hacen cuando uno decide, no cuando, por alguna razón, la dictadura quiere provocarlas. Pero los presos están en huelga y es imposible detenerlos. Decido darles mi respaldo; debo ser solidario ciento por ciento, aunque no comparta el punto de vista colectivo.

Los carceleros dejan la comida y no la tocamos. Dicen que van a venir a buscarla y no lo hacen. Luego entran a la galera insultando y requisan algunas pertenencias de los presos, por pura arbitrariedad. Esto enfurece a la mayoría de los huelguistas. La violencia es siempre de efecto multiplicador, por lo que a algunos de los nuestros se les ocurre responder a la agresión con un desafío frontal. La idea es armar barricadas con las camas y todo lo que podemos amontonar ante la reja enteriza que está al frente de la galera. Desbaratamos las camas totalmente. Ponemos sus alambres y estructura metálica junto a muchos trastes y objetos personales de los reclusos, como si se tratase de una fortificación que se prepara para un ataque de cierta magnitud. Una pequeña guerra se ha declarado. Las galeras se comunican otra vez entre sí por aberturas en los muros.

Este movimiento de protesta, que denominamos «la huelga grande», se inicia con más de ochocientos participantes.

Los carceleros han dicho que vendrán al recuento de la tarde, a pesar de que no lo pueden hacer con los presos en rebeldía. Nos amenazan con entrar a las galeras violentamente.

Hay mucha tensión. En cada galera aparecen ladrillos y otros elementos contundentes con los que se piensa responder a cualquier ataque. Para amedrentarnos, llegan a La Cabaña muchos soldados y oficiales con sus rifles listos para actuar y toman posiciones frente a las galeras. Sin embargo es poco probable que los altos jefes se animen a una matanza; la noticia de la huelga ha ganado la calle y se conoce en el extranjero. Si matan a cincuenta hombres el gobierno comunista se perjudica internacionalmente, ahora que Castro está tratando de ganar simpatías en todo el mundo. Mientras los atropellos en las cárceles no se conozcan en el exterior no hay problemas para él, pero si se difunden el régimen va a tener que pesar las consecuencias.

Tienen una fuerza de asalto de más de cien hombres, pero no se deciden a atacar.

Transcurre la noche y no pasa nada. Retiran la tropa de contingencia. Nos dejan en paz. Cuando hemos bajado la guardia, entran y se llevan casi todas nuestras pertenencias, incluyendo las reservas de alimentos que los presos guardan en sus jabas.[1]

A los huelguistas que se arrepienten y ceden primero, se los llevan y los cambian de sector en la prisión o los sacan de ésta con otro destino carcelario.

Se presentan casos de enfermedad. El médico que debe atenderlos hace el juego de siempre. Dilata las cosas y al parecer le da lo mismo que los presos con problemas serios de salud se mueran o continúen padeciendo los más agudos dolores. Uno de mis compañeros, que insiste en que se trate humanamente a los enfermos, discute con un médico de apellido Batista, que tiene estampa de amanerado.

—Bueno, por encima de todo soy más un comunista que un médico —responde de forma displicente—. Mi deber político es primero, de último soy médico. ¿Está claro?

Los compañeros que padecen cualquier trastorno tratan de resolver por sí mismos. Uno de ellos, Pérez Ríos, tiene un problema en la próstata que le impide orinar. Luego de tres días de terribles molestias, se ayuda con un tubito plástico que él mismo se coloca como sonda. La improvisada y nada científica autoasistencia puede provocar infecciones y otros problemas.

Pasan los días en un ambiente desquiciado. A los veinte presos que consideran los organizadores de la huelga nos llevan a la galera 23-B y quedamos incomunicados. Desde el punto de vista de salud, el cuadro es muy desagradable. Estamos sucios y hay un clima de pesadilla y tensión extrema.

Las noticias dicen que el gobierno no tendrá problema si nos morimos todos por decisión nuestra. Los que antes no veían los serios inconvenientes de esta huelga, ahora los tienen claros. Nos provoca-

1. La jaba es una bolsa, originalmente fabricada con hojas de palma. *(N. del A.)*

491

ron, precisamente, para que aceptáramos el reto. Es muy difícil vencer en una huelga de hambre tan numerosa, porque se produce una dispersión muy grande del esfuerzo. Ochocientos hombres la empezaron, de los cuales quedamos quinientos. Al suscitarse defecciones, abandonos por agotamiento, cansancio o miedo de morir, el efecto moral en los que aún resisten es deteriorante. Por eso, a los treinta y cinco días de iniciado este movimiento de protesta, la huelga termina.

Los funcionarios del Ministerio del Interior vienen a La Cabaña y con aires triunfales van disponiendo otra vez los traslados dentro de la prisión: «éste a la galera tal», «este otro, a la de más allá». Llevan en camillas a algunos y les ofrecen agua de azúcar, para ir entrenándoles el estómago en el hábito de ingerir de nuevo alimentos.

No estuve de acuerdo con esta huelga, pero una vez que la comenzamos teníamos que mantenernos firmes, por las mismas razones que la motivaron. Tampoco podíamos darle un triunfo a la dictadura. Alguien tiene que demostrar que se podía haber continuado la protesta. Por esa razón sigo en huelga.

Cuando casi todos los que fuimos traídos a la galera 23-B están de regreso en sus respectivas galeras, viene uno de los guardias con un funcionario del Ministerio del Interior y me dice:

—¿Y tú?...

—Yo estoy en huelga.

—¿Qué reclamas?

—Nada, voy a seguirla hasta que cambie de opinión.

Esto es demasiado para ellos. Traen una camilla, donde me tiran y me llevan a través de todo el túnel a los calabozos en los que encierran a los presos que están «en capilla», para ser fusilados. Es un lugar pequeño e inmundo que comparto con la rata más grande que he visto en mi vida. Además de su tamaño excepcional, este roedor, y otros que luego aparecen, están sucios porque vienen por una cloaca. Las ratas mojadas se encaraman a mi camastro. El asco que produce tal promiscuidad me es indiferente a estas alturas.

Entre los presos que considero mis hermanos están Tony Lamas y Silvino Rodríguez. Los dos son de origen revolucionario. Silvino fue teniente del Ejército Rebelde, y Tony, capitán de la policía de La Habana. Han decidido continuar la huelga y compartir mi suerte.

Otro que continúa la huelga es José Ramón Castillo del Pozo, un compañero idealista y valiente que me llama su «maestro». Cada uno está solo.

Oigo que en el calabozo próximo al mío le meten una cuchara metálica en la boca a José Ramón, para mantenérsela abierta y permitir el paso de una sonda con alimento. Las sondas se pueden introducir por la nariz; pero los esbirros, mediante el sistema de la cuchara a presión entre los dientes, aplican un mecanismo de maltrato.

—¿Dónde está Matos?, ahora le toca a él.

Imagino que vendrán enseguida con la cuchara, pero no lo hacen. Sólo tratan de amedrentarme.

Creo que llevo cuatro días en este lugar y treinta y nueve en huelga. He aprendido que para soportar físicamente más tiempo este modo de resistir no debe uno quedarse postrado, con la idea de que al ahorrar movimientos ahorra energía. Es conveniente pararse de vez en cuando y caminar un poco, lentamente, porque así se regeneran los glóbulos rojos y no se produce un estado de semiparálisis por inercia.

Desde que nos trajeron a estos miserables lugares están presionando a Silvino para que abandone la huelga. La esposa y los hijos vienen una y otra vez a La Cabaña a rogarle que deje la protesta; con toda seguridad es una maquinación del G-2. Para nuestro compañero es un tormento, porque lo sacan para que le dé la cara a su familia. Por fin hoy traen a Silvino a la puerta de mi calabozo, llorando, porque es un compañero leal y de mucho amor propio; me dice que deja la huelga. Su familia no se irá de la prisión si él sigue en la protesta.

Los días son tormentosos en este submundo. Llevo ya cuarenta jornadas en ayuno y siento un deseo intenso de vomitar. Lo hago aquí mismo, sobre el piso. Es sangre con bilis. Entro en un sopor que dura no sé cuánto tiempo; al recobrar la noción de mí mismo, veo a la enorme rata dándose un banquete con la sangre coagulada. ¿Qué más da?... Esta rata probablemente será el único testigo de mi despedida.

Presencio el desfile de gente del G-2 y otros departamentos del Ministerio del Interior que pasan para estar al tanto de mi situación. Hasta un psiquiatra viene a verme. Aquí en las prisiones castristas, los utilizan para desequilibrar al individuo, no para solucionarle las crisis que pueden llevarlo a la demencia. Me acosa con preguntas agresivas tratando de dañar lo que me queda de lucidez.

Después de cuarenta días sin probar alimento me duele el cuerpo como si me hubieran apaleado.

El jefe de cárceles y prisiones, el coronel Medardo Lemus, comienza a hacerme preguntas que rehúso contestar. El sujeto se encoleriza y me dice:

—¿Así que no quieres hablar?

Levanta una pierna y con su bota militar empieza a hurgarme en el abdomen totalmente vacío, en la zona del hígado; me presiona el estómago, los intestinos...

—¿Así que no quieres hablar?

Pasea su bota con una presión que se me hace inaguantable. Me he prometido resistir el dolor sin exteriorizarlo.

—¿Así que no quieres hablar?

Sigue con la bota aquí y allá, como si yo fuese un trapo mojado tirado sobre el suelo.

Enio Leiva, uno de los jerarcas del ministerio, viene a verme.

—¡Al fin te atrapamos, Huber Matos, de ésta ya no sales con vida! ¡Nos has jodido bastante, con tu renuncia primero y con tu intransigencia en la prisión después; ahora tienes que morir!

Lo miro con desprecio. Mi respuesta sigue siendo el silencio.

Pierdo la noción de los días. Me voy y regreso. Paso de unos dolores a otros pero el abdomen me duele mucho. Entre sopores y desvelos tengo alucinaciones. La realidad se me pierde en laberintos.

Salgo de estos raptos de locura y me digo que sí, que estoy muy mal.

Un día, no sé cuándo, traen a Tony Lamas del calabozo contiguo para dejarlo conmigo; lo traen para que sea testigo.

—Estás a un paso de la muerte —me dice.

Le hablo y no me presta atención, está disgustado y hosco. Tony no me hace caso y me mira como si yo estuviera loco.

Tony habla con los carceleros; está discutiendo con ellos. Los acusa de ser responsables de mi muerte.

Abren la reja. Los carceleros están furiosos con Tony y se lo llevan a empujones. Va dando gritos; unos gritos desesperados que no se entienden.

No sé más.

Lo que veo, entre el sopor, es que me han sacado y me tienen en el suelo. A mi alrededor están Medardo Lemus, el médico Batista y Alipio Zorrilla, delegado del Ministerio del Interior. Hay dos personajes más: Alemán, el director, y Valdés, agente del G-2 en la prisión, que están como espectadores y no se meten conmigo.

¿Qué es eso que me inyectan, que me punza los genitales? Lemus y Batista me pinchan por todas partes. Dicen que me ponen glucosa en las venas para que recupere el conocimiento. Batista me punzonea los testículos con una jeringuilla y habla de buscar el bisturí para castrarme. Lemus dice que «no, porque no está autorizado y si sobrevive es peligroso»...

—Es mejor castrarlo con esto que le estamos inyectando. Si queda vivo se matará por su propia mano —dice Lemus.

Valdés y Alemán permanecen callados. Zorrilla participa del entretenimiento con los otros dos.

—Alemán, te puedes ir —le dice Lemus al director de la prisión—, aquí no haces falta.

—Dile a Casquillo que traiga el bisturí —le dice Batista a alguien—. Hay que castrarlo. ¿Qué más da?

Lemus sigue aguijoneándome con algo, no sé con qué. Dice que va a inyectarme en las venas una sustancia que me devolverá el conocimiento, de modo que me entere bien de lo que me están haciendo.

Batista me pincha por todo el cuerpo con una jeringuilla. De pronto, me tuerce la nuca violentamente, como para romperme las vértebras; hace que se me escape un gemido.

—Está consciente —dice Batista—. Si estuviera inconsciente no sentiría el dolor, siente lo que le hacemos y se hace el muerto.

Zorrilla comenta que siento el dolor pero que estoy loco.

—Tiene capacidad sensorial, pero no tiene nociones a nivel consciente. Yo estudié medicina sin llegar a graduarme.

Batista coge una toalla y me tapa la nariz y la boca. Involuntariamente intento mover los brazos para evitar la asfixia. Mi cerebro se aclara por completo.

Veo muy poco, pese a que tengo los ojos abiertos. Mi mirada debe de ser la de un loco aterrorizado por el dolor, pero aguanto.

Ignoro cuánto tiempo dura esto. Al fin se acaba la fiesta, le temen a algo.

—Definitivamente está loco —dice Lemus.

—Su sensibilidad está intacta, pero le falta poco para desplomarse. No durará mucho, la vida se le está yendo —le responde Batista.

Me arrastran y me llevan a otro lugar cercano.

Dicen que Tony Lamas armó un alboroto cuando se lo llevaban; que iba gritando por el túnel hasta la galera 23: «¡Están asesinando a Huber. Están asesinando a Huber!». Los presos del Patio Militar lo oyeron y hay una actitud de expectación por el escándalo de Tony.

Lo traen de nuevo para que vea que estoy vivo y que miente. Mi hermano Tony llora como un niño viendo el estado en que estoy. Tal vez pueda seguir viviendo, o quizá me rematen cuando se lleven a Tony esta vez. Voy a asirme a la esperanza y que Dios decida.

Pido agua. Siento una ardentía desesperante desde la boca hasta la altura del vientre.

—Lemusín, dame agua —le digo al coronel Lemus.

Se ríen a carcajadas del nombre que le he puesto al jefe de cárceles y prisiones. Creo que Tony ya no está aquí. Tengo los ojos abiertos pero no puedo ver casi nada, deben de estar infectados.

—Está loco, mucho mejor así; pero se está muriendo y eso no nos conviene —dice Lemus.

Dispone que me lleven a otro lugar. No sé.

Despierto y veo que me están poniendo un suero que va por la mitad. Tengo el brazo izquierdo amarrado al camastro para que no se salga la aguja. Los genitales me duelen, los tengo muy maltratados. Mis calzoncillos tienen sangre seca. La vida me duele. Castillo y Tony están en sus camas y me miran a escondidas, con lástima.

Pasa el tiempo y me animan diciéndome que el doctor Cubelas me puso suero. Hay tristeza en sus miradas. Quizá me trajeron a esta galera para que, en caso de un paro cardiaco, haya testigos. Creo que llevo cuarenta y cinco días en huelga de hambre.

A veces mis párpados se mueven o abro los ojos y me quito, como puedo, el pus que se me pega y no me deja ver. Cuando se me aclara el entendimiento hablo un poco con Tony y con Castillo. Están contentos porque piensan que me voy a salvar. Estoy en la galera 23-B, creo que fue el 10 de octubre cuando me trajeron aquí.

Durante dos o tres días me siguen alimentando con suero. Tony me explica que aceptó abandonar la huelga a fin de engañar a los comunistas y tratar de salvarme la vida, con el escándalo que hizo cuando lo llevaban por el túnel a darle asistencia médica. Él es físicamente muy fuerte y eso le ha permitido soportar mejor el largo ayuno. Castillo, en cambio, está bastante débil, pero su vida no peligra.

Pocos días después me traen a la enfermería de la prisión, en el Patio, donde escucho frases como ésta:

—¡Pobre hombre, se va a quedar ciego!

Sigo recuperándome. Me ponen suero con vitaminas. El médico que me atiende es Álvarez Teijeiro, preso también; recomienda que lo mejor es que me den un caldito filtrado a través de un algodón, con lo que iré entonando el estómago. Pero el médico esbirro, Batista, viene y aparta a Álvarez Teijeiro, haciéndose responsable de mi recuperación.

Llega a la enfermería un preso del Plan de Rehabilitación. Se me acerca con evidente temor y en voz muy baja me dice:

—Oye, Batista te quiere matar con una comida. Trabajo en la cocina y te van a preparar algo que si lo comes, mueres.

Me pongo en guardia.

La comida que me traen son frijoles y alguna otra cosa. No la toco y le advierto a Tony que la deje. Pero él, que se encuentra en la cama inmediata a la mía, tiene un hambre atroz, y a pesar de mi advertencia, se come la ración completa. Pasa toda la noche vomitando, con tremenda diarrea y sudores fríos. Se salva gracias a su fortaleza y a la asistencia del doctor Álvarez Teijeiro, y con la administración de sueros.

Estoy muy sucio y debo bañarme, aunque hace tres días me cambiaron el calzoncillo. Mis compañeros me llevan al baño y, sentado en una silla metálica, me asean. Veo cómo, bajo los efectos del agua y el jabón, mudo la piel en el área de la entrepierna y los genitales. Los amigos que me ayudan en la limpieza prefieren no enterarse del maltrato visible en estos órganos. Tengo la impresión de que me han inutilizado, pero no hago ningún comentario al respecto.

A pesar de la prohibición de Batista, Álvarez Teijeiro y el doctor Rabasa me ayudan con un tratamiento de recuperación. Mi familia y personas amigas me envían vitaminas y otros medicamentos, entre ellas Flora Bosch, ex presa que se ha relacionado con mis primas.

El proceso de recuperación es penosamente lento y complicado; tengo las piernas semiparalizadas. Para ayudarme a vencer el problema, los médicos amigos hacen venir a la galera a un jamaiquino de apellido Allen, que es un masajista especializado y está preso en el Plan de Rehabilitación. Se interesa en ayudarme con su técnica y repite su visita a la enfermería durante tres días, dándome masajes e indicaciones. Allen me cuenta que en el año 60 vino a Cuba a trabajar como voluntario para la Revolución y que, como se desilusionó, quiso regresar a su país. No se lo permitieron. Insistió y lo arrestaron. Lleva varios años en prisión. Ha hecho gestiones sin conseguir nada, ni del gobierno cubano, ni del de su país. Me pide que si algún día salgo, haga llegar su reclamo a quienes puedan sacarlo de la situación en que se encuentra.

Los carceleros vienen y me dicen:

—Usted irá con otros presos problemáticos a la galera 34. Así estará con los que queremos tener aparte.

Un par de días después del anuncio me trasladan. Esta galera se encuentra fuera del Patio, en un nivel más bajo, como en un sótano. Ando con un burrito o andadera. Con bastones improvisados, apoyándome en las camas altas que están muy juntas, trato de caminar. Es la gimnasia que hago para recuperarme. Pasan los días y advierto una mejoría alentadora; estoy seguro de que volveré a caminar sin bastón y sin ayuda.

Repasando escenas, veo con toda claridad que Tony Lamas me salvó con sus gritos y con las amenazas de señalar a los culpables. Más que testigo de mi final, fue mi salvador. Esto supuso un llamado de atención para Lemus, Batista y Zorrilla, entre otros, quienes no pudieron concluir su faena.

—¿Por qué proseguiste la huelga si ya la habíamos dado por fracasada? —me dice un compañero.

—No me pareció bien que todos abandonáramos la protesta cuando un alto funcionario del Ministerio del Interior vino a decirnos, de parte de Fidel, que nos podíamos morir sin que el gobierno nos hiciera caso. Había que responder a la amenaza y demostrar que la protesta se podía haber ganado. Yo no quería ir a la huelga, pero una vez que la comenzamos, era un asunto serio.

Está en su apogeo el plan de Fidel para incrementar la producción azucarera. Ahora es la locura «de los diez millones», como antes fue la del café Caturra. El Máximo Líder ha movilizado a todo el país para llegar a una producción de diez millones de toneladas de azúcar. La zafra en Cuba oscila entre cinco y seis millones de toneladas. En el penúltimo año de la dictadura de Batista, la empresa privada había llevado la producción a un tope de siete millones doscientas mil toneladas, que Castro trata de superar con sus diez millones.

La zafra es una operación que se realiza habitualmente en los meses fríos; estación de la seca que concluye a fines de marzo. Ahora se ha ordenado que habrá zafra durante la temporada de lluvias hasta el mes de julio, una aberración, porque la caña durante ese tiempo pierde un gran porcentaje de la sacarosa.

Para alcanzar la meta, se sacrifican otras áreas industriales y agrícolas que también merecen atención. Fidel desfigura obsesivamente la realidad nacional: «Éste es un compromiso de honor de la Revolución», se dice constantemente por radio y televisión, y la consigna es repetida una y mil veces: «Los diez millones van». Nosotros no lo vemos ni lo oímos pero nos enteramos por las informaciones que llegan al penal.

Con esas consignas han logrado minar la moral de algunos grupos y movimientos de oposición, que han sido reacios a aceptar imposiciones en el penal; éstos van cambiando de actitud y se prestan a colaborar, atraídos por la promesa de libertad si trabajan por el éxito del proyecto.

Me dicen que podré ver a mis familiares y me entregan un formulario de telegrama para que les indique cuándo podrán visitarme. Gran sorpresa de mi parte. Se trata nuevamente de una dudosa generosidad, pero no tengo más remedio que aferrarme a la idea de que puede ser cierto.

El día de visita, un compañero me ayuda a llegar a la sala donde espero ver a mis familiares; no ha venido nadie, seguramente no enviaron el telegrama. Un engaño más. Indignado, digo cosas muy fuertes contra los carceleros, que se encogen de hombros. La burla viene de un nivel superior al de ellos.

—Venga, aquí está su padre —me dicen otro día.

Apoyándome con un bastón, me acerco despacio al lugar del encuentro, mas la historia se repite. Sólo que esta vez es más deplorable; parece que mi padre y mi cuñado Roberto llegaron y los llevaron a un sector bien alejado de donde estoy. Pasa el tiempo estipulado para la visita y me hacen volver a la galera, sin haberlos visto ni oído.

En esta galera hay más de cien hombres que, a juicio de los carceleros, somos los más intransigentes y tenemos mayor influencia sobre los demás presos. Nos llaman «peligrosos» dentro del presidio.

En estado de vigilia los nervios me brincan y en el tránsito al sueño también tengo fuertes espasmos en todo el cuerpo. Son más frecuentes en horas de la noche, en las que digo improperios y me comporto como un ser en el límite de su razón. Me han puesto inyecciones y debo tomar todos los días unas pastillas tranquilizantes, de las que espero prescindir tan pronto como sea posible. Rara es la noche que no tengo pesadillas, cosa común entre todos los que hemos salido de una huelga de hambre difícil; me iré recuperando poco a poco.

Al finalizar octubre de 1969 he completado diez años de cárcel y veo que las cosas van de mal en peor. Me queda pendiente la mitad de la condena. Esta vez no la voy a dividir en dos tramos, sino que la tengo planeada en una sola etapa. Por mucho que me repitan que no estoy condenado a veinte años, sino a prisión de por vida, mi programa es para los próximos diez años, independientemente de todas las adversidades que me esperen.

He sobrevivido a situaciones muy difíciles y siento que no está en los planes de Dios permitir que mis enemigos puedan doblegarme o contentarse con mi muerte. Dios es el que me está conservando vivo.

Inevitablemente medito, una y otra vez, en torno a aquellos momentos en que, convertido en esqueleto, piel e inercia, estuve a merced de un grupo de desalmados. En aquel ritual diabólico, en el que me torturaban a su gusto creyendo que nunca podría hacer este relato, me pregunté por qué se sentían felices cumpliendo la repugnante misión de atormentar sin piedad a un hombre moribundo. Si antes no eran perversos, en aquel instante, sí. ¿Por qué la transformación de aquellos hombres en demonios? Hay una sola razón: su identificación con el tirano de muchas caras.

Tal parece que en cada criatura humana hay escondido un malvado, un justo y un apóstol. El ambiente en el cual el individuo se forma decide el rumbo a seguir; el resto depende de las circunstancias. Igualmente éstas determinan los parámetros del miedo y del valor. No hace falta nacer con fibra de valiente para enfrentar la adversidad defendiendo convicciones y principios. Esa virtud que llamamos valentía es un nivel del espíritu. Como tal, sube, baja o se pierde con los productos del pensamiento.

La historia de la resistencia de la mujeres contra la tiranía de los Castro reclama un largo capítulo signado por el heroísmo de las presas políticas cubanas...

El 9 de marzo de 1970 nos trasladan de la Fortaleza de La Cabaña a Guanajay, el antiguo Reclusorio Nacional de Mujeres. Hace más de dos años y medio que usan este penal para presos políticos. Aquí las celdas son para tres personas. En una de ellas nos acomodamos Tony Lamas, Silvino Rodríguez y yo. Estamos en la sección D, el lugar de las antiguas celdas «tapiadas». Eran celdas de castigo, casi herméticas, oscuras, con una plancha de acero como puerta, que ahora ha sido cambiada por una reja. Fueron usadas para maltratar y aterrorizar a las presas «plantadas». Entre otros abusos, se les racionaba el agua para obligarlas a la suciedad y la desesperación y así romper su voluntad de resistencia.

En una de las paredes de nuestra celda, una mujer escribió su nombre, ISABEL MOLGADO,[1] quizás con el filo de una cuchara. Es la hermana de mi compañero de prisión Marcelo Molgado. Con su nombre dejó testimonio del fatigoso empeño por saberse alguien todavía, en el mundo de los sepultados en vida. Hay otras inscripciones menos legibles de otras presas que también estuvieron incomunicadas. Algunas intentaron, marcando la pared, llevar el control del tiempo. La historia de la resistencia de las mujeres contra la tiranía de los Castro reclama un largo capítulo signado por el heroísmo de las presas políticas cubanas en defensa de su dignidad personal y de los derechos de su pueblo. Por la correspondencia mantenida con varias compatriotas, sabíamos de los horrores sufridos por ellas y de la dimensión trágica con que el sadismo castrista golpeaba a sus familias.

Aracelis Rodríguez San Román es una joven presa política. Su

---

1.   Isabel Molgado cumplió condena de nueve años y logró salir al exilio. *(N. del A.)*

familia es gente humilde que poseía una pequeña finca en Paso Real de San Diego en la provincia de Pinar del Río. El 20 de mayo de 1964 detienen a Aracelis. Después de intensos interrogatorios le anuncian que han matado a su hermano Gilberto en un combate: «Matamos a tu hermano, que vino con otros gusanos de Estados Unidos. Ven para que lo veas», y su hermano es un cuerpo ensangrentado e irreconocible. Le dicen que su tío Esteban formaba parte del mismo grupo y que se suicidó antes de ser capturado. Luego la trasladan a la cárcel Kilómetro 5 y $^{1}/_{2}$, donde la recluyen con las más violentas presas comunes: criminales, drogadictas, prostitutas, desquiciadas. En un ambiente de coacción, vulgaridad y terror, Aracelis pasó nueve meses, hasta que la condenaron a veinte años de prisión por «delitos contra la Seguridad el Estado». Su cuñado, Lázaro Araya, que estaba preso, fue fusilado. A sus hermanos Gerardo, Rodolfo y Tebelio, y a su tío Ramón, los condenan a largas penas de prisión. Al resto de la familia, incluidos los niños, los desalojan de su propiedad en Pinar del Río y los llevan «concentrados» a un tugurio en las afueras de La Habana.

Están presas Georgina Cid y Ofelia Rodríguez Roche, dos jóvenes revolucionarias que participaron en la lucha contra la dictadura de Batista. Un hermano de Georgina fue asesinado por la policía de la dictadura en la embajada de Haití en La Habana.[1]

Después del triunfo revolucionario en 1959, Ofelia se casa con Francisco Cid, hermano de Georgina. Como muchas otras familias cubanas, los Cid rechazaron la traición comunista y le brindaron su apoyo a la resistencia. En marzo de 1961 se llevan a las dos jóvenes a la cárcel de Guanabacoa, y tras muchos rigores y maltratos, las condenan a prisión.[2] Ofelia dejaba en su casa un niño de seis meses. El padre del pequeño, Francisco, evade el arresto huyendo a Estados Unidos.

Un día, en 1967, después de años de encierro abusivo, oficiales de la Seguridad del Estado sacan a Georgina y Ofelia de la prisión y las conducen en un auto a una funeraria. Allí encuentran a Eladio Cid, padre de Georgina y suegro de Ofelia, muerto misteriosamente en Villa Marista, cuartel general de la Seguridad del Estado, sin que ellas supieran por qué y cuándo había sido arrestado.

En agosto de 1969 vuelven los agentes del G-2 en busca de ellas a

1. Asalto a la embajada de Haití, dirigido por el coronel de la policía Rafael Salas Cañizares, el 21 de octubre de 1956. *(N. del A.)*

2. Georgina Cid cumplió dieciséis años de cárcel. Ofelia Rodríguez cumplió catorce años y medio. *(N. del A.)*

la prisión. Las llevan a Villa Marista y las internan en celdas diferentes. Las dos se enteran que Francisco, el esposo de Ofelia, ha regresado clandestinamente desde Estados Unidos en una incursión por la zona de Guantánamo y ha sido capturado.

En Villa Marista, le proponen a Georgina que si se convierte en confidente de la Seguridad del Estado en prisión, la suerte de su hermano podría cambiar. Ella contestó: «Lo que ustedes van a hacer con mi hermano ya está decidido. Además, por él y por mí, yo no puedo dejar de ser quien soy». Cuando la llevaron ante Francisco, Georgina no podía reconocerlo. ¿Qué le habían hecho a su hermano? Era algo peor que un cuerpo esquelético. ¿Le habrían sacado demasiada sangre?[1] Seguramente adivinando las presiones del G-2 contra su hermana, él se adelantó y le dijo: «No te preocupes por mí, yo no cuento ya». Los oficiales interrogadores también fracasaron en quebrar moralmente a Ofelia, pese a que la llevaron ante su esposo. La entrevista se dio en presencia de dos agentes. Francisco le dijo a Ofelia: «No creas nada de lo que esta gente te diga». Su espíritu se mantenía firme.

Pocos meses después, el 7 de diciembre de 1969, fusilaron a Francisco Cid.

Olga Rodríguez era una joven maestra de la ciudad de Santa Clara. Se alzó a principios de 1958 en las montañas del Escambray, contra la dictadura de Batista. Allí se casó con William Morgan, un norteamericano que era comandante rebelde en el grupo de Eloy Gutiérrez Menoyo.

Al triunfar la Revolución, la pareja gozaba de la confianza y las simpatías de Castro, quien dio responsabilidades administrativas al comandante Morgan en proyectos a cargo del Che Guevara. En octubre de 1960 fueron detenidos por sorpresa y acusados de contrarrevolucionarios. Olga pudo fugarse para estar con sus dos hijas pequeñas. En marzo de 1961 la apresan otra vez. Una semana después el carcelero le dice: «Usted es la viuda de Morgan». Así se entera de que su esposo ha sido fusilado sin que ella sepa cuándo ni en qué circunstancias. «¡Se me rompió el mundo en pedazos cuando me dijeron aquello!», cuenta Olga.

Marina García, la muchacha que fue mi asistente en la Columna 9, me escribió contándome que había sido condenada a veinte años de prisión. La lista de presas políticas es interminable, como inexplicables

---

1. Práctica de la dictadura castrista de extraerle sangre a algunos prisioneros antes de ser ejecutados. *(N. del A.)*

los abusos que se cometen contra ellas. Muchas han sido detenidas y condenadas porque se opusieron activamente a la traición de la Revolución, otras son víctimas circunstanciales condenadas por sospechas o por sus vínculos familiares con opositores al régimen. Los Castro tratan a las mujeres presas con una crueldad y con un desprecio que hace palidecer el trato que les dio Batista a algunas que fueron detenidas durante su dictadura. Son muchas las heroínas: Polita Grau, Luisa Pérez, Ana Lázara Rodríguez, Doris Delgado, Cary Roque, Sara del Toro, Carmina Trueba, Manuela Calvo, Reina Peñate, Gladys Chinea, Ana María Rojas y miles más son testimonios de la barbarie en las prisiones castristas. Si la vivencia de los presos políticos cubanos está marcada por los horrores y la voluntad de resistencia, la de las presas políticas está caracterizada por el sufrimiento y el heroísmo frente al atropello.

Para los que llegamos de La Cabaña resulta curioso que en esta cárcel de Guanajay se nos permita caminar sin limitaciones de un edificio a otro. ¿Es que quieren desvirtuar la historia de abusos cometidos contra las presas políticas?

Nos permiten estar al aire libre varias horas al día, y durante ese tiempo disfrutamos del amplio espacio y del sol. Nos sentimos menos presos que en otros penales. Aprovechamos estas oportunidades para conversar con nuestros amigos, que no son pocos. Entre ellos están el doctor Ángel Cuadra y los hermanos Alberto y Frank Grau. Discutimos sobre la situación del país y hablamos de literatura, historia, etcétera.

Para poder recibir a sus familias, los presos son requisados en calzoncillos. Los carceleros habían definido conmigo que las visitas se darían sin la condición de desnudarme previamente. De manera que, en lo que a mí respecta, no sólo incumplen, sino que me provocan. Si acepto despojarme del uniforme ahora, después me exigirían algo peor, con tal de buscar un pretexto para no permitirme las visitas.

«Vamos, encuérate, tienes visita», le dicen al prisionero político. Está en él si acepta semejante orden. Cuando me lo dicen a mí, les respondo:

—No lo haré aunque me suspendan la visita. En el pasado, cuando mi padre venía a la prisión para verme, después de viajar durante tres días en un país donde hay un transporte pésimo, medio ciego y con sus ochenta y cinco años, le decían que no podría verme. Una falta total de humanidad. A mí, luego de mantenerme a la expectativa del encuentro, me decían que nadie había venido. No me desnudaré.

La célebre zafra de los diez millones culmina en un fracaso deplorable, como lo habíamos previsto y como lo sabían muchos cubanos conocedores de la economía nacional. Castro juega con las cifras de producción pero no hay forma de ocultar lo ocurrido. Han ofrecido informaciones sobre el resultado de la zafra y se conocen públicamente algunos resultados. A Fidel no le queda más remedio que presentarse por televisión, donde evita ahondar en la situación del país y culpa a otros del fracaso que a él le corresponde.

El desastre de la zafra ha dejado bastante dañada la imagen del régimen. Los efectos económicos comienzan a sentirse, no sólo porque se descuidaron áreas vitales, sino también porque los recursos que utilizaron en procura de los diez millones de toneladas no podrán ser recuperados. El gobierno está temeroso y el miedo lo impulsa a ser agresivo y a ver fantasmas donde no los hay. Extrema las medidas coercitivas en las prisiones, donde se encuentran varias de las más importantes figuras políticas de oposición, cuya influencia trasciende los muros carcelarios.

El aparato represivo inicia su acción contra toda la gente que se muestra disconforme con la marcha de los asuntos del país. Como su carisma y su dominio han sufrido un revés, Fidel sospecha que sus enemigos políticos encubiertos, en la sociedad civil o en las Fuerzas Armadas, podrían aprovechar este momento para intentar sustituirlo. Recurre a trucos que son propios de todos los tiranos. Reorganiza su gobierno y da rienda suelta a la represión. El aparato propagandístico usa el argumento de que Fidel es insustituible y lanza una campaña de acción psicológica contra «los culpables».

He conversado con unos cuantos presos sobre la necesidad de estar listos para actuar, si se abre una brecha en la estructura del poder. Podríamos poner en acción el esquema que elaboramos durante el presidio de Isla de Pinos. Todos están de acuerdo.

Luego de su captura,[1] Gutiérrez Menoyo aceptó presentarse en la televisión nacional y decir lo que Castro le puso como condición para

---

1. Menoyo y tres compañeros fueron capturados poco después de infiltrarse en Cuba, en enero de 1965. (*N. del A.*)

no fusilarlo. Los que estamos en el camino de la unidad preferimos dejar de lado los errores de los compañeros, para aprovechar su capacidad y los valores que una vez hicieron de ellos buenos revolucionarios.

Le planteo a Gutiérrez Menoyo que trabajar por la unidad no está reñido con que él sea cabeza del grupo Alpha 66. Que debemos formar un frente único, a fin de que si se precipitan acontecimientos y el gobierno comunista se tambalea, podamos contribuir desde aquí a que se derrumbe.

Menoyo no vacila en responderme:

—No sé si mi organización me respaldará o no, pero voy a trabajar en favor de lo que propones. Lo importante es la unidad de los revolucionarios.

Sin embargo, mientras nosotros realizamos sinceramente un trabajo necesario en este momento, nos damos cuenta de que Menoyo aprovecha la invitación para buscar en la unidad la coyuntura que puede favorecer prioritariamente a su grupo. Por eso, prescindiendo de su participación, fundamos, entre rejas, el Frente Nacional Revolucionario.[1] Estamos en el verano de 1970. Nuestros contactos con gente que conspira en la calle se han ido consolidando, facilitándose con la actividad de los presos que van recuperando la libertad luego de cumplir sus condenas. Al cabo de algún tiempo tenemos que recomendarles, a los que actúan en la clandestinidad, que se muevan con mayor cautela. A pesar de que existe un ambiente contrario al gobierno en la vida pública de Cuba, el aparato represivo comienza a captar los hilos de la conspiración. La euforia es mala consejera en este tipo de actividad. El enemigo se mueve con su frialdad y tecnicismo habituales, y sabe seguir los pasos de los que se exceden en su entusiasmo por cambiar la situación.

El G-2 se esmera en seguir la huella de los que conspiran en la calle. En la prisión resulta más difícil; nuestra red funciona sin dejar fisuras por donde pueda colarse la investigación de los servicios secretos del gobierno. Las únicas complicaciones que hemos tenido surgen de comunicaciones interceptadas fuera de la prisión, después de que habían llegado a nuestros compañeros en libertad.

Se suceden los días y me sacan de la galera a la dirección del penal. Vuelven otra vez las amenazas: «¡No saldrás vivo de aquí, te pudrirás en un calabozo!»...

---

1. Participan en su nivel de dirección: Pedro Forcade, Juan Morejón, Pedro Ortiz Anaya, Silvino Rodríguez, Roberto Azcuy, Jesús Silva Pontigo y José Manuel del Pino, entre otros. *(N. del A.)*

—Lo que no sabemos bien —me dice un oficial de aspecto brutal— es si te fusilaremos o te daremos la paliza que te mereces hasta que pierdas la vida. Pero que aquí te vas a morir, no te quepa la menor duda.

—Si eso es todo lo que tiene que decirme, proceda cuando le parezca. Déjeme regresar a mi celda. Las amenazas no me asustan, ustedes lo saben.

—¡No, no, escucha...!, ¡sabemos que estás conspirando!..., ¡lo sabemos!... No pongas cara de ángel. Tú estás buscando destruirnos y eres un ingenuo porque conspirar es lo que ya no podrá salvarte. ¿Entiendes?

—Bien, si usted dice tener pruebas de que ando en algo, no tiene que consultarme para tomar las medidas que le parezcan convenientes. Ya le he dicho que proceda. Hagan lo que quieran.

He recibido varios recados de militares inactivos y de algunos que están en la reserva. Los recados ponen de manifiesto el miedo que hay en todo el aparato militar hacia los Castro. Curiosamente, en todos los casos, bien en papelitos o en recados verbales, está precisa la aclaración de que no son comunistas. Quisieran una solución para el problema nacional.

El 6 de noviembre de 1970, con conocimiento de que la dictadura está tramando una ofensiva, nos despiertan de madrugada y se llevan a Silvino Rodríguez. Esto nos afecta mucho a Tony Lamas y a mí. Los tres formamos un pequeño grupo estrecho y fraternal; más que amigos somos hermanos. Tememos por él y pensamos que no tardarán en venir por nosotros. No sucede así.

Le escribo como puedo a mi familia para que se movilice en favor de Silvino; que hagan denuncias a los niveles que les sea posible. También avisamos a los jefes de la conspiración fuera de prisión. Después de tres días nos enteramos de que es probable que a Silvino lo hayan trasladado a la cárcel de Boniato, especialmente utilizada por los comunistas para maltratar a los presos. No hay ningún cargo contra él. Somos tan cercanos que deben asumir que está conspirando conmigo.

Cuatro días después, el 10 de noviembre, nos dicen:

—Vamos, recojan todo que los trasladamos.

Somos sólo seis los que, severamente custodiados por unos quince agentes del G-2, nos encontramos otra vez en la «perrera» y en dirección a La Habana. Como a las once y media de la noche nos detenemos ante el Castillo de El Príncipe; aquí nos hacen esperar una hora o más, aguardando lo que creemos será nuestro ingreso a la prisión.

Pero luego ponen rumbo hacia la prisión de La Cabaña. Aquí nos encierran en la sección de calabozos conocida como «la capilla», preámbulo del paredón de fusilamiento.

Al día siguiente, a la hora en que los castristas acostumbran fusilar, entre nueve y diez de la noche, vienen por mí.

—Matos, venga... vamos...

Pretendo sacar mis escasas pertenencias, pero me detienen con una orden.

—No, no... sin nada... usted solo...

Caminamos por un pasillo y luego me suben a un Alfa Romeo de la Seguridad del Estado, llevándome al borde del foso, frente al paredón; aquí el auto se detiene y me bajan. Hay un poste donde amarran al que va a ser ejecutado. Desde este lugar fatídico, temido visceralmente por los presos, es desde donde llegan a los calabozos las imprecaciones de los condenados a muerte indomables y las descargas del pelotón de fusilamiento.

Me tienen unos minutos observando el escenario mientras simulan esperar órdenes. Pero vuelven a subirme al vehículo y me regresan a la capilla. Pasa una media hora y nos reúnen a todos los que trajeron desde anoche. Nos montan en la «perrera» y nos llevan hasta las proximidades del paredón. Aquí se demoran unos minutos como para que todo el mundo mire el poste. Después la perrera toma rumbo hacia La Habana. Todo esto no es más que una intimidación, una amenaza, o quizás un velado mensaje de terror: «Si tuviéramos la orden, los fusilamos».

45

El Castillo de El Príncipe

> … uno lo ve llegar, como nosotros a Silvino;
> pálido, como si hubiese atravesado a pie un
> túnel de cien kilómetros, con las ropas rasga-
> das y una expresión demencial en los ojos.

En el silencio de la noche cruzamos el túnel bajo la bahía de La Habana, seguidos de varios autos del G-2. Voy con Lauro Blanco, Tony Lamas, Jorge Valls, José Pujals y Osvaldo Figueroa. Todos buenos compañeros y presos con honroso historial. Los agentes de seguridad, como perros de presa, nos vigilan. En ruta por el Malecón vemos con pobre entusiasmo el paisaje nocturno de la capital. Llegamos a la entrada del Castillo de El Príncipe donde nos entregan nuestras pertenencias. Son aproximadamente las once de la noche del 11 de noviembre de 1970. Nos conducen a la azotea del viejo castillo convertido en prisión, donde está el hospital; pero éste no es nuestro destino. Vamos a la Sala de Psiquiatría, un lugar aparte para los presos comunes que enloquecen. Es un ámbito inmundo. Ejércitos de chinches bajan y suben por las paredes y andan en nuestras camas, compitiendo con las cucarachas, que también se han adueñado del lugar. Nos acostamos a dormir. Una plaga de cucarachas chicas, a las que llaman alemanas, me despierta pasándome por la cara y el resto del cuerpo. Descubro que las antojadizas cucarachitas tienen su nido en la propia cama, entre los alambres y hierros del bastidor, a muy poca distancia de mi cabeza. «Ustedes o yo». Acabo exterminándolas.

Insistimos ante la dirección del penal para que nos provean de algunos insecticidas y malamente nos envían algo con lo que podemos, en parte, solucionar el torturante asedio de las chinches. No faltan las moscas y los mosquitos. Hemos visto ratas, que no son fáciles de liquidar, pues viven en las cloacas y en los muchos escondrijos de esta vieja construcción colonial.

Hay varias celdas estrechas que estuvieron destinadas a los locos furiosos, y un salón de cierta amplitud y forma irregular que comunica con todas las celdas. También un patio pequeño de muros altos, al que no sabemos si tendremos acceso porque lo separa una reja con candado.

Esta asquerosa galera está bloqueada con una valla de planchas de zinc, de manera que nadie que pase por el frente puede vernos. Arriba, en la fachada hay un rótulo: SALA DE PSIQUIATRÍA, que es lo mismo que «manicomio para presos». Este letrero sí está bien a la vista.

Vivimos ensimismados en un tiempo que parece haberse detenido. Siempre en espera de algo peor, nos damos al lento transcurrir de las horas. Sólo existimos. Lo único que se mide es el momento, el minuto en el que todavía estamos vivos. Trato de atenuarlo con la lectura y consigo algunos libros, pero antes de que me los entreguen, los encargados de molestarnos les arrancan varias páginas. Inevitablemente, después de un traslado uno se va adaptando a las nuevas condiciones, por desfavorables que éstas sean. Los meses pasan con menos lentitud cuando nos llevan de un lugar a otro. Estamos olvidados hasta de la idea del calendario, si bien el tiempo es lo que más cuenta en la vida de un preso.

Transcurre un año. Un día, al comenzar noviembre de 1971, traen a otro compañero a la celda. Parece un sobreviviente de un campo de concentración, al que no reconocemos. Tras la sorpresa inicial nos damos cuenta que este hombre demacrado, convertido en escombro humano, no es otro que Silvino Rodríguez. ¡Lo han liquidado en la prisión de Boniato! Nos cuenta, con fatiga y dolor, cómo durante un año lo sometieron a crueldades; en celdas tapiadas, con pésima alimentación, más acoso y maltratos de todas clases. El resultado es este espectro, movido por una providencial llama de vida.

Silvino es un hombre de unos cuarenta años. Creemos que podemos hacer algo para que se recupere y ponemos manos a la obra. Los que tienen como reserva un paquete de leche en polvo o algún otro alimento, lo ceden. No tengo nada que darle porque llevo casi dos años sin recibir visita, pero hago lo que puedo para contribuir a levantar a este hermano mío. Tengo una bolsa de leche en polvo medio podrida, que alguien me regaló y que guardo por si acaso, pero no se la puedo brindar porque está en pésimo estado.

Esta actitud colectiva de ayuda y solidaridad es característica de los presos políticos en general. Si bien es cierto que ha habido ejemplos muy negativos de pugnas y hasta de agresiones, motivadas por antagonismos políticos y por maquinaciones diabólicas de las autoridades, no es menos cierto que entre nuestros compañeros, los presos políticos cubanos, los ejemplos de solidaridad fraternal son frecuentes.

Con Silvino pasa como con las plantas cuando la sequía las lleva al borde de la muerte. La primavera llega reponiéndolas y así se suman a un cuadro vital, en este caso limitado, que no por eso deja de alegrar a los que lo observamos.

Una tarde presenciamos, a través de los huequitos de la tapia de zinc que nos bloquea el campo visual del frente, un triple fusilamiento en el patio del Castillo de El Príncipe. Las ejecuciones, una a una, son coreadas por un numeroso grupo de individuos traídos ex profeso, para gritar, «paredón», «paredón»..., en forma rabiosa y persistente, haciendo del acto un ritual despreciable. La presencia y el comportamiento de la turba evidencia una ejecución por razones políticas.

El 23 de noviembre, como a las tres de la tarde, se aparecen los carceleros.

–Vístase, que lo venimos a buscar en unos minutos –me dicen.

Mis compañeros, por pequeñas perforaciones que hicieron en las ventanas tapiadas observan algunos preparativos a unos ochenta metros de nuestra celda, en lo que se llama el castillito de la azotea, como si lo fueran a utilizar para una sala médica. Ven a varios hombres vestidos de enfermeros. Algunos compañeros dan por seguro que me van a hacer un reconocimiento, y especulan que los carceleros están interesados en demostrar que recibo atención médica. Esta improvisada «sala médica» pueden verla los presos comunes desde el patio central.

Media hora después vienen por mí. Como me niego desde hace meses a visitar al médico, los carceleros creen que voy a resistir cualquier simulacro de asistencia médica. Mi actitud ha sido la de no exponerme a más burlas. Voy confiado en que sabré mantenerme dentro de lo que, para ellos, es una intransigencia a sus juegos cínicos.

Cuando entro al local, que exteriormente tiene apariencia de sala de hospital, veo más caras de las que esperaba. Entre dos hombres uniformados se encuentra una mujer vestida de verde olivo. Es de rostro achinado y presencia agradable. Uno de los tipos que al parecer la asesora tiene una expresión desagradable. Hay otras personas en el local.

–Matos, siéntese ahí –dice la mujer, señalando una silla frente a la de ella.

Hay un libro tapado con forro de plástico grueso. Debe de ser una grabadora. La mujer me trata con tono amable.

–Mire, Huber –me dice–, venimos aquí de parte del Instituto de Historiografía del gobierno. Nos interesa escribir la historia de la batalla de Santiago de Cuba. La historia del cerco, más precisamente, y de todas las acciones que se libraron en torno a ese acontecimiento. Existen ciertas lagunas por lo que necesitamos su testimonio para completar el trabajo y que nos relate cómo se desenvolvió la estrategia del sitio, las principales escenas de la lucha en torno al cerco y, en fin, todo lo que se vincule a la operación. También sus relaciones con otros oficiales que intervinieron en los hechos.

Me hace siete u ocho preguntas que no respondo. La dejo hablar, y cuando concluye le digo:

—A un hombre que lleva unos cuantos años en prisión, y al que le han cargado el estigma de traidor, no se le puede solicitar que ayude a escribir la historia de su país. En todas las naciones y en todos los tiempos los traidores son gente despreciable. No tiene sentido que el gobierno apele a mí, cuando me han tratado de un modo bajo y cruel, para que lo ayude a escribir la historia reciente de Cuba. Cuando el gobierno se retracte de todas las calumnias y acusaciones falsas que lanzó contra mí, entonces quizá puedan venir por ese testimonio y completar esa historia...

Tanto ella como los otros uniformados escuchan, sin intentar una sola interrupción.

—Por otro lado —agrego—, no veo razón para que Fidel y Raúl, que según se desprende de lo que se ha publicado parecen ser los únicos que lucharon, ganaron las batallas y tumbaron a Batista, quieran ahora escribir una historia diferente de la que ya han escrito y divulgado ampliamente.

Con amabilidad, insiste:

—Mire, Huber, tenga en cuenta que yo no hice nada contra usted. Lo que estamos preparando es una historia y nuestro desempeño es estrictamente profesional. Si venimos a pedirle ayuda es porque no sentimos animosidad alguna. Por el contrario, representa un reconocimiento. Nos dirigimos con respeto a usted, en búsqueda de fuentes que contribuyan a la verdad histórica.

—El gobierno que ustedes representan me ha descalificado al llamarme traidor. Le repito esto porque creo que es donde reside el primer gran impedimento para que yo colabore. El resto es este encarnizamiento contra mi persona, que me ha llevado varias veces al borde de la muerte. Además, a mí me quitaron documentos y escritos que tenía sobre la lucha. Nunca más los vi desde que el G-Dos me los arrebató en Isla de Pinos. El G-Dos puede proporcionarles la información que persiguen. Busquen entre esos datos que fui apuntando en mi celda. Probablemente encontrarán algo de lo que les interesa.

Veo expresiones de desaliento en su cara y las de sus acompañantes. Deben de haber entendido y saben que no voy a transigir. El episodio termina en un silencio largo y elocuente.

Más tarde me pregunto qué tramaba esta gente y cuál sería el interés real de Fidel, de obtener mi versión sobre algunos aspectos de la lucha revolucionaria. Es probable que sólo se trate de un sondeo político o de un test para conocer cómo anda mi escala de valores o mi voluntad de empezar a colaborar. Conozco esas sutilezas.

A principios de 1972, por fin, nos comunican los carceleros que se van a realizar exámenes de la vista. No veo bien y he venido utilizando unos lentes que eran de mi cuñado Roberto.

Me llevan al examen y encuentro una sorpresa. En el local que sirve de precario consultorio hay dos mujeres; una actúa como jefe. No están vestidas con el uniforme verde olivo, como es de esperarse, sino que ambas llevan ropas provocativas. Es una burla, considerando la situación de aislamiento y obligada abstinencia sexual de los presos.

La principal entre las dos usa una minifalda. Me hace sentar en una banqueta y para revisar mis ojos se coloca casi encima de mí, de un modo que sólo un despistado de marca mayor podría suponer involuntario o ingenuo. Sé lo que busca y me mantengo sereno. Mientras percibo su proximidad y observo su aparente distracción, su interés supuestamente profesional, le digo:

—Oye, tú sabes con quién estás tratando, ¿no es cierto?

—Sí —responde—, lo sé, aunque en la lista figuras con otro nombre.

—¿Y te han mandado a esto?

—No se preocupe, cumplo mi deber.

Resisto las ganas de reírme a carcajadas. Me mantengo indiferente mientras la llamativa mujer continúa acercándose demasiado, cumpliendo su tarea. Mientras ella está en esto —¿cuántos años hace que no siento la proximidad femenina?—, recuerdo que unas semanas antes conocimos en nuestra celda el caso de un preso que quiso conquistar a una enfermera que le daba confianza a los reclusos. La mujer procedió conforme a la mentalidad en que la insertaron los agentes de Castro: denunció al compañero por intento de violación. Al pobre hombre le ocasionó un serio disgusto, traducido en castigos y muy probablemente hasta en una nueva condena.

Pasados unos minutos, la principal se va y la que ahora me examina los ojos, roza mis piernas con las suyas. Estoy instalado en una banqueta. Entre la lectura de letras de distinto tamaño y el ir y venir con diferentes lentes para probar mi visión, se coloca casi arriba de mí, con sus senos a la altura de mis ojos. No puedo evitar verlos, cubiertos por la blusa, pero tremendamente atractivos.

—¿Ahora ve mejor? —me pregunta cambiándome cristal tras cristal.

—Sí, sí, como no... estoy viendo muy bien —le contesto con sorna.

Sigue colocando carteles con letras, pero actuando como principal punto focal. En esto pasan quince o veinte minutos. Es un momento difícil, por la prolongada y desalmada condición en la que vivimos. Esta súbita y ofuscante presencia de mujer, ofrecida como en bandeja a un hombre hambriento de emociones humanas normales es otro intento de desestabilización urdida desde arriba. Cuando la mujer que me examina se dedica a tomar algunas notas le digo:

—Tu amiga me dijo que sabe quién soy. ¿Y tú?

—Yo también.

Me dan una receta y vuelvo a la celda. Mis compañeros comentan que esta provocación es general. Presiento que se ha tratado de una trampa especialmente tendida.

En esta pobre y deplorable existencia, el sueño trae tormentos. Con los nervios lastimados y la psiquis vulnerada, los horrores sufridos se repiten tomando nueva vida tras las cortinas de los ojos, cuando, vueltos hacia adentro, deambulan por la zona de las pesadillas y la penumbra interior. De esas profundidades, en las noches se nos escapan gritos desesperados.

A Jorge Valls, poeta de cultura muy vasta y excelente persona, le molesta que cuando despierta le cuenten lo que dijo en voz alta. Me pide que cada vez que lo escuche con pesadillas me levante y lo golpee en el rostro para regresarlo a la lucidez.

—Me das un puñetazo; una galleta. Tú sabes.

Le contesto que lo haré aunque realmente lo que pienso hacer es acercarme a él y moverlo un poco, nada más. Pero me insiste en que lo golpee sin temor y piensa que ese tratamiento hay que aplicárselo también a los demás. Una noche, Tony Lamas lanza entre sueños un grito prolongado. Valls se levanta casi dormido y se acerca a mi camastro decidido a golpearme, confundido de destinatario.

—¡Compadre, el que grita es otro! —le digo mientras sostengo con fuerza su brazo a la altura de mi cara.

Desde que estoy en prisión he tratado de aprender idiomas cuando he podido. Tengo la ayuda de un diccionario en inglés y otro en francés. Avanzo hasta el punto de que, con una gramática inglesa, pude dar clases a algunos compañeros. Ahora aquí, en El Príncipe, trato de mantener un ritmo de estudio para recuperar el tiempo perdido.

Mis carceleros echan vistazos a la celda y mantienen un control sobre lo que hago; noto que se alarman por mis estudios. En un momento dado se llevan las tareas que preparo y algunas libretas de apuntes.

—¿Para que está usted estudiando inglés y francés? —me preguntan constantemente.

Los comunistas están al tanto de las gestiones que María Luisa hace por mi liberación. Su campaña, con la colaboración de nuestros hijos y de la doctora Elena Mederos,[1] una cubana de gran prestigio, ha logrado el apoyo de Amnistía Internacional y de otras organizaciones; de gobiernos, instituciones oficiales y privadas en varios países, parlamentos y centros intelectuales de Europa y América.

Seguramente piensan que si estudio inglés y francés es porque no temo las amenazas de morir en prisión y tengo algún plan para cuando cumpla mi condena. No se equivocan. Si mis estudios fueran de filosofía o de historia, estarían menos inquietos; pensarían que a eso no le podré dar un fin práctico. Criterio simplista, pero no se les puede pedir más. La preocupación por mis estudios es casi paranoia.

Sabedor de que siempre nos escuchan por micrófonos ocultos, un día me dirijo a otro preso en voz más alta que la normal:

—Bueno, no voy a estudiar más inglés ni francés, porque se trata de una pérdida de tiempo. Total, sé bien que tengo que morir en la prisión. Así que se vayan al diablo los idiomas. Si salgo, que no creo, me las arreglaré para retomar esos estudios, aunque no me hago ninguna ilusión.

La lectura es una pasión que se hace fuerte tras las rejas, a la vez que supone una evasión de la cruda realidad. Es una toma de contacto con otros mundos donde la vida transcurre en el libre ejercicio de la inteligencia y de la creación. Pero esto también se ve alterado por la persecución, porque cuando los libros llegan a mis manos vienen con varias páginas arrancadas por los carceleros.

El trabajo conspirativo en la calle continúa progresando, bajo la dirección de cuatro ex presos políticos: Roberto Azcuy, Juan Morejón, Pedro Ortiz y Flora Bosch. Esto me contenta y me preocupa, porque

---

1. Elena Mederos había sido ministra de Bienestar Social en los primeros meses del gobierno revolucionario. *(N. del A.)*

al extenderse tan rápidamente la red celular nos hace más vulnerables a los agentes del G-2. Particularmente me preocupa la suerte de Roberto Azcuy, un dirigente que trabaja sin descanso.

Con nosotros está Pedro Luis Boitel, líder estudiantil que lleva varios años en prisión y que trajeron a nuestra galera desde hace unos meses. Es un hombre combativo, con méritos propios. Tenemos buena amistad y conversamos de temas generales, pero sobre todo de la resistencia al gobierno.

Boitel mantiene, en su forma de proceder y de hablar, la energía de un dirigente estudiantil. Tras su propia huelga de hambre ha conseguido que le permitan usar ropa blanca y no la amarilla de los presos políticos.

Un día viene a verlo una visita.

—Oye, hay gente tuya ahí esperándote; pero ese pantalón largo no lo puedes llevar. Tienes que cortarlo a la altura de la rodilla —le dice el carcelero.

En otras palabras, le están diciendo que debe seguir el régimen impuesto a los que no usan uniforme amarillo y que van a su visita usando un *short* blanco.

—Corta el pantalón si quieres visita, conviértelo en un *short* —le dicen otra vez.

Boitel no lo hace. Prefiere quedarse sin su visita y protesta vivamente.

—¡A mí tienen que respetarme! ¡Esto de la ropa me lo gané con la huelga! ¡Ustedes no pueden hacerme esto!...

Al parecer logra su propósito, porque al rato vienen los carceleros y le anuncian que podrá ver a su visita sin tener que cortar la ropa. Aparentan que han recibido una orden de arriba, quizá del Ministerio del Interior.

—¿Vieron? Sabía que no podía ser de otro modo, tenían que entrar en razón —nos dice Boitel.

Temo que detrás de todo esto se esconda algo siniestro contra él, y no soy el único que piensa así. Esta generosidad en las prisiones castristas es siempre muy peligrosa. Conversamos el asunto con Boitel.

Cuando la próxima visita se avecina, en marzo de 1972, llega hasta la galera el segundo del coronel Medardo Lemus, un oficial de apellido O'Farrill. Se dirige hasta donde se encuentra, colgada en un alambre, la ropa blanca de Boitel. Con un gesto de violencia la agarra y se la lleva. No habla; no comenta. Pero está claro, no más ropa blanca para Boitel, quien tiene que igualarse a los demás presos plantados, ponerse la ropa amarilla o quedar en calzoncillos. Una provocación.

El día de las visitas lo vienen a buscar.

—¡No, no!... ¡O voy con la ropa mía, o no voy! —les dice furioso a los carceleros, y queda sin visita.

Al otro día Boitel inicia una huelga de hambre como protesta. Considera que se trata de una acción que se circunscribe a la autoridad de esta prisión y que él es respetado a niveles más altos, hacia los que quiere elevar la noticia de su reclamo, traducido en ayuno. Boitel supone que está ganándole la partida al G-2. Me siento obligado a hablarle.

—Boitel, esta gente te está provocando, no caigas en la trampa. Yo estoy vivo de milagro porque en la tercera huelga que hice no les salieron bien sus planes, porque Tony Lamas se puso a gritar que me estaban matando cuando me tenían a un paso del cementerio. Hay circunstancias en que con una huelga no se puede presionar al régimen. Medita bien esto; contigo tampoco habrá consideración alguna, te lo harán pagar caro.

Boitel no ceja en su propósito. Hace circular un papel entre los presos para que nadie haga nada que lo lleve a desistir de la huelga de hambre. En general, cuando un compañero se expone a la severidad del ayuno, los demás respetan su actitud. Cuando llega a extremos, se pide asistencia médica o algún tipo de intervención del penal. Pero él ha sido categórico y en su nota advierte a los compañeros que no aceptará una intromisión en sus decisiones y quien lo haga incurre en traición.

Pasa el tiempo y nos encontramos ante un hombre severamente deshidratado. Sus instrucciones de que lo dejemos llevar adelante la huelga hasta las últimas consecuencias no tienen ya sentido. No podemos cruzarnos de brazos; se encuentra a las puertas de la muerte. Por acuerdo unánime decidimos demandar asistencia médica.

Llegamos así al 23 de mayo de 1972, fecha en la cual Boitel tiene sobre sus esqueléticas espaldas varias semanas consecutivas de ayuno. La dirección del penal no reacciona ante nuestro reclamo. Veinticuatro horas después insistimos, hasta con amenazas, consiguiendo que se lo lleven para darle atención médica. Cuando llegan a buscarlo, uno de los funcionarios del Ministerio del Interior, el oficial Valdés, que viene siguiendo el proceso del ayuno desde la misma prisión, dice:

—Bueno, está bien, lo vamos a llevar cumpliendo órdenes del Ministerio. Por mí, éste tendría que morirse; ya ha jodido mucho.

A la una y cincuenta de la tarde del 24 de mayo lo sacan en una camilla. Va semiconsciente y muy deteriorado. Por mi experiencia en las huelgas de hambre, sé que con suero sobrevivirá. Nos quedamos algo más tranquilos pensando que Boitel podrá salvarse.

En la mañana siguiente, le preguntamos al guardia que nos trae el desayuno:

—¿Cómo está Boitel?

—No, no, yo no tengo nada que ver con eso —nos responde alarmado y muy nervioso.

Su actitud nos hace pensar que ha pasado algo muy malo. A la hora del almuerzo tampoco sacamos nada claro al preguntar nuevamente a los carceleros.

Una semana después, corre la noticia por la prisión de que en la madrugada del 25 de mayo el cadáver de Boitel fue llevado al cementerio y sepultado. Luego se lo comunicaron a su familia.

La noticia nos hiere y subleva. Estamos seguros de que esa noche lo asesinaron. Unos creen que le taparon la nariz para asfixiarlo. Otros sostienen, como lo más probable, que le suministraron alimentos fuertes mediante sondas, provocándole un ataque cardiaco. Como sucedió con el compañero Castillo del Pozo, a quien por suerte, como la ración fue mínima, el efecto no le resultó fatal. Pero si el propósito es provocar el final, así se consigue. Una muerte natural según el informe; en realidad el asesinato contra un ser humano totalmente indefenso.

Unos días más tarde, un sargento del grupo que nos custodia, como si quisiera descargar un agobiante secreto, pero con mucho miedo, nos cuenta que Boitel murió cuando lo alimentaban para salvarlo. Eso cree él. Nosotros estamos seguros de lo que hicieron.

Lo de Boitel fue una trampa que los agentes del régimen le tendieron al dejarlo usar ropa blanca en la prisión. Le hicieron creer que mantenerlo vivo era importante para ellos; que siempre habría comprensión para todo lo que él planteara. Boitel creía que bajo ninguna circunstancia lo dejarían morir. Sin embargo, aprovecharon la protesta de la huelga para liquidarlo.

A Lauro Blanco y a mí nos han venido dando una pequeña ración de leche porque creen que es una forma de evitar que repitamos las protestas de años atrás y que han querido evitar hasta ahora.

Un mes después de la muerte de Boitel, se presenta uno de los carceleros y me dice:

—Matos, de ahora en adelante queda suprimida la ración de leche. Ésa es la orden. Para ti también, Lauro Blanco.

Antes de irse, el hombre nos amenaza:

—¡Ah, y ya saben, otra huelga de hambre y se mueren!

—Oye —le digo al carcelero—, advierte a tus jefes que las huelgas de hambre las hago cuando yo quiero; no cuando mis enemigos quieren.

Después de lo de Boitel querrán seguir conmigo. Si me niego a comer me sacan un día, me matan con sus formas tan singulares y luego avisan que estoy enterrado. Así de simple. No pienso hacerles el juego.

Lo cierto es que el sancocho es incomible, indigerible. La leche ayuda un poco a mi maltratado estómago y me permite tragar algo de una especie de carne molida, que dicen es de importación y lo cocinan como un caldillo. A algunos nos provoca diarrea.

Me niego a consumir la bazofia que me traen. Acepto lo que llaman desayuno, que es agua de azúcar con un pedazo de pan, y la ración de pan del almuerzo y de la comida. Así voy pasando. Rechazo el almuerzo y la comida. Sobrevivo muy mal. Mis compañeros tratan de convencerme para que me alimente un poco mejor y hasta me quieren convidar con algún dulce o golosina que reciben de vez en cuando en la visita de sus familiares. Me niego a aceptar nada; creo que si mi actitud es la de no participar de la comida común –que los demás tragan con dificultad pero que tragan al fin– estaría muy mal que me aprovechara de las pobres reservas de otros presos.

Silvino Rodríguez es el que más insiste en darme algo de lo suyo, pero no se lo acepto. Con astucia y buen corazón, un día me dice:

–A mí el huevo me hace daño, cómelo tú.

Pienso que deja de comerlo él para que yo me alimente. Entonces Silvino lo guarda y pocos días después vuelve con el huevo.

–Huber, esto se echa a perder, es una pena. Es un alimento nutritivo. Hazme el favor, cómelo. Te vendrá bien.

Dan un huevo por persona, una o dos veces cada semana.

Llega un momento en que mi estómago comienza a resentirse, pero sigo con la alimentación más elemental de un ser humano. En una pequeña hornilla eléctrica de otros compañeros, tuesto las raciones de pan que he guardado y acepto en parte los ofrecimientos de Silvino.

Recurro a lo que nunca pensé utilizar: al paquete de leche en polvo que un preso me obsequió hace meses, y que tiene gusanos y un olor terrible. Lo cubro con plástico doble para aplacar las protestas de mis compañeros.

Así, con pan y leche voy cociendo algo que, al hacerlo, aumenta en pestilencia. En la hora de la siesta de los demás, preparo la ración de leche podrida mezclada con la miga y la cáscara del pan; una masa que es probable que hasta un animal rechazaría.

El 14 de mayo de 1973 nos sorprende el tropel de la jauría. Uno de los nuestros mira por la ventana y nos dice que hay como cien guardias del G-2 en la azotea. Entran dando violentos golpes contra las rejas y maltratando nuestras escasas pertenencias. Están con nosotros César Páez y Eloy Gutiérrez Menoyo, recientemente traídos a esta galera de castigo.

A los nueve hombres que estamos en la celda nos hacen salir precipitadamente. Nos llevan al Castillito, a unos ochenta metros de la galera. Es la estructura que sobresale en la parte alta de El Príncipe.

Dos horas después nos llaman uno a uno para regresarnos a la irónicamente llamada Sala de Psiquiatría.

Cuando entro, pienso que encontraré aquí a los que nos precedieron. Mi sorpresa es grande al advertir que estoy solo. No sé dónde habrán metido a los demás; es posible que los tengan en los calabozos.

Hay unos doce agentes del G-2 a mi alrededor.

—Párate ahí —me dice uno—, ahora quítate la ropa.

Presiento que de un momento a otro se abalanzarán sobre mí para golpearme.

—No pierdan su tiempo —les digo—, ustedes quieren hacerme creer que esto es una requisa personal y lo que harán será darme una paliza. No busquen más pretextos o simulaciones. ¡Cobardes!...

No alcanzo a decir una palabra más; a empujones y puñetazos me destrozan la ropa. Algunos me dan con la rodilla una y otra vez.

Caigo al suelo donde me dan patadas y golpes de todas clases.

—¡Hijos de puta! ¡Lacayos de Fidel Castro, el más hijo de puta de todos ustedes!... —les grito mientras me incorporo.

Esto los enardece aún más y recibo una segunda tanda de golpes que me dejan sin aire, con una sensación de calor en todo el cuerpo. Con dificultad me vuelvo a parar y les repito ¡Hijos de puta! Se lanzan contra mí con más fuerza y obstinación hasta que me hacen perder de nuevo el equilibrio. Quedo en el suelo, tirado.

—¡A ver si te puedes parar! —dice un teniente riéndose, mientras observo su mirada de odio—. ¡Aquí los que tenemos el poder somos nosotros! ¡Tú vives porque nos da la gana!

No sé con qué fuerza, porque de verdad no lo sé, me levanto súbitamente y me abalanzo contra el oficial; esta vez, aún después de que caigo al suelo semiinconsciente, siguen los golpes y las patadas. Me arrastran y me tiran en una celda donde quedo boca arriba. Cuando se me enfría el cuerpo, siento un dolor intenso en todas partes. Recuerdo que es O'Farrill el jefe de toda esta operación, el mismo que intervino en el caso de Boitel, arrebatándole la ropa blanca. No sé cómo se llama el teniente que ha dirigido personalmente la paliza, pero podré identificarlo dondequiera que lo encuentre.

Desde otras celdas, mis compañeros protestaron contra la golpiza que me dieron. No pudieron hacer nada. Por la noche traen a dos de ellos a mi celda, que me auxilian en lo que pueden. A uno le permiten salir a buscar un poco de agua. Me cuesta mucho tragarla. Al siguiente día nos sacan de las celdas al local de la galera donde tenemos los camastros.

Me doy cuenta de que tengo varias costillas rotas y los brazos medio desprendidos. He pasado por esto de fracturas en el tórax, y conozco el dolor, las dificultades para respirar y demás síntomas.

Al cuarto día mis compañeros demandan ante la dirección del penal que me proporcionen asistencia médica. Los dolores son insoportables. Cinco días después de la golpiza vienen con una camilla y me llevan a la enfermería, donde me sacan placas con rayos X. Dicen que no tengo nada. Que los golpes han dejado su huella pero que estaré bien pronto. Un pretexto de los médicos esbirros para no darme atención médica.

Pasan los días y me cuesta trabajo respirar. Las costillas no terminan de acomodarse. El lado derecho del cuerpo es el que más me duele. Jorge Valls utiliza la tela de un mosquitero para hacerme un vendaje. Poco a poco las costillas se van soldando. Trato de no dar importancia a los malestares porque mi voluntad es la de sobrevivir.

Sin razón alguna, en junio de 1973, los agentes del G-2 vuelven y destrozan todo lo que encuentran: libros, libretas, cartas, ropa. La celda queda hecha un basurero.

Todos estos sujetos son gente nueva, formada por el castrismo bajo la influencia comunista; se advierte en ellos una enseñanza destructiva y a la vez racional. Aunque actúan salvajemente, saben lo que están haciendo y por quién lo están haciendo.

Sus jefes nos acusan de ser responsables de los males actuales de Cuba. Todo el bien del pueblo se ha frustrado por nosotros. Somos los causantes del hambre y de la pobreza. Debemos recibir el peor trato porque somos tan culpables como los imperialistas. Merecemos ser fusilados.

A la espera de nuevos atropellos, pasan los días como claroscuros que en algunos casos el preso trata de aprovechar, y en otros simplemente sobrelleva.

521

Le doy utilidad a mis largas horas. Leo y releo todo lo que puedo y llega a mis manos. En primer lugar los españoles, especialmente Cervantes. También Pérez Galdós y Pío Baroja. Disfruto a algunos de los grandes de las letras de nuestra América, como Rómulo Gallegos, Sarmiento y José Enrique Rodó. Entre los rusos, Dostoievsky y Tolstói; y los autores franceses, Victor Hugo, Balzac y Dumas.

No es sólo distracción, sino interés en adentrarme y recorrer los campos del conocimiento y la expresión de estos grandes autores que han elevado el espíritu del hombre a un nivel superior. Con la compañía de los libros trasciendo mi circunstancia. Me convierto en un buscador de la verdad y de la belleza; páginas que abro sobre una rústica mesita que algún loco construyó y aquí dejó, para que llegara a mis manos y le diera un uso tan singular.

Tranquilo y concentrado estoy un día en la galera. Veo que se acerca a mí Jorge Valls, quien acaba de tener visita. Está serio, compungido.

—Huber —me dice—, tengo que darle una mala noticia.

—Bueno, dámela.

—Su madre ha muerto. No sé exactamente cuándo, fue hace unos días. Su prima María Elena habló con Cristina, mi novia. Ella me trajo la noticia. Lamento tener que ser portador de esto. Créame que lo siento mucho.

Mientras Jorge me habla, Silvino y otros compañeros escuchan atentos. Me he quedado impasible, sin reacción alguna.

Todos me observan hasta que Silvino habla:

—Huber... —no alcanza a decir nada más, quizá sorprendido por mi silencio.

Finalmente digo:

—Mi madre es presencia en mí de tal manera que continuará viviendo mientras yo exista. Su modo de ser, su ternura, su bondad, su inteligencia puesta al servicio de sus hijos imprimió una huella tan profunda en mis sentimientos que mientras yo esté en el mundo ella será mucho más que un recuerdo. La llevaré conmigo igual. Nunca dejará de estar presente.

En las horas posteriores a la noticia revivo el recado que ella me envió en los primeros tiempos de prisión, cuando estaba en El Morro. Después del juicio y la condena, me escribió en una carta:

«Hijo: si tú no tuvieras otros familiares que fueran a verte, yo lo haría. Pero como no te faltan seres cercanos que quieran visitarte, prefiero no ir a la prisión. Me parece que mi presencia allí estaría dándole validez a la condena tan injusta que te han impuesto. Todas las noches, mientras yo viva, irá un beso hacia ti buscándote. Todas las noches y todos los días estaré asistiéndote mientras estés preso. No quiero ir a la prisión. Deseo que tú me comprendas».

También recorro mentalmente otra carta que me envió años más tarde, a Isla de Pinos. Decía:

«Siento que mi organismo va en una decadencia lenta, pero que se agudiza con el tiempo. Y así como antes te dije que no iría nunca a la prisión a verte porque con eso avalaría la injusticia que han cometido contigo, ahora te digo que si vivo aún cuando te den tu libertad, entonces nos veremos de nuevo. Mientras tanto, no vale la pena que nos veamos porque no puedo aceptarte en la condición de un hombre enrejado. No acepto el castigo que te han inferido. Por otra parte, la muerte no me aterra. Si un día te llega la noticia de que tu madre ha dejado de existir, piensa que he comenzado a vivir el sueño de los justos».

Esta noche me acuesto más temprano que otros días. César Páez me ofrece una pastilla para que pueda conciliar el sueño. Se lo agradezco pero estoy tranquilo. En la cama recuerdo que a esa carta de mi madre había contestado:

«Bien, será como tú dices. Si salgo de aquí puedes estar segura de que iré a darte un beso antes que cualquier otra cosa. Y si ya estás ausente, iré a ponerte un ramo de flores».

Pasan los días. César Páez y Eloy Gutiérrez Menoyo no regresan después de la última visita. A Páez lo aguardaba su madre. Antes de pasar a verla lo obligaron a desnudarse por si escondía algún recado. Como Páez se irritó, la emprendieron a golpes contra él y virtualmente fue secuestrado en la misma puerta de ingreso a la sala de visitas.

Con Gutiérrez Menoyo sucedió algo parecido. Va a la entrevista con su familia y después se lo llevan al cuartel general del G-2 en Villa Marista, donde también se llevaron a César Páez.

Tememos por la vida de Páez y de Gutiérrez Menoyo. Hay preocupación en nuestra celda y mucha incertidumbre. También algunos presentimientos.

El 5 de noviembre de 1973 se llevan a Silvino. Lo sacan en horas de la mañana y lo regresan a la celda en las últimas horas de la tarde.

Nos cuenta que le hicieron un «juicio fascista» en uno de los centros que el G-2 utiliza. A empujones y puntapiés lo arrastraron hasta el lugar donde se montó el simulacro de tribunal.

En estos juicios, el acusado es, para los jueces, el individuo más abyecto e infame de todos los seres humanos. La sala del «juicio» se llena de sujetos vestidos de civil; no son otros que los de la Seguridad del Estado. El que aparenta presidir aquello le dice al acusado:

—¡Usted comparece ante este tribunal por delitos contra la Revolución cubana y el Estado socialista!

El acusado trata de decir algo, de defenderse o de protestar. Pero el mismo «juez» que lo ha estado vituperando, poniéndolo a nivel de un ente despreciable, lo interrumpe:

—¡No, no... usted le está faltando el respeto al tribunal del gobierno, al comandante en jefe y a la misma Revolución, que es demasiado generosa con los enemigos del pueblo!

El acusado siempre insiste, dada la enormidad de la injusticia que se está cometiendo contra él.

—¡Déjenme decir algo! —se queja—, ¡si me han traído a esto, tengo derecho a aclarar las cosas!

La respuesta es un ataque masivo de los esbirros que le dan una paliza. Después lo sacan de allí y lo meten en un vehículo en el que lo trasladan nuevamente a la prisión, donde uno lo ve llegar como nosotros a Silvino; pálido, como si hubiese atravesado a pie un túnel de cien kilómetros, con las ropas rasgadas y una expresión demencial en los ojos. Éstos son los «juicios fascistas» de los comunistas. El objetivo es destrozar la reserva de lucidez y de moral que fortifica al hombre aun en las peores condiciones.

Aquí no termina todo. En el caso de Silvino, próximo a salir de la prisión al cumplirse su condena, en ese simulacro de juicio le agregan nueve años más. Ésta es la noticia más cruel que un preso recibe en prisión después de la de pena de muerte. En principio, Silvino había sido sentenciado a doce años. Ahora deberá cumplir nueve más, lo que significa un total de veintiún años entre rejas. Si con Silvino han sido tan drásticos, ¿qué no harán conmigo, que vivo amenazado de morir en el penal?

A pesar de todos los horrores cometidos contra Silvino, él siempre tuvo la esperanza de que, al cumplir sus doce años, le permitirían salir del país para reunirse con su familia en el extranjero. Él quiso, como tantos presos, que su esposa e hijos abandonaran Cuba, para que éstos no fueran educados en el comunismo ni se convirtieran en candidatos a caer presos. La esposa de Silvino, ya fuera por las angustias vividas en Cuba cuando a él lo detuvieron, o por las situaciones difíciles que les toca vivir muchas veces a los emigrados, o, vaya a saber por cuál desesperación, terminó perdiendo la razón. Sus hijos quedaron repartidos en distintos hogares americanos. A este drama Silvino tiene que sumar ahora nueve años más de cárcel, sin que ello signifique que logre la libertad; piensa que si el régimen se perpetúa es muy probable que nunca salga vivo de prisión.

Poco después del «juicio» de Silvino nos enteramos de que Pedro Ortiz y Roberto Azcuy están de nuevo presos, acusados de participar en nuestra conspiración. Se han ensañado con ellos sometiéndolos a maltratos despiadados para pasarles la cuenta por el trabajo intenso que han realizado en la calle.

También han arrestado a Flora Bosch, la ex presa que nos mandaba pastillas de vitaminas. ¡Pobre mujer, cuánta barbarie le espera!

46
Atentado en Costa Rica

> Escucha, toma esto con calma: atentaron
> contra tu hijo Huber en Costa Rica, lo ba-
> learon...

Es el 21 de diciembre de 1973.

—Recojan sus cosas, que van a ser trasladados.

Gran sorpresa, como siempre que esto sucede.

—El Castillo de El Príncipe no será más prisión —agrega el carcelero—, se va a convertir en un museo nacional.

Esta historia ya la han hecho antes con la Fortaleza de La Cabaña
y sigue siendo una cárcel terrible.

Juntamos las pocas pertenencias, las esenciales, porque la orden es
perentoria. Todo traslado es un albur, pues uno siempre piensa que lo
destinan a algo peor. Salgo de la galera, donde he mantenido hasta hoy
el régimen de comida del pan y la leche en polvo, maloliente y agria.

Voy con dolores en el hombro y el brazo izquierdo, que tengo
inutilizado desde el día de la paliza. Con los tirones y los golpes que
me dieron parece que algunos músculos y tendones han quedado atro-
fiados. Es probable que los dolores se deban a una crisis artrítica deri-
vada del trauma. Las costillas se soldaron en su lugar o corridas, pero
han sanado. La golpiza grande fue el 14 de mayo; desde entonces han
transcurrido siete meses. Ahora, con el pretexto de la requisa personal,
nos llevan uno a uno de la galera al Castillito. Así no hay testigos entre
nosotros de lo que nos hacen por separado.

Comienzan los empujones y los atropellos. Decido no resistir, no
«guapear», porque quiero reservar mis fuerzas para nuestra próxima prisión, que en medio de todo nos enteramos que es La Cabaña. Sin
embargo, a pesar de mi propósito, cuando me empujan y golpean no
puedo dejar de gritarles: «¡Hijos de puta!», «¡cobardes!», insultos que
los irritan más, arreciando su castigo. Vuelven a golpearme con saña y,
dada mi condición física actual, esta paliza me hace daño. Trato de
esconder el dolor y apretando los dientes aguanto hasta que me dejan

en paz. Luego me meten con los otros en la jaula metálica, la perrera. Nos llevan por el malecón y el túnel que atraviesa la bahía de La Habana, hasta La Cabaña. De nuevo aquí, después de más de tres años en el Castillo de El Príncipe y menos de uno en Guanajay.

Nuestro grupo, que era de diez hombres, ha tenido algunas bajas. Después del asesinato de Boitel y el traslado de Menoyo y César Páez, somos siete.[1] Entramos a la galera 23-A, inmunda cueva para incomunicados; ha cambiado algo, pues le han hecho una ventana. No es para alegrarse, porque al llegar nosotros tapan el hueco con planchas de zinc. La antigua sensación de asfixia permanece vigente aunque atenuada. Imaginamos que algún aire penetra a través de esta pared de metal que cubre la ventana. La puerta de entrada sigue igual, con su plancha de acero enteriza. El humo sigue metiéndose por arriba como antes. Las cosas no han mejorado.

He cumplido catorce años y dos meses de encierro. Mi estado físico, después de este largo cautiverio, no es bueno. El ambiente de la galera, por el humo y la falta de ventilación, es cada vez más insoportable. A tal punto que mis compañeros creen conveniente enviar una carta al Ministerio. La hacemos, simplemente describiendo el medio inhumano en que existimos, poniendo énfasis en que si somos presos políticos, o aunque fuéramos presos comunes, no es posible este tratamiento que parece más un acto bárbaro que una sanción o condena. La mandamos sin mayores esperanzas. También a través de familiares hacemos llegar protestas formales a las autoridades.

El 12 de febrero de 1974 parece un día más en nuestra galera. Sin embargo, no será así para mí, ni para Tony Lamas. Padezco de una gripe que me ha mantenido varios días en estado febril. En estas condiciones, a mediodía llega la jauría del G-2 y con su violencia acostumbrada se dirige a Tony y a mí.

—¡A ver... tú... y tú también... cojan el cepillo de dientes y la pasta y vengan con nosotros!

Intento ponerme otra camisa, porque la que traigo puesta está rota. Me empujan, no me dejan. Quiero hacer lo mismo con los calcetines, cambiarme los que llevo puestos, pero también me lo impiden. Agotado y con los huesos adoloridos por la gripe, con una barba de varios días, sudando, me empujan hacia la salida de la galera.

1. José Pujals Mederos, Jorge Valls Arango, Silvino Rodríguez Barrientos, Tony Lamas, Osvaldo Figueroa Gálvez, Lauro Blanco Muñiz y Huber Matos. *(N. del A.)*

Me separan del otro compañero y me meten en un vehículo Alfa Romeo que es el tipo de carros que usa el G-2. Trato de ver hacia dónde llevan a Tony Lamas, pero no lo diviso. Nos han dicho rudamente que saldremos por separado y quizá con destinos diferentes.

Con una escolta numerosa entramos al cuartel general del G-2. Me dejan solo fuera de un edificio. Hay un preso recogiendo basura del piso.

—Quédese aquí, ya vendremos por usted.

Pasan unos minutos. Tal vez pretenden demostrarme que dejándome solo, y aparentemente sin vigilancia, no les importo mucho. ¿Quién entiende esta jugada? Al rato se asoma un guardia.

—Ven para acá —me dice.

En el recinto al que entro hay un mostrador y tras éste tres oficiales de uniforme.

—Siéntate allí.

Lo hago, mientras observo por espacio de un rato que se preparan para presionarme duro. Los oficiales conversan entre ellos acordando lo que van a hacer. Por fin, me hablan.

—Entréganos todo lo que traes.

Traigo muy poco. Me obligan a dejar sobre el mostrador los lentes, el pañuelo que tanto me sirve ahora que estoy engripado, la pasta de dientes, el cepillo. Trato de explicar que este par de medias que llevo en la mano lo necesito, pero me interrumpen.

—¡Déjate de tonterías y cállate! No nos interesa ninguna explicación de mierda. ¿Entiendes?

Trato de dominarme pero estoy empeinado en quedarme con las medias. La reacción contra mí es entonces más enérgica. Me tratan con insolencia y desprecio. Por fin estallo.

—¡Mira —le digo al que manda, que es el que más me insulta—, ni tú ni Fidel Castro van a venir a meterme miedo! Hace catorce años que estoy preso porque tengo bien puestos los cojones. Yo no soy de esos presos comemierdas que ustedes asustan y tratan como puercos.

Me interrumpen varias veces con amenazas pero levanto más la voz pese a que mi garganta está afectada. Es un duelo a ver quién grita más alto mientras aprieto en mis manos las medias que no quiero entregar, pero al final me las arrebatan.

—¡Llévenselo por allí! —dice el que manda.

Me meten en un local más pequeño y me ordenan desnudarme.

—Encuérate, vamos.

—No —le respondo—, este brazo me lo jodieron por no encuerarme. Hace años que dejé de recibir visitas por no desnudarme como exigen.

Cada vez que me quieren humillar, me niego y para que sepas, ahora no tengo por qué cambiar de actitud.

Mandan a buscar dos guardias muy fornidos como refuerzo, que son los que utilizan para las grandes palizas. Me rodean entre todos como en una encerrona.

—Bueno, ya sabes, si no te quitas todo sales de aquí reventado a patadas por el culo...

—Me quitaré únicamente la camisa porque es mi obligación. Pero el pantalón no. Requísame por fuera si te da la gana. ¡Y si Fidel Castro te ha dicho que debo estar completamente desnudo, sácame la ropa si puedes!

Hay un forcejeo con uno de los esbirros que intenta arrancarme los pantalones. Con los gritos de «¡Maricón, maricón!», atrueno el recinto hasta que el oficial que manda decide parar. Debajo de la camisa llevo un *pullover* de lana, que lo tenía puesto cuando me sacaron de la galera 23 y que me sirve para soportar mejor el resfrío. El esbirro tironea la prenda a fin de romperla, mientras me gruñen como perros.

—¡No me quito la ropa a ningún precio! —les digo a todo pulmón—. ¡Mátenme si quieren!...

Sin pensarlo, me desabrocho la portañuela y con mi mano derecha, de manera insultante, agarro mis genitales y se los muestro al esbirro jefe, diciéndole:

—¿Es esto lo que te interesa?

Me da un empujón para separarme de él, al tiempo que vocifera:

—¡Llévense a este hombre de aquí, métanlo al archivo! —Me empujan hacia otro local.

Estoy ahora en un salón que le hace a uno acordarse de los cementerios. Me hacen preguntas que no contesto. Traen mi expediente, se consultan entre ellos. Todo esto es teatro, me sorprende que todavía no me hayan entrado a golpes hasta dejarme inconsciente.

Recorremos más tarde otra serie de cuartos más o menos similares, todos intercomunicados en una especie de laberinto, hasta que me detienen en uno.

—Ponte esta ropa.

Me dan un overol amarillo, de los que obliga a usar el G-2, y me insisten para que me saque la ropa interior. Me niego y se me vienen encima, dándome puntapiés y puñetazos. Trato de defenderme como puedo, aunque estoy seguro de que pasaré la noche en la enfermería con algún hueso roto. Pero en medio de la paliza, el oficial que ha quedado como supervisor frena los golpes después de simular que habla por teléfono y responde a órdenes precisas de sus jefes.

—¡Bueno, bueno...! Dejen a este hombre en paz. ¡Llévenlo a la celda!

Todavía con violencia me conducen a una celda y me alegra que la cosa no tenga más consecuencias. Creo que no me han roto ningún hueso.

Paso la noche en esta celda, tirado en uno de los dos camastros que están pegados a la pared. Toso mucho. No me dan de comer, pero descanso algo, a pesar de los escalofríos y del malestar por los golpes.

Temprano en la mañana vienen por mí.

—Vamos, diga su número.

No respondo.

Me sacan y me llevan un piso más abajo, a uno de los cubículos que el G-2 usa para interrogatorios. Un teniente me enseña un carnet que lo acredita como rebelde. No recuerdo que durante la lucha contra Batista se usaran carnets, pero escucho a este hombre que, en principio, trata de mostrarse amable.

—Yo lo conozco a usted de los tiempos de la guerra. Lo vi en el monte, allá en Dos Caminos de San Luis...

El teniente sigue tratando de mostrarse como un hombre decente. Me dice que es graduado en Ciencias Jurídicas de la Universidad de La Habana. Habla de muchas cosas; intenta llevarme a su juego sin entrar en violencias. Pero pronto se impacienta y cambia de actitud, poniéndose amenazante.

—Oye —me dice pausadamente aunque con tono agresivo—, te trajimos aquí porque tenemos que proceder. Te estamos investigando y no sabemos qué condena te vamos a echar: más años de prisión o fusilamiento. Pero no tienes que dudar que es algo serio lo que te haremos. Es mejor que cooperes, apréstate a darnos la información que necesitamos y la pasarás bien. La Revolución es generosa y seremos benévolos contigo.

—Ustedes son una maquinaria para destruir hombres —le respondo—. El año pasado me rompieron las costillas y me descojonaron este brazo desde el hombro. Podrán quebrarme físicamente; otra cosa no lograrán. Llevo casi quince años de prisión y me da lo mismo que me estiren la pena diez años, veinte, o los que quieran. ¡O que me fusilen! Pero los que están detrás de ti esperando que me afloje, no lo van a conseguir.

—No pierdas el tiempo con todo eso —dice el teniente—. Nosotros tenemos la fuerza. Hacemos lo que queremos.

—Lo que no entiendo es por qué ustedes, con el deseo de eliminarme que tienen, se equivocan tantas veces. Durante la primera huelga de hambre, tuvieron la posibilidad de matarme y no se atrevieron. En otra huelga llevaron a un compañero para que presenciara que me estaba muriendo y pudiera testificar que yo mismo me negaba a comer. Pero ese hombre me respondió a mí y no a ustedes; les desbarató el plan. Se han equivocado muchas veces conmigo y no entiendo por qué.

El teniente sube el tono de la voz y yo también. Él es el carcelero y yo el preso, en un juego en el que solamente él puede ganar. Se impacienta, se siente impotente para callarme y se pone furioso.

—¡Mira, aquí el que no se ablanda en un día, se ablanda en otro! O en treinta o en cien. Tú no serás la excepción…

—No, yo sé de otras excepciones, otros huesos duros que han encontrado en los años que llevan de dictadura comunista. De eso estoy segurísimo.

Por fin el oficial me manda a la celda. A la mañana siguiente me traen al cubículo de los interrogatorios.

—Aquí tengo papeles que te comprometen; has conspirado desde la prisión. Queremos evitarte un nuevo juicio y una nueva condena, ya que has pasado bastantes trabajos. Ahora tienes una oportunidad. Mucha gente como tú ha venido aquí y resuelven su problema firmando una declaración.

—Ese papel de mierda no te lo voy a firmar.

—Escucha, ¿te he faltado? —me pregunta airado el teniente.

—Sí, me has irrespetado con tus amenazas y tus proposiciones.

—Bueno, entonces llevaremos las cosas de otro modo. Seamos más moderados.

Enseguida vuelven las amenazas y le respondo.

—¡No te voy a firmar ningún papel que huela a mierda o a orine! ¡Ésos son los papeles de la gente que se acobarda y se mea en los pantalones! Así que guárdate esas tonterías. Ustedes tienen todo a su favor para desaparecerme. No compliquen más las cosas. Esta noche, mañana o cuando quieran, me sacan de aquí, me meten un aguacero de plomo en el pecho y se acabó. O me asesinan como a Boitel; dos meses después declaran mi muerte de un infarto y dejan que la prensa internacional comente o sospeche lo que quiera. Estaré pudriéndome bajo tierra. Total, un crimen más no les va a agravar las cosas ante el mundo. Así que ni con papelitos ni con grabaciones van a conseguir nada de mí. Si tienen lo que hace falta para matarme, háganlo de una vez.

El teniente reacciona con calma.

—No, no estamos en eso. Queremos evitarte un nuevo juicio.

—Pues te equivocas, ¡porque a mí sí me interesa el juicio! Hace catorce años, ante el tribunal que me condenó, Fidel y Raúl gritaron que no estaban llevando la Revolución al comunismo, que yo era un calumniador, un mentiroso. Tiempo después, estando yo preso, se declararon abiertamente comunistas. El mismo Fidel dijo que había sido un marxista-leninista desde los tiempos de universidad. Ventilemos esto en un juicio, pero no en uno de esos «juicios fascistas» que hacen ustedes en secreto, sin prensa y sin público. Por aquella injusticia y por los abusos y atropellos a que me han sometido, mi nombre se conoce fuera de Cuba y unos cuantos gobiernos reclaman mi libertad al señor Castro. El juicio tendrán que hacérmelo dándole entrada a algún representante de la prensa y probablemente también a varios diplomáticos. O me matan a escondidas... Bastante menos complicado para ustedes.

El teniente me ha dejado seguir, interesado en saber hasta dónde llego. Con la voz ronca por el resfrío le sigo diciendo:

—¿Por qué no permiten que alguien del Cuerpo Diplomático acreditado en Cuba presencie el juicio de que hablas? Así no sería un juicio a escondidas, sino en un lugar público. La gente sabría de una vez quién traicionó a quién. La Revolución de la Sierra Maestra no se hizo para establecer un régimen despótico, ni para entregarle el país a la Unión Soviética. ¡Por ahí es por donde debemos empezar! Ustedes saben que soy peleador. En el otro juicio enfrenté a Fidel Castro con la verdad; sin ningún miedo. Lo refuté más de cincuenta veces y él sabe que delante de mí no puede aparecer, porque le voy a decir cosas muy fuertes. ¡Esencialmente, que es un cobarde! ¡El juicio me interesa mucho! Estoy dispuesto a empezar cuando ustedes quieran.

No responde, me manda de nuevo a la celda.

Cada día continuamos con este diálogo. Siempre voy a la ofensiva. Es la única manera de tratar con esta gente. El investigador se siente impotente por momentos para contestarme. Cuando me trata de amenazar diciéndome que pueden hacer lo que quieren, le digo:

—No tengo nada que perder, estoy vivo por milagro. Cuando me iban a fusilar, no se atrevieron. Se dieron cuenta que no les convenía. Entonces trataron de volverme loco, de destruirme. Pueden intentarlo de nuevo. Mi esqueleto se lo dejaré a Fidel Castro. Pero si el juicio no lo quieren hacer público, tampoco tengo temor. Los del G-Dos no me asustan, tienen aterrorizada a toda Cuba. La gente dice: ¡Ahí viene el G-Dos! y se pone a temblar. Pues observa que yo no tiemblo y no es por valentía. Lo que sucede es que lo único que no puedo perder, ni voy a perder, es mi dignidad. La muerte me tiene sin cuidado.

—Está bien, está bien. Pero si tan poco te interesa la vida, ¿por qué te niegas a reconocer que conspiras desde la prisión? Hemos condenado ya a varios presos y ex presos implicados en la conspiración de la que tú eres el jefe.

—Si tienes las pruebas no necesitas que te firme una confesión. A ustedes lo que les interesa es que el acusado se aterrorice y les firme lo que le ponen delante, así lo desarman moralmente y les es más fácil destruirlo. Lo que persiguen es aniquilar la integridad de todos los que no se doblegan, para que el pueblo no se anime a imitarlos. Ésa es la forma en que gobiernan porque no tienen otra. ¿Por qué Fidel Castro no viene aquí para discutir conmigo cara a cara? ¿Sabes por qué? Porque es cobarde e insignificante frente a la verdad y frente a mí. Me teme, me ha temido siempre y no solamente a mí, sino a cualquiera que pueda ponerse mano a mano con él y cantarle las cosas que él sabe que son ciertas, y que lo delatan como sujeto ruin y perverso.

Mientras tanto, me sigo negando a sus pretensiones de que coma lo que me traen.

—Así que estás en huelga de hambre —me dice el teniente.

—No, no es huelga de hambre. Si ustedes me ponen en el plato lo que no puedo comer, pues no como. Llevan tres días dándome panza y pata de res que no puedo tragar. ¿Ves?, tienen la oportunidad de matarme de hambre, háganlo si lo desean.

Me doy cuenta de que este oficial ha recibido la orden de sacarme una confesión. Está buscando nuevos recursos para ablandarme.

—Tu hermana Tina está ahí —me dice un día—, ha venido a verte. Ponte menos caprichoso, cede un poco y la verás.

—Estás perdiendo el tiempo, ni cedo ni veo a mi hermana. Todo esto es una farsa; aun siendo verdad, no me interesa verla en estas condiciones.

Más tarde dos agentes del G-2 me enseñan unas fotos familiares que trajo mi hermana. Seguramente le habían hablado para que viniera al G-2 y, ella, sin imaginarlo, me conmoviese con su visita para favorecer la estrategia de los esbirros. Un hombre enfermo, adolorido, ante la perspectiva de ser fusilado o de sumar más años a su condena y que no ceda una pulgada; es algo que esta gente no puede entender. Su lógica del terror no les da resultado. Mi actitud los desconcierta.

Al cabo de dos meses de interrogatorios diarios, el forcejeo verbal continúa. Mi interlocutor habitual me dice:

—Mira, Matos, tú a mí me has tratado como te ha dado la gana en estos sesenta días. Creo que ha llegado el momento de que te lea esta acta y tú la firmes.

—No, no lo haré. Yo firmo un papel que se ajuste a la verdad y ustedes después cambian el texto, hacen un truco fotográfico y salgo diciendo cualquier cosa; es decir, lo que ustedes quieran. ¡Pues no... No te desgastes en eso conmigo!

—Lo que estoy pensando es dejarte aquí unos cuantos meses más.

—Me harás un bien; hacía mucho tiempo que no vivía en un lugar tan tranquilo. Las galeras tienen sus ruidos y sus cosas. No temo estar solo, me habitúo. Si quieren dejarme el resto de la condena por acá, la cumpliré gustoso. Tus ajetreos y presiones no me desconciertan.

Otro día me dice:

—Escucha, en el supuesto de que no recibas en la prisión más ofensas de las que hablas, ni golpes, ni nada por el estilo... ¿estarías dispuesto a firmar?

—No; yo no hago ningún compromiso o pacto con ustedes. Es su obligación respetar al preso que, aunque esté privado de libertad, es parte del pueblo. No es una cosa, tiene derechos.

—¿De qué pueblo hablas? El pueblo está con nosotros.

—Te demostraré lo contrario. Basta con que me contestes una pregunta pero con sinceridad. ¿Qué pasaría si Fidel Castro enviara todo su aparato represivo, que son miles y miles de hombres, en un enorme barco de turismo a que se tomen una semana de vacaciones por ahí? Te repito: ¿qué sucedería?

—Oye, tú lo que quieres es que nos coma el león, que regalemos el poder...

—Ésa es la respuesta que esperaba. Sin los quince o veinte mil agentes del G-Dos, la gente derribaría al gobierno y no sé lo que le sucedería a los jerarcas. Fidel mantiene el poder por ustedes. Existe un andamiaje represivo y un espionaje político comparable a los que tienen los países comunistas más totalitarios. Sin ustedes, el poder se pierde. Créelo. En los países verdaderamente democráticos, donde hay estabilidad, no existen los terribles cuerpos de policía política; se vive sin temor. Son ustedes una maquinaria de terror indispensable para el poder de Castro.

Días más tarde me anuncia:

—Hoy te vas, te voy a devolver a La Cabaña.

—Escucha, es posible que no nos veamos de nuevo, pero cuando pasen algunos años y te enteres de que he muerto en prisión, probablemente sientas algún respeto por este hombre que ahora es tu enemigo, pero que aquí pudiste conocer. Los enemigos del régimen, que ustedes tanto maltratan, son hombres y mujeres con ideales, que aman a Cuba. Han perdido su libertad, su vida familiar y su futuro por el compromiso que tienen con sus conciencias y con el pueblo cubano. No son esos seres despreciables que ustedes pintan, sino adversarios que saben situarse en el papel que les corresponde y no se arrodillan implorando. Si bien no has logrado conmigo lo que querías, has podido conocer que hay alguna calidad entre toda la gente que se opone a ustedes. Es más, estoy seguro de que ahora sientes algún respeto hacia mí.

El hombre esquiva la respuesta porque sabe que nos están grabando. Cuando estamos en el pasillo, en vez de mandarme con un guardia hasta la celda, me dice:

—Yo tendría que estar en el momento que salgas para La Cabaña, pero prefiero no hacerlo, sinceramente no estaré.

Me da una palmada en el hombro, lo que interpreto como un saludo, algo fuera de lugar en las relaciones entre un preso y su interrogador. Parece que va a decir algo, pero calla y se aleja de la celda. Creo que ha comprendido. Queda todavía algo humano en medio de esta sordidez. Una fibra que en este hombre no han podido corromper.

Regreso al hollín y la humedad de la galera 23 en La Cabaña. A los que tratan de sobrevivir en este dantesco cubículo, agregan ahora cuatro o cinco prisioneros más. Entre ellos Sergio Ruiz, un ex policía que sirvió al gobierno de Batista. Es un individuo alto, robusto, quizás el más fuerte del penal. Le condenaron como a noventa años de cárcel. El recién llegado se sorprende al verme y otro tanto me sucede a mí.

Poco después de su llegada, me llama aparte y me dice:

—¿Por qué cree que me han traído a esta galera donde están los incomunicados? No es por castigo, porque no he hecho absolutamente nada... Trato de no ser un preso conflictivo, aunque flojo no soy. Supongo que el G-Dos lo hace para que choque con ustedes, pero de mí usted debe esperar siempre respeto.

Estoy de acuerdo con él y se lo digo:

—Sí, Ruiz, esta gente canalla probablemente busca una bronca entre nosotros. Esperan que surjan rencillas por cosas del pasado y suponen que tu presencia aquí va a ser conflictiva. Nunca se sabe lo que pasa por la mente de los Castro. Lo sensato es que mantengamos una convivencia correcta, sin hacerles el juego.

Guardamos la distancia, pero entre nosotros nace una respetuosa relación de amistad.

Después traen un preso que, más allá de la consideración humana, nos preocupa un poco. Es un compañero rebelde que ha contraído lepra. Durante la guerra revolucionaria demostró tener coraje y una clara convicción patriótica. Le tengo aprecio, y a veces me acerco y colaboro con él en los menesteres en que los presos tenemos que ayudarnos unos a otros. Sería inhumano rechazarlo.

Mientras lo observo pasar sus días en la galera, recuerdo que en mis tiempos de maestro en Puerto Padre viví en casa de una humilde gente lugareña. Tiempos en que todo me parecía como un ingreso en la gran aventura de la vida. Lo que no sabía era que mis anfitriones formaban una familia de leprosos. Compartí con ellos por cuatro o cinco días su comida, su café, su ropa de cama. Salí indemne. Cuando me enteré, me convencí de que la Providencia se encarga de nuestra protección.

Un año después de la paliza que me dieron en el Castillo de El Príncipe, tengo el brazo cada vez peor. Se me ha puesto rígido, ocasionándome un dolor insoportable cuando hago algún movimiento. Reclamo un médico y se produce nuevamente ese constante dilatar en el que son verdaderos artífices los carceleros. «Sí, pronto lo verá el médico…», «sí, quédese tranquilo...» Pero ni noticias. Necesito con urgencia un ortopédico que me diga qué hacer para que no se me paralice completamente el brazo. Mientras tanto hago algún ejercicio para evitar que se me atrofie más. Pienso que cuando me atiendan ya será tarde.

El 14 de noviembre de 1974, al año y medio de la golpiza, me llevan al especialista, que es un médico militar. Me examina cuidadosamente y, tras pensarlo por unos minutos, me sorprende con lo siguiente:

—Su hombro izquierdo está atrofiado y le va cogiendo todo el brazo. Esto se ha producido porque se le desgarraron músculos. Tiene fibras desprendidas y atrofiadas. Hay que evitar que pierda el brazo por completo, ya que, lamentablemente, debe olvidarse de recuperarlo en su totalidad. Si lo opero no consigo nada. La atrofia ha inutilizado tendones y ligamentos. Tiene que ejercitarlo y darle calor a la zona afectada. Si usted es un hombre de voluntad, es probable que recupere algo o mucho, con terapia, ya que se le desarrollarán músculos supletorios en el área. Vamos a ver si conseguimos una lámpara infrarroja...

No son los médicos los que me facilitan la lámpara, sino Gloria, la esposa de José Pujals, una mujer muy buena y de gran valor. No la conozco personalmente pero sé que así es. A pedido de su esposo, la trae, pero los guardias demoran la entrega; al final la dejan pasar. Con el ejercicio y la lámpara, parece que voy recuperando lentamente el movimiento.

Jorge Valls me ayuda a hacer un ejercicio de péndulo, que hace que la irrigación sanguínea mejore mucho. Recupero un tercio de la movilidad del brazo. Me conformo; esto es parte de la cuota que pago por no aflojarme.

En este año 1975, el dolor en la columna vertebral, por la artritis, se repite en modo frecuente. Llevo casi un mes con la región lumbosacra afectada. Hay momentos en que no puedo ni moverme. Permanezco tirado en el camastro boca arriba; me resulta imposible caminar, incorporarme o hacer cualquier cosa por ínfima que sea. Los compañeros me ayudan a veces con mi limpieza.

Mi familia envió medicamentos desde Estados Unidos, pero tardan mucho en llegar porque las autoridades de la prisión los retienen por tres o cuatro meses. Me alivian en parte, pero la crisis continúa.

Una mañana, en medio de una de estas crisis, viene un oficial y con sequedad me dice:

—Lo vamos a llevar al Hospital Militar.

Me atan las manos con esposas, me meten en la perrera, en un duro asiento de madera en una de las celditas de la parte de atrás del vehículo. Los baches de las calles me hacen saltar sobre la tabla, donde no puedo ni agarrarme. Voy soportando los dolores. ¡Qué desalmados son estos esbirros! Debieron trasladarme en ambulancia.

La perrera se detiene ante un edificio del G-2; no es un hospital. Me dirijo a uno de los guardias. Con sorpresa reconozco que es Emilio, el capitán director de La Cabaña. Fue un rebelde en la sierra.

—Oye, traer aquí a un hombre en estas condiciones, con un serio problema de artritis, esposado y dando saltos, es algo abusivo —le digo.

—Nosotros hacemos lo que nos da la gana. Para eso tenemos el poder.

—Sí, ya lo sé. Pero no es por ignorancia sino por cobardía. Así actúan los cobardes.

Mientras discutimos, los guardias me van empujando y me dejan en una celda que posiblemente algunas veces funcione como sala para atender enfermos. Llega una enfermera y me pide que la acompañe porque me van a dar asistencia médica.

César Páez estuvo aquí. Por los relatos que nos hizo en La Cabaña, conocemos este lugar del G-2, donde no hay para el paciente ninguna dedicación y donde el tratamiento es peor que el que se le puede dar a un perro que no se ama.

—Miren —ha dicho Páez—, se vive en medio de una mala voluntad tan tremenda como denigrante. Hay una mujercita de pelo algo rubio y de ojos grises, que es la principal. Muy mala, dura, durísima. Mejor no caer en sus manos.

La enfermera me ayuda a acomodarme sobre la cama.

—Veo que tiene un problema de columna que hay que resolver.

La observo bien y veo que se ajusta, en lo físico, a la descripción que ha hecho Páez. Es la misma; debe de haber recibido instrucciones sobre cómo tratarme, se muestra amable y servicial, hasta sonríe. La experiencia en la prisión me dice que detrás de este atisbo de cordialidad hay un golpe bajo.

Al siguiente día viene a ponerme algunas inyecciones. Me muestra fotos de ella en sus paseos. Me dice que es divorciada y que odia a todos los hombres porque el esposo la abandonó. Tiene un hijo de ocho años.

Voy mejorando con unas pastillas que me dan; tal vez sean solamente calmantes.

La enfermera del G-2 está en evidente plan de conquistarme, de crear una relación romántica. Me alcanza el cubo de agua tibia para que me bañe y estoy seguro de que si le pido me ayude en ese menester, lo haría. Es evidente que actúa bajo instrucciones.

Me repite lo que hace tres días viene diciéndome:

—Todos ustedes se van a podrir en la prisión... Por ejemplo tú, ¿qué perspectivas tienes de que te dejen en libertad? ¡Ninguna! Pero si te avienes a que haga algo por ti, a que interceda, quizá la cosa cambie.

Por momentos deja caer sus manos sobre las mías y me mira con ternura. He esperado ver qué rumbo toman los acontecimientos para hacer algún comentario, y le digo:

—Pierdes el tiempo.

Vuelve a tratar de poner su mano sobre la mía.

—No te preocupes, voy a seguir preso hasta el fin de mi condena o de mis días, si no me matan antes de que cumpla. Estoy convencido de esto y no vale la pena que hagas nada.

El G-2 fracasa en su plan de conquista para enredarme en no sé qué maniobra. Entonces me envían a una enfermera más joven, muy atractiva, que cambia el estilo. Me trata despóticamente. Cumple bien sus instrucciones y se lo digo, a pesar de su expresión de disgusto:

—Te felicito, haces muy bien tu papel, créelo.

A los cinco días de estar aquí, se dan cuenta de que no podrán resolver nada conmigo y me envían de regreso a La Cabaña.

Los intentos no cesan. Ahora la han tomado con mi familia. ¿Qué hacen? Los visitan y les dicen que estoy conspirando y que por eso jamás saldré de la prisión. Que me volverán a condenar. A mi hermana Tina la llevaron de Manzanillo a Santiago de Cuba para someterla a un interrogatorio.

Mis otras dos hermanas, Eva y Argelia, salieron de Cuba con sus familias a principios de la década de los sesenta y residen en Puerto Rico. Tina mandó a los suyos a Estados Unidos, pero decidió quedarse cuidando a nuestros padres. Le ha costado caro; me entero de que Seguridad del Estado la acosa con tanta dureza que le provocan una crisis nerviosa.

Mis dos hermanos fueron encarcelados en la prisión de Boniato cuando los hechos de bahía de Cochinos, en abril de 1961. Hugo consiguió irse a Estados Unidos; reside con su familia en New Jersey. Rogelio no ha podido salir del país porque tiene un hijo en edad militar; debe esperar a que cumpla el servicio obligatorio.

Mi padre está ciego y tiene noventa años. Vive en compañía de Tina. Cuando la detienen a ella, él queda al cuidado de otros familiares. Todo esto gravita sobre mi vida de preso, ¿y qué puedo hacer?

Por una afección en la vista, una conjuntivitis complicada en forma misteriosa con medicamentos en mal estado, me llevan otra vez a lo que el G-2 llama Hospital Militar, cuyas celdas son para la atención de presos enfermos. Tengo un ojo muy inflamado. Me atiende de nuevo la «rubia». Aquí en sus predios, la taimada enfermera reitera sus esfuerzos por conquistarme. Sé que César Páez, en una celda contigua a la mía, está muy enfermo.

Mientras me coloca una compresa sobre el ojo, le digo:

—Oye, Gladys, me trajeron por esto de la vista, pero a un compañero mío, César Páez, lo tienen aquí. Sé que está muy mal y no puede valerse por sí mismo. Te pido que como tú mandas, te las arregles para que me pasen a su celda.

—¡Imagínate... ni me hables de eso! ¡No, ni me hables!...

Le insisto.

—Conmigo no has hablado nada —me responde–, y mejor que no lo hagas con ningún otro oficial porque te puede costar caro. Lo menos que harán es echarte rápidamente de aquí.

—Bueno, entonces que me saquen cuando quieran.

Pasado un día hablo sobre el tema con un oficial; no hace ningún comentario. Media hora después voy de regreso a La Cabaña sin completar mi curación. Me pregunto por qué reaccionan así; lo único que pido es estar con un compañero que se encuentra muy enfermo.

Hace un año, en 1975, César Páez tenía algunas dificultades, incluyendo inflamación de las encías. Se lo llevaron por primera vez al lugar donde trabaja la enfermera rubia. Allí le inyectaron algo que él no sabe qué fue y lo trajeron de vuelta. Páez fue desarrollando problemas circulatorios y manchas en la piel; había que preocuparse por ello. En vísperas de Navidad del 75, hicimos gestiones para que le diesen atención médica. Lo llevaron nuevamente, pero él iba con temor a aquel lugar siniestro.

Durante los meses de enero, febrero y marzo de 1976 se mantiene un extraño silencio sobre la suerte del compañero. Ahora vienen a decirnos que Páez ha contraído cáncer en la sangre, es decir, leucemia de tipo incurable. Nos sorprende. Han esperado tres meses para detectar una leucemia que podría haber sido diagnosticada en pocos días.

He podido conocer que el pasado año, en febrero de 1975, María Luisa logró presentar mi caso, y el de los presos políticos cubanos en general, ante la Comisión de Derechos Humanos en Ginebra. Esta gestión contó con la ayuda de varios compatriotas del exilio, entre ellos el periodista Humberto Medrano.

En diciembre de 1976 me llegan informes de que el gobierno de Chile aceptaría hacer un canje de prisioneros con el de Cuba: Huber Matos por el dirigente comunista Jorge Montes, preso en el país andino. Según noticias sin confirmar, ya han hecho un canje que incluye a Luis Corbalán, secretario del Partido Comunista de Chile, por el líder disidente soviético Vladimir Bukosky. Sé que en las gestiones del canje está trabajando mi hijo Huber, residente en Costa Rica y que desarrolla otra campaña intensa para lograr mi libertad; trabaja por mí y por todo lo de Cuba. Él ha conseguido el apoyo de personalidades internacionales en estas gestiones.

Aunque sirva para liberar a un marxista-leninista de prominencia, como lo es el chileno Jorge Montes, Fidel jamás aceptará una cosa así. Lo que menos quiere es verme en libertad.

Por medio de mis compañeros que han tenido visita, me entero de que mi hijo Huber se ha ofrecido él para cumplir los últimos tres años de mi condena, con tal de que pueda atender mi salud fuera de Cuba. Por supuesto, si me plantearan esta opción no la aceptaría bajo ninguna razón o argumento. Pienso que la campaña es inteligente; no le debe agradar nada a Fidel. También me he enterado de que Rogelio, mi otro hijo, no descansa en actividades a favor de mi libertad, especialmente entre algunos intelectuales y gente de la prensa de Estados Unidos.

Uno de los oficiales de esta prisión, el capitán Raúl Álvarez, llega a la celda, se comporta muy atento y me dice que me van a llevar a mi casa en la provincia de Oriente, a visitar a mi padre, que está completamente ciego.

—Hace años no recibe visita —dice Álvarez—; es bueno que se reúna un poco con su familia...

¡Increíble amabilidad!

—No me interesa, llevan años negándome la visita. Es un engaño. Y aunque no lo fuera, no aceptaría. La generosidad de ustedes siempre lleva mala intención.

Querrán sacarme de aquí en un vehículo; darme vueltas por La Habana, fotografiarme, publicar las fotos y decir que Huber Matos está bien; que visita regularmente a su familia y recibe un tratamiento especial.

No vuelven a hablar del asunto. El 25 de diciembre se aparece en la galera, ahora con el grado de mayor, el oficial O'Farrill, responsable en la golpiza que me dieron en el Castillo de El Príncipe y uno de los que llevaron a la muerte a Boitel. Este sujeto habla primero con algunos compañeros. Haciéndose el distraído, queda de pronto frente a mi cama y empieza a contarme, como si fuésemos amigos, que ha estado en Angola con las tropas cubanas y que es un internacionalista convencido. No le contesto. Después de hacerse el simpático o bondadoso hablando conmigo, se marcha tal como vino: sin palabra alguna de mi parte.

Este hombre, O'Farrill, vino a prepararme; a demostrar que su política hacia mí ha cambiado. Mis compañeros asocian su cambio de actitud con la visita del capitán Álvarez y su interés para que acepte que me lleven a visitar a mi padre. Creen que me van a soltar; que se producirá el canje con el comunista detenido en Chile.

El 6 de enero de 1977, día de Reyes, se produce otra inesperada visita. Es la del general Enio Leiva, uno de los jerarcas del Ministerio del Interior. Durante la huelga de hambre de cuarenta y cuatro días, iba a visitarme y me decía: «Al fin te atrapamos, Huber Matos. De ésta no sales con vida».

Llega en compañía de otros oficiales. Estoy junto a Tony Lamas cuando el general me habla. Muestra una cínica y exquisita cordialidad, viene y se para frente a mí como si fuera mi mejor amigo. Es un maestro fingiendo.

Me cuenta hechos en los que ha participado como jefe y hace referencia a lo bien que va el proceso de la Revolución. Se interesa por el estado de los presos y por el mío en especial. Hay algo muy sospechoso, conociéndolos como los conozco. No me gusta este simulacro, oculta algo feo. ¿En qué cosa diabólica anda esta gente? Tony, Silvino y yo nos hacemos la misma pregunta.

Al día siguiente, Silvino Rodríguez, que ha tenido visita, se me acerca y con discreción me dice:

—Escucha, toma esto con calma: atentaron contra tu hijo Huber en Costa Rica, lo balearon y está en un hospital. En la noche del 26 de diciembre le dispararon varias veces, lo hirieron, pero parece estar fuera de peligro. Me lo acaba de decir mi familia durante la visita.

Silvino comenta las declaraciones que hizo Huber desde el hospital donde lo atienden: «Esto es obra de Fidel Castro, aunque por el momento no tengo manera de probarlo. Podría identificar al hombre que me disparó».

Me quedo sin palabras. Recibo la noticia sin alterarme, como la de la muerte de mi madre y pienso: «¡Esta gente lo mandó a matar!».

Quisiera saber cómo sucedieron los hechos. Espero que me llegue más información sobre esta cobardía. Por fin me entero de que en la noche del 26 de diciembre de 1976, cuando Huber iba a estacionar su auto, le dispararon a quemarropa.

Las indagaciones fueron hechas por las autoridades costarricenses. Se comprobó que el sujeto que tenía la misión de matarlo ingresó a Costa Rica con un pasaporte facilitado por los sandinistas de Nicaragua.[1] Según el estudio de balística, el individuo le disparó a Huber varias veces a poca distancia. Milagrosamente sólo recibió un impacto que pudo haber sido mortal, si no se desvía. Los demás proyectiles quedaron incrustados en el asiento y en la puerta del vehículo. Huber atinó a lanzarse fuera del auto gritándole insultos al agresor mientras corría hacia él. Por reflejo, se llevó la mano derecha al costa-

---

1. El individuo viajaba con el pasaporte de un miembro del Frente Sandinista: Marcel François Legrand. Inmediatamente después del atentado, el hombre salió de Costa Rica a Panamá y de allí a La Habana. *(N. del A.)*

do izquierdo del tórax, donde había sido herido. Se piensa que el criminal creyó que Huber, aunque herido, buscaba un arma para dispararle de cerca. Se montó en su auto y huyó.

Mi hijo trabaja sin descanso en favor de mi libertad. Ha estado en varios países de Europa y América Latina. En Chile conversó con el cardenal Silva Henríquez, entre otras personalidades que se interesan por mi suerte. Me faltan tres años para salir de la prisión y Huber ha intensificado sus esfuerzos, quizá tratando de evitarme un final incierto en manos de la dictadura.

Lo cierto es que estaban preparando el atentado contra mi hijo mientras me decían: «Que podrás ver a tu padre», «que se habla de un canje», Fidel pretendiendo ser benévolo, encubriendo así su cobarde acción. Seguramente su plan era matar al hijo y liberar al padre para que asistiera al funeral, y entonces reclamar la libertad de Jorge Montes. Dios quiso que las cosas fueran distintas.

En la galera 23 sabemos que Cuba está mandando tropas a África. Primero fue a Etiopía y después a Angola. Lo hacen con el pretexto de que nuestro país tiene una deuda con el continente negro desde los tiempos de la esclavitud, y también en razón del internacionalismo proletario. Lo uno y lo otro son falacias para servir de instrumento a la expansión soviética en África y pagar así una buena parte de lo que el gobierno castrista recibe del Kremlin.

También sabemos que desde hace cuatro o cinco años se está construyendo una nueva prisión, y que se encuentra en su fase final. En la construcción han utilizado mano de obra de los presos del Plan de Rehabilitación. Ello les ayudará a descontar la pena.

Después de su triunfo en 1976, el presidente de Estados Unidos, Jimmy Carter, insiste en su campaña por los derechos humanos. Paradójicamente, Fidel intenta convertirse en paladín de esta causa.

Como parte de la parodia del dictador cubano en su intento de jugar con Carter en la defensa de los derechos humanos, nos entregan un poquito de correspondencia, alguna carta de las que me escribe mi esposa y también tarjetas de Amnistía Internacional; entre éstas, invariablemente, una firmada por Lotte Thiis, de Oslo, Noruega.

Estamos en los primeros días de enero de 1977. Parece que Fidel aspira a que, cuando Carter jure su cargo, la flamante cárcel esté en pleno funcionamiento. La nueva prisión del Combinado del Este le viene de maravilla para su rol de comediante. El nombre de Combinado del Este es un eufemismo. Se pretende disimular, con su moderna presencia, un gigantesco establecimiento penitenciario situado a pocos kilómetros de la capital cubana, en el que miles de presos políticos tendrán que pasar largos años privados de libertad y de otras muchas cosas.

Nos enteramos de que seremos llevados a la nueva cárcel. Nuestra maltratada salud agradecerá el adiós a esta cueva. En dos etapas he completado cinco años de permanencia en la galera 23; cinco años respirando humo de petróleo. El médico de la Seguridad del Estado que me atiende me recomienda que no fume porque estoy acabando con mis pulmones.

—Doctor Campos, nunca he fumado.

> … veo que escoltan a un preso al pabellón de castigo. Viste piyama, camina trabajosa y lentamente hacia el tenebroso edificio. Ahí llevan a los presos que quieren ablandar o destruir.

En la madrugada del 10 de enero de 1977 vienen los carceleros y dan la orden de recoger nuestras pertenencias; vamos a ser trasladados. Imagino que nos llevan a la nueva prisión. Tengo amontonadas en mi lugar cosas viejas sin valor alguno, de modo que cuando lleguen a requisarnos les cueste trabajo encontrar algo que les interese entre cucharas viejas, trapos y papeles inservibles. Si me botan algo, reabasteceré mi almacén de desechos y antiques inútiles. Tomo algunas cosas y espero.

Entre los presos de nuestra galera 23A hay un buen compañero, José Pujals Mederos, con el cual algunos guardias o carceleros me han confundido en algunas ocasiones.

De vez en cuando le digo a Pujals, en tono de broma: «El día que me vengan a buscar para matarme te van a llevar a ti». El chiste no le gusta, pero como es un hombre valiente, termina riéndose. Al primero que hacen salir de la celda hoy es a Pujals. Otra vez se confunden. Los del G-2 lo fotografían una y otra vez; buscan documentación para sus archivos. Cuando se dan cuenta de la equivocación, me llaman y se repite el ajetreo fotográfico. Luego nos meten en los vehículos.

Me niego a afeitarme el bigote que desde hace unas semanas me he dejado crecer y está fuera de las reglas del penal. No se trata de guapería, es un modo de protesta. Los carceleros están hartos de tanto tratar de obligarme a seguir sus imposiciones. Seguramente han consultado a sus superiores y han concluido que, para afeitarme, deben darme otra golpiza y no les conviene en este momento. Tras un forcejeo con intimidación y presiones, llego con mi bigote al Combinado del Este. Mientras Fidel y su gobierno coquetean con la administración Carter, erigiéndose en defensores de los derechos humanos porque necesitan una mejor imagen internacional y dinero, aquí en las cárceles tratan a los presos con brutalidad.

Nos encierran en el cuarto piso, celda 1404. Conmigo vinieron Tony Lamas, José Pujals y Silvino Rodríguez. A Silvino lo separan dejándolo en la 1401. Estamos en uno de los tres edificios para reclusos que componen el núcleo de la nueva prisión. El Edificio Uno es para presos políticos. Los otros dos son para reclusos comunes. La dirección del penal se encuentra fuera del recinto carcelario. Esta nueva prisión cuenta con cercas dobles y abundantes garitas donde hay custodios con fusiles; desde el punto de vista oficial es un lugar muy seguro. Las puertas de las celdas se abren eléctricamente desde un control central. El piso es fuerte, de granito, y la construcción de estas jaulas de concreto, bastante imperfecta, no sé si por obra de los presos que las construyeron, que se vengaban así de sus carceleros. Lo cierto es que han quedado fisuras por las cuales se filtra el agua cuando llueve. Los guardias se ufanan diciendo que esto es lo más moderno entre las prisiones de Cuba.

Doce presos convivimos en esta celda.[1] Todos somos presos plantados y aquí no estamos castigados. Nos levantan la incomunicación, pero todavía no tengo derecho a visitas. Por unanimidad escogemos a Remberto Zamora para que nos represente ante las autoridades penitenciarias, como «mayor» o jefe de nuestra celda. Es bastante tratable y con un historial de preso plantado que no cede ante presiones ni intimidación.

En esta «ala norte» del cuarto piso, hay cuatro celdas para doce reclusos cada una y otras cuatro más grandes. El «ala sur» es similar y también hay plantados.

En los pisos inferiores, según nos dicen, el personal es menos problemático. Tienen también presos del Plan de Rehabilitación.

Cuando lo anuncian, abren automáticamente las puertas de las celdas y vamos a un especie de comedor. Para el desayuno nos reparten algo como un agua oscura. A la hora del almuerzo es igual. Lo que me dan me lo llevo a la celda, pues nos sirven muy temprano y mi estómago sigue maltratado. Como cuando puedo y me da lo mismo frío que caliente.

Tres veces por semana una voz nos dice a una hora determinada: «¡Patio!», y salimos a la planta baja a disfrutar un rato del sol. Las celdas están heladas, es invierno y casi siempre sopla el viento con fuerza.

---

1. Los doce plantados de la celda 1404 son: Argelio Aparicio, Gustavo Areces, Heriberto Bacallao, Ernesto Díaz, Servando Infante, Tony Lamas, Segundo de la O, José Pujals, Jesús Silva, Remberto Zamora, Luis Zúñiga y Huber Matos. *(N. del A.)*

Los primeros días nos sirven un caldo de pescado que huele muy mal. Lo rechazo varias veces, pero después de algunos días el frío y la necesidad me obligan a tragarlo. Hacemos el esfuerzo de comerlo porque tenemos esperanza y necesidad de sobrevivir.

Luego, dentro de lo malo, la comida mejora.

Poco tiempo después empiezan a construir otro edificio, no muy lejos de donde estamos.

—¿Y eso para qué es? —preguntamos.

—Es el edificio disciplinario —responden los carceleros.

Hacen unos calabozos que son verdaderas cajas de concreto. El que lleven ahí castigado lo pasará muy mal. Desde el cuarto piso seguimos los detalles de la construcción adicional, que es de una sola planta. Alguno de los nuestros lo bautiza como «el pabellón de los derechos humanos». Buena sorna, ahora que está de moda la política del presidente de Estados Unidos relacionada con los derechos humanos y que Fidel dice que practica en Cuba.

—Allí ustedes me van a llevar a rastras, o muerto. No conseguirán que camine hasta esa especie de tumba —le digo al carcelero especial que me viene vigilando desde el Castillo de El Príncipe.

Fidel ha hecho redactar una constitución, que aprueban los miembros de la llamada Asamblea Nacional del Poder Popular. Es una farsa, porque en los países comunistas no existen ni la soberanía del pueblo ni propiamente el poder legislativo. Otra ofensa a los cubanos y una traición al nombre y al recuerdo de José Martí. Fue él quien postuló que la ley primera de la República fuera «el culto de los cubanos a la dignidad plena del hombre». Estas palabras están en el preámbulo de la nueva constitución cubana. ¡Qué ironía! Este César sovietizado y maniático nos impone una Constitución que es contraria al espíritu martiano y a la trayectoria de dignidad de nuestra historia cívica. La Constitución castrista señala en su texto que Cuba marchará en armonía con la Unión Soviética, reflejo del grado de sometimiento al que se ha rebajado Fidel Castro.

Los «juicios fascistas» no han terminado en las prisiones. Un día sacan a Servando Infante Jiménez, compañero muy respetado y querido entre los presos, que está con nosotros en la celda 1404. Cumplió su condena de doce años en diciembre de 1976 y en febrero de 1977 sigue preso. En realidad, Infante sólo debió de cumplir, conforme a las leyes castristas, seis años como pena máxima; su gran delito fue querer escapar del país. Lo condenaron a doce y ya los ha sobrepasado.

Después del remedo de juicio Servando regresa con siete años más de condena, maltrecho y magullado por la golpiza que le propinaron.

Comienza a funcionar el pabellón de «los derechos humanos». Los carceleros no se cansan de provocar conflictos entre los presos. A los pisos del Plan de Rehabilitación, que están debajo del nuestro, llevan homosexuales para crear problemas con el resto de los reclusos.

Varios presos se han dedicado a investigar qué hacer con las puertas de hierro de las celdas, que se abren desde un control central. Cuando los carceleros lo desean, pueden abrir, simultáneamente, todas las puertas. Los compañeros inventan un mecanismo rudimentario para manejar las rejas a su arbitrio: con un pequeño cordón colocado de modo preciso, consiguen abrir y cerrar las celdas a su antojo. No obstante, es imposible buscar un camino de huida porque después de cada reja hay otra y así sucesivamente. Puede uno salir al pasillo, pero desde allí no se puede franquear nada más. Es un sistema perfecto de jaulas, sin posibilidad de fuga.

Los presos descubren que las planchuelas que protegen la estructura metálica de la reja en su parte alta tienen una extraordinaria capacidad de resonancia. Si uno golpea esta planchuela con una cuchara gruesa, con un plato de aluminio, o con cualquier otro objeto metálico, se produce un ruido que retumba lejos. Los barrotes de las rejas de entrada, algunos verticales, otros horizontales y todos de un grosor de una pulgada, son también una fuente de ruido insospechable. Con sólo pasar uno de los platos metálicos presionado contra esos barrotes, el ruido resulta molesto y con resonancia. Es de imaginar lo que podemos ocasionar centenares de presos golpeando las planchas metálicas y los barrotes, sólo con utilizar nuestros enseres de aluminio o acero.

Agobiada y sombría, llega gente que viene de la prisión de Boniato. Nos cuentan que el primero de septiembre de 1974 un preso comenzó a quejarse de que le dolía una muela. Pasaban los días y el carcelero le decía con desgano y maldad:

—Espera, ya te vamos a venir a buscar para que te la saquen.

La burla seguía y el preso continuaba sufriendo grandes molestias. Los compañeros comenzaron a protestar a viva voz y a pedir insistentemente atención médica. Los guardias llegaron en tropel y sin titubear dispararon sus armas contra los reclusos, cayó muerto uno, Gerardo González, el Hermano de la Fe, y fueron heridos de consideración otros. Varios muestran cicatrices de la balacera.

Boniato tiene muy mala fama. Me entero de que, no por huelga de hambre, sino en circunstancias extrañas, ha fallecido un verdadero hermano mío en la prisión, Ramón Castillo del Pozo. Algunos de los que llegaron al Combinado del Este sufren de una fuerte tensión nerviosa. Hay gente que ha enloquecido en esa prisión. Pero aquí el pabellón de «los derechos humanos» también dará mucho de qué hablar. Se lo decimos a los recién llegados, impresionados como están por lo que han vivido.

—¿Cuándo va usted a aceptar recibir visitas? —me dice un capitán del G-2.

—Nunca he estado en contra de que me visiten. Ustedes me quitaron esa posibilidad.

—¿Entonces?

—Cuando quieran veo a mi familia de nuevo.

—Pero usted siempre ha puesto condiciones...

—No podía recibir a nadie por las exigencias que ustedes me han impuesto. Primero intentaron que me desnudara para las visitas, a lo que me negué. Después estuvieron jugando con las fechas y con las posibilidades de si ésta se daba o no. Por último mortificaban a los míos, que tenían que llegar hasta acá desde muy lejos y con mucho trabajo, y regresar sin poder verme. ¿Le parece poco motivo para que reaccione como siempre lo he hecho?

—Estamos dispuestos a fijarte un calendario de visitas. Pero tú también debes contribuir, no poniéndote tan agresivo con nosotros; las cosas están cambiando.

—Los que maltratan, agreden y matan a los presos son ustedes. Me alegro de que estén cambiando.

Cuando el hombre se va, pienso tristemente en el supuesto cambio a que se refiere el capitán.

El oficial del G-2 regresa.

—Bien, Matos, tendrá visita con arreglo a calendario y sin condiciones previas.

Lo dudo. Él insiste:

—Lo del calendario va a funcionar bien. Para que compruebe nuestra sinceridad, en este mismo mes de abril que comienza podrá ver a su familia.

Pasa el mes y nadie viene. No hay visita para mí. Piensan seguramente que voy a reclamar, pero no lo hago.

—Y ¿qué pasó? ¿Su familia no vino a verlo? —me dicen con cinismo.

—No. Son ustedes los que mandan los telegramas y si no vinieron es porque no les mandaron aviso.

—Le confirmamos que el 14 de mayo tendrá visita.

El 15 de mayo de 1977 tengo de verdad visita. La anterior había sido el 23 de febrero de 1970. ¡Siete años y tres meses sin ver a mi familia y sin que nadie me visitara! Mi hermana Tina y mis primas Isabel y María Elena se emocionan mucho después de tantos años sin vernos. Están muy impresionadas. Me cuentan que mi padre está, a pesar de su edad y de su total ceguera, de muy buen ánimo y esperando mi libertad.

Comento con ellas sobre los últimos días de mi madre, que falleció de arteriosclerosis; también padecía artritis. Un final tremendo para una mujer de gran temple y excepcional riqueza espiritual.

Sé que tengo nietos, esto también me conmueve. Ellas hablan y me parece un milagro, una cosa maravillosa que pueda estar junto a los míos aunque sea así, por un momento y en las condiciones en que me encuentro.

Nos están grabando, estoy seguro, pero de todos modos la conversación es absolutamente inofensiva. Cuando se va mi familia quedo con la impresión de que esta generosidad debe esconder alguna trampa. Su sistema es dar una buena noticia o hacer algo positivo para luego golpear.

Y viene el golpe. Estamos en mayo de 1977 y Fidel publica un relato que firman dos periodistas, pero es suyo. Se refiere a cómo la Revolución triunfó en la lucha armada, y deforma la verdad sobre hechos como la batalla del Uvero.[1] que en principio tuvo importancia pero que no alcanzó dimensiones de batalla, ni mucho menos. Cuando se produjo este combate yo no me había incorporado al Ejército Rebelde, así que no tenía por qué incluirme en su crónica. Fidel hace que el preámbulo del artículo, como antecedente del combate, se remonte a mi exilio en Costa Rica. Dice que había volado con armas desde Costa Rica a la sierra, bajo amenaza de muerte. Al parecer, yo no quería venir a traer las armas. Quiere desacreditarme y dis-

---

1. En marzo de 1957, la llegada del contingente armado que envió Frank País, al mando de Jorge Sotús, hizo posible la toma del Cuartel Uvero en mayo de 1957, con lo que aumentó el armamento de la guerrilla y su capacidad para evitar ser aniquilada por el ejército. Capítulo 9. (N. del A.)

torsionar la realidad histórica. Hay razones para reírse, pero es indignante.

Relata también que actué contra mi voluntad en las etapas previas a mi ingreso en la sierra, presentándome como un sujeto acobardado o irresoluto. Cita el caso de unos camiones en los cuales llevé hombres armados para la guerra, alterando la verdad para hacerme aparecer como un hombre que sólo se mueve bajo coacción y miedo. Lo curioso es que reconozco en estos párrafos el vocabulario calumnioso y la forma de expresarse de Fidel.

El escrito lo publican la revista *Bohemia* y el *Granma*, que reparten todos los días en la prisión. Es una hoja infectada de propaganda comunista. Circula en las cárceles políticas como parte de la farsa sobre los derechos humanos.

Al día siguiente de haber leído esa basura llega a la celda el director de la prisión, capitán Raúl Álvarez. Con pretextos se pone a conversar conmigo buscando sonsacarme algo en relación con lo que se ha publicado. Aprovecho la oportunidad y le digo:

—¡Ah, sí!..., lo he visto en el periódico, algo muy propio de Fidel; creo que también apareció en *Bohemia*. Pretende envenenar al pueblo cubano contra mí y eso es algo vil. A propósito, quisiera saber si usted tiene cómo hacerle llegar un recado a Fidel.

—Bueno, sí; quizá no directamente. Todo depende de lo que diga ese recado, si es una simpleza, no. Si es una cosa de importancia, sí.

—Bien, entonces dígale a Fidel Castro que es un cobarde y un mentiroso, y que lo emplazo a comparecer donde él quiera y cuando lo desee. Si le gusta una celda del G-Dos, allí puedo esperarlo. Quiero verlo de cerca aun cuando lo rodeen y lo cuiden cien guardias. ¡Le gritaré en sus narices que es un canalla! Que si antes de que me muera tiene el coraje de estar cara a cara conmigo, lo espero sin otra arma que mi palabra. Si no lo hace confirma que es un cobarde y un miserable. Dígaselo así.

Algunos de mis compañeros se asustan y me dicen:

—Oye, Huber, debes tener más cuidado... Al final él es el que manda en el país y el que hace eliminar a la gente cuando se le ocurre.

—Gracias por el buen consejo, no se preocupen.

Me quedo agarrando la reja con las manos.

Rafael del Pino estaba preso antes de que yo ingresase a la prisión en 1959. Él había estado en México, con Fidel, cuando los preparativos de la expedición del *Granma*, pero se quedó y luego se fue a

Estados Unidos. Supongo que algún problema tendría con Fidel. Triunfa la Revolución en enero de 1959 y Del Pino está en Miami. En julio, en una acción riesgosa, vuela a Cuba clandestinamente para sacar a una gente que quería huir de la isla. Lo esperaba una emboscada en el lugar en que se iba a encontrar con los futuros exiliados. Mientras bajaba del avión lo hieren. No muere, pero queda muy mal. Entre otras cosas, una bala le destrozó la vejiga.

Cayó en una trampa de Fidel y Raúl. Él no era piloto y contrató uno en Estados Unidos para la operación; no se sabe nada del piloto.

Ahora Del Pino tiene posibilidad de salir de la prisión porque es ciudadano norteamericano. Con él son cinco los norteamericanos que pueden irse en un posible canje por Lolita Lebrón y demás puertorriqueños que guardan prisión en Estados Unidos por el ataque al Congreso, en marzo de 1954.

Milagrosamente, Rafael del Pino había mejorado. Lo vi una vez en el hospital de la prisión. Parecía estar animado y en recuperación. Debe de creer que pronto saldrá del penal, porque incluso se lo dicen, para que él lo haga llegar afuera y todo parezca normal en relación con su persona.

En estos días de agosto de 1977, Del Pino es tema de comentarios entre los presos. Se habla con insistencia del canje de los cinco norteamericanos por los independentistas puertorriqueños, y todo parece indicar que saldrá pronto hacia Estados Unidos.

Una mañana, desde mi celda en el cuarto piso veo que escoltan a un preso al pabellón de castigo. Viste piyama, camina trabajosa y lentamente hacia el tenebroso edificio. Ahí llevan a los presos que quieren ablandar o destruir. Logro reconocerlo. ¡El hombre que da pasos inseguros es Rafael del Pino! Va castigado. ¿Qué ha hecho Del Pino para que lo metan allí? Está en vísperas de salir en libertad, es una persona tranquila y enferma. Jamás se ha rebelado.

Pasan dos días y nos dicen:

—Rafael del Pino se ahorcó.

Los carceleros hacen circular la versión dentro del penal, de que se suicidó usando un par de medias. Nadie lo cree. Estamos convencidos de que lo mataron vilmente. No había ninguna razón para castigarlo y llevarlo a ese lugar. Si lo separaron de los demás es porque no querían tener testigos. Tampoco permitieron que nadie, ni siquiera la familia, viera el cadáver. Lo sacaron de allí y lo enterraron en un lugar secreto. Los carceleros dicen que Del Pino estaba en un estado demencial irrecuperable. Todos sabemos que eso es mentira. Lo asesinaron para excluirlo del canje.

Los presos reaccionan con una ola de indignación espontánea. Cientos de hombres comenzamos a dar golpes contra las rejas, a gritar y a denunciar el crimen. Los guardias que rodean la prisión se inquietan, a pesar de estar bien armados y tener perros. Nadie sale a comer. Las celdas vuelven al silencio después de varias horas de protesta, y una atmósfera condenatoria rodea a los carceleros y a sus jefes.

En los siniestros cubículos del pabellón «de los derechos humanos» queda encerrada también la verdad de esta venganza.

En los primeros días de noviembre de 1977 nos enteramos de que César Páez ha muerto en el edificio donde el G-2 lo tenía ingresado. Aunque hacía tiempo que esperábamos el desenlace de aquella misteriosa leucemia, que tanto demoraron en diagnosticar, la noticia nos entristece.

En este mismo mes de noviembre, veo por fin a mi padre. Ciego, con los años y los pesares marcados en su rostro, pero con el espíritu fuerte y tratando de dar ánimos a los demás. Me entero por él de la denodada y admirable lucha de María Luisa por mi libertad; ha logrado más adhesiones y gestiones concretas de Amnistía Internacional, de gobiernos de varios países, de parlamentarios, de organizaciones obreras y de la Federación de Maestros Americanos.[1] Una de las personalidades involucradas en la campaña por mi libertad es el historiador inglés Hugh Thomas.

Mi hijo Huber da pasos muy importantes para mi liberación. Lo que me cuenta mi padre me da ciertas esperanzas de que los comunistas quizá no se atreverán a matarme en la etapa final de mi condena. ¿Pero no sería exceso de ingenuidad el confiar en el posible temor de los Castro a una reacción internacional, después de lo que han hecho con Rafael del Pino, ciudadano norteamericano, y antes con Pedro Luis Boitel, preso destacado a cuyo favor se movieron sectores importantes en varios países?

Me cuesta trabajo tragar y apenas me alimento. Mi amigo Alberto Fibla me atiende; tengo gastritis. Conseguimos medicinas y en poco más de un mes el problema va desapareciendo. Fibla es médico «plantado» que, como José Misrahi y otros, no muchos, atienden a los presos sin contar con las autoridades penitenciarias.

Se me ha desarrollado un pequeño tumor en la encía superior y no

---

1. The American Federation of Teachers y la AFL-CIO apoyaron las gestiones para que se diera libertad al autor. *(N. del A.)*

me dan tratamiento. Unas semanas después de haber jurado que llevaré hasta donde sea necesario una protesta, viene el capitán Raúl Álvarez y me dice:

—Matos, vengo a buscarlo para llevarlo al hospital donde ya estuvo antes.

—¡No, al matadero ese no voy! Tendrán que llevarme a la fuerza.

—Pues lo que tiene en la boca va a terminar con usted.

—Si quieren atenderme, háganlo. Pero en ese lugar no hay nada de cirugía ni médicos, sólo alguna gente mala y dos o tres mujeres que se hacen pasar por enfermeras. Lo usa la Seguridad del Estado, en reserva y secreto, para hacer lo que quieren con nosotros.

Álvarez, acostumbrado a mi franqueza, se encoge de hombros y se va. Un rato después viene el teniente Cervantes, jefe del personal que trata directamente conmigo. Sostengo con él una discusión en términos parecidos y presiento que no seré atendido por los médicos. ¿Chantaje conmigo? No.

Varios días después me dice el capitán Álvarez:

—Lo vamos a llevar a una clínica dental donde, si es necesario, un cirujano odontólogo le hará una operación.

—Está bien.

—¡Ah, pero claro —agrega—, después de la operación tendremos que ingresarlo a un hospital por si se presenta una hemorragia!

—¡No, no —protesto—, me traen de nuevo aquí! Con esa condición voy. ¡Nada de hospital!

Acceden, pero antes de salir de la celda advierto a los compañeros, especialmente a Tony Lamas: «Si se enteran de que estoy internado en un hospital, sepan que he sido llevado con violencia».

Salgo con el mayor Blanco Fernández, que me ha insistido mucho en que vaya a la «ratonera» del G-2, disfrazada de hospital. Me llevan en un auto por la ciudad. El paisaje me parece lejano y raro.

En la clínica me atiende un dentista. Con su instrumental pica aquí, allá. El dolor que me causa es intenso, pero no me quejo. Es mi conducta ante los esbirros.

La operación concluye. Me dicen que han extraído el pequeño tumor de la encía y buscan posibles ramificaciones en las partes blandas y óseas; también me sacan una pieza dental. Me queda la boca muy maltratada y muchos puntos en la encía. Creo que me han hecho estragos innecesarios en la operación, pero prefiero callar.

Tienen que operarme de nuevo porque me quedó una especie de cresta en la encía; un hueso sobresale e impide la colocación de la prótesis.

554

—Usted me sacó una porción enorme de hueso —le digo al dentista—, lo que me está desfigurando el rostro. Mire cómo estoy.

—Eso se arregla con el acrílico de la prótesis.

Se pone a trabajar de nuevo y completa la segunda operación. Posteriormente, en la misma clínica, una dentista, que por sus palabras y su modo de proceder no parece estar comprometida con el sistema, me tranquiliza diciéndome:

—Yo le voy a hacer un buen trabajo... Usted se va a acordar de mí porque quiero que su boca quede bien. Verá... —efectivamente, esta dentista actúa de forma distinta y me pone en condiciones, no sólo la encía, también el acrílico de relleno que sustituye al hueso. Un caso raro el de esta mujer a quien le quedo muy agradecido.

Uno de mis compañeros de celda, Segundo de la O, obtiene la libertad al completar su condena. Tuvo suerte. Otros han cumplido y siguen tras las rejas. Trasladan a nuestra celda a Mario Gavilán, un obrero del transporte que ha escrito unos versos muy lindos; de manera que continuamos siendo doce.

Año 1978. Fidel inventa un «diálogo» que presumiblemente favorecerá al presidio político. La comedia pretende pasar por un arreglo entre su gobierno y el exilio, del que —según ellos— resultarán liberados la mayor parte de los presos políticos. Castro busca dividir al exilio y crearle una situación difícil al gobierno de Washington. ¿Sí él está negociando con el exilio, cómo no va a negociar el gobierno norteamericano con él? Por supuesto, negociar con trampas y promesas que no piensa cumplir.

Para montar el espectáculo se sirve de dos religiosos que viven en Miami: el reverendo Espinoza y el reverendo José Reyes. Éstos no sólo vinculan en el exilio a gente que está en el juego con Castro, sino también a personas de buena fe, esperanzadas ante la posibilidad de que familiares o amigos que están presos recuperen su libertad. Los reverendos Espinoza, Reyes y otras personas más se trasladan a La Habana, y junto con Fidel y otra gente del gobierno simulan negociaciones.

Una tarde, los carceleros comienzan a repartirnos unos folletos impresos por el Ministerio del Interior. En ellos leemos información llegada del exilio y los nombres de las personas que se avienen al «diálogo». ¡En veinte años jamás nos han dado información sobre nada relacionado con la oposición y ahora vienen con esto!

Es claro que estos traficantes de angustias humanas andan tras mezquinos objetivos políticos y económicos. Es un engaño más. Le mando decir a mi familia que rechace cualquier insinuación; que soy renuente a diálogo alguno. No se puede evitar, naturalmente, que los presos discutan esta novedad. Surgen tres tendencias: la de oponerse abiertamente al «diálogo»; la de callarse y no hacer nada y los que estiman conveniente apoyarlo.

Los plantados no sólo rechazamos este falso «diálogo», sino que redactamos una carta* para que llegue al exilio, razonando nuestra posición. Intervienen Pujals Mederos, Vargas Gómez y otros. Silvino Rodríguez la pasa en limpio; se hacen varios originales. Las firmas se terminan de recoger el 12 de octubre de 1978. Deberían haber firmado la carta cerca de cuatrocientos presos plantados, pero sólo la suscribimos ciento treinta y ocho, que representamos, entre todos, un total de dos mil ciento cincuenta años cumplidos en prisión.

Antes del 21 de octubre comienzan a dictarse indultos; entre ellos los de Tony Cuesta y Miguel Sales, que salen hacia el exilio. Como son presos que tenían buena imagen y bastantes relaciones dentro del penal, nos preocupa que algunos compañeros se dejen llevar por la perspectiva de ser beneficiados y no se opongan activamente a esta maniobra de la dictadura. El G-2 utiliza a algunos de los indultados para dividir a los presos y debilitar a los plantados que estamos contra el diálogo.

Creo que dictan tres mil indultos o más, desde fines de 1978 hasta octubre de 1979. Las listas de los beneficiarios aparecen en el Boletín Militar. Muchos son personas que están en libertad desde hace tiempo. Otros son personas que jamás han sido conocidas como prisioneros. Se trata de una formidable farsa, aunque hay uno que otro caso cierto entre tanto nombre falso. La forma de indultar consiste en rebajar una condena de quince años a ocho, y dejar en libertad al preso que ya cumplió esa cantidad de años tras las rejas.

Con todo esto que parece tan benigno y altruista para los ingenuos, Fidel hace mucha publicidad. Como el final de mi condena coincide con el apogeo de los indultos, la dictadura se las arregla para hacer creer que yo también puedo salir favorecido con esa gracia. Nada tengo que ver con los indultos. Estoy completando de punta a punta mi condena y soy un enemigo vertical de todo tipo de arreglo con el tirano y su régimen.

Por otra parte, en Estados Unidos mi hijo Rogelio y María Luisa continúan intensificando las gestiones en favor de mi libertad y la de

* Copia de esta carta incluida en el apéndice de este libro. (N. del E.)

los miles de compatriotas que están en las prisiones de Castro. En enero de este año, 1979, aprovechando la visita del papa Juan Pablo II a la República Dominicana, María Luisa le entrega una carta solicitando la ayuda del Santo Padre.

En el mes de julio de 1979 nos sorprenden con el traslado de unos cuarenta y cinco presos para la cárcel de Boniato, entre ellos mi amigo y hermano Silvino Rodríguez. Se llevan también a Remberto Zamora y a Luis Zúñiga Rey. A Silvino lo han maltratado mucho en ese infierno de Boniato; una vez lo golpearon duramente al oponerse a que le arrebataran un crucifijo. Lo vimos volver de esa cueva de horror convertido en un fantasma. Tememos por él y por los otros compañeros. Sabemos lo que puede esperarlos allá.

Los propios carceleros nos cuentan que cuando hacen la requisa y le ordenan a Silvino que entregue su jaba, éste, indignado por el traslado y otras circunstancias, la levanta con brusquedad y se la tira a los agentes del G-2 que oficen de carceleros.

—¡Cójanlo todo! —les grita. Su gesto lo repiten otros presos.

Me comenta esto un capitán del G-2:

—Usted ya conoce a su amigo Silvino, tiene sus cosas y se ha pasado de la medida. Se puso violento y nos ha creado inconvenientes en el traslado, de modo que es posible que tengamos que proceder. Parece que él mismo se está buscando su final.

—Lo que hacen es preparar las condiciones para un asesinato más —le respondo—, un asesinato más que ni tú ni tus compañeros podrán justificar porque nosotros sabemos bien en lo que andan. Así que sujeten sus manos.

El oficial no parece darle importancia a mis palabras. He venido aconsejando a Silvino porque hace dos años, cuando tuvo serios problemas con los carceleros de la galera 23, uno de ellos me advirtió confidencialmente que estaban autorizados para dispararle a matar si tenían con él un nuevo enfrentamiento.

En la noche del 24 se llevan otro grupo. Calculamos que salen para Boniato ciento doce presos. Son los que no se dejan intimidar con golpes o abusos. Para los guardias debo de ser de los más rebeldes, pero no me trasladan a Boniato. ¿Por qué? Me lo explico yo mismo. Esa prisión se encuentra en la provincia de Oriente. Después del cerco de Santiago de Cuba y de las vinculaciones directas que el sitio a la ciudad originó, los lazos que me unen a esa provincia son realmente estrechos, al extremo de que Fidel los teme. Por eso prefiere mantenerme lejos de aquel escenario donde es incuestionable que tengo mucha gente amiga.

Nos llegan informaciones clandestinas sobre algunos detalles del traslado.

Hacinados en las «perreras», se pusieron en camino con tres veces el número de personas que en ellas caben. Tras una marcha lenta y molesta —de entre veinticuatro y treinta horas—, llegaron al penal. En la carretera el viaje fue un preludio del infierno que les esperaba. Entre otras cosas los tuvieron en los carros detenidos bajo un sol inclemente, y padecieron una tremenda sofocación. En Boniato, apenas llegaron los requisaron de nuevo, los golpearon y los encerraron en celdas tapiadas.

En el Combinado del Este tampoco tienen deseos de dejarnos tranquilos. Una vez que se llevan para Boniato a ese grupo, y asesorados por psicólogos del Ministerio del Interior, los esbirros quieren probar el estado de ánimo de los presos. Nos dan poca y mala comida y se producen algunas interrupciones en el suministro del agua. Reaccionamos golpeando las rejas, produciendo un ruido ensordecedor que llega bien lejos. A quienes inician huelgas de hambre o tienen alguna confrontación con los carceleros, se les envía sin más trámite al pabellón «de los derechos humanos».

He tenido que ponerme duro con el teniente Cervantes, que tiene a su cargo mi vigilancia. Se comportó poco respetuoso, probablemente porque se tomó algunos tragos. He terminado por no hablarle, por lo que deciden mandar a un capitán Álex, también del G-2. Este sujeto viene a verme siempre con Cervantes, que sólo asiste como espectador a nuestros encuentros. Alex me saca de la celda a un local cerrado, ubicado también en el cuarto piso, cerca del comedor. Empieza hablando mal de otros presos y repite chismes. O dándome a entender, con aire de autosuficiencia, que conoce a toda mi familia. Con este Álex las cosas no van mejor. Me entero de que visita a las familias de los presos para atemorizarlas veladamente.

Por vía clandestina, me dicen que Álex ha estado en casa de mis primas en un plan de chantaje. Le advierto:

—Me traes a conversar contigo y quiero decirte que no tenemos nada que hablar. Lo que haces, amenazar sutilmente a las familias de los presos valiéndote de tu condición de oficial del G-2, no es de personas decentes, ni de valientes. ¡Cuídate de importunar a mi familia!

Álex intenta demostrar que está preocupado por mi libertad. Considera que debería avenirme a ciertas condiciones si quiero salir de la prisión después de mi condena. Insiste en eso usando rodeos.

—Tú debes de estar enterado de que estoy dispuesto a morir aquí. No me interesa tratar más contigo.

Álex permanece callado.

—Devuélveme a mi celda.

El oficial se marcha irritado y me regresan a la celda. Estamos a principios de septiembre de 1979, a poco menos de dos meses para que expire mi condena.

Pasadas unas semanas regresa Álex a la prisión y me llevan a una oficina, seguramente a repetir sus pamplinas.

—Vamos a ver si nos ponemos de acuerdo para que puedas salir en libertad cuando se cumpla tu condena. Te falta poco.

Veo que el hombre persiste en querer jugar conmigo.

—No tengo nada que tratar contigo —le digo.

—Qué equivocado estás. El poder lo tenemos nosotros.

—No tengo nada que tratar contigo. Devuélveme a mi celda. Si repites tu intento, me volverás a encontrar en la misma actitud.

—O te avienes a nuestras condiciones o te pudres en la prisión.

—Devuélveme a mi celda y guárdate las amenazas.

Sigue un silencio tenso, durante el cual nos miramos cara a cara. Cuando han pasado más o menos cinco minutos, ordena que me devuelvan a mi celda.

La comida es cada día más escasa y menos digerible, lo que provoca varias protestas colectivas. Tenemos en las celdas cabillas de las utilizadas en la construcción, o tubos dejados en el edificio desde la etapa de su edificación y que los presos guardan en sus cubículos. Cuando se inician las protestas golpeamos las planchas metálicas y los barrotes. Aunque estamos en una zona alejada de la ciudad, el escándalo llega a ser de tal magnitud que se hace progresivamente insoportable. El efecto ensordecedor que provocamos llega probablemente a kilómetros de distancia. Los carceleros nos cortan el agua y envían a algunos presos castigados al pabellón «de los derechos humanos». Seguimos dándole muy fuerte a las planchas y a los barrotes, hasta que suplen de nuevo el agua y se avienen a mejorar lo que comemos. Esto, porque está en plena marcha el coqueteo con los derechos humanos preconizados por Washington. En otro momento nos hubieran dado tantos palos que la protesta hubiera quedado escrita con la sangre del presidio político cubano.

48
La despedida

> Soy un animal acosado y adolorido, en el
> que sobreviven rasgos de humanidad y un
> rayito de luz.

Estamos a principios de septiembre de 1979. Han pasado veinte
años. En los pocos días que me faltan para cumplir mi condena, el
régimen puede encontrar la forma de hacerme una jugada sucia, uno
de sus juicios «fascistas» sentenciándome a veinte años más de pena, o
algo peor. Esta presunción no es nueva. En 1977, cuando asesinaron a
Rafael del Pino, escribí de mi puño y letra una declaración:

«A quien pueda interesar: hago saber que cualquier hecho que signifique el fin de mis días en forma violenta o gradual, y que se produzca mientras yo esté en prisión o mientras esté en Cuba, aunque
aparente ser un suicidio, una ley de fuga, una intoxicación con alimentos o medicinas, un tiro escapado de una posta, etcétera; en fin,
cualquier hecho de esta naturaleza, será un asesinato prefabricado por
Fidel Castro».

Esta declaración, con varias copias hechas a mano, sale de la cárcel a través de algunos familiares de los presos. En un registro que
hacen los miembros del G-2 en el hogar de la familia de Rodríguez
Terrero, «Napoleoncito», uno de mis hermanos de prisión, encuentran
guardada una copia. Él me lo informa alarmado, pero lo calmo y me
quedo tranquilo. Pienso que está bien que hayan encontrado la copia.
Ya lo saben. Desde antes de septiembre mis compañeros están atentos
a lo que sucede en torno a mi caso. Están preocupados. Saben que los
Castro pueden hacer cualquier cosa para evitar mi salida. De otras celdas y de la mía, me llegan palabras de aliento y solidaridad que agradezco; espero con paciencia.

Durante más de un año he dedicado parte de mi tiempo a confec-
cionar collares y otras prendas de madera en miniatura; lo hago para

estar ocupado y llego a elaborar cosas que encuentro atractivas, aunque me cuesta conseguir materiales. No soy el único que se dedica a estos menesteres. Ernesto Díaz Rodríguez, en esta misma celda, hace maravillas con monedas de plata que obtiene de gente amiga. Otros presos tejen carteras muy bonitas con hilos que consiguen desbaratando toallas.

En esta prisión, los presos del cuarto piso tienen organizado un servicio de información, gracias a que disponen de varios radios pequeñitos, que pese a las rigurosas requisas entran clandestinamente en el penal durante las visitas. Cada uno de los operadores de estos pequeños receptores sintoniza una o más estaciones extranjeras, tales como La Voz de América, la BBC de Londres, Radio Exterior de España, Radio Canadá Internacional y Radio Netherland, así como estaciones de onda media ubicadas en Miami. Con las noticias obtenidas por esta vía se confecciona un boletín informativo que lleva por título *Pony Express* [1] y se lee de celda en celda sin que los carceleros se den cuenta.

De vez en cuando nos hacen violentas requisas en las que se llevan alguno de estos radios, conocidos en el lenguaje del presidio como «pericos».

Por suerte mi condena está concluyendo en un ambiente muy propicio para el dictador. Por un lado está tratando de mejorar sus relaciones con el gobierno norteamericano; por el otro, es el líder indiscutido de lo que se conoce como el tercer mundo. En su última visita a Naciones Unidas, su discurso fue respondido con una ovación. Con su ayuda los sandinistas han tomado el poder en Nicaragua, donde probablemente implantarán el primer estado comunista en Centroamérica. La guerrilla salvadoreña tiene su respaldo y el de Moscú. La actividad insurgente en Guatemala también es intensa. En Granada, desde que Maurice Bishop ha tomado el poder, la influencia castrista es cada día más fuerte. Si la Unión Soviética sigue respaldando la actividad guerrillera en Latinoamérica, Fidel cosechará nuevos triunfos. Tengo que pensar que, engreído y prepotente como es, ya no debe ver en mí ningún peligro. Sin embargo no tenían que matar a Rafael del Pino y lo hicieron. Los dos Castro son individuos obsesionados por el odio y el temor. Durante toda mi condena los oficiales que han tratado conmigo me han repetido incansablemente que no saldré vivo de la prisión. Ésa debe ser la conclusión lógica; o me espera un nuevo juicio o me asesinarán. Así que me condiciono para lo peor.

1. Dirigido por Rolando Ferrando y Ángel de Fana, entre otros. *(N. del A.)*

Con una hoja de acero que sirve habitualmente para cortar suelas, y que he conseguido por vía insospechada, comienzo la paciente labor de preparar un arma blanca, una especie de daga o puñal. La cuchilla es bastante grande, al extremo de que algunos compañeros, al ver cómo la trabajo, me preguntan:

—¡Hombre, qué es eso! ¿A quién le vas a arrancar la vida?

Les hago una seña para advertirles que guarden silencio; estoy convencido de que tenemos micrófonos ocultos en la celda. Les explico que preparo un regalo para un familiar, como recuerdo de la prisión.

Tengo también varios pomos de vidrio llenos de arena que me pueden servir para lanzar como proyectiles.

Cuando termino el arma la pongo dentro de una funda hecha con material de tubo plástico, de los que se usan en conexiones eléctricas. Envuelvo todo en una tela blanca muy firme. Coloco la funda con su daga en la parte interior del calzoncillo, de manera que si un día me llevan sorpresivamente, para liquidarme, pueda por lo menos defenderme. No quiero que me saquen de este mundo tan fácilmente.

Es el 7 de octubre. Estoy a dos semanas del final de mi condena. Entra un capitán a la celda y me dice:

—Vamos, Matos, tenemos que arreglar los asuntos relacionados con su salida de la prisión.

Voy a la dirección del penal con mi daga escondida, pegada al cuerpo. Allí me dicen que tienen que actualizar mi expediente y me toman más de cien fotos.

Mientras los carceleros me regresan por los pasillos, abriendo reja tras reja, dos fotógrafos continúan tomando fotos en una forma tan ridícula como provocativa. Pero mantengo la calma; no van a lograr que me moleste.

Transcurren diez días. Ahora es el coronel Medardo Lemus el que llega al Combinado del Este y viene hasta mi celda. Para mí este sujeto, sus torturas y crímenes, merecen unas cuantas páginas de la historia de horror del presidio político durante este régimen.

Estoy en shorts, porque el calor que hace aquí casi todo el año es muy fuerte. Antes de esta visita había guardado la daga en mi jaba, por temor a que trayéndola siempre conmigo, en algún descuido se notara.

—Vamos, vístase —dice Lemus—. Tenemos que completar los papeles para concederle su libertad.

Se muestra amable. Espera frente a mi rincón mientras me pongo los pantalones. Como me vigila no puedo sacar la daga de su escondite. Hago señas disimuladamente a Tony Lamas para que distraiga a Lemus. Tony trata pero no logra nada.

562

Es la una de la tarde del 17 de octubre; salimos de la celda, caminamos por el pasillo y apenas estoy fuera del edificio me extraña no ver a nadie. Lemus se da cuenta de que percibo algo raro.

—No te preocupes —comenta—. Hubo una fuga y no hay nadie trabajando en el penal.

Lo dudo. Vuelvo la cabeza y miro hacia el cuarto piso, una contraseña a mis compañeros de que hay algo raro. Ellos están observando tras las rejas de concreto.

—¿Qué está pasando aquí? ¿Adónde vamos?

—No, nada, quédate tranquilo. Ya verás, ya verás.

Advierto a Lemus:

—¡Óyeme, si me tienes preparada alguna trampa, sabrás que vamos a tener problemas gordos!

—No, no va a haber ningún problema —responde cínicamente.

—Bueno, ya veremos, tú sabes quién soy y cómo soy.

Para mis adentros, lamento no traer la daga. Vamos en dirección del hospital de la prisión, ubicado como a doscientos metros del edificio donde está mi celda. Cerca del hospital espera un auto Alfa Romeo con dos agentes; me hacen subir y salimos del perímetro de seguridad del penal hasta llegar frente a la dirección. Entramos a un salón suntuoso. El recinto está lleno de agentes represivos que me miran con hostilidad, algunos uniformados y otros de civil. Hay un grupo de ellos que por su rostro y actitud se denuncian como matones. «¡Qué encerrona!», me digo. Han traído esta pandilla para darme una paliza, se les nota la impaciencia. Todas las miradas están concentradas en mis movimientos. Otra vez pienso en el arma que no tengo encima.

—Siéntese ahí, tenemos que hablar con usted —me dice un coronel que se identifica como jefe de la Seguridad del Estado.

Conozco los métodos, ahora vienen los pretextos, la humillación. En la primera respuesta que no les guste me muelen a golpes. Siempre actúan así. Me toca ser víctima, pero voy a pelear.

Al sentarme, veo a mi izquierda una puerta cerrada. Atino a pensar que lo único por hacer cuando se me vengan encima, sería arrancar la cortina que cubre la puerta y defenderme con ella.

—Mire —me dice el coronel que permanece junto a Lemus—, lo hemos traído porque tenemos que hablar sobre su libertad. Para que ésta sea una realidad hay condiciones previas que usted tendrá que aceptar.

—Mi condena está a punto de concluir —le contesto—. Me faltan cuatro días. Los compañeros que han salido en libertad porque cumplieron la suya, se fueron a la calle sin que se discutiera absolutamente nada y sin condiciones. Es absurdo que me vengan con el cuento de poner condiciones a mi libertad.

—Sí, así será y antes tendrá que pasar por Villa Marista.

—Eso tampoco se lo impusieron a mis compañeros que están libres. Ni acepto condicionamientos ni voy a Villa Marista. Así que no pierdan más el tiempo.

—Tendrá que acatar lo que se le dice.

—Están equivocados, saben que no me asustan sus amenazas. Me di cuenta, apenas entré, de que es la típica encerrona. Lo veo en sus caras y por la actitud que tienen. Bien sé que hay aquí gente ducha en asesinar a sangre fría. Estoy dispuesto a lo que sea.

Me quito los lentes, sé lo que viene. Sigo hablando:

—Esperaba esto desde hace tiempo. Pueden matarme si les da la gana, hacerme pedacitos. Todavía me siento con fuerzas para reírme de ustedes y después de muerto los voy a acusar. Quedarán denunciados hasta mucho después del crimen y ustedes saben por qué se lo digo.

Me dirijo a Lemus, que me mira desorbitadamente.

—Y tú, Lemus, eres un consumado cobarde, una hiena, una perfecta hiena. Todas tus hazañas las conocemos bien en el presidio. Muchos crímenes tuyos se mantienen en la oscuridad pero los prisioneros los tienen muy presentes. Me has sacado engañado de la celda porque no te atreves a proceder de otro modo.

Eso de «no te atreves», dicho delante de toda la gente, provoca a Lemus. Airado, me dice:

—¡Qué te crees! ¡Claro que me atrevo a sacarte de la celda y de cualquier lado! ¡Y te llevo adonde quiera!...

Lívido, Lemus abandona un momento el recinto junto al otro coronel. Van a conferenciar. Me quedo sentado bajo la mirada atenta de los sicarios. Estoy preparado para la paliza o algo peor; no es la primera vez pero siento confianza, es una cuestión de principios. Recuerdo fugazmente y como un sueño, en medio de lo que estoy viviendo, una historia de Jack London donde su personaje está en Alaska, en uno de los peores días de frío, y debe salir de su casa de troncos hacia otra vivienda distante. Para él es realmente necesario hacerlo, aunque se arriesga a quedar congelado en la nieve. Pero no desiste de su propósito, sino que, por el contrario, abandona la casa y camina y camina, hasta que medio entumecido resuelve encender fuego con algunas ramas secas. Prende un fósforo y se le apaga; y otro. El viento le frustra el intento. Finalmente se queda sin fósforos. Los pocos que aún podían servirle se han mojado. Siente ya la congelación en las piernas. Su perro, que venía detrás de él, no está a la vista; ha desaparecido en la nieve. Entonces el hombre, consciente de que ése es el final, acepta su destino pero sin dejarse vencer moralmente. Quiere ver a la muerte cara a cara. Así la esperará, porque mientras el congelamiento avanza sobre su cuerpo, él afirma su voluntad de no derrumbarse ante lo inevitable. Es su último acto de dignidad.

Dentro de mis circunstancias, me toca ahora irme del mundo como el personaje de Jack London.

La gente del G-2 sólo aguarda instrucciones para caerme encima. Tras unos minutos de suspenso ingresa nuevamente Lemus al salón, y con dureza y fastidio me dice:

—Vamos, te voy a llevar a tu celda y luego te sacaré para que veas si tengo o no cojones.

Salimos del recinto y caminamos por el pasillo. No hemos caminado casi, cuando me atacan por la espalda; me dan puñetazos y puntapiés de los cuales me defiendo como puedo. Son tantos, que finalmente caigo al suelo y me dominan. Siguen golpeándome mientras me ponen las esposas y me empujan hacia el Alfa Romeo, que es un automóvil pequeño. Abren la puerta y me tiran sobre el piso del asiento trasero, donde se sientan dos esbirros que aprietan sus botas sobre mi cuerpo. No puedo moverme. Así me llevan por la carretera.

Lemus va en el asiento delantero junto al chofer. Se vuelve hacia atrás, me golpea con el puño por donde puede, con insistencia, con odio. Los que tienen sus botas sobre mí se enardecen con la brutalidad de su jefe y comienzan a patearme.

Trato de morder el puño de Lemus, que me está golpeando en la cara, cerca de la oreja, pero no lo logro. Después que intento la dentellada, me agarran violentamente por el pelo y me golpean la cabeza contra el piso y la sostienen con fuerza para que no pueda levantarla. Lo único que atino es a insultarlos, a decirle a Lemus cosas que quizá jamás ha oído y a maldecir a Fidel Castro y a todos los suyos. Sé que cada palabra que digo aumenta el castigo, pero no me importa. Los acuso de cobardes, reiterada y despreciativamente. Aprietan y golpean más duro. Me pueden moler a golpes pero sigo gritándoles.

Escucho a Lemus, de tanto en tanto, hablar por el micrófono de la microonda y decir: «Aquí vamos con el objetivo en rebeldía». «Aquí vamos con el objetivo en rebeldía…» Esta forma de reportar su situación me hace pensar que damos vueltas sin destino fijo por rutas que rodean la ciudad, o por zonas aledañas a ésta. No sé dónde estoy. Lo único que escucho son las imprecaciones de los guardias y el mensaje que envía Lemus por radio.

Súbitamente, el coronel Lemus dice:

—Matos, ¿así que tú creías que te íbamos a dejar en libertad?

—No —alcanzo a decir—, no les creí nunca, hijos de puta; pero ahora tendrán que matarme de una vez...

Queda ahí mi frase, porque vuelven las patadas y los golpes. Además, con el temor de que alguien pueda verme desde otro vehículo, me tapan con una manta. Estoy sofocado y adolorido.

El Alfa Romeo se detiene. Me bajan envuelto de pies a cabeza en la manta, estoy esposado. Me suben como un saco por las escaleras, hasta el tercer piso del cuartel general de la Seguridad del Estado, en Villa Marista. Cuando me quitan la manta lo que veo es algo inesperado, una celda de lujo, de las que usan para presos extranjeros que por diversas razones son detenidos y que el régimen no tardará en soltar. Los colman de atenciones, y cuando el prisionero abandona Villa Marista sale convencido de que el presidio cubano no es lo denunciado por muchos en el exilio.

En la celda me tiran boca arriba sobre una cama lujosa de doble colchón. Yo continúo gritando:

—¡Ustedes son la Gestapo!... ¡Ustedes son fascistas!... ¡Esbirros, hijos de puta!... ¡No tienen nada de hombres!... ¡Cobardes!

Vacilan un momento antes de quitarme las esposas. A pesar de mis constantes movimientos de inútil riposta, me sueltan las piernas y dejan libres mis manos. Salto y tomo una silla de caoba que está a mi izquierda. Me la arrebatan. Trato de agarrar una mesa también de caoba con cuatro patas muy fuertes. Me la arrebatan. En mi desesperación y acorralado todo viene bien. Me digo a mí mismo: ¡veinte años de injusta prisión!, amenazándome una y otra vez con que tengo que morir aquí adentro. ¡Hijos de puta! La furia me invade, el cuerpo me tiembla. Momentáneamente pierdo el equilibrio y voy al suelo.

Cuando caigo salen por la puerta y la cierran. Tomo la mesa con la violencia de un demente y la destrozo contra la puerta. Sin dilaciones, comienzo a romper todo lo que encuentro: el colchón, un lavamanos, la tubería del baño, el inodoro. Arranco los pedazos de loza y los arrojo contra las paredes, contra la puerta.

De forma increíble, he recuperado mi fuerza, tal vez más de lo habitual. Mientras desbarato lo que encuentro a mi paso, grito desaforadamente:

—¡Hijos de puta! ¡Maricones! ¡Mátenme! ¡Vengan, cobardes!...

Una hora después, entran varios esbirros y trato de agredirlos con la pata de la mesa. Son muchos y me agarran.

—Bueno, cálmese, cálmese... —me dice el coronel jefe del G-2—. Ha venido gente de Costa Rica por usted y tengo que llevarlo ante ellos. Tenemos que sacarle algunas fotos.

Mis insultos impiden al coronel proseguir con su anuncio. Un mayor, enfurecido, se abalanza sobre mí y grita:

—¡Vamos a matarlo ya, qué carajo!

Pero el coronel, con rápido movimiento, se interpone, lo agarra fuerte, y dice:

—¡No, no!... ¡Yo respondo por la vida de este hombre!

—Matos —me dice—, déjese de ofensas, le repito que debemos sacarle fotos. Son para su pasaporte, quedará libre.

Es inútil, nada puede controlarme. Se van y me dejan con mi tarea demoledora. Ni el tomacorriente se salva, no sé qué más destrozar y rompo lo que ya está desbaratado.

Cuando no tengo nada más que quebrar, camino de un lado al otro como un trastornado, gritando insultos y golpeando la puerta con la pata de la mesa.

Paso muchas horas solo. Estoy en guardia, creo que transcurren la noche y el día. Y otra noche más. Sin comer ni tomar agua. Los carceleros han cortado el agua después que arranqué las tuberías del lavamanos. Tengo una sed tremenda que se acentúa por los golpes recibidos, por la sudoración constante y por el estado de ansiedad que me invade.

Toda mi ropa está hecha jirones, sin botones y con algunas manchas de sangre. Estoy afónico, casi no puedo hablar. ¿Cuántas horas habrán pasado desde que se fueron los esbirros? Estarán esperando que el cansancio me venza. Transcurre el tiempo, que calculo en un día más. Vuelven y con rapidez se llevan los restos del colchón que está sobre la puerta. Enseguida me dicen:

—Mire, le vamos a dejar la puerta abierta. Pase a la celda de enfrente. Allí podrá meter todo el ruido que quiera, y olvídese, nosotros no lo vamos a matar. Tenemos que entregarlo a una delegación de Costa Rica. Así que métase en la otra celda, donde tendrá agua.

Pienso en la locura que sobreviene a los varios días de no tomar agua, y quiero evitar caer en un estado de atrofia mental en el que podrían hacerme claudicar.

Salgo y veo que de un lado y otro del pasillo hay guardias bloqueándolo. La puerta de la otra celda es una plancha de metal y está abierta. Con esa puerta voy a seguir el escándalo. Ingreso a la nueva celda y de vez en cuando hago mi estruendo para que sepan que todavía no me he amansado. Pero estoy agotado.

Me dejo caer sobre unas tablas que sirven como camas adosadas a la pared y pasan varias horas, es posible que una noche completa.

Eventualmente son los dolores del cuerpo los que me despiertan. Abren la puerta de la celda y aparece el coronel Blanco Fernández, al que he tratado antes, cuando tenía el grado de mayor. Salto de las tablas en actitud agresiva.

—No, Matos, basta de eso —me dice el oficial—, vengo en son de paz. Si yo hubiese estado aquí antes, esto se hubiera evitado. Sé que usted y yo podemos llegar a un arreglo.

—No, no hay arreglo posible, usted lo sabe.

—Mire, he venido a que busquemos una solución pacífica. Estaba en Santiago de Cuba y me mandaron a traer para este trámite con usted.

A Blanco Fernández no lo insulto. De todos los que actúan dentro del régimen con cargos significativos, él es de los menos malos. Siempre oficia de apaciguador; nunca me ha ofendido.

—Escuche bien esto —me dice—, tenemos que soltarlo. No nos queda otra alternativa que ponerlo en libertad.

—No le creo, así que puede irse como vino.

Trato de no oírlo y el hombre se va. Regresa en la noche y me anuncia:

—Matos, mañana lo pondremos en libertad. Están en La Habana unos diplomáticos de Costa Rica que han venido a buscarlo; entre ellos el hijo del presidente de ese país. Definitivamente no lo vamos a matar. Con su estado de salud le queda poco camino que recorrer en la vida, podrá irse a morir junto a los suyos. Las presiones que han hecho fuera de Cuba por usted han sido muy fuertes; no nos queda más remedio que dejarlo ir.

Lo dejo hablar, siento curiosidad.

—Hablé con su familia. Sus primas estarán acá mañana en la mañana. Tómese esto.

Me ofrece un jugo de frutas que deja en la tabla. Se mantiene a distancia.

—Después descanse —agrega—, tiene que estar presentable para el encuentro con su familia.

—Si salgo mañana como dice, iré a Yara, a la tumba de mi madre y a buscar a los míos; a mi padre, a mi hermana.

—No, su familia ya está aquí, nosotros la hemos traído.

—Miente, le he pedido a mi padre que no se mueva de allí.

—Es verdad, pero nosotros lo fuimos a buscar, créalo. Podrá irse del país con su padre y su hermana.

—No me iré de Cuba sin antes visitar la tumba de mi madre.

—Bueno, eso del cementerio lo discutiremos mañana.

Sale, dejándome algo alterado con las noticias, que todavía no puedo creer. Son demasiadas las veces que he escuchado: «Tú no saldrás jamás... tú te morirás aquí...». Lemus me lo repitió con cinismo cuando me traían en el carro. ¿Cómo puedo creer ahora?

Trato de descansar. Reflexiono: Si es cierto que me van a dejar en libertad, ¿cómo interpretar la golpiza que me han dado? Únicamente como una cobarde venganza de Fidel porque no logró que me plegara. No sé.

Pienso, por momentos, que mi libertad es posible. Tirado aquí, sobre este camastro, recuerdo lo que me dijo Rolando Ferrando, uno de los compañeros que estaban en el Combinado del Este:

—Oye, Huber, te van a soltar. Tienen que soltarte.

—Eso dicen, pero no lo creo.

—Esta noche quiero que escuches mi radio, que a pesar de su tamañito capta muy bien las emisoras extranjeras. Quiero que te enteres de lo que dicen afuera de tu libertad. Han estado repitiendo con insistencia que Huber Matos sale este mes de la prisión.

Escuché la radio y en efecto se decía que el 21 de octubre saldría para Costa Rica.

Blanco Fernández me dice que mi salud es precaria. Tal vez me suelten porque creen que no voy a durar. Es cierto, estoy muy deteriorado. Sin embargo, debo darle más crédito a la campaña internacional en que parlamentarios de varias naciones y organizaciones sindicales han hecho continuas gestiones a favor de mi libertad.[1] Hace tiempo supe que Amnistía Internacional me ha nombrado prisionero de conciencia. Las denuncias ante la Comisión de Derechos Humanos de las Naciones Unidas deben haber ejercido presión. También sé que en muchas partes hay personas que se preocupan por mi situación y rezan por mí. Pero no quiero hacerme ilusiones.

El país está en crisis, la economía no responde; esto funciona por los subsidios soviéticos. El interés de Fidel en negociar con Estados Unidos significaría otra paradójica y favorable circunstancia. Un grupo de senadores y representantes del Congreso norteamericano le ha hecho llegar una petición en la que dicen que «la liberación de Huber Matos podría ayudar a mejorar las relaciones entre los dos países».

Durante el tiempo que he estado preso, varios gobiernos de Costa Rica de una u otra forma han gestionado mi libertad. Seguramente mi

1. La Federación Americana de Trabajadores (AFL-CIO) fue muy activa. Entre sus dirigentes se destacaron Lane Kirkland, Tom Khan, William Doherty y Jack Otero. *(N. del A.)*

hijo, que vive allá, habrá intercedido por mí. Ahora el presidente Rodrigo Carazo parece haber tomado una iniciativa relevante, y me hace pensar que quizá sea cierto que una misión de Costa Rica ha venido a buscarme. Pero... ¿cómo puedo creer esa fábula? No sé.

Mis nervios están excitados y no puedo dormir. Camino atolondradamente por la celda, me tiro en el camastro. Pronto amanecerá y veremos qué sucede.

Estoy fatigado pero mi cerebro está en ebullición. Soy un animal acosado y adolorido, en el que sobreviven rasgos de humanidad y un rayito de luz. Un hombre que en medio de las tinieblas se niega a claudicar ante el odio. Mi racionalidad anda por el suelo, o me ha abandonado completamente. Aunque sea así, yo no olvidaré el compromiso con mis hermanos muertos. Quizás estoy en la frontera que delimita la demencia de la razón. No lo sé. ¿Qué más da que me excarcelen o me dejen por siempre en estos pudrideros destinados a la destrucción de seres humanos? ¡No! ¡Me tienen que devolver mi libertad aunque sólo quede una sombra del hombre al que encarcelaron injustamente hace un montón de años! Ya no soy aquel profesor que consagraba lo mejor de su vida a formar maestros, inspirado en el afán de servir a nuestra república. ¿Me estarán tratando de manipular con este cuento de mi libertad? Quiero y no quiero creerlo. Si no han podido conseguir de mí un instante de debilidad en estos largos años, ahora no lo lograrán. ¡O me sueltan o me tienen que liquidar!

Mi cabeza no descansa. ¡Cuánto daño me han hecho! Me han robado arbitrariamente veinte años de mi vida. Me privaron de María Luisa y de nuestros hijos, haciéndolos sufrir desde muy niños. ¡Cuánto dolor llevó mi madre a su tumba! Y mi padre, ¿qué será de mi padre? Hace veinte años, a los setenta y cuatro de edad, prometió que no moriría hasta verme en libertad y está esperándome. ¿Me abrazará vivo o ya muerto?

Pero todo esto es insignificante ante lo que ha pasado a mi patria. ¡Cuánto daño le ha hecho a Cuba esta gavilla de bribones capitaneados por Fidel Castro! Él es el gran culpable. Son incontables sus crímenes. Pero el peor ha sido la traición. No una traición, sino muchas:

Convocó al pueblo de Cuba a la lucha contra un dictador para restablecer la democracia, y luego de que miles de jóvenes perdieron su vida en ese afán, pisoteó su sacrificio estableciendo otra dictadura mucho más férrea y ultrajante que la anterior. Nuestro país se ha convertido en el feudo de su perversidad y sus caprichos.

Hizo de la República, con toda la sangre y las vidas que costó la Independencia, una semicolonia de la Unión Soviética y un instrumento de su política expansionista.

Llevó a morir a miles de compatriotas en guerras completamente ajenas a nuestra nación, en un negocio mercenario con Moscú que le garantizó la permanencia en el poder.

Ha obligado al pueblo a vivir con una máscara. Acabó con la fe de millones de buenos ciudadanos, enseñándolos a vivir con miedo y con odio, obligando al hermano a delatar a su hermano y el hijo a su padre. Ha tratado de matar a Dios en la mente y el corazón de los cubanos; todo en nombre de un falso evangelio, de una nueva inquisición que esclaviza a los pueblos.

Estos y muchos otros crímenes han tenido lugar mientras miles de hombres y mujeres hemos vivido encadenados en las tinieblas, tratando de salvar el sentimiento del amor en nuestro corazón, en una lucha contra el odio y la desesperanza.

Hoy... ¿Será hoy el día? ¡Cuánto tengo que dejar aquí entre muros y rejas, soledad y vejaciones, fraternidad y deslealtades, terror y heroísmo! Me llevo el dolor y la esperanza de los que quedan, hombres y mujeres en este mundo de horrores. ¡Si es que me voy! ¿Y si no me voy? Si no me voy me queda la satisfacción de haber resistido la adversidad convirtiendo el cautiverio en una afirmación de voluntad e ideales. Mi compromiso está en pie, camino a la muerte o a la libertad.

He luchado por una patria sin amo, en la que los cubanos podamos construir nuestro propio destino en paz y libertad, sin odio y sin miedo. En mis afanes o mis sueños no me ha motivado solamente el bien de mi país, sino también el de esa gran patria común que es la Humanidad.

Alguien que está más allá de lo terrenal y transitorio ha dicho: «La verdad os hará libres». No hay lugar, por recóndito que sea, donde la verdad no pueda llegar, reviviendo todo, transformando y devolviendo la fe a los hombres. La verdad nos hace libres. Y la libertad nos da la fuerza para defender la verdad.

Un sargento del G-2 me dice:
—Vístase, usted se va hoy.

Apéndices

CARTA DE RENUNCIA DE HUBER MATOS

Camagüey, octubre 19 de 1959

Dr. Fidel Castro Ruz
Primer ministro
La Habana

Compañero Fidel:

En el día de hoy he enviado al jefe del Estado Mayor, por conducto reglamentario, un radiograma interesando mi licenciamiento del Ejército Rebelde. Por estar seguro que este asunto será elevado a ti para su solución y por estimar que es mi deber informarte de las razones que he tenido para solicitar mi baja del ejército, paso a exponerte las siguientes conclusiones:

Primera: no deseo convertirme en obstáculo de la Revolución y creo que teniendo que escoger entre adaptarme o arrinconarme para no hacer daño, lo honrado y lo revolucionario es irse.

Segunda: por un elemental pudor debo renunciar a toda responsabilidad dentro de las filas de la Revolución, después de conocer algunos comentarios tuyos de la conversación que tuviste con los compañeros Agramonte y Fernández Vila. Coordinadores Provinciales de Camagüey y La Habana, respectivamente: si bien en esta conversación no mencionaste mi nombre, me tuviste presente. Creo igualmente que después de la sustitución de Duque y de otros cambios más, todo el que haya tenido la franqueza de hablar contigo del problema comunista debe irse antes de que lo quiten.

Tercera: sólo concibo el triunfo de la Revolución contando con un pueblo unido, dispuesto a soportar los mayores sacrificios... porque vienen mil dificultades económicas y políticas..., y ese pueblo unido y combativo no se logra ni se sostiene si no es a base de un programa que satisfaga parejamente sus intereses y sentimientos, y de una dirigencia que capte la problemática cubana en su justa dimensión y no como cuestión de tendencia ni lucha de grupos.

Si se quiere que la Revolución triunfe, dígase adónde vamos y cómo vamos, óiganse menos los chismes y las intrigas, y no se tache de reaccionario ni de conjurado al que con criterio honrado plantee estas cosas. Por otro lado, recurrir a la insinuación para dejar en entredicho a figuras limpias y desinteresadas que no aparecieron en escena el primero de enero, sino que estuvieron presentes en la hora del sacrificio y están responsabilizados en esta obra por puro idealismo, es además de una deslealtad, una injusticia, y es bueno recordar que los grandes hombres comienzan a declinar cuando dejan de ser justos.

Quiero aclararte que nada de esto lleva el propósito de herirte, ni de herir a otras personas: digo lo que siento y lo que pienso con el derecho que me asiste en mi condición de cubano sacrificado por una Cuba mejor. Porque aunque tú silencies mi nombre cuando hablas de los que han luchado y luchan junto a ti, lo cierto es que he hecho por Cuba todo lo que he podido ahora y siempre. Yo no organicé la expedición de Cieneguilla, que fue tan útil en la resistencia de la ofensiva de primavera para que tú me lo agradecieras, sino por defender los derechos de mi pueblo, y estoy muy contento de haber cumplido la misión que me encomendaste al frente de una de las columnas del Ejército Rebelde que más combates libró. Como estoy muy contento de haber organizado una provincia tal como me mandaste. Creo que he trabajado bastante y esto me satisface porque independientemente del respeto conquistado en los que me han visto de cerca, los hombres que saben dedicar su esfuerzo en la consecución del bien colectivo, disfrutan de la fatiga que proporciona el estar consagrado al servicio del interés común. Y esta obra que he enumerado no es mía en particular, sino producto del esfuerzo de unos cuantos que, como yo, han sabido cumplir con su deber. Pues bien, si después de todo esto se me tiene por un ambicioso o se insinúa que estoy conspirando, hay razones para irse, si no para lamentarse de no haber sido uno de los tantos compañeros que cayeron en el esfuerzo.

También quiero que entiendas que esta determinación, por meditada, es irrevocable, por lo que te pido no como el comandante Huber Matos, sino sencillamente como uno cualquiera de tus compañeros de la Sierra —¿te acuerdas? De los que salían dispuestos a morir cumpliendo tus órdenes–, que accedas a mi solicitud cuanto antes, permitiéndome regresar a mi casa en condición de civil sin que mis hijos tengan que enterarse después, en la calle, que su padre es un desertor o un traidor.

Deseándote todo género de éxitos para ti en tus proyectos y afanes revolucionarios, y para la patria —agonía y deber de todos— queda como siempre tu compañero,

Huber Matos

Nosotros, los abajo firmantes, presos políticos que hemos resistido sin claudicación durante casi veinte años el régimen carcelario más oprobioso y abusivo de América a lo largo de su historia, desde una posición vertical de rebeldía, consolidado por un rosario de mártires y una elevada cuota de sangre, sacrificios y humillaciones, informados y convencidos de que se está utilizando la cuestión de nuestra posible liberación como engañosa maniobra que compromete seriamente al exilio y nos afecta muy directamente, exponemos por este medio, en esta fecha patria memorable, de manera clara y precisa nuestra posición:

Primero: abogamos por la libertad de todos los presos políticos sin exclusión y por la reunificación de las familias cubanas. Para esto sólo hay que ordenar: a) que se abran las rejas de todos los presidios de Cuba para que las mujeres y hombres componentes de este presidio y que tanto han padecido puedan reunirse con sus familias y b) autorizar igualmente a los cubanos residentes en el territorio nacional o en el extranjero, la entrada y salida del país que han estado solicitando, o que lo hicieran en el futuro, para unirse temporal o definitivamente a sus respectivos familiares. Pero para ninguna de estas medidas hay que acudir a diálogo alguno. Que hable el gobierno con hechos concretos si es que desea rectificar en algo su política de dispersión de la familia cubana. Tiene escasa fuerza moral para convocar al diálogo quien ha sembrado el luto y el odio en los hogares cubanos y ha dividido y mantenido arbitrariamente separada a la familia cubana.

Segundo: repudiamos el diálogo entre el gobierno de Castro y supuestos representantes del exilio cubano, diálogo que con el aval de nuestras experiencias derivadas de los horrores, atropellos y rejuegos característicos del régimen, no es más que una farsa montada por el señor Castro con el propósito de engañar al pueblo de Cuba y al mundo en general; y muy especialmente se pretende engañar y dividir al exilio con huecas palabras de paz y conciliación cuando en la realidad se está atizando muy sutilmente la guerra entre los cubanos, que imposibilitados de vivir bajo condiciones despóticas en el suelo patrio, hallaron refugio y levantaron sus hogares en otras tierras.

Tercero: repudiamos asimismo cualquier tipo de diálogo o compromiso que signifique libertad a precio de claudicación. Nadie, absolutamente nadie, personalidad o miembro de la emigración cubana, está autorizado para concertar con el gobierno de Cuba nuestra libertad a cambio de concesiones de nuestra parte. Nuestra libertad tiene que ser sin condiciones conforme a nuestra indoblegable posición histórica mantenida con singular estoicismo. Igualmente, ninguna de esas personas podrá adjudicarse nuestra liberación el día que se produzca.

Cuarto: si Castro y su gobierno entienden que es poco el precio pagado por el presidio político, con su carga de mártires, sus inválidos, sus locos, sus mutilados, sus tapiados, sus cumplidos y recondenados, sus heroicas mujeres envejecidas pero activas frente a los golpes y las rejas; en fin, si creen que es poco el precio pagado con tan inmensa suma de sacrificio y dolor humano, pueden hacer lo que mejor estimen. Nosotros estamos seguros de tener aún reservas morales para mantenernos firmes y decididos frente a la represión como lo hemos estado desde hace casi veinte años.

No negociamos nuestra libertad porque no negociamos nuestros principios.

Osvaldo Figueroa Gálvez, Victor M. Canton Rodríguez, Cecilio E. de la Fe Mirabal, Eduardo F. Capote Rodríguez, Roger Reyes Hernández, Antonio López Muñoz, Silvino Rodríguez Barrientos, Reynaldo Figueroa Gálvez, Ramón Grau Alsina, Alberto Grau Sierra, Rodolfo Rodríguez San Román, Ramón San Román Novo, Agustín Robaina Rodríguez, Heriberto Bacallao Espinosa, Gustavo Areces Álvarez, Huber Matos Benítez, Jesús Silva Pontigo, Servando Infante Jiménez, Argelio Aparicio Betancourt, Luis Zúñiga Rey, José Pujals Mederos, Remberto Zamora Chirino, Eugenio Silva Gil, Tebelio Rodríguez San Román, Gerardo Rodríguez San Román, Pablo Guerra Santos, Francisco Chanes de Armas, Mario Chanes de Armas, Israel Estevez Velázquez, Eleno Oviedo Álvarez, Domingo Madruga Herrera, Ángel de Fana Serrano, José O. Rodríguez Terrero, Waldo Muñoz Fraga, Armando Yon Martínez, Baldomero Pérez Álvarez, Pablo Prieto Castillo, Jorge Águila Roque, Juan Valdés Terán, Guillermo Escalada Montalvo, Lázaro Frayle Vichot, Omelio Rodríguez Hidalgo, Eloy Rodríguez Rodríguez, Felipe Alonso Herrera, Fernando Fernández Mesa, Mario Peraza Martí, Dagoberto Rodríguez Acevedo, Pedro Santana Camejo, Isidro García Arrieta, Miguel A. Lucena López, Miguel A. Fernández García, Amado Ravelo Travieso, Armando Martínez Echevarría, Bruno Salas Ledo, Santiago Méndez, Rudesindo Rodríguez Blanco, Justo Amaro Balado, Ramón García Salcedo, Roberto Alberto Azcuy Cruz, José A. López Rodríguez, Oscar Legra Galano, Genaro Dita Morfa, Raúl Arteaga Martínez, Jesús Pérez Cruz, Norberto Abreu Guzmán, René L. San Juan Rivadulla, Manuel Hernández Cruz, Raúl Morales López, Nilo Raúl Ledón Pérez, Raúl Alonso Parra, Everett D. Jackson, Ignacio Cuesta Valle, José E. Velazco Santa Cruz, Joaquín Valdés Curbelo, Vidal Sánchez Vega, Elías Acevedo Santiago, Anselmo Gala Medero, Roberto R. Álvaro Díaz Díaz, Nestor Ruidiaz Marichal, Arnaldo Fraga López, Guillermo Cáceres Izquierdo, Carlos M. Portela Orosa, Edilberto Llerena Abreu,

Domingo Núñez Trujillo, Oreste T. Espinosa González, Nerín Sánchez Infante, Enrique Vázquez Rosales, Teodoro González Alvarado, Reinaldo Pérez Rodríguez, Rigoberto Pérez Roque, Ramón Placeres Alfaro, Arnaldo Castellanos Esquivel, Troadio Martínez Bartolomé, José M. del Pino González, Marcelo Morgado Cruz, Ramón Rodríguez Lago, Juan González González, Eladio Ruiz Sánchez, José R. Lefran Echeverría, Wilfredo Martínez Roque, Manuel Valdés Ponce, Eliodoro Pérez Lizano, Miguel Mendoza Rojas, Herminio Gómez Suárez, Juan R. Díaz González, Evaristo Paulino Jiménez, Eusebio Peñalver Mazorra, Ramón Hernández Padrón, José M. Soca Domínguez, Wilfredo A. Echeverría Alpuin, Delio Blando Soto, Rafael Alzamora Álvarez, Dagoberto Romero Figueredo, Angel R. Arguelles Garrido, Luis Cruz Díaz, Orlando García Placencia, Óscar Cáceres Valdivia, Raúl Núñez Valdés, Juan F. Valdés Camejo, René Ramos González, Carlos Calvo Sanabria, Orlando Pedroso Monagas, Alejandro M. Novo Álvarez, Jacinto Bao Ramos, Ernesto Palomeque Bussier, Juan González Ruiz, Fabio Ramos Molina, Pedro M. Montey Hernández, Juvencio Díaz González, José Grau Suarez, Andrés Vargas Gómez, Julio Enrique Lamar, Enrique García Palomino, Tomás Regalado Molina, Vicente Salazar López, Antonio Sánchez Pérez, Claudio Rodríguez Molina, Aldo Cabrera Heredia.

Índice onomástico

583

Últimas biografías, autobiografías y memorias en Tusquets Editores

La caída de París (Andanzas 191)
14 de junio de 1940
Crónica
Herbert Lottman

Gertrude y Alice (Andanzas 199)
Biografía
Diana Souhami

Federico Sánchez se despide de ustedes (Andanzas 202 y Fábula 52)
Memorias
Jorge Semprún

Siglo de caudillos (Andanzas 207/1)
Biografía política de México (1810 -1910)
VI Premio Comillas
Enrique Krauze

Biografía del poder (Andanzas 207/2)
Caudillos de la Revolución
mexicana (1910 -1940)
Biografía
Enrique Krauze

La presidencia imperial (Andanzas 207/3)
Ascenso y caída del sistema político
mexicano (1940-1996)
Biografía
Enrique Krauze

Memorias (Andanzas 210)
Infancia, adolescencia y cómo se hace un escritor
Adolfo Bioy Casares

La Rive Gauche (Andanzas 216)
La elite intelectual y política en Francia
entre 1935 y 1950
Biografía
Herbert Lottman

Derrotas y esperanzas (Andanzas 223)
La República, la Guerrra Civil y la Resistencia
Memorias
VII Premio Comillas
Manuel Azcárate

Yo soy mi propia mujer (Andanzas 225)
Una vida
Memorias
Charlotte von Mahlsdorf

Rafael Alberti en Ibiza (Andanzas 232)
Seis semanas del verano de 1936
Crónica biográfica
Antonio Colinas

La escritura o la vida (Andanzas 237 y Fábula 61)
Memorias
Jorge Semprún

Charlotte Brontë (Andanzas 256)
Una vida apasionada
Biografía
Lyndall Gordon

Borges. Esplendor y derrota (Andanzas 261 y Fábula 110)
Biografía
VIII Premio Comillas
María Esther Vázquez

Gala (Andanzas 266)
Biografía
Dominique Bona

Los Rothschild (Andanzas 272)
Historia de una dinastía
Biografía
Herbert Lottman

Tan lejos, tan cerca (Andanzas 352 y Fábula 176)
Mi vida
Autobiografía
XI Premio Comillas
   Adolfo Marsillach

Recuerdos de una mujer de la generación del 98 (Andanzas 354)
Memorias
   Carmen Baroja

El expediente (Andanzas 362)
Una historia personal
Testimonio
   Timothy Garton Ash

Al sur de Granada (Fábula 79)
Memorias
   Gerald Brenan

El furor y el delirio (Andanzas 363)
Itinerario de un hijo de la Revolución cubana
Memorias
   Jorge Masetti

Bogart (Andanzas 366)
Biografía
   A.M. Sperber y E. Lax

El contorno del abismo (Andanzas 371)
Vida y leyenda de L.M. Panero
Biografía
   J. Benito Fernández

El aire de Chanel (Fábula 125)
Biografía
   Paul Morand

Aquel domingo (Andanzas 387)
Memorias
   Jorge Semprún